핀란드
4학년
수학 교과서

초등학교 학년 반

이름

QR코드를 스캔하면 놀이 수학
동영상을 보실 수 있습니다.

핀란드 4학년 수학 교과서 4-1 1권

초판 1쇄 발행 2022년 1월 10일
초판 2쇄 발행 2022년 9월 30일

지은이 파이비 키빌루오마, 킴모 뉘리넨, 피리타 페랄라, 페카 록카, 마리아 살미넨, 티모 타피아이넨
그린이 미리야미 만니넨 **옮긴이** 박문선 **감수** 이경희, 핀란드수학교육연구회
펴낸이 정혜숙 **펴낸곳** 마음이음

책임편집 이금정 **디자인** 디자인서가
등록 2016년 4월 5일(제2018-000037호)
주소 03925 서울시 마포구 월드컵북로 402 9층 917A(상암동 KGIT센터)
전화 070-7570-8869 **팩스** 0505-333-8869
전자우편 ieum2016@hanmail.net
블로그 https://blog.naver.com/ieum2018

ISBN 979-11-92183-04-6 64410
979-11-92183-03-9 (세트)

책값은 뒤표지에 있습니다.

어린이제품안전특별법에 의한 제품표시
제조자명 마음이음 **제조국명** 대한민국 **사용연령** 만 10세 이상 어린이 제품
KC마크는 이 제품이 공통안전기준에 적합하였음을 의미합니다.

핀란드 4학년 수학 교과서

4-1

1권

글 파이비 키빌루오마, 킴모 뉘리넨, 피리타 페랄라,
페카 록카, 마리아 살미넨, 티모 타피아이넨
그림 미리야미 만니넨
옮김 박문선
감수 이경희(전 수학 교과서 집필진), 핀란드수학교육연구회

마음이음

핀란드 학생들이 수학을 잘하고 수학 흥미도도 높은 비결은?

우리나라 학생들이 수학 학업 성취도가 세계적으로 높은 것은 자랑거리이지만 수학을 공부하는 시간이 다른 나라에 비해 많은 데다, 사교육에 의존하고, 흥미도가 낮은 건 숨기고 싶은 불편한 진실입니다. 이러한 측면에서 사교육 없이 공교육만으로 국제학업성취도평가(PISA)에서 상위권을 놓치지 않는 핀란드의 교육 비결이 궁금하지 않을 수가 없습니다. 더군다나 핀란드에서는 숙제도, 순위를 매기는 시험도 없어 학교에서 배우는 수학 교과서 하나만으로 수학을 온전히 이해해야 하지요. 과연 어떤 점이 수학 교과서 하나만으로 수학 성적과 흥미도 두 마리 토끼를 잡게 한 걸까요?

- 핀란드 수학 교과서는 수학과 생활이 동떨어진 것이 아닌 친밀한 것으로 인식하게 합니다. 그래서 시간, 측정, 돈 등 학생들은 다양한 방식으로 수학을 사용하고 응용하면서 소비, 교통, 환경 등 자신의 생활과 관련지으며 수학을 어려워하지 않습니다.

– 교과서 국제 비교 연구에서도 교과서의 삽화가 학생들의 흥미도를 결정하는 데 중요한 역할을 한다고 했습니다. 핀란드 수학 교과서의 삽화는 수학적 개념과 문제를 직관적으로 쉽게 이해하도록 구성하여 학생들의 흥미를 자극하는 데 큰 역할을 하고 있습니다.

– 핀란드 수학 교과서는 또래 학습을 통해 서로 가르쳐 주고 배울 수 있도록 합니다. 교구를 활용한 놀이 수학, 조사하고 토론하는 탐구 과제는 수학적 의사소통 능력을 향상시키고 자기 주도적인 학습 능력을 길러 줍니다.

– 핀란드 수학 교과서는 창의성을 자극하는 문제를 풀게 합니다. 답이 여러 가지 형태로 나올 수 있는 문제, 스스로 문제 만들고 풀기를 통해 짧은 시간에 많은 문제를 푸는 것이 아닌 시간이 걸리더라도 사고하며 수학을 하도록 합니다.

– 핀란드 수학 교과서는 코딩 교육을 수학과 연계하여 컴퓨팅 사고와 문제 해결을 돕는 다양한 활동을 담고 있습니다. 코딩의 기초는 수학에서 가장 중요한 논리와 일맥상통하기 때문입니다.

핀란드는 국정 교과서가 아닌 자율 발행제로 학교마다 교과서를 자유롭게 선정합니다. 마음이음에서 출판한 『핀란드 수학 교과서』는 핀란드 초등학교 2190개 중 1320곳에서 채택하여 수학 교과서로 사용하고 있습니다. 또한 이웃한 나라 스웨덴에서도 출판되어 교과서 시장을 선도하고 있지요.

코로나로 인한 온라인 수업으로 학습 격차가 커지고 있습니다. 다행히 『핀란드 수학 교과서』는 우리나라 수학 교육 과정을 다 담고 있으며 부모님 가이드도 있어 가정 학습용으로 좋습니다. 자기 주도적인 학습이 가능한 『핀란드 수학 교과서』는 학업 성취와 흥미를 잡는 해결책이 될 수 있을 것으로 기대합니다.

이경희(전 수학 교과서 집필진)

수학은 흥미를 끄는 다양한 경험과 스스로 공부하려는 학습 동기가 있어야 좋은 결과를 얻을 수 있습니다. 국내에 많은 문제집이 있지만 대부분 유형을 익히고 숙달하는 데 초점을 두고 있으며, 세분화된 단계로 복잡하고 심화된 문제들을 다룹니다. 이는 학생들이 수학에 흥미나 성취감을 갖는 데 도움이 되지 않습니다.
공부에 대한 스트레스 없이도 국제학업성취도평가에서 높은 성과를 내는 핀란드의 교육 제도는 국제 사회에서 큰 주목을 받아 왔습니다. 이번에 국내에 소개되는 『핀란드 수학 교과서』는 스스로 공부하는 학생을 위한 최적의 학습서입니다. 다양한 실생활 소재와 풍부한 삽화, 배운 내용을 반복하여 충분히 익힐 수 있도록 구성되어 학생이 흥미를 갖고 스스로 탐구하며 수학에 대한 재미를 느낄 수 있을 것으로 기대합니다.

전국수학교사모임

수학 학습을 접하는 시기는 점점 어려지고, 학습의 양과 속도는 점점 많아지고 빨라지는 추세지만 학생들을 지도하는 현장에서 경험하는 아이들의 수학 문제 해결력은 점점 하향화되는 추세입니다. 이는 학생들이 흥미와 호기심을 유지하며 수학 개념을 주도적으로 익히고 사고하는 경험과 습관을 형성하여 수학적 문제 해결력과 사고력을 신장하여야 할 중요한 시기에, 빠른 진도와 학습량을 늘리기 위해 수동적으로 설명을 듣고 유형 중심의 반복적 문제 해결에만 집중한 결과라고 생각합니다.
『핀란드 수학 교과서』를 통해 흥미와 호기심을 유지하며 수학 개념을 스스로 즐겁게 내재화하고, 이를 창의적으로 적용하고 활용하는 수학 학습 태도와 습관이 형성된다면 학생들이 수학에 쏟는 노력과 시간이 높은 수준의 창의적 문제 해결력이라는 성취로 이어질 것입니다.

손재호(KAGE영재교육학술원 동탄본원장)

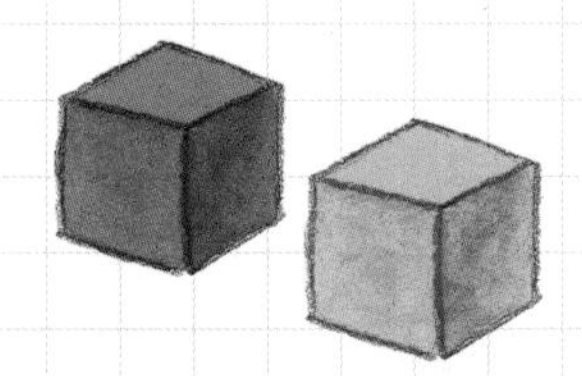

한국의 학생들에게

「핀란드 수학 교과서(Star Maths)」 시리즈를 펴낸 오타바(Otava) 출판사는 교재 전문 출판사로 120년이 넘는 역사를 지닌 명실상부한 핀란드의 대표 출판사입니다. 특히 「Star Maths」 시리즈는 핀란드 학교 현장의 수학 전문가들이 최신 핀란드 국립교육과정을 반영하여 함께 개발한 핀란드의 대표 수학 교과서입니다.

수 개념과 십진법을 이해하기 위한 탄탄한 기반을 제공하여 연산 능력을 키우고, 기본, 응용, 심화 문제 등 학생 개개인의 학습 차이를 다각도에서 고려하여 다양한 평가 문제를 실었습니다. 또한 친구 또는 부모님과 함께 놀이를 통해 문제 해결을 하며 수학적 즐거움을 발견하여 수학에 대한 긍정적인 태도를 갖도록 합니다.

한국의 학생들이 이 책과 함께 즐거운 수학 세계로 여행을 떠나길 바랍니다.

파이비 키빌루오마, 킴모 뉘리넨, 피리타 페랄라, 페카 록카,
마리아 살미넨, 티모 타피아이넨(STAR MATHS 공동 저자)

이 책의 구성

핀란드 수학 교과서, 왜 특별할까?

- 수학과 연계하여 컴퓨팅 사고와 문제 해결력을 키워 줘요.
- 교구를 활용한 놀이를 통해 수학 개념을 이해시켜요.

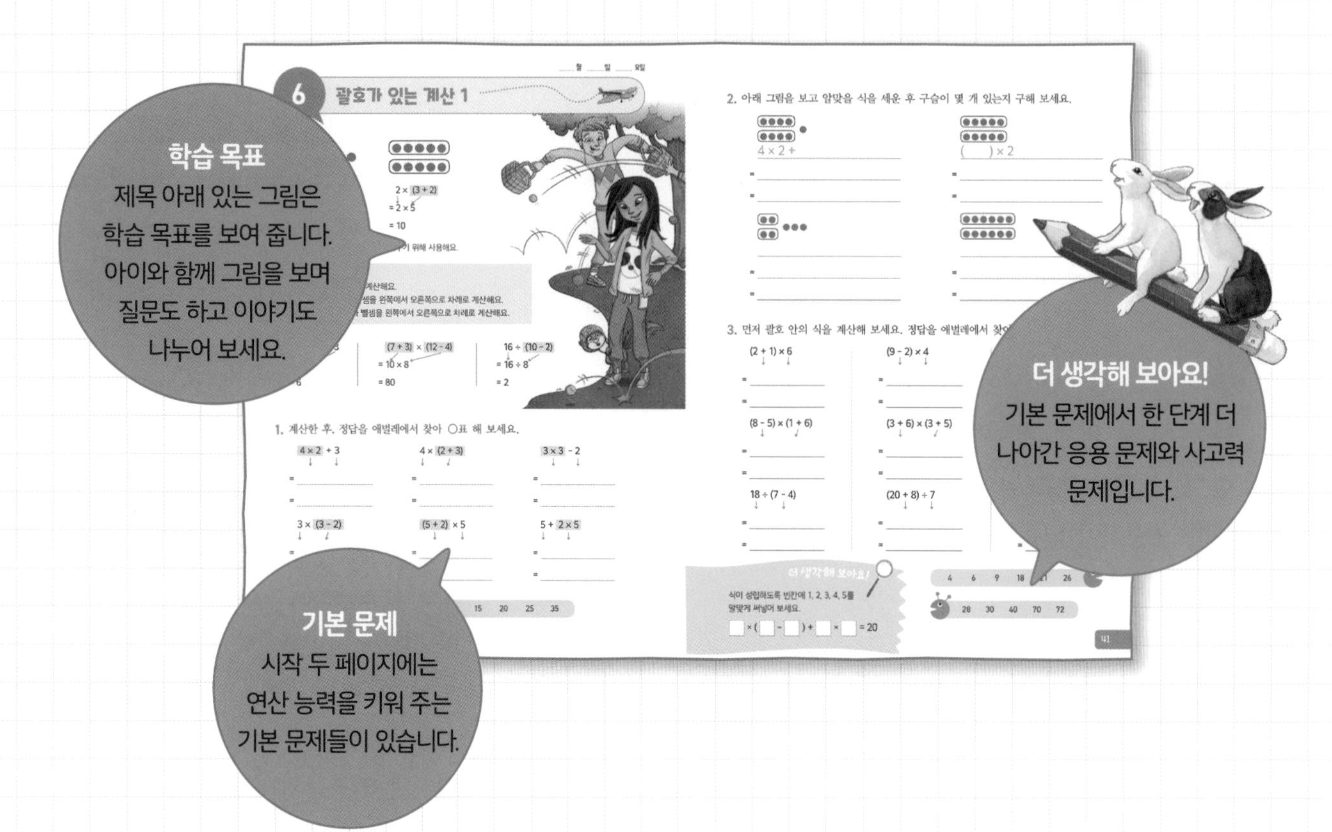

학습 목표
제목 아래 있는 그림은 학습 목표를 보여 줍니다. 아이와 함께 그림을 보며 질문도 하고 이야기도 나누어 보세요.
더 생각해 보아요!
기본 문제에서 한 단계 더 나아간 응용 문제와 사고력 문제입니다.
기본 문제
시작 두 페이지에는 연산 능력을 키워 주는 기본 문제들이 있습니다.

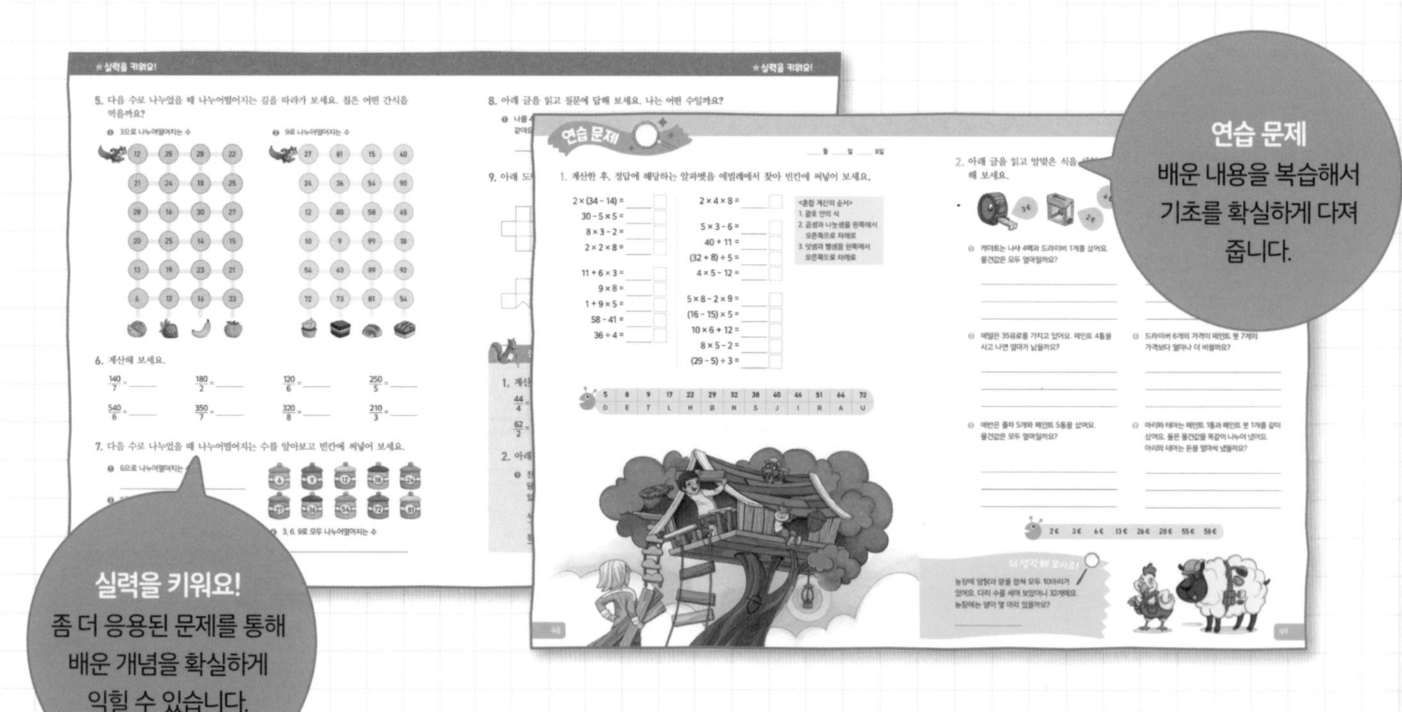

연습 문제
배운 내용을 복습해서 기초를 확실하게 다져 줍니다.
실력을 키워요!
좀 더 응용된 문제를 통해 배운 개념을 확실하게 익힐 수 있습니다.

- 수학적 이야기가 풍부한 그림으로 수학 학습에 영감을 불어넣어요.
- 수학적 구조를 발견하고 이해하게 하여 수학 공식을 암기할 필요가 없어요.
- 연산, 서술형, 응용과 심화, 사고력 문제가 한 권에 모두 들어 있어요.

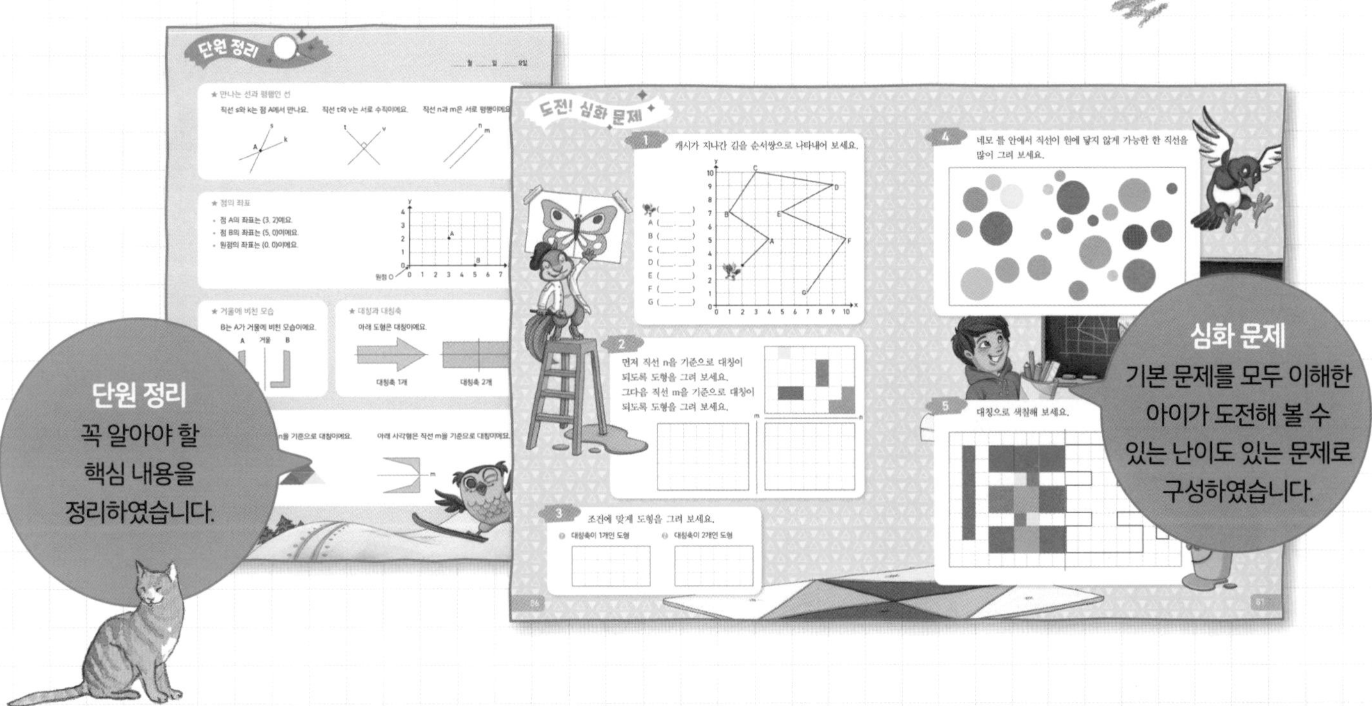

단원 정리
꼭 알아야 할 핵심 내용을 정리하였습니다.
심화 문제
기본 문제를 모두 이해한 아이가 도전해 볼 수 있는 난이도 있는 문제로 구성하였습니다.

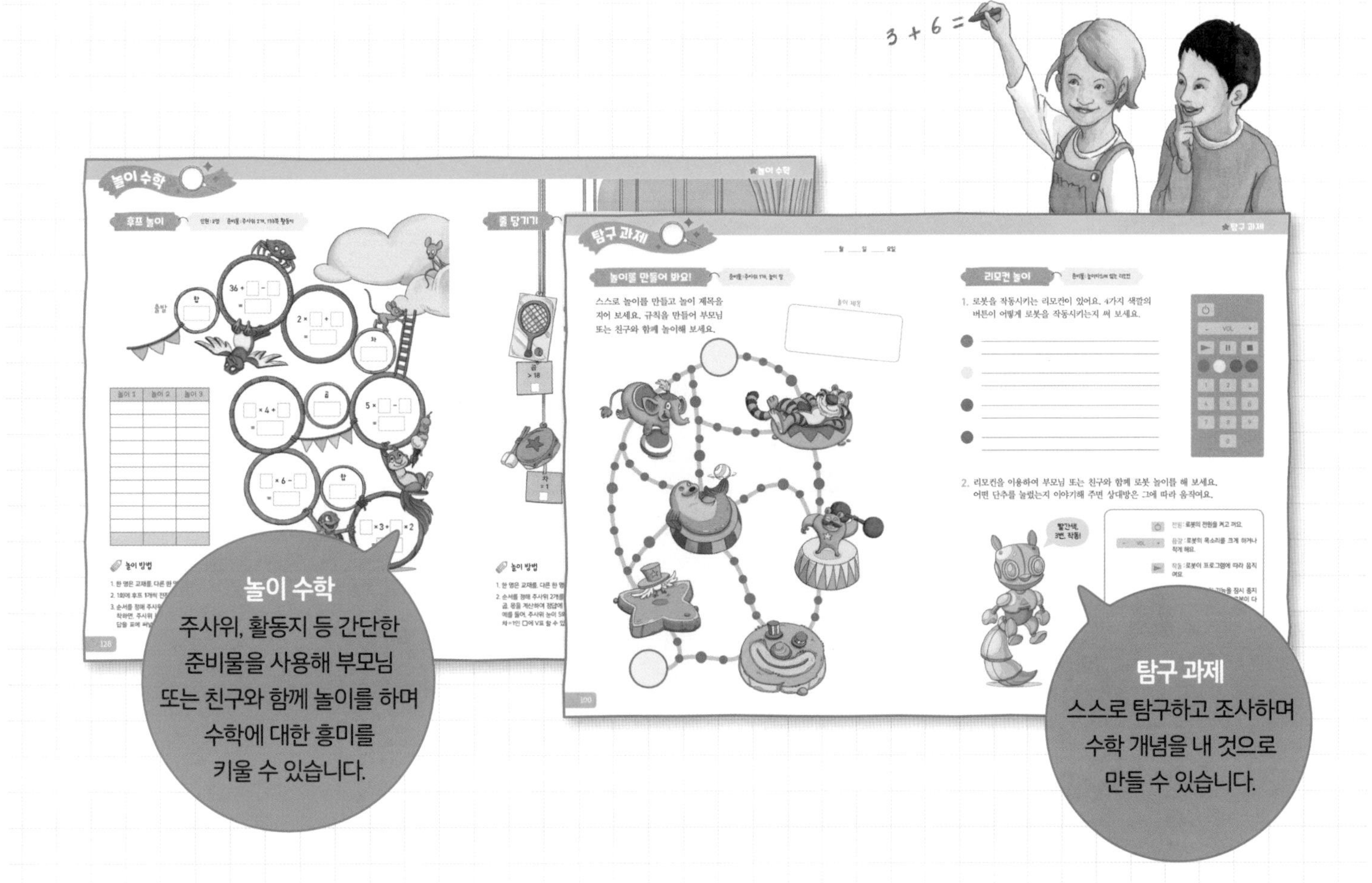

3 + 6 =
놀이 수학
주사위, 활동지 등 간단한 준비물을 사용해 부모님 또는 친구와 함께 놀이를 하며 수학에 대한 흥미를 키울 수 있습니다.
탐구 과제
스스로 탐구하고 조사하며 수학 개념을 내 것으로 만들 수 있습니다.

차례

핀란드 학생들이 수학을 잘하고 수학 흥미도도 높은 비결은? 4

추천의 글 6

한국의 학생들에게 7

이 책의 구성 8

1 합과 차 ······ 12

2 곱 ······ 16

3 몫 ······ 20

연습 문제 ······ 24

4 혼합 계산의 순서 ······ 28

5 혼합 계산의 식 세우기 ······ 32

연습 문제 ······ 36

6 괄호가 있는 계산 1 ······ 40

7 괄호가 있는 계산 2 ······ 44

연습 문제 ······ 48

실력을 평가해 봐요! ······ 54

단원 종합 문제 ······ 56

단원 정리 ······ 59

도전! 심화 문제 ······ 60

8 네 자리 수 ······ 62

9 세로셈으로 덧셈하기 ······ 66

10 세로셈으로 뺄셈하기 ······ 70

연습 문제 ······ 74

11 10, 100, 1000이 있는 곱셈하기 ······ 78

12 분배법칙을 이용하여 곱셈하기 ······ 82

실력을 평가해 봐요! ······ 86

단원 종합 문제 ······ 87

13 세로셈으로 곱셈하기 90
14 (몇십몇)X(몇십몇) 94
15 세 자리 수X두 자리 수 98
16 혼합 계산의 순서 102
연습 문제 106
실력을 평가해 봐요! 112
단원 종합 문제 114
단원 정리 117
도전! 심화 문제 118
혼합 계산의 순서 복습 120
세로셈 복습 124

놀이 수학
- 후프 놀이 128
- 줄 당기기 129
- 곱셈 어드벤처 130
- 1000 만들기 131
- 100 만들기 131

1 합과 차

합 합	차 차
9 + 7 = 16 (더하는 수)	16 − 9 = 7 (빼어지는 수, 빼는 수)
덧셈의 결과를 합이라고 해요.	뺄셈의 결과를 차라고 해요.

1. 덧셈을 계산해 보세요.

6 + 2 = _______ 8 + 2 = _______ 7 + 5 = _______

16 + 2 = _______ 18 + 2 = _______ 17 + 5 = _______

2. 뺄셈을 계산해 보세요.

8 − 5 = _______ 17 − 7 = _______ 13 − 6 = _______

18 − 5 = _______ 27 − 7 = _______ 23 − 6 = _______

3. 계산한 후, 정답을 애벌레에서 찾아 ○표 해 보세요.

5 + 5 = _______	8 + 4 = _______	10 − 3 = _______	14 − 8 = _______
25 + 5 = _______	48 + 4 = _______	50 − 3 = _______	34 − 8 = _______
45 + 5 = _______	88 + 4 = _______	90 − 3 = _______	54 − 8 = _______

6 7 10 12 26 30 40 46 47 50 52 77 87 92

4. 아래 글을 읽고 알맞은 식을 세워 답을 구해 보세요.

❶ 더하는 수는 9와 5예요.

식 : ______

정답 : ______

❷ 빼어지는 수는 15이고, 빼는 수는 6이에요.

식 : ______

정답 : ______

❸ 8과 13의 합은 얼마일까요?

식 : ______

정답 : ______

❹ 12와 5의 차는 얼마일까요?

식 : ______

정답 : ______

5. 아래 글을 읽고 알맞은 식을 세워 답을 구해 보세요.

❶ 알렉은 화요일에 6km를 달렸고, 목요일에는 7km를 달렸어요. 알렉은 모두 몇 km를 달렸을까요?

식 : ______

정답 : ______

❷ 엠마는 아침에 자전거를 12km 탔고, 오후에는 9km를 탔어요. 엠마는 자전거를 모두 몇 km 탔을까요?

식 : ______

정답 : ______

❸ 알렉의 엄마는 처음에 26km를 운전하고 이후에 35km를 더 운전했어요. 알렉의 엄마는 모두 몇 km를 운전했을까요?

식 : ______

정답 : ______

❹ 도로 길이가 총 76km인데 그중 29km를 포장했어요. 포장하지 않은 도로는 몇 km일까요?

식 : ______

정답 : ______

더 생각해 보아요!

합이 15이고, 차가 3인 두 수를 생각해 보세요.

______, ______

6. 가로와 세로 세 수의 합이 제시된 수가 되도록 빈칸에 알맞은 수를 넣어 보세요.

❶ 합이 **40**이 되도록 채워 보세요.

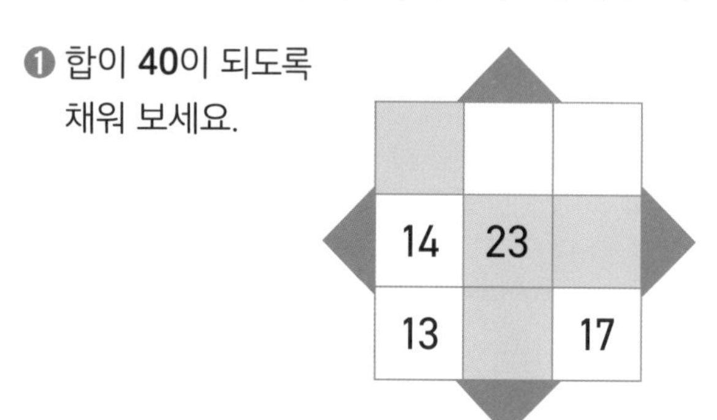

❷ 합이 **75**가 되도록 채워 보세요.

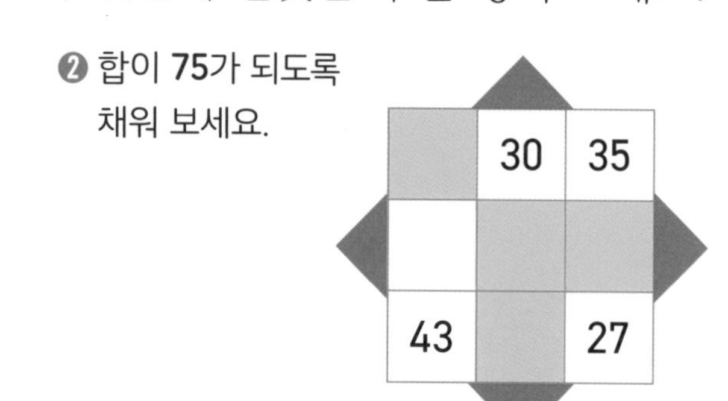

7. 캐시가 칩을 만날 수 있게 길을 찾아 주세요.

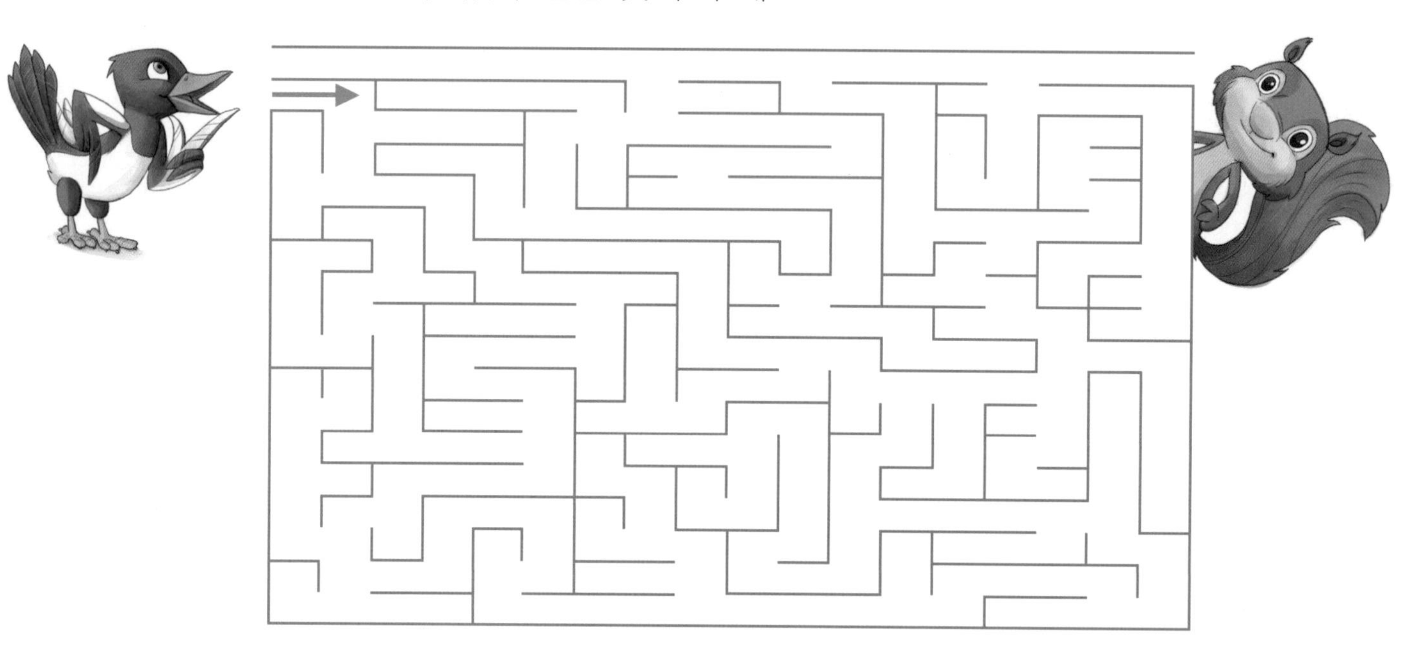

8. 계산한 후, 빈칸에 알맞은 수를 써넣어 보세요.

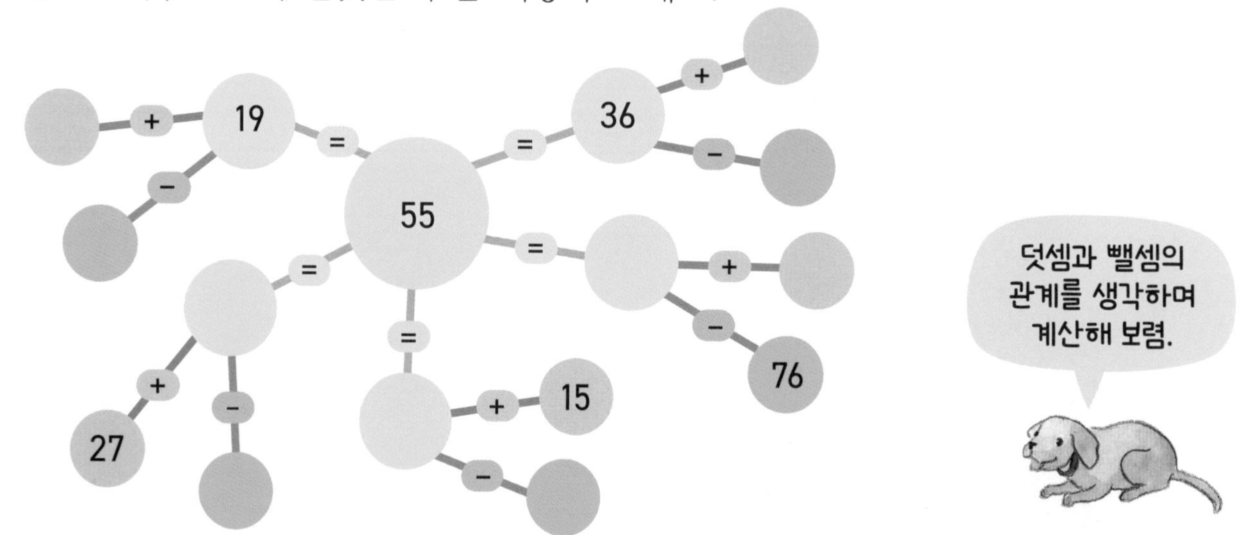

9. 빈칸에 알맞은 수를 써넣어 보세요.

______ + 14 = 40	______ − 15 = 42	40 − ______ = 25
______ + 19 = 46	______ − 18 = 33	32 − ______ = 18
______ + 23 = 51	______ − 24 = 17	53 − ______ = 14

10. 그림이 들어간 식을 보고 그림의 값을 구해 보세요.

\+ = 36

 − = 10

 + =

 +  + = 18

 −  −  = 16

 = ______  = ______  = ______

 = ______ = ______

한 번 더 연습해요!

1. 계산해 보세요.

4 + 6 = ______	12 + 8 = ______	28 − 8 = ______	27 − 15 = ______
14 + 6 = ______	55 + 5 = ______	18 − 8 = ______	34 − 9 = ______
24 + 6 = ______	24 + 7 = ______	8 − 8 = ______	64 − 47 = ______

2. 아래 글을 읽고 알맞은 식을 세워 답을 구해 보세요.

❶ 7과 8의 합은 얼마일까요?

식 : ______

정답 : ______

❷ 14와 9의 차는 얼마일까요?

식 : ______

정답 : ______

2 곱

곱 곱

8 × 3 = 24

곱해지는 수 곱하는 수

- 곱셈의 결과를 곱이라고 해요.
- 곱해지는 수와 곱하는 수의 순서를 바꾸어 곱해도 결과는 같아요.

예 8 × 3 = 24
3 × 8 = 24

×	1	2	3	4	5	6	7	8	9	10
1	1	2	3	4	5	6	7	8	9	10
2	2	4	6	8	10	12	14	16	18	20
3	3	6	9	12	15	18	21	24	27	30
4	4	8	12	16	20	24	28	32	36	40
5	5	10	15	20	25	30	35	40	45	50
6	6	12	18	24	30	36	42	48	54	60
7	7	14	21	28	35	42	49	56	63	70
8	8	16	24	32	40	48	56	64	72	80
9	9	18	27	36	45	54	63	72	81	90
10	10	20	30	40	50	60	70	80	90	100

1. 계산해 보세요. 곱셈표를 이용해도 좋아요.

2 × 2 = ____
2 × 4 = ____
2 × 6 = ____

4 × 2 = ____
4 × 4 = ____
4 × 6 = ____

5 × 2 = ____
5 × 4 = ____
5 × 6 = ____

10 × 2 = ____
10 × 4 = ____
10 × 6 = ____

2. 계산해 보세요.

5 × 5 = ____
6 × 4 = ____
2 × 8 = ____
5 × 8 = ____

8 × 3 = ____
8 × 6 = ____
7 × 7 = ____
5 × 9 = ____

9 × 7 = ____
7 × 2 = ____
8 × 8 = ____
7 × 0 = ____

7 × 3 = ____
4 × 9 = ____
0 × 8 = ____
6 × 7 = ____

3. 아래 글을 읽고 알맞은 식을 세워 답을 구해 보세요.

❶ 8과 5의 곱을 구해 보세요.

식 :

정답 :

❷ 곱해지는 수는 6이고 곱하는 수는 8이에요.

식 :

정답 :

4. 아래 글을 읽고 알맞은 식을 세워 답을 구한 후, 정답을 애벌레에서 찾아 ○표 해 보세요.

❶ 파벨은 공을 5번 쳤어요. 1번 칠 때마다 4점을 얻어요. 파벨은 모두 몇 점을 얻었을까요?

식 :

정답 :

❷ 샌포드는 공을 7번 쳤어요. 1번 칠 때마다 6점을 얻어요. 샌포드는 모두 몇 점을 얻었을까요?

식 :

정답 :

❸ 비올라는 공을 4번 쳤어요. 1번 칠 때마다 9점을 얻어요. 비올라는 모두 몇 점을 얻었을까요?

식 :

정답 :

❹ 페트라는 공을 8번 쳤어요. 1번 칠 때마다 6점을 얻어요. 페트라는 모두 몇 점을 얻었을까요?

식 :

정답 :

❺ 존은 공을 7번 쳤어요. 1번 칠 때마다 8점을 얻어요. 존은 모두 몇 점을 얻었을까요?

식 :

정답 :

❻ 퍽은 공을 10번 쳤어요. 1번 칠 때마다 8점을 얻어요. 퍽은 모두 몇 점을 얻었을까요?

식 :

정답 :

20 28 36 42 48 54 56 80

더 생각해 보아요!

오늘은 목요일이에요. 20일 후에는 무슨 요일일까요?

____

5. 계산한 후, 정답을 애벌레에서 찾아 빈칸에 써넣어 보세요.

10 × 6 = ______ ☐
6 × 5 = ______ ☐
6 × 4 = ______ ☐

4 × 5 = ______ ☐
7 × 6 = ______ ☐
3 × 10 = ______ ☐
7 × 8 = ______ ☐

8 × 3 = ______ ☐
6 × 6 = ______ ☐
2 × 10 = ______ ☐

5 × 3 = ______ ☐
4 × 4 = ______ ☐
7 × 7 = ______ ☐

9 × 3 = ______ ☐
5 × 4 = ______ ☐
5 × 8 = ______ ☐

6 × 6 = ______ ☐
3 × 7 = ______ ☐
8 × 2 = ______ ☐

15	16	20	21	24	27	30	36	40	42	49	56	60
A	N	O	I	T	Y	E	W	U	V	D	R	G

6. 규칙에 따라 빈칸에 알맞은 수를 써넣어 보세요.

3	6	9							30
30	60	90							300

40	80	120							400
4	8	12							40

7. 기호를 보고 누가 누구인지 이름을 알아맞혀 보세요.

RANDAL　DARRYL　JOHNNY　BILLIE　JORDAN　BENNIE

▼	★	◗	◗	★	💧

●	■	◆	◆	●	◗

▼	💧	▲	▲	★	💧

■	✿	♣	▲	▲	●

◆	■	▲	●	■	◗

■	✿	◆	●	■	▲

8. 아래 글을 읽고 알맞은 수를 2개 구해 보세요.

❶ 사라의 수는 합하면 15가 되고, 곱하면 56이 돼요. 사라의 수는 무엇일까요?

_______, _______

❷ 미네아의 수는 합하면 16이 되고, 곱하면 39가 돼요. 미네아의 수는 무엇일까요?

_______, _______

❸ 휴고의 수는 합하면 18이 되고, 곱하면 72가 돼요. 휴고의 수는 무엇일까요?

_______, _______

한 번 더 연습해요!

1. 계산해 보세요.

$6 \times 2 =$ ______	$2 \times 9 =$ ______	$8 \times 6 =$ ______	$3 \times 3 =$ ______
$4 \times 8 =$ ______	$7 \times 3 =$ ______	$0 \times 7 =$ ______	$8 \times 9 =$ ______
$9 \times 6 =$ ______	$5 \times 5 =$ ______	$9 \times 4 =$ ______	$6 \times 5 =$ ______

2. 아래 글을 읽고 알맞은 식을 세워 답을 구해 보세요.

❶ 알렉은 공을 6번 쳤어요. 1번 칠 때마다 8점을 얻어요. 알렉은 모두 몇 점을 얻었을까요?

식 : ____________________

정답 : ____________________

❷ 엠마는 공을 9번 쳤어요. 1번 칠 때마다 6점을 얻어요. 엠마는 모두 몇 점을 얻었을까요?

식 : ____________________

정답 : ____________________

____ 월 ____ 일 ____ 요일

3 몫

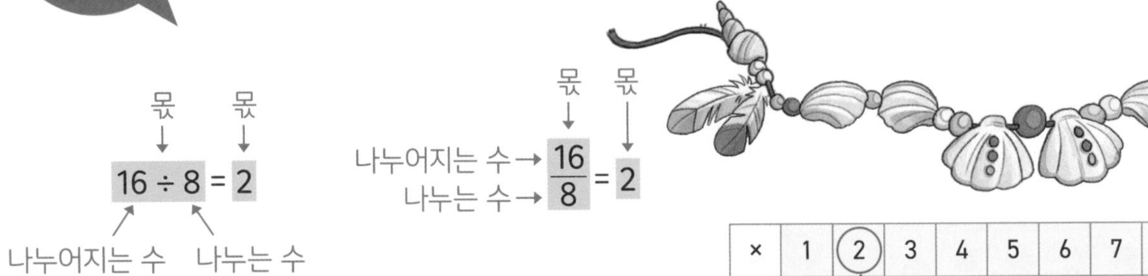

검산 :
8 × 2 = 16 또는 2 × 8 = 16

- 나눗셈의 결과를 몫이라고 해요.

16 ÷ 8을 계산할 때 곱셈표를 이용해도 좋아요.

1. 파란 줄에서 나누는 수 8을 찾아요.
2. 8행에서 나누어지는 수 16을 찾아요.
3. 16에서 노란 줄까지 쭉 올라가요.
   노란 줄의 2가 몫이에요.

×	1	2	3	4	5	6	7	8	9	10
1	1	2	3	4	5	6	7	8	9	10
2	2	4	6	8	10	12	14	16	18	20
3	3	6	9	12	15	18	21	24	27	30
4	4	8	12	16	20	24	28	32	36	40
5	5	10	15	20	25	30	35	40	45	50
6	6	12	18	24	30	36	42	48	54	60
7	7	14	21	28	35	42	49	56	63	70
8	8	16	24	32	40	48	56	64	72	80
9	9	18	27	36	45	54	63	72	81	90
10	10	20	30	40	50	60	70	80	90	100

1. 계산해 보세요. 곱셈표를 이용해도 좋아요.

$\frac{15}{5}$ = ______ $\frac{30}{3}$ = ______ $\frac{21}{7}$ = ______ $\frac{24}{4}$ = ______

14 ÷ 7 = ______ 30 ÷ 6 = ______ 63 ÷ 7 = ______ 36 ÷ 9 = ______

2. 알맞은 식이 되도록 나누어지는 수, 나누는 수, 몫을 선으로 이어 보세요.

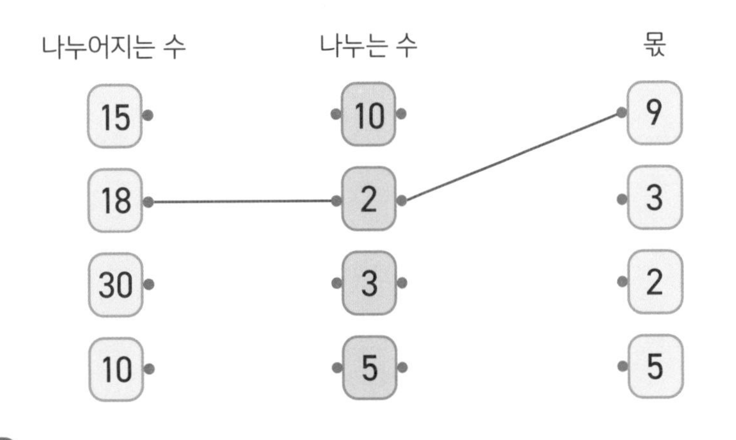

3. 아래 글을 읽고 알맞은 식을 세워 답을 구한 후, 정답을 애벌레에서 찾아 ○표 해 보세요.

❶ 나누어지는 수는 12이고 나누는 수는 4예요.

식 : ____________________

정답 : ____________________

❷ 나누어지는 수는 20이고 나누는 수는 4예요.

식 : ____________________

정답 : ____________________

❸ 나누어지는 수는 32이고 나누는 수는 8이에요.

식 : ____________________

정답 : ____________________

❹ 나누어지는 수는 27이고 나누는 수는 3이에요.

식 : ____________________

정답 : ____________________

4. 아래 글을 읽고 알맞은 식을 세워 답을 구한 후, 정답을 애벌레에서 찾아 ○표 해 보세요.

❶ 엠마는 바닷가에서 조개껍데기 24개를 주워 친구 6명에게 똑같이 나누어 주었어요. 친구 1명이 조개껍데기를 몇 개씩 받았을까요?

식 : ____________________

정답 : ____________________

❷ 메이는 바닷가에서 조개껍데기 40개를 주워 상자에 담았어요. 한 상자에 조개껍데기가 8개씩 들어가요. 메이는 상자가 몇 개 필요할까요?

식 : ____________________

정답 : ____________________

❸ 티샤는 조개껍데기 18개를 가지고 장신구를 만들어요. 장신구 1개를 만드는 데 조개껍데기 3개가 필요해요. 티샤는 몇 개의 장신구를 만들 수 있을까요?

식 : ____________________

정답 : ____________________

❹ 엘리, 수잔, 조세핀 그리고 캐서린은 조개껍데기 32개를 똑같이 나누어 가졌어요. 한 사람이 몇 개씩 가졌을까요?

식 : ____________________

정답 : ____________________

2 3 4 4 5 5 6 7 8 9

더 생각해 보아요!

공원에 아이들이 17명 있어요. 남자아이들이 여자아이들보다 5명 더 많아요. 공원에는 여자아이들이 몇 명 있을까요?

____

5. 몫이 더 큰 방향으로 길을 찾아가세요. 바닷가에서 무엇을 발견하게 될까요?

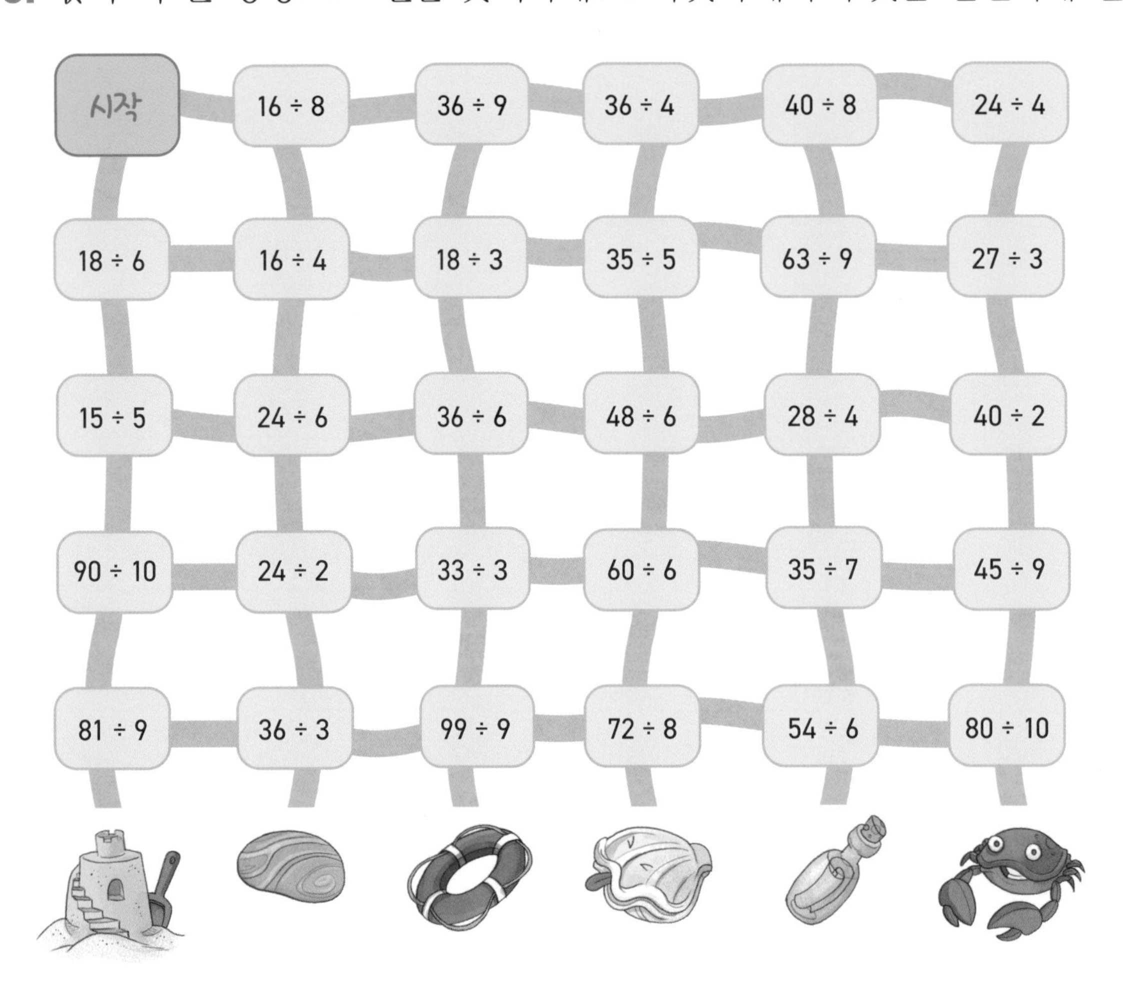

6. 빈칸에 알맞은 수를 써넣어 보세요.

$45 \div \_\_\_ = 9$	$\_\_\_ \div 2 = 2 \times 6$	$\_\_\_ \div 4 = 2 \times 3 \times 1$
$56 \div \_\_\_ = 7$	$\_\_\_ \div 2 = 5 \times 4$	$\_\_\_ \div 4 = 2 \times 1 \times 4$
$72 \div \_\_\_ = 8$	$\_\_\_ \div 3 = 3 \times 4$	$\_\_\_ \div 5 = 2 \times 2 \times 2$
$88 \div \_\_\_ = 11$	$\_\_\_ \div 3 = 5 \times 3$	$\_\_\_ \div 5 = 6 \times 1 \times 2$

7. 양팔저울은 모두 수평을 이루어요. 마지막 저울의 상자에 알맞은 수를 써넣어 보세요.

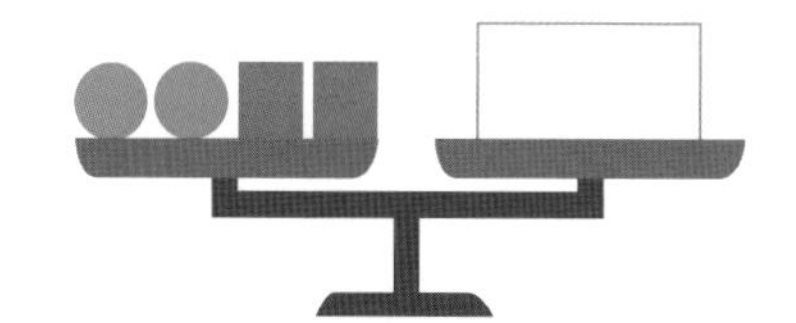

8. 아래 글을 읽고 두 수를 구해 보세요.

❶ 안드레아의 두 수를 곱하면 50이고, 나눈 몫은 2예요.

_______, _______

❷ 티아의 두 수를 곱하면 48이고, 나눈 몫은 3이에요.

_______, _______

❸ 아트의 두 수를 곱하면 36이고, 나눈 몫은 9예요.

_______, _______

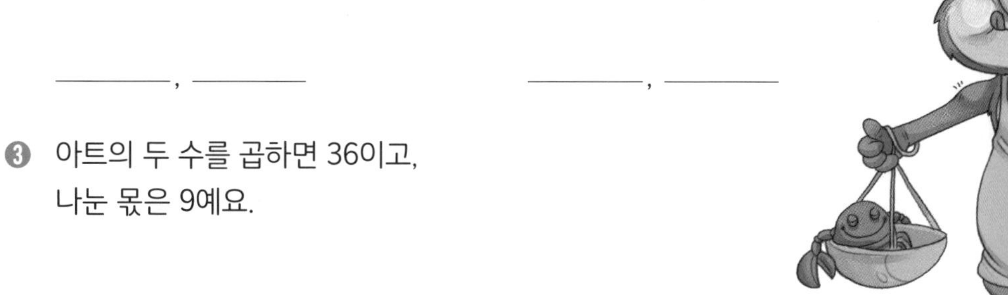

한 번 더 연습해요!

1. 계산해 보세요. 곱셈표를 이용해도 좋아요.

$\frac{12}{2}$ = _______ $\frac{50}{5}$ = _______ $\frac{35}{7}$ = _______ $\frac{40}{5}$ = _______

16 ÷ 4 = _______ 32 ÷ 4 = _______ 40 ÷ 4 = _______ 54 ÷ 9 = _______

2. 아래 글을 읽고 알맞은 식을 세워 답을 구해 보세요.

❶ 엠마, 알렉, 디나는 조개껍데기 21개를 똑같이 나누어 가졌어요. 한 사람이 조개껍데기를 몇 개씩 가졌을까요?

식 : _______________

정답 : _______________

❷ 조개껍데기 48개를 병에 6개씩 나누어 담았어요. 병을 몇 개 사용했을까요?

식 : _______________

정답 : _______________

연습 문제

_____ 월 _____ 일 _____ 요일

1. 값이 같은 것끼리 선으로 이어 보세요.

10을 2로 나눈 몫	10 × 2	12
10과 2의 곱	10 ÷ 2	8
10과 2의 합	10 − 2	5
10과 2의 차	10 + 2	20

2. 계산한 후, 정답에 해당하는 알파벳을 아래 수직선에서 찾아 빈칸에 써넣어 보세요.

8 × 4 = ____ ☐	3 + 13 = ____ ☐	5 × 4 = ____ ☐	24 ÷ 4 = ____ ☐
40 ÷ 2 = ____ ☐	5 × 5 = ____ ☐	24 ÷ 6 = ____ ☐	18 ÷ 3 = ____ ☐
8 × 5 = ____ ☐	2 × 16 = ____ ☐	30 ÷ 5 = ____ ☐	4 × 10 = ____ ☐
17 + 23 = ____ ☐	15 − 7 = ____ ☐	64 ÷ 8 = ____ ☐	10 + 10 = ____ ☐
4 × 7 = ____ ☐	5 × 6 = ____ ☐	27 ÷ 9 = ____ ☐	

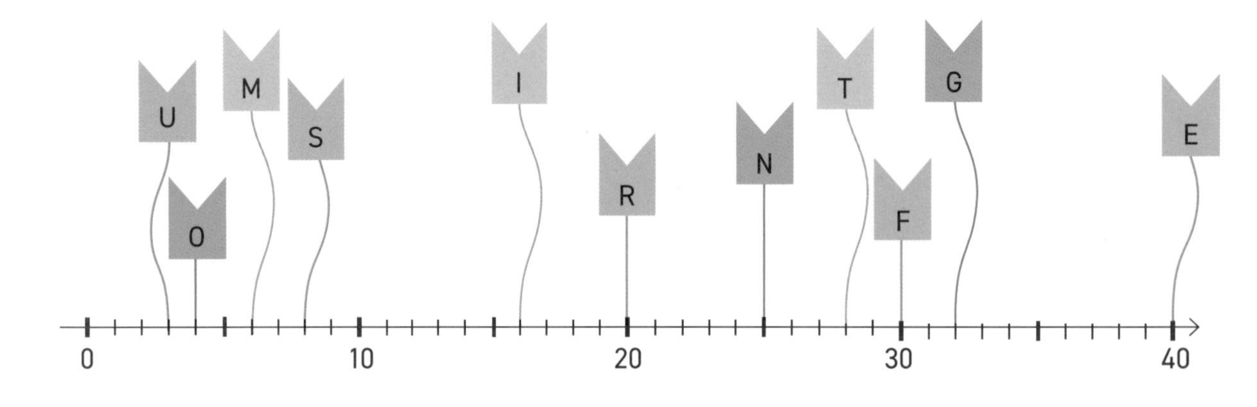

3. 빈칸에 알맞은 수를 써넣어 보세요.

2 + ______ = 20	30 − ______ = 7
12 + ______ = 40	50 − ______ = 7
4 × ______ = 24	25 ÷ ______ = 5
8 × ______ = 48	50 ÷ ______ = 10

4. 아래 글을 읽고 알맞은 식을 세워 답을 구한 후, 정답을 애벌레에서 찾아 ○표 해 보세요.

❶ 25와 7의 합은 얼마일까요?

식 :

정답 :

❷ 40과 11의 차는 얼마일까요?

식 :

정답 :

❸ 7과 3의 곱은 얼마일까요?

식 :

정답 :

❹ 40을 5로 나눈 몫은 얼마일까요?

식 :

정답 :

5. 아래 글을 읽고 알맞은 식을 세워 답을 구한 후, 정답을 애벌레에서 찾아 ○표 해 보세요.

❶ 아트는 방학 동안 롤러스케이트를 58km 탈 계획이었어요. 그런데 실제로 탄 거리는 목표에서 13km 부족해요. 아트는 방학 동안 롤러스케이트를 몇 km 탔을까요?

식 : 58km

정답 :

❷ 테아는 작년 여름에 롤러스케이트를 7km 코스에서 5번 탔어요. 여름 동안 테아는 롤러스케이트를 몇 km 탔을까요?

식 :

정답 :

❸ 새나는 주말 동안 자전거를 24km 탔고, 마이크는 27km를 탔어요. 새나와 마이크는 주말 동안 자전거를 몇 km 탔을까요?

식 :

정답 :

❹ 케이트와 3명의 친구는 같은 코스에서 자전거를 탔는데 그들이 탄 거리는 모두 합해서 36km예요. 케이트와 친구들은 자전거를 각각 몇 km 탔을까요?

식 :

정답 :

8 9 21 29 32 9 km 35 km 42 km 45 km 51 km

더 생각해 보아요!

곱해서 36이 되고, 나누어 4가 되는 두 수를 구해 보세요.

_______ , _______

6. 계산해서 □ 안을 채워 보세요.

❶ 20 → +10 → □ → ÷5 → □ → ×6 → □ → −8 → □ → ÷4 → □

❷ 32 → −4 → □ → −10 → □ → ÷2 → □ → ×3 → □ → +12 → □

❸ 18 → ÷6 → □ → +37 → □ → ÷5 → □ → ×8 → □ → −15 → □

❹ 10 → ×10 → □ → −50 → □ → +6 → □ → ÷7 → □ → ÷8 → □

7. 사탕 속의 수를 1번씩만 사용하여 식이 성립하도록 빈칸에 알맞은 수를 써넣어 보세요.

4 5 6 7 11 12 13

____ + ____ + ____ = 26　　____ × ____ = 55　　____ ÷ ____ = 3

4 5 6 9 25 36 45

____ − ____ − ____ = 7　　____ × ____ = 54　　____ ÷ ____ = 9

2 3 5 9 10 11 15

____ + ____ + ____ = 29　　____ × ____ = 45　　____ ÷ ____ = 5

8. 표의 아무 칸에서 시작하여 1부터 차례대로 써 보세요.

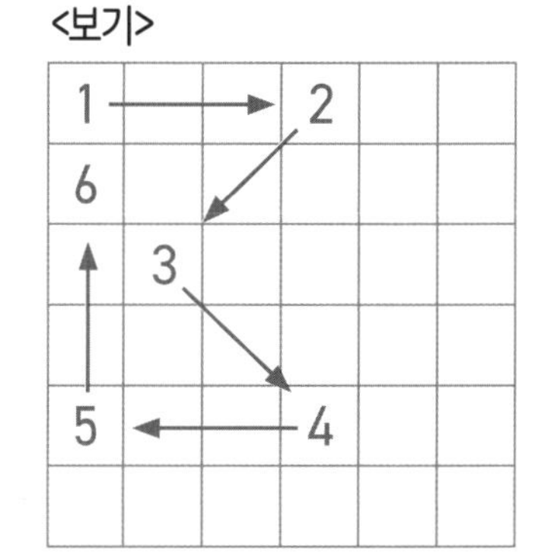

규칙 : <보기>와 같이 가로나 세로로는 2칸을,
대각선으로는 1칸을 움직일 수 있어요. 표에
화살표를 실제로 그리지는 마세요. 가능한 한
36까지 쓸 수 있도록 표를 채운 후 마지막에
도달한 수에 ○표 해 보세요.

1회

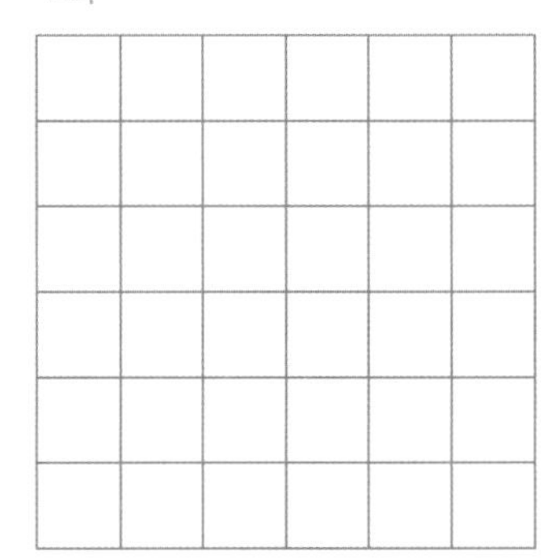

2회

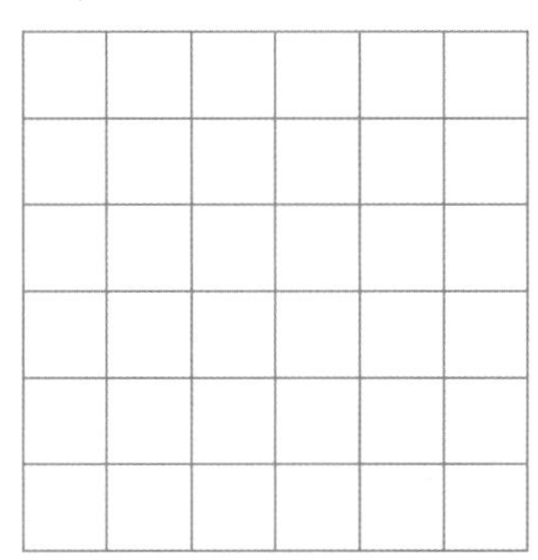

3회

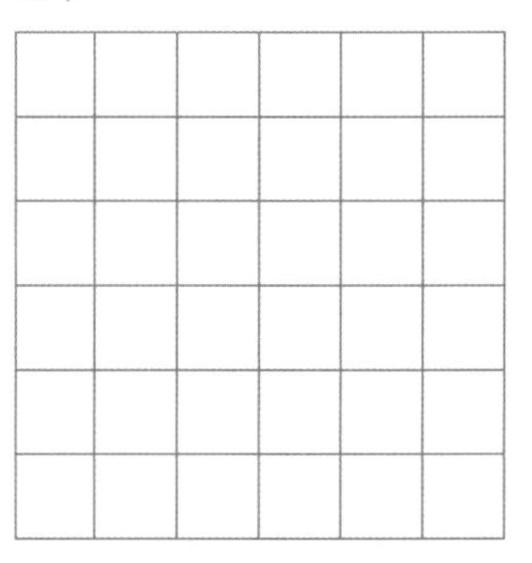

한 번 더 연습해요!

1. 계산해 보세요.

33 + 3 = ______	37 − 4 = ______	5 × 3 = ______	16 ÷ 4 = ______
9 + 51 = ______	46 − 8 = ______	6 × 6 = ______	40 ÷ 5 = ______
18 + 41 = ______	67 − 23 = ______	7 × 4 = ______	49 ÷ 7 = ______

2. 아래 글을 읽고 알맞은 식을 세워 답을 구해 보세요.

❶ 아이들 7명이 각자 10km씩 자전거를 탔어요. 아이들이 자전거를 탄 거리는 모두 몇 km일까요?

식 : ______________________

정답 : ______________________

❷ 공원에 아이들이 24명 있어요. 아이들을 6명씩 한 모둠으로 나누면 몇 모둠이 될까요?

식 : ______________________

정답 : ______________________

4 혼합 계산의 순서

$4 \times 5 + 3$ 먼저 곱셈을 하세요. (4×5)

$= 20 + 3$ 덧셈을 하세요. $(20 + 3)$

$= 23$ 결과를 쓰세요. (23)

순서에 맞게 계산해야 해요~.

<혼합 계산의 순서>

1. 먼저 곱셈과 나눗셈을 왼쪽에서 오른쪽으로 차례로 계산해요.
2. 그런 후에 덧셈과 뺄셈을 왼쪽에서 오른쪽으로 차례로 계산해요.

예

$5 + 2 \times 7$
$= 5 + 14$
$= 19$

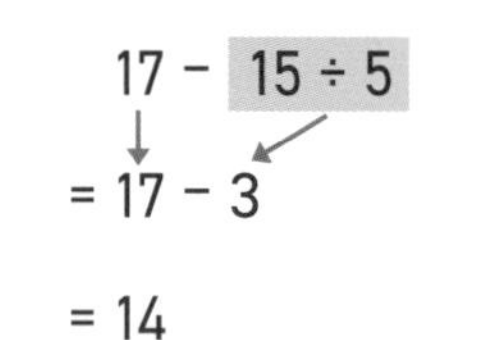

$17 - 15 \div 5$
$= 17 - 3$
$= 14$

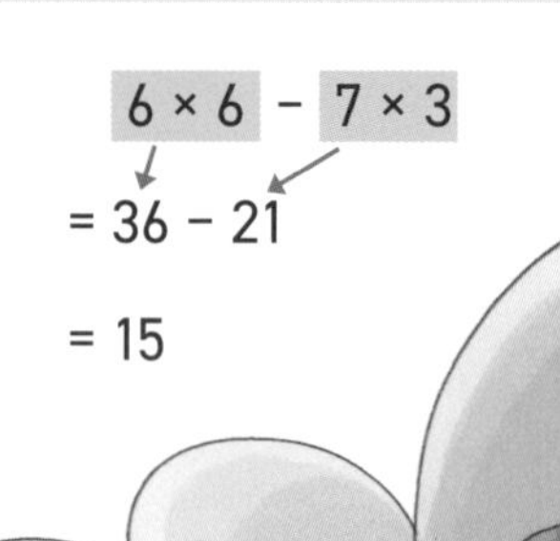

$6 \times 6 - 7 \times 3$
$= 36 - 21$
$= 15$

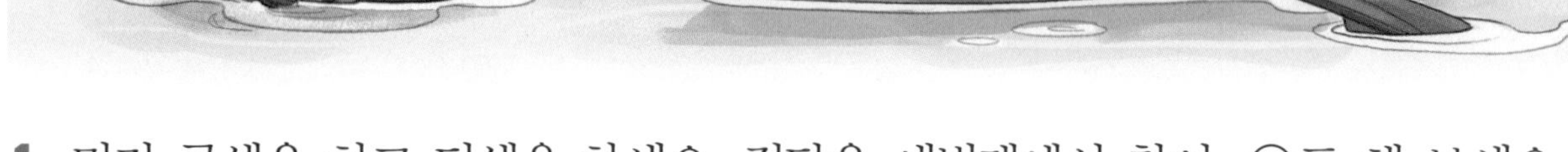

1. 먼저 곱셈을 하고 덧셈을 하세요. 정답을 애벌레에서 찾아 ○표 해 보세요.

$2 \times 3 + 1$
= ______
= ______

$3 \times 5 + 2$
= ______
= ______

$3 + 2 \times 10$
= ______
= ______

2. 먼저 곱셈을 하고 뺄셈을 하세요. 정답을 애벌레에서 찾아 ○표 해 보세요.

$7 \times 2 - 3$
= ______
= ______

$6 \times 6 - 5$
= ______
= ______

$10 - 3 \times 2$
= ______
= ______

4 7 9 11 17 23 26 31

3. 먼저 나눗셈을 하고 덧셈을 하세요.

$8 \div 2 + 3$	$2 + 14 \div 2$	$4 + 20 \div 5$
= ______	= ______	= ______
= ______	= ______	= ______

4. 먼저 나눗셈을 하고 뺄셈을 하세요.

$12 \div 2 - 4$	$15 \div 3 - 2$	$7 - 18 \div 9$
= ______	= ______	= ______
= ______	= ______	= ______

5. 먼저 곱셈을 하고 덧셈이나 뺄셈을 하세요.

$3 \times 2 + 4 \times 5$	$9 \times 3 + 6 \times 2$	$6 \times 6 - 2 \times 3$
= ______	= ______	= ______
= ______	= ______	= ______

6. 값이 같은 것끼리 선으로 이어 보세요.

2와 4의 곱을 8에 더한 수	$8 - 2 \times 4$	30
8에서 2와 4의 곱을 뺀 수	$4 \times 8 - 2$	8
4와 8의 곱에서 2를 뺀 수	$8 \div 2 + 4$	16
8을 2로 나눈 몫에 4를 더한 수	$8 + 2 \times 4$	0

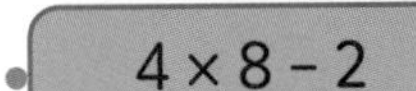

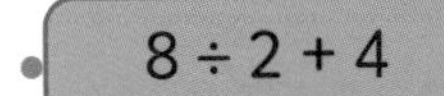

더 생각해 보아요!

알렉이 다트 5개를 던졌어요. 그중 2개는 같은 점수에 꽂혔고, 3개는 또 다른 같은 점수에 꽂혔어요. 총점이 34점이라면 다트가 꽂힌 곳은 몇 점 구간일까요? 서로 다른 답 3가지를 생각해 보세요.

______과 ______, ______과 ______, ______과 ______

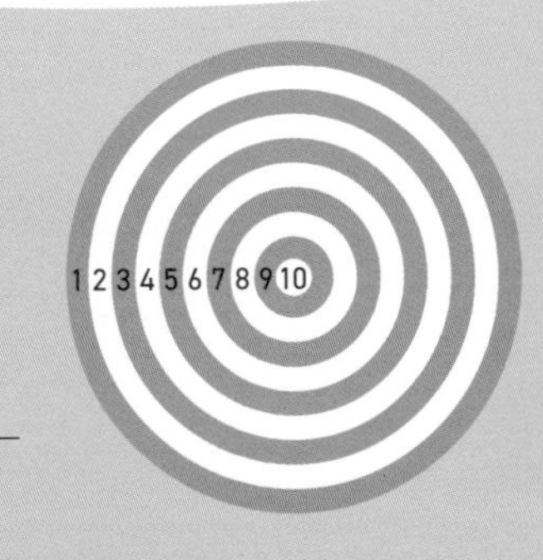

7. 아래 글을 읽고 낚싯대의 주인이 누구인지 알아맞혀 보세요.

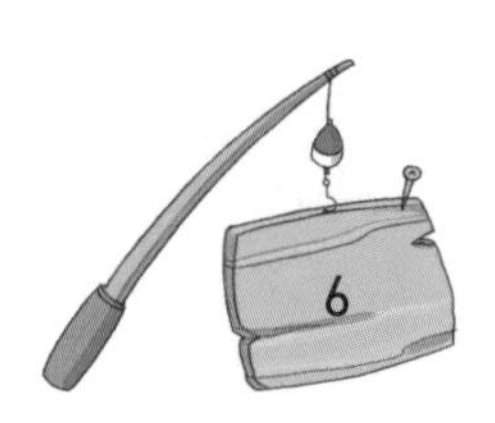

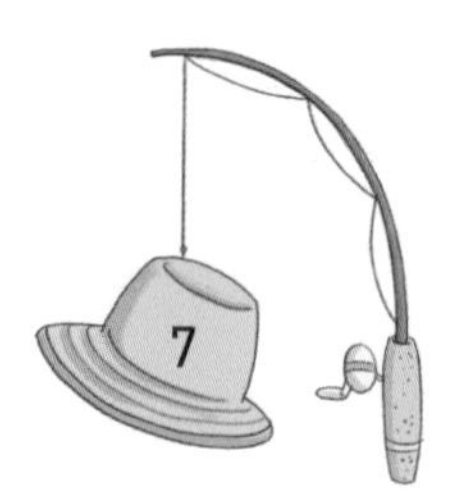

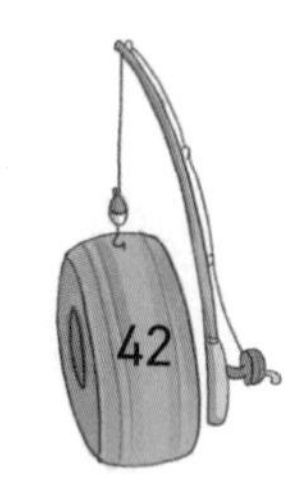

______ ______ ______ ______ ______

- 밀라의 낚싯대 수를 줄스의 낚싯대 수로 나누면 세라의 낚싯대 수가 나와요.
- 줄스의 낚싯대 수는 재스퍼 낚싯대 수의 $\frac{1}{2}$이에요.
- 밀라의 낚싯대 수는 서로 다른 2개의 낚싯대 수의 곱이에요.
- 아이비의 낚싯대 수를 7로 나누면 몫이 나누는 수와 같아요.

8. □ 안에 +, −, ×, ÷를 알맞게 써넣어 보세요.

3 □ 4 □ 2 = 14
3 □ 4 □ 2 = 10
3 □ 4 □ 2 = 11

30 □ 5 □ 3 = 9
30 □ 5 □ 3 = 15
30 □ 5 □ 3 = 3

7 □ 10 □ 2 = 19
7 □ 10 □ 2 = 12
7 □ 10 □ 2 = 68

9. 정답을 찾아 따라가 보세요. 칩은 어떤 도구로 낚시를 할까요?

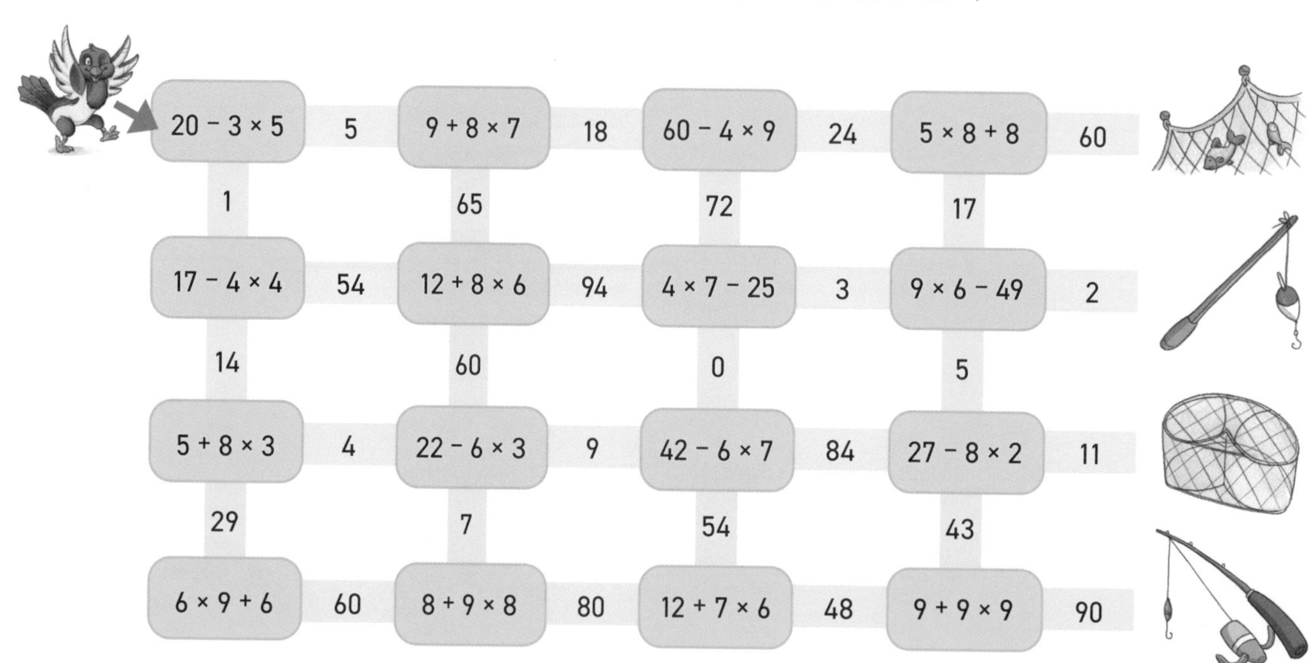

10. 그림이 들어간 식을 보고 그림의 값을 구해 보세요.

× + = 19

− × = 6

÷ + ÷ =

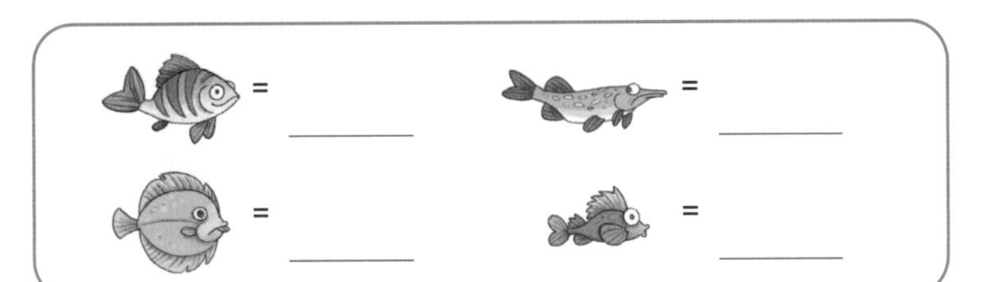

한 번 더 연습해요!

1. 먼저 곱셈을 한 후 계산해 보세요.

5 × 2 + 4	5 + 4 × 6	6 × 5 + 7 × 3
=	=	=
=	=	=
3 × 9 − 6	19 − 3 × 6	8 × 3 − 9 × 2
=	=	=
=	=	=

2. 먼저 나눗셈을 한 후 계산해 보세요.

14 ÷ 2 + 3	25 ÷ 5 − 2	9 − 12 ÷ 4
=	=	=
=	=	=

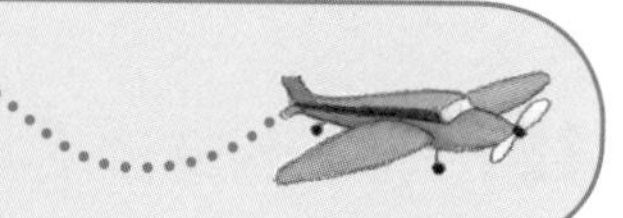

5 혼합 계산의 식 세우기

엠마가 주사위를 던졌는데
5가 3번 나오고 1이 1번 나왔어요.
주사위 눈의 합은 얼마일까요?

다트 대회에서 알렉이 다트를
던졌는데 4점이 2개, 7점이 3개 나왔어요.
알렉의 총점은 얼마일까요?

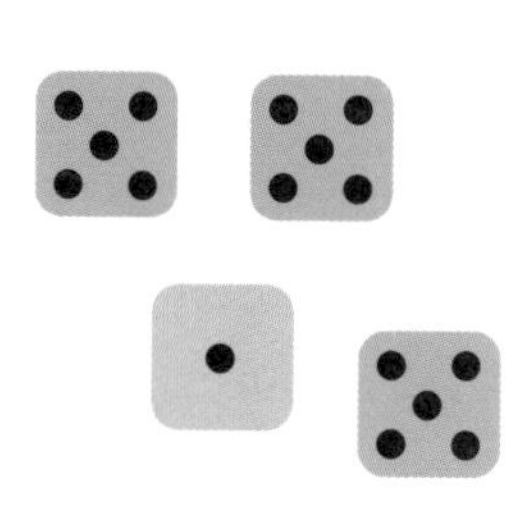

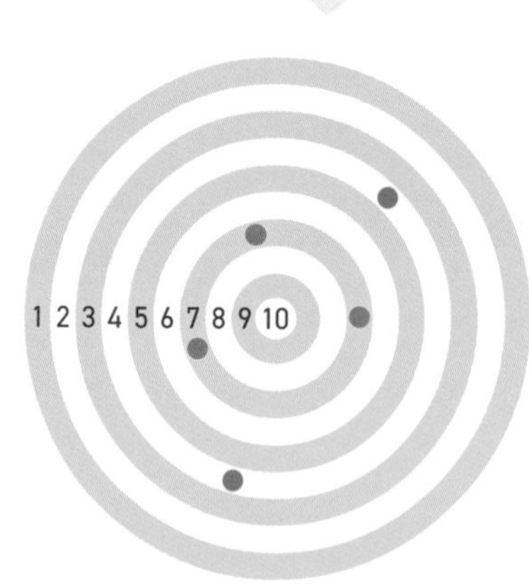

식 세우기 :

$5 \times 3 + 1$

$= 15 + 1$

$= 16$

식 세우기 :

$4 \times 2 + 7 \times 3$

$= 8 + 21$

$= 29$

- 식 하나에는 적어도 1개 이상의 계산이 들어가요.

1. 값이 같은 것끼리 선으로 이어 보세요.

$5 \times 4 + 1$	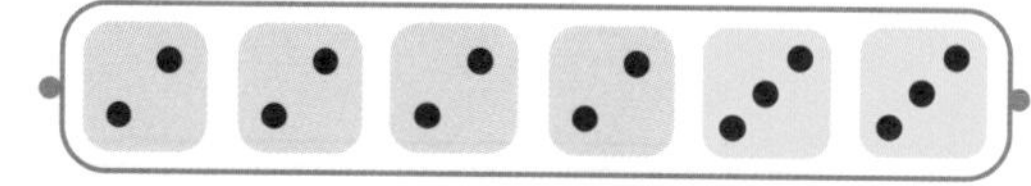	19
$3 \times 5 + 2$	(주사위)	12
$5 \times 2 + 3 \times 3$	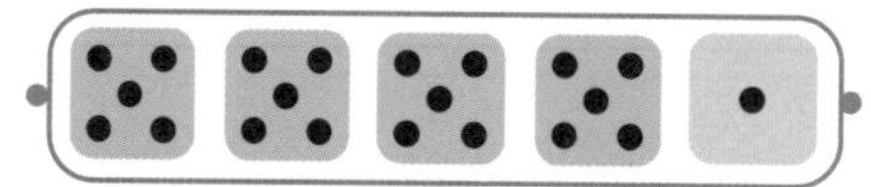	21
$4 \times 2 + 2 \times 2$	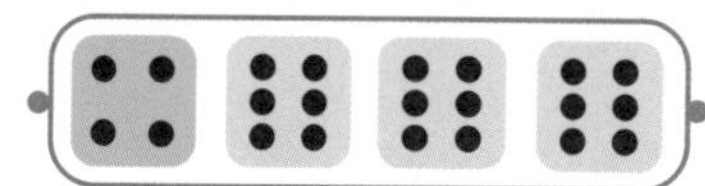	14
$4 + 6 \times 3$	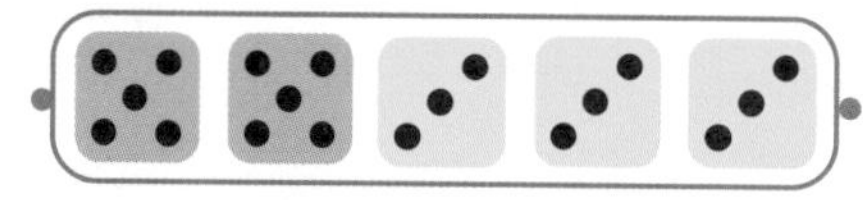	17
$2 \times 4 + 3 \times 2$	(주사위)	22

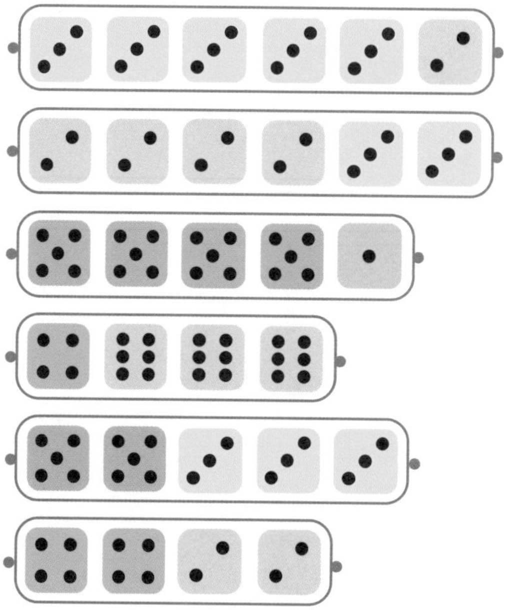

2. 주사위 눈을 보고 알맞은 식을 세워 답을 구해 보세요.

=

=

=

=

=

=

=

=

3. 엠마는 다트를 5번 던졌어요. 엠마의 총점은 각각 얼마일까요? 정답을 애벌레에서 찾아 ○표 해 보세요.

❶ 5점 2개와 4점 3개

=

=

❷ 8점 4개와 6점 1개

=

=

❸ 7점씩 5개

=

❹ 10점 1개와 9점 4개

=

=

더 생각해 보아요!

나는 어떤 수일까요?

이 수에 4를 곱한 후 5를 빼면 19가 나와요.

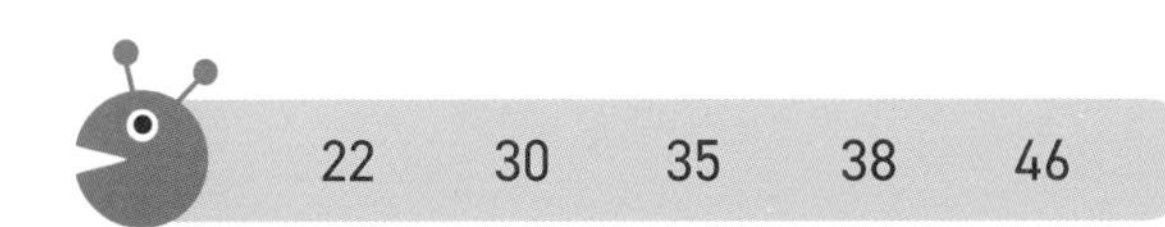

4. 그림이 들어간 식을 보고 그림의 값을 구해 보세요.

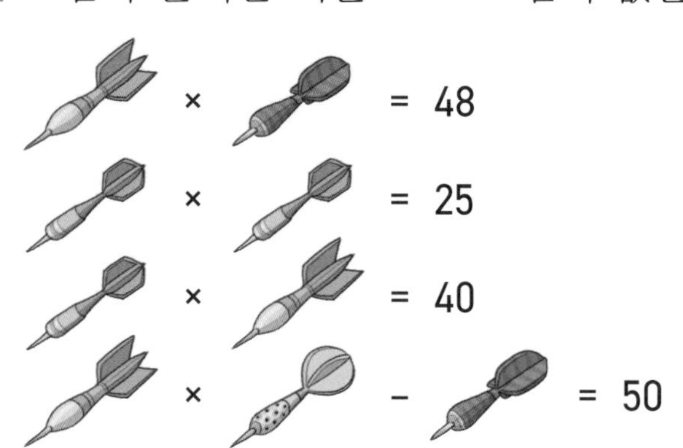

= ______

= ______

= ______

= ______

5. 아래 식을 보고 알맞은 주사위 눈을 빈칸에 그려 보세요. 그리고 식을 계산해 보세요.

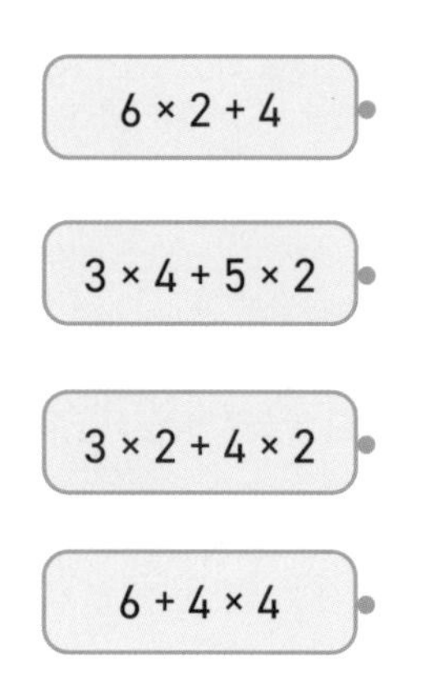

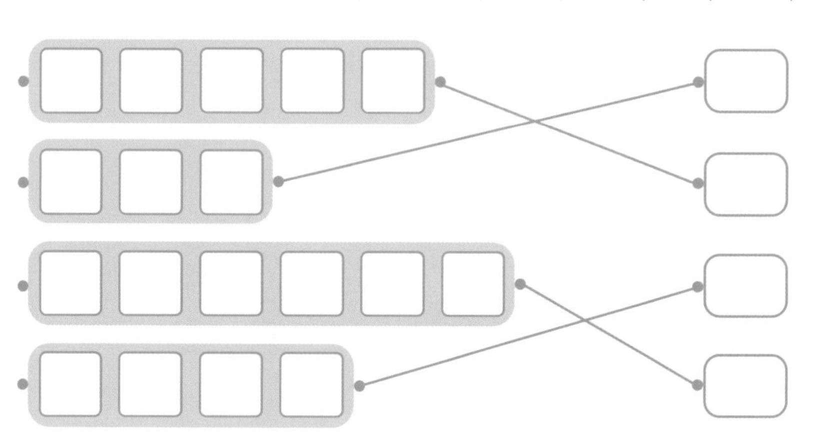

6. 아래 글을 읽고 알맞은 식을 세워 답을 구해 보세요.

❶ 엄마는 다트핀 2세트와 공책 1권을 샀어요.
물건값은 모두 얼마일까요?

______

= ______

= ______

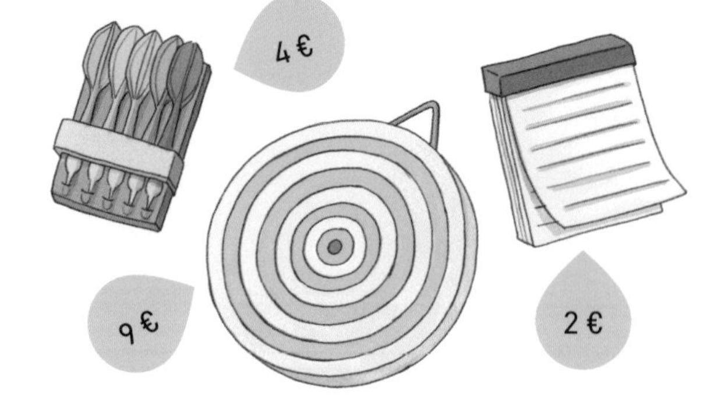

❷ 아빠는 다트핀 3세트와 다트판 2개를 샀어요.
물건값은 모두 얼마일까요?

______

= ______

= ______

❸ 알렉에게 30유로가 있었는데 다트핀 3세트를 샀어요. 알렉에게 남은 돈은 얼마일까요?

______

= ______

= ______

7. 사탕 속의 수를 1번씩만 사용하여 식이 성립하도록 빈칸에 알맞은 수를 써넣어 보세요.

❶ 2 3 4 5 6 10

___ × ___ + ___ = 17   ___ × ___ − ___ = 14

❷ 2 3 9 11 15 35

___ + ___ × ___ = 42   ___ − ___ × ___ = 5

❸ 2 3 4 5 6 7 8 9

___ × ___ + ___ × ___ = 58   ___ × ___ − ___ × ___ = 66

한 번 더 연습해요!

1. 주사위 눈을 보고 알맞은 식을 세워 답을 구해 보세요.

___
= ___
= ___

___
= ___
= ___

2. 알렉이 다트판에 다트를 던졌어요. 알렉의 총점은 각각 얼마일까요?

❶ 6점 3개와 9점 2개

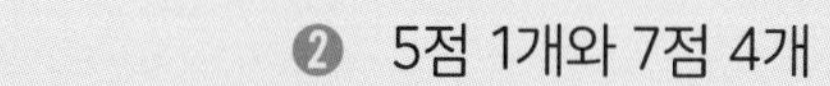

___
= ___
= ___

❷ 5점 1개와 7점 4개

___
= ___
= ___

연습 문제

____ 월 ____ 일 ____ 요일

1. 계산한 후, 정답을 애벌레에서 찾아 ○표 해 보세요.

<혼합 계산의 순서>
1. 먼저 곱셈과 나눗셈을 왼쪽에서 오른쪽으로 차례로 계산해요.
2. 그다음 덧셈과 뺄셈을 왼쪽에서 오른쪽으로 차례로 계산해요.

$4 \times 2 + 1$

= ____________

= ____________

$3 \times 5 - 4$

= ____________

= ____________

$20 \div 5 + 9$

= ____________

= ____________

$12 - 12 \div 6$

= ____________

= ____________

$4 \times 5 + 6 \times 3$

= ____________

= ____________

$6 \times 6 - 4 \times 7$

= ____________

= ____________

7 8 9 10 11 13 36 38

2. 주사위 눈을 보고 알맞은 식을 세워 답을 구한 후, 정답을 애벌레에서 찾아 O표 해 보세요.

____

= ____________

= ____________

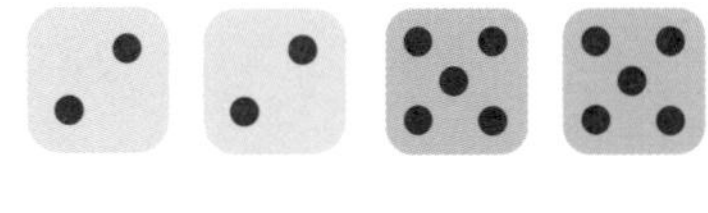

____

= ____________

= ____________

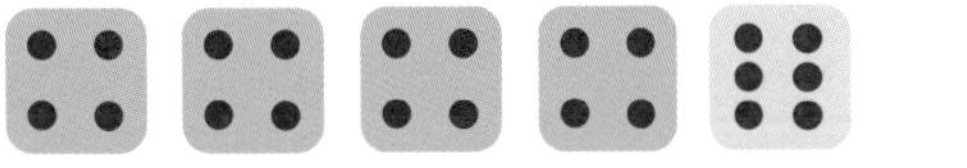

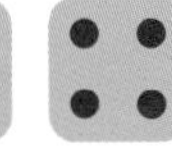

____

= ____________

= ____________

____

= ____________

= ____________

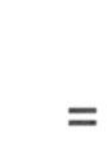

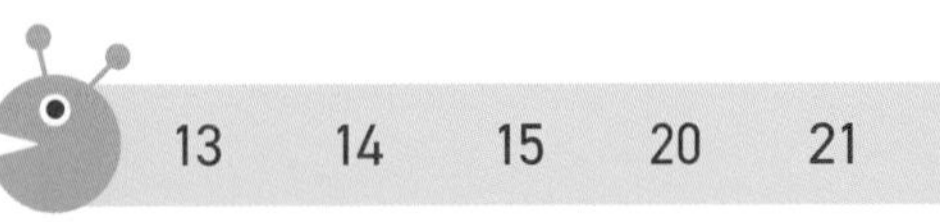

3. 아래 글을 읽고 알맞은 식을 세워 답을 구한 후, 정답을 애벌레에서 찾아 ○표 해 보세요.

성인 10 €	어린이 5 €	학생 8 €	퇴역 군인 5 €

❶ 아빠는 성인 입장권 2장과 어린이 입장권 1장을 샀어요. 입장권은 모두 얼마일까요?

____

= ________________

= ________________

❷ 할아버지는 어린이 입장권 3장과 퇴역 군인 입장권 1장을 샀어요. 입장권은 모두 얼마일까요?

____

= ________________

= ________________

❸ 엄마는 성인 입장권 1장과 학생 입장권 3장을 샀어요. 입장권은 모두 얼마일까요?

____

= ________________

= ________________

❹ 할머니는 어린이 입장권 4장과 퇴역 군인 입장권 2장을 샀어요. 입장권은 모두 얼마일까요?

____

= ________________

= ________________

❺ 미나는 35유로를 가지고 있어요. 어린이 입장권 5장을 사면 돈이 얼마 남을까요?

____

= ________________

= ________________

❻ 오나는 어린이 입장권 3장을 사고, 올리는 학생 입장권 3장을 샀어요. 올리가 낸 금액은 오나가 낸 금액보다 얼마 더 많을까요?

____

= ________________

= ________________

9 €　10 €　15 €　20 €　24 €　25 €　30 €　34 €

4. □ 안에 >, =, <를 알맞게 써넣어 보세요.

$6 \times 5 - 8$ □ 22　　16 □ $5 + 3 \times 4$　　$6 \times 2 + 5 \times 3$ □ 3×9

$10 - 4 \times 2$ □ 1　　45 □ $8 \times 5 + 2$　　$9 \times 4 - 5 \times 7$ □ $24 \div 6$

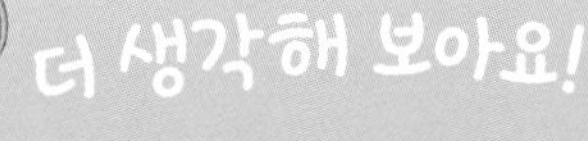

식이 성립하도록 빈칸에 1, 2, 3, 4, 5를 알맞게 써넣어 보세요.

5. 정답을 찾아 따라가 보세요. 엠마는 놀이공원에서 무엇을 사 먹었을까요?

2 × 5 + 2	12	3 × 8 − 5	29	16 − 5 × 3	1	18 + 2 × 9
9		19		3		62
7 × 6 + 5	51	4 × 9 − 11	47	8 × 6 + 9	57	23 + 5 × 8
36		25		60		63
4 × 8 − 17	21	41 − 8 × 5	1	33 + 9 × 3	8	79 − 8 × 9
69		30		5		7
9 × 6 − 21	52	19 + 9 × 7	103	14 − 7 × 2	47	89 − 6 × 7
37		79		0		52
5 × 6 − 19	21	9 × 4 + 63	1	99 − 7 × 7	8	72 − 6 × 9
49		99		50		13

6. 아래 설명을 읽고 문제를 풀어 보세요.

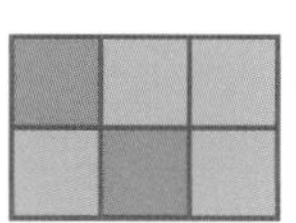

❶ 빨간색과 파란색을 번갈아 가며 주어진 수만큼 사각형을 색칠해 보세요.
단, 빨간색부터 시작하세요.

			3
			1, 2
			3
			0, 2, 1
			3

			1, 1, 1
			1, 1, 1
			1, 1, 1
			1, 1, 1
			3

					1, 3, 1
					2, 1, 2
					1, 1, 1, 1, 1
					1, 3, 1
					1, 3, 1

❷ 색칠한 부분이 나타내는 영어 단어는 무엇인가요?

____

7. □ 안에 +, −, ×, ÷를 알맞게 써넣어 보세요.

2 □ 2 □ 2 = 3

3 □ 3 □ 3 = 3

2 □ 2 □ 2 □ 2 = 10

3 □ 3 □ 3 □ 3 = 10

8. 아래 설명대로 바둑판에 도형을 그려 보세요. 1칸에 1개의 도형만 들어갈 수 있어요.

- 바둑판에는 x가 5개 들어가요. 서로 닿는 칸에는 x를 그릴 수 없어요.
- 바둑판에는 삼각형이 2개 들어가요. 삼각형은 2개의 x 사이에 있어요.
- 바둑판에는 원이 4개 들어가요. 원은 서로 닿는 칸에는 그릴 수 없어요.
- 바둑판에는 사각형이 4개 들어가요. 사각형은 모두 2개의 원 사이에 있어요.

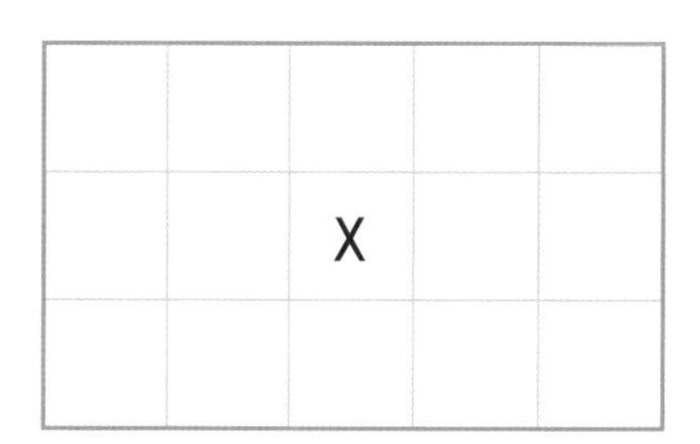

한 번 더 연습해요!

1. 계산해 보세요.

$2 \times 6 + 5$	$5 \times 5 + 7 \times 6$	$20 \div 5 + 9$
= ______	= ______	= ______
= ______	= ______	= ______

2. 아래 글을 읽고 알맞은 식을 세워 답을 구해 보세요.

❶ 키아는 5유로짜리 책 3권과 4유로짜리 공책을 1권 샀어요. 물건값은 모두 얼마일까요?

______

= ______

= ______

❷ 피트는 50유로를 가지고 있어요. 6유로짜리 입장권 4장을 사고 나면 얼마가 남을까요?

______

= ______

= ______

____월 ____일 ____요일

6 괄호가 있는 계산 1

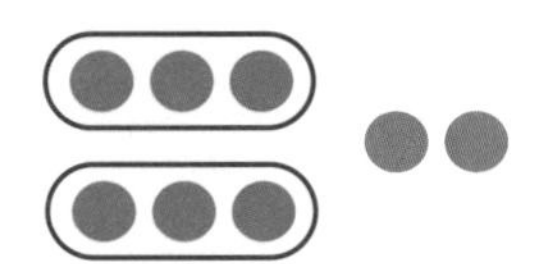

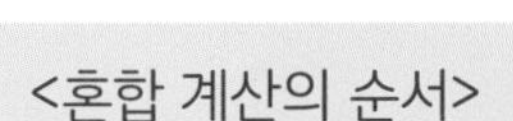

$3 \times 2 + 2$
$= 6 + 2$
$= 8$

$(3 + 2) \times 2$
$= 5 \times 2$
$= 10$

- 괄호는 혼합 계산의 순서를 바꾸기 위해 사용해요.

<혼합 계산의 순서>
1. 먼저 괄호 안의 식을 계산해요.
2. 그다음 곱셈과 나눗셈을 왼쪽에서 오른쪽으로 차례로 계산해요.
3. 마지막으로 덧셈과 뺄셈을 왼쪽에서 오른쪽으로 차례로 계산해요.

예

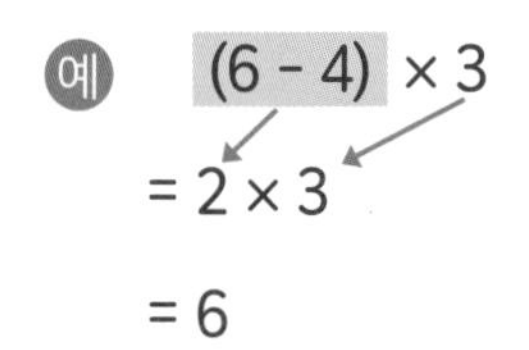

$(6 - 4) \times 3$
$= 2 \times 3$
$= 6$

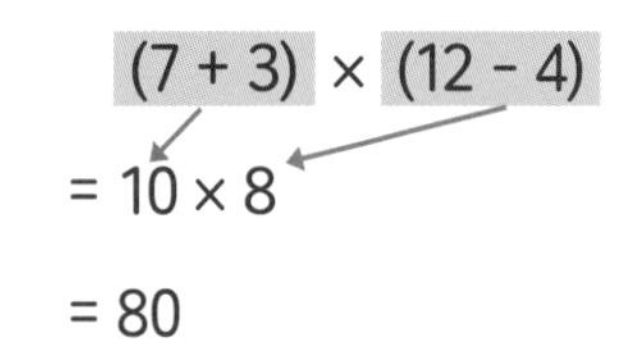

$(7 + 3) \times (12 - 4)$
$= 10 \times 8$
$= 80$

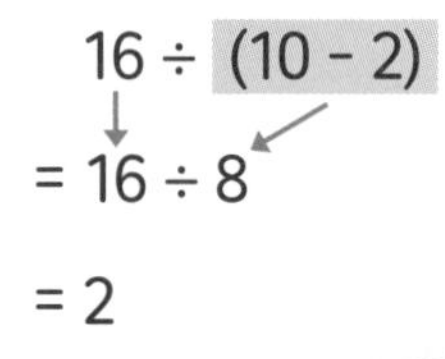

$16 \div (10 - 2)$
$= 16 \div 8$
$= 2$

1. 계산한 후, 정답을 애벌레에서 찾아 ○표 해 보세요.

$4 \times 2 + 3$
= ______
= ______

$4 \times (2 + 3)$
= ______
= ______

$3 \times 3 - 2$
= ______
= ______

$3 \times (3 - 2)$
= ______
= ______

$(5 + 2) \times 5$
= ______
= ______

$5 + 2 \times 5$
= ______
= ______

3 7 9 11 15 20 25 35

2. 아래 그림을 보고 알맞은 식을 세운 후 구슬이 몇 개 있는지 구해 보세요.

$4 \times 2 +$ ______

= ______

= ______

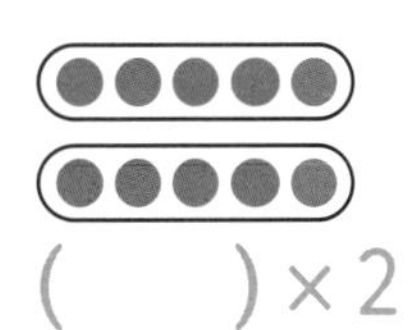

( ) $\times 2$ ______

= ______

= ______

______

= ______

= ______

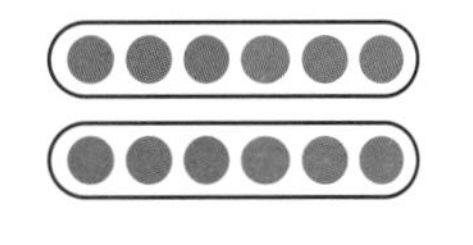

______

= ______

= ______

3. 먼저 괄호 안의 식을 계산해 보세요. 정답을 애벌레에서 찾아 ○표 해 보세요.

$(2 + 1) \times 6$

= ______

= ______

$(9 - 2) \times 4$

= ______

= ______

$5 \times (4 + 4)$

= ______

= ______

$(8 - 5) \times (1 + 6)$

= ______

= ______

$(3 + 6) \times (3 + 5)$

= ______

= ______

$(8 - 2) \times (6 - 1)$

= ______

= ______

$18 \div (7 - 4)$

= ______

= ______

$(20 + 8) \div 7$

= ______

= ______

$(27 + 9) \div (7 - 3)$

= ______

= ______

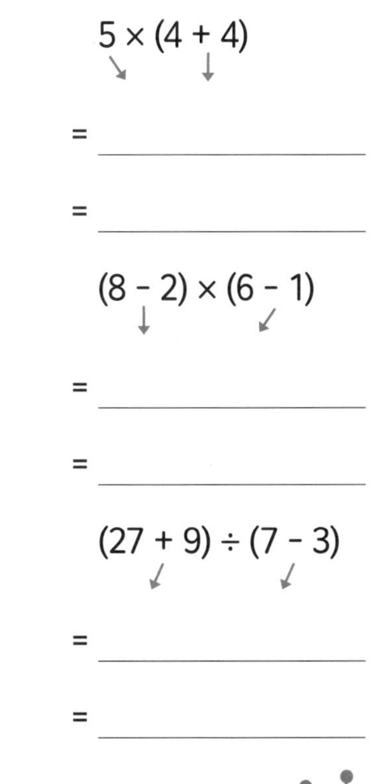

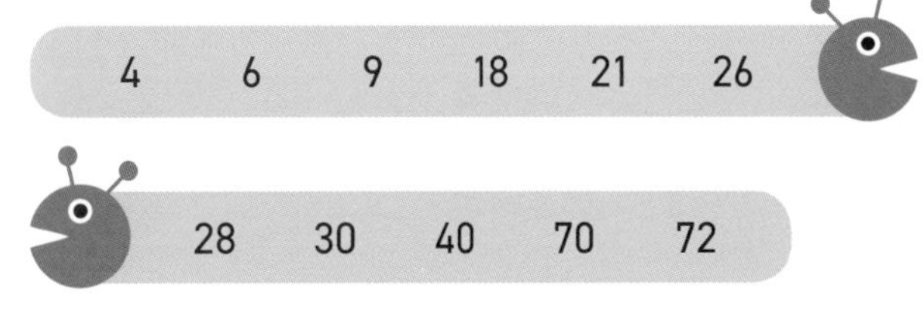

더 생각해 보아요!

식이 성립하도록 빈칸에 1, 2, 3, 4, 5를 알맞게 써넣어 보세요.

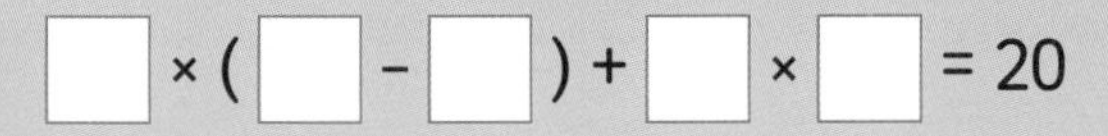

$\square \times (\square - \square) + \square \times \square = 20$

4. 계산한 후, 그림 속 정답에 해당하는 숫자를 주어진 색깔로 칠해 보세요.

$3 \times 4 + 8 =$ ______

$7 \times 4 - 2 =$ ______

$8 \times 8 - 9 =$ ______

$2 \times 7 + 8 =$ ______

$9 \times 8 - 16 =$ ______

$8 \times 6 - 36 =$ ______

$32 \div (7 - 5) =$ ______

$5 \times (10 - 2) =$ ______

$(6 + 4) \times 6 =$ ______

$56 \div (1 + 7) =$ ______

$30 - 4 \times 6 =$ ______

$6 \times 8 - 40 =$ ______

$98 - 8 \times 4 =$ ______

$7 \times 4 - 18 =$ ______

$55 - 6 \times 4 =$ ______

$6 \times 8 - 2 \times 9 =$ ______

$3 \times 8 + 5 \times 4 =$ ______

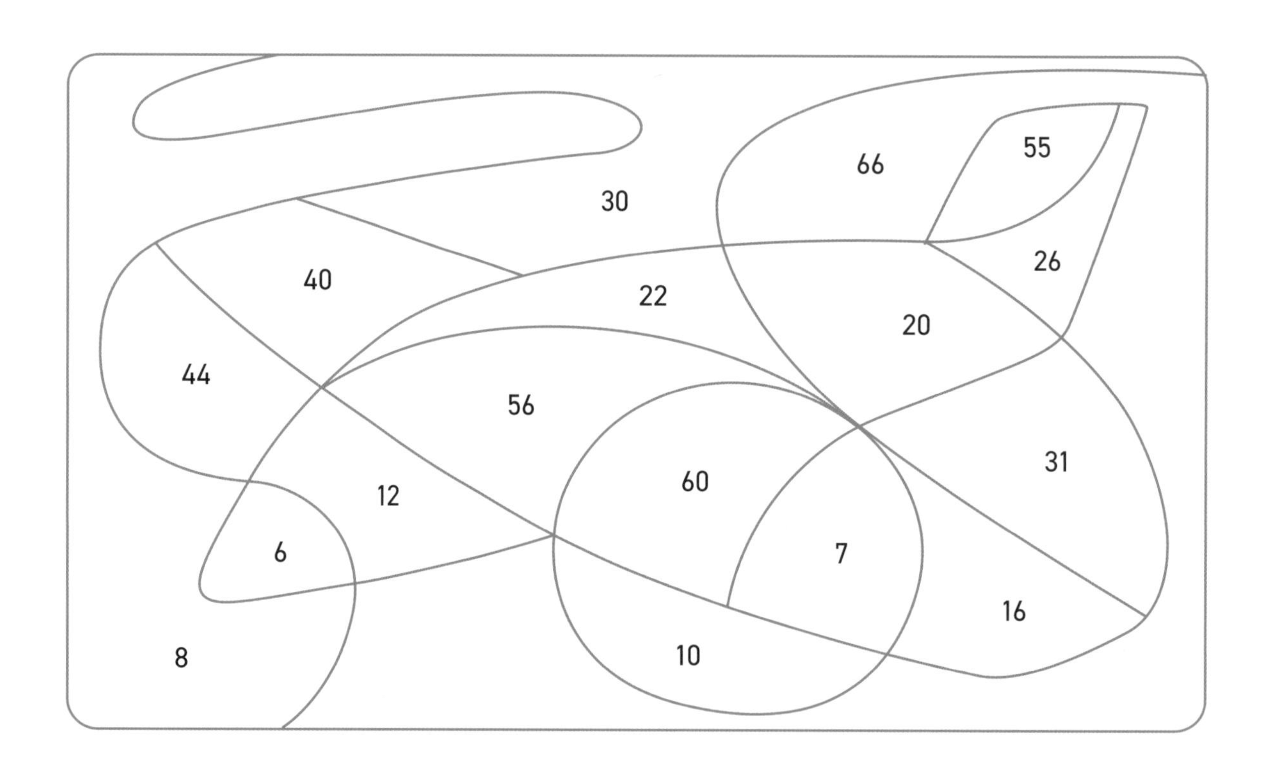

5. □ 안에 +, −, ×, ÷를 알맞게 써넣어 보세요.

7 □ 8 □ 6 = 50

12 □ 3 □ 2 = 8

2 □ 8 □ 4 = 4

7 □ 4 □ 4 = 8

(15 □ 5) □ 3 = 30

5 □ (12 □ 5) = 35

12 □ (4 □ 2) = 6

(6 □ 3) □ 7 = 63

6. 계산식이 성립하도록 아래 식에 괄호를 넣어 보세요.

$3 + 7 \times 3 = 30$

$7 \times 3 + 4 - 4 = 45$

$2 + 2 \times 10 - 40 = 0$

$3 + 1 \times 2 = 8$

$14 - 5 \times 2 = 18$

$16 - 7 \times 3 - 1 = 2$

7. 그림이 들어간 식을 보고 그림의 값을 구해 보세요.

(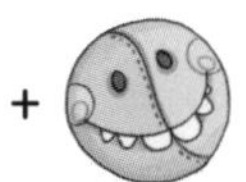 + ) × = 8

 +  ×  = 12

(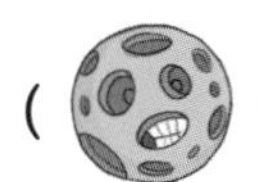 + 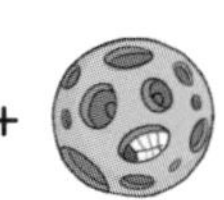) × (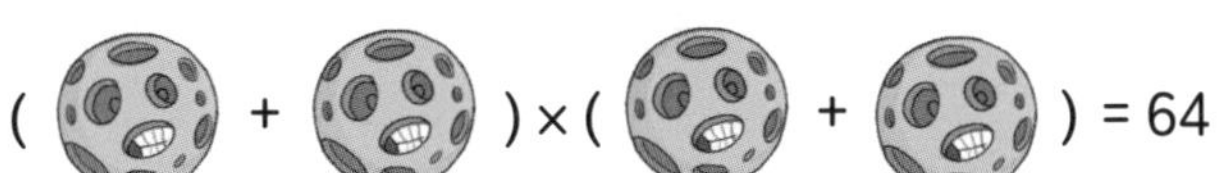 + 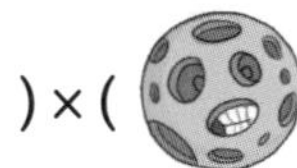) = 64

 × 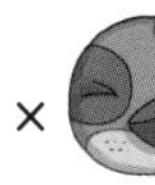 - (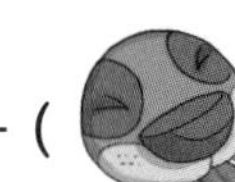 + 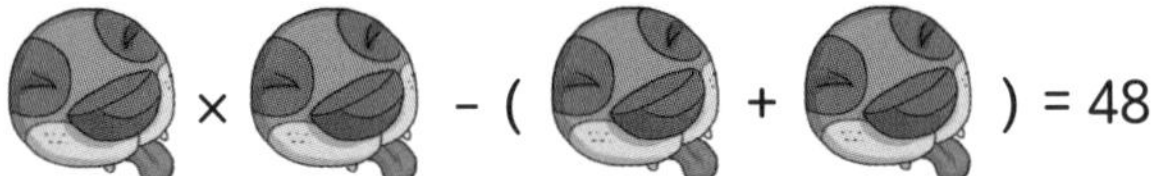) = 48

 = ______

 = ______

 = ______

 = ______

한 번 더 연습해요!

1. 계산해 보세요.

$4 \times 2 + 3$

= ______

= ______

$4 \times (2 + 3)$

= ______

= ______

$(4 + 2) \times 3$

= ______

= ______

$3 \times (8 - 3)$

= ______

= ______

$2 + 6 \times 5$

= ______

= ______

$(12 - 3) \times 4$

= ______

= ______

7 괄호가 있는 계산 2

식 세우기 :

$3€ \times 3 + 2€ \times 2$

$= 9€ + 4€$

$= 13€$

답 : 13€

식 세우기 :

$(3€ + 2€) \times 3$

$= 5€ \times 3$

$= 15€$

답 : 15€

1. 아래 글을 읽고 알맞은 식을 세워 답을 구한 후, 정답을 애벌레에서 찾아 ○표 하세요.

도넛 1개의 가격은 3유로, 주스 1잔의 가격은 2유로예요.

❶ 아이라는 도넛 2개와 주스 1잔을 샀어요. 음식값은 모두 얼마일까요?

______

= ______

= ______

❷ 알렌과 아론은 도넛 1개와 주스 1잔을 각자 주문했어요. 주문한 음식값은 모두 얼마일까요?

______

= ______

= ______

❸ 친구 4명이 도넛 1개와 주스 1잔을 각자 주문했어요. 음식값은 모두 얼마일까요?

______

= ______

= ______

❹ 아빠는 도넛 4개와 주스 2잔을 샀어요. 음식값은 모두 얼마일까요?

______

= ______

= ______

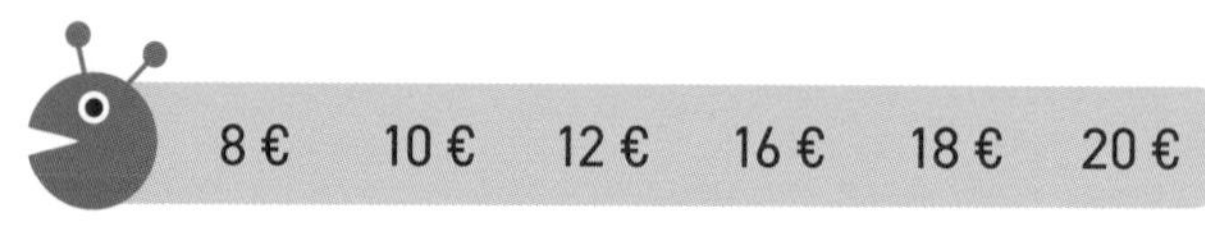

2. 아래 글을 읽고 알맞은 식을 세워 답을 구한 후, 정답을 애벌레에서 찾아 ○표 해 보세요.

❶ 애니는 피자 1판, 음료수 1잔, 아이스크림 1개를 샀어요. 음식값은 모두 얼마일까요?

____

= ______________________

= ______________________

❷ 리아는 피자 1판과 음료수 2잔을 샀어요. 음식값은 모두 얼마일까요?

____

= ______________________

= ______________________

❸ 닉과 베라는 음료수 1잔과 아이스크림 1개를 각자 샀어요. 음식값은 모두 얼마일까요?

____

= ______________________

= ______________________

❹ 오시안, 엘라, 레니는 아이스크림 1개, 음료수 1잔, 피자 1판을 각자 주문했어요. 주문한 음식값은 모두 얼마일까요?

____

= ______________________

= ______________________

12 € 14 € 15 € 16 € 45 € 48 €

더 생각해 보아요!

엠마는 5유로 80센트를 가지고 있어요. 가진 돈은 모두 50센트와 20센트짜리 동전이며, 개수는 총 17개예요. 엠마는 20센트짜리 동전을 몇 개 가지고 있을까요?

____

* 100센트는 1유로와 같아요.

3. 0부터 10까지의 숫자 중에서 행운의 숫자 3개를 골라 보세요.
행운의 숫자를 표에 쓰고 아래 설명에 따라 답을 구해 보세요.

	행운의 숫자		
행운의 숫자를 쓰세요.			
행운의 숫자에 5를 더하세요.			
더한 수에 2를 곱하세요.			
곱한 수에 6을 더하세요.			
더한 수를 2로 나누세요.			
나눈 몫에서 행운의 숫자를 빼세요.			

무엇을 알게 되었나요?

____

4. 스도쿠 퍼즐을 완성해 보세요.

가로줄과 세로줄에 1부터 6까지의 숫자를 1번씩만 쓸 수 있어요.

❶

2				5	6
	5				
3				4	2
	4	2	3		1
	1	3	6		
6	2	5	4	1	3

❷

6	5			2	1
		1	5		3
4		5			
	1		6	5	
		4	2		
	2				5

5. 나는 어떤 수일까요?

❶ 6과 9의 합을 이 수에 곱하면 60이 나와요.

정답 : ______________________

❷ 12와 16의 합을 이 수로 나누면 몫이 4예요.

정답 : ______________________

❸ 이 수에 5를 더한 값에 8을 곱하면 72가 나와요.

정답 : ______________________

❹ 이 수에서 7을 뺀 후 13을 곱하면 39가 나와요.

정답 : ______________________

6. 식이 성립하도록 4부터 9까지의 숫자를 빈칸에 알맞게 써넣어 보세요.

❶

❷

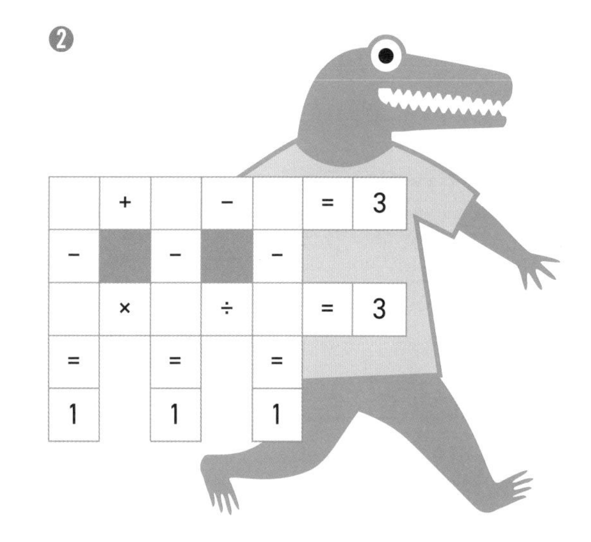

한 번 더 연습해요!

1. 계산해 보세요.

$6 \times (4 + 2)$
= ________
= ________

$4 \times (2 + 6)$
= ________
= ________

$(9 + 1) \times 8$
= ________
= ________

$32 \div (12 - 8)$
= ________
= ________

$12 + 9 \div 3$
= ________
= ________

$(16 - 9) \times 6$
= ________
= ________

2. 아래 글을 읽고 알맞은 식을 세워 답을 구해 보세요.

❶ 제리와 힐다는 각자 6유로짜리 책 1권과 2유로짜리 공책 1권을 샀어요. 물건값은 모두 얼마일까요?

____
= ________
= ________

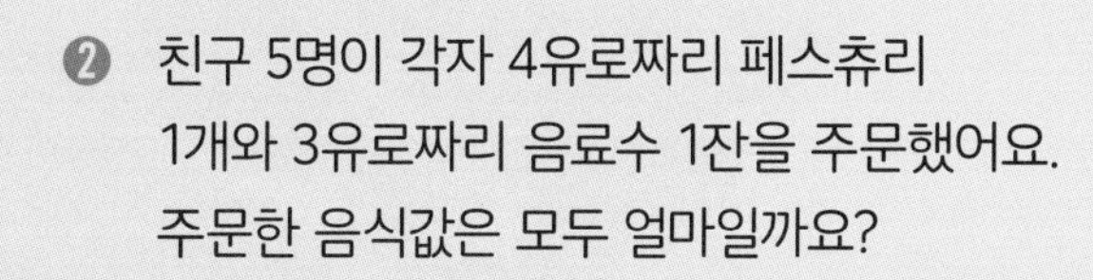
❷ 친구 5명이 각자 4유로짜리 페스츄리 1개와 3유로짜리 음료수 1잔을 주문했어요. 주문한 음식값은 모두 얼마일까요?

____
= ________
= ________

____월 ____일 ____요일

1. 계산한 후, 정답에 해당하는 알파벳을 애벌레에서 찾아 빈칸에 써넣어 보세요.

$2 \times (34 - 14) =$ ____ □

$30 - 5 \times 5 =$ ____ □

$8 \times 3 - 2 =$ ____ □

$2 \times 2 \times 8 =$ ____ □

$11 + 6 \times 3 =$ ____ □

$9 \times 8 =$ ____ □

$1 + 9 \times 5 =$ ____ □

$58 - 41 =$ ____ □

$36 \div 4 =$ ____ □

$2 \times 4 \times 8 =$ ____ □

$5 \times 3 - 6 =$ ____ □

$40 + 11 =$ ____ □

$(32 + 8) \div 5 =$ ____ □

$4 \times 5 - 12 =$ ____ □

$5 \times 8 - 2 \times 9 =$ ____ □

$(16 - 15) \times 5 =$ ____ □

$10 \times 6 + 12 =$ ____ □

$8 \times 5 - 2 =$ ____ □

$(29 - 5) \div 3 =$ ____ □

<혼합 계산의 순서>
1. 괄호 안의 식
2. 곱셈과 나눗셈을 왼쪽에서 오른쪽으로 차례로
3. 덧셈과 뺄셈을 왼쪽에서 오른쪽으로 차례로

5	8	9	17	22	29	32	38	40	46	51	64	72
O	E	T	L	H	B	N	S	J	I	R	A	U

2. 아래 글을 읽고 알맞은 식을 세워 답을 구한 후, 정답을 애벌레에서 찾아 ○표 해 보세요.

❶ 케이트는 나사 4팩과 드라이버 1개를 샀어요. 물건값은 모두 얼마일까요?

____

= ____________________

= ____________________

❷ 아이노는 페인트 붓 3개와 페인트 2통을 샀어요. 물건값은 모두 얼마일까요?

____

= ____________________

= ____________________

❸ 에밀은 35유로를 가지고 있어요. 페인트 4통을 사고 나면 얼마가 남을까요?

____

= ____________________

= ____________________

❹ 드라이버 6개의 가격이 페인트 붓 7개의 가격보다 얼마나 더 비쌀까요?

____

= ____________________

= ____________________

❺ 에반은 줄자 5개와 페인트 5통을 샀어요. 물건값은 모두 얼마일까요?

____

= ____________________

= ____________________

❻ 아리와 테아는 페인트 1통과 페인트 붓 1개를 같이 샀어요. 둘은 물건값을 똑같이 나누어 냈어요. 아리와 테아는 돈을 얼마씩 냈을까요?

____

= ____________________

= ____________________

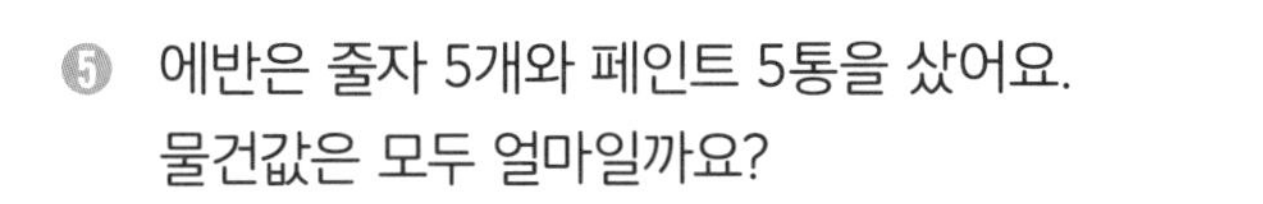

더 생각해 보아요!

농장에 암탉과 양을 합쳐 모두 10마리가 있어요. 다리 수를 세어 보았더니 32개예요. 농장에는 양이 몇 마리 있을까요?

____

3. 5개의 오두막집을 오갈 수 있는 길을 가능한 한 많이 찾아보세요. 2개의 집 사이에는 1개의 선만 그을 수 있어요.

오두막집 사이를 오갈 수 있는 길은 모두 10개예요. 여러분은 몇 개를 찾았나요?

____

4. 아래 설명을 읽고 문제를 풀어 보세요.

바둑판은 <보기>와 같은 규칙에 따라 색칠되어 있어요. 처음 사용하는 색깔은 항상 빨간색이에요. 색칠하는 규칙을 빈칸에 써넣어 보세요.

<보기>

1, 2

0, 1, 1, 1

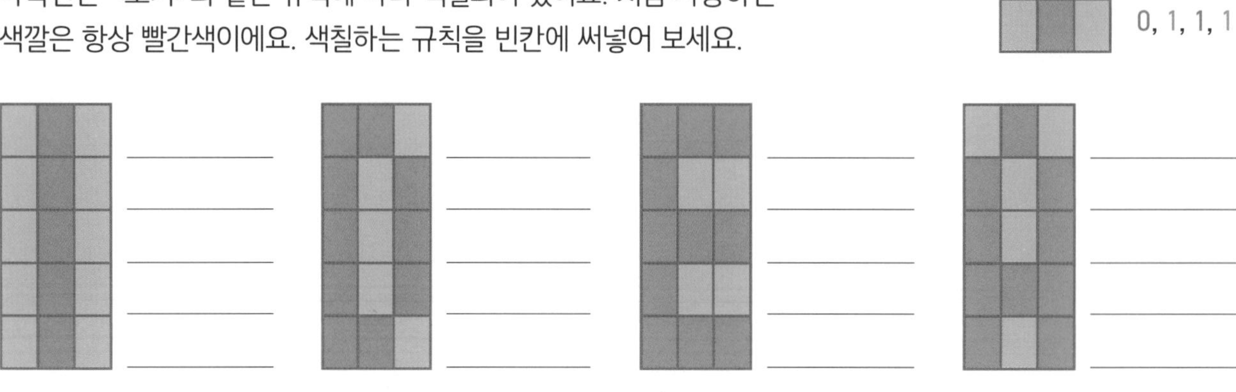

5. □ 안에 +, −를 알맞게 써넣어 보세요. 서로 다른 방법 2가지를 생각해 보세요.

❶ 2 □ 1 □ 8 □ 1 □ 1 = 9

2 □ 1 □ 8 □ 1 □ 1 = 9

❷ 4 □ 6 □ 2 □ 2 □ 2 = 8

4 □ 6 □ 2 □ 2 □ 2 = 8

6. 아래 글을 읽고 답을 구해 보세요.

❶ 타일러는 같은 개수의 축구공과 농구공을 샀어요. 공은 모두 65유로예요. 타일러는 공을 모두 몇 개 샀을까요?

정답 : ______________________

❷ 트레버는 같은 개수의 탱탱볼, 축구공, 농구공을 샀어요. 공은 모두 90유로예요. 트레버는 공을 모두 몇 개 샀을까요?

정답 : ______________________

한 번 더 연습해요!

1. 계산해 보세요.

$(2 + 6) \times 3$

= ______________

= ______________

$28 \div (20 - 13)$

= ______________

= ______________

$9 \times 4 + 3$

= ______________

= ______________

$52 - 6 \times 7$

= ______________

= ______________

$4 \times (5 + 2)$

= ______________

= ______________

$40 \div 4 + 7 \times 5$

= ______________

= ______________

2. 아래 글을 읽고 알맞은 식을 세워 답을 구해 보세요.

❶ 미나는 9유로짜리 망치 2개와 6유로짜리 못을 3팩 샀어요. 미나가 산 물건값은 모두 얼마일까요?

____

= ______________________

= ______________________

❷ 해리는 나사 22개를 사고 나서 14개를 더 샀어요. 구입한 나사를 상자 4개에 똑같이 나누어 담았다면 상자 1개에 나사가 몇 개씩 들어갈까요?

____

= ______________________

= ______________________

7. 아래 다트판을 보고 알맞은 식을 세워 답을 구해 보세요. 누가 다트 대회에서 우승했을까요? ____________

❶ 캐시

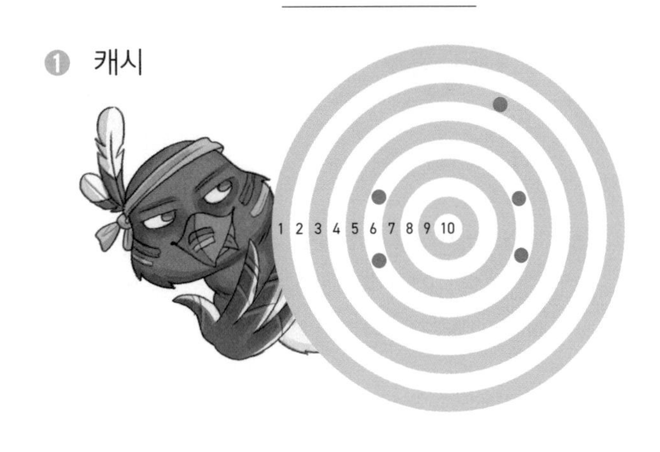

____

____

____

❷ 칩

____

____

____

❸ 알렉

____

____

____

❹ 엠마

____

____

____

8. 그림을 보고 결과가 어떻게 될지 단계적으로 생각해 보세요. 혼합 계산의 순서에 주의하며 계산해 보세요.

◯ + ✕ - ＼	◭ - ▲ + ✕	⚅ - ⚃ + ⚁
= ____________	= ____________	= ____________
= ____________	= ____________	= ____________

9. 1~25까지 숫자를 빈칸에 알맞게 써넣어 보세요. 세로, 대각선, 가로 방향으로 〈보기〉와 같이 숫자가 연속적으로 이어져야 해요.

❶

25		8	5	4
	9	6	3	1
	18		16	2
22		17	11	15
	21		13	

❷

		15		13
18	2	1	25	
	21		24	
20	4	22		10
	6			9

10. 아래 질문에 답해 보세요.

❶ 3을 곱했을 때 999보다 6 작은 수는 어떤 수일까요?

____

❷ 4로 나누었을 때 123이 되는 수는 어떤 수일까요?

____

한 번 더 연습해요!

1. 계산해 보세요.

$9 \times 2 + 14$
= ______________
= ______________

$7 \times 8 - 12$
= ______________
= ______________

$82 - 42 \div 6$
= ______________
= ______________

$45 \div 9 + 57$
= ______________
= ______________

$27 \div 3 - 5$
= ______________
= ______________

$6 \times 4 - 7 \times 3$
= ______________
= ______________

실력을 평가해 봐요!

____ 월 ____ 일 ____ 요일

1. 계산해 보세요.

31 + 8 = ____	47 − 5 = ____	6 × 5 = ____	40 ÷ 5 = ____
46 + 6 = ____	39 − 9 = ____	5 × 4 = ____	36 ÷ 6 = ____
17 + 23 = ____	52 − 8 = ____	3 × 6 = ____	35 ÷ 7 = ____
29 + 34 = ____	61 − 27 = ____	8 × 2 = ____	30 ÷ 3 = ____

2. 값이 같은 것끼리 선으로 이어 보세요.

4 + 3 × 2 • 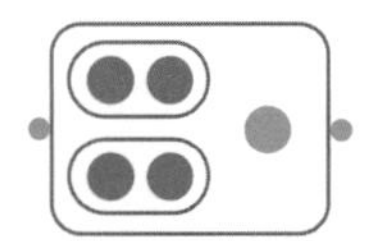 • 10

2 × (1 + 3) • 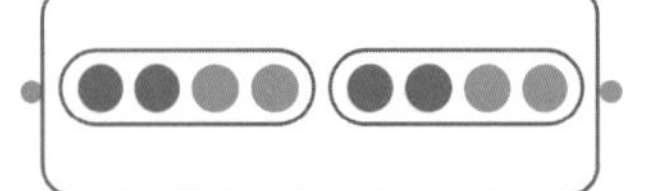  • 8

2 × 2 + 1 • 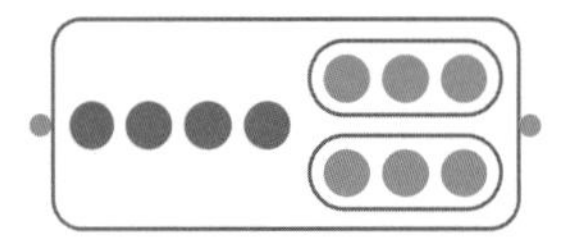  • 5

2 × (2 + 2) • 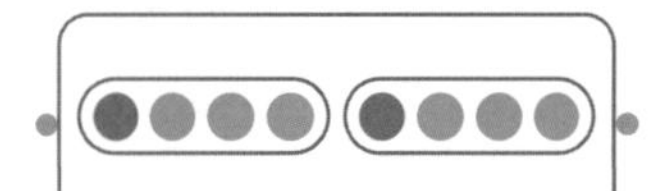 • 8

3. 계산해 보세요.

6 × 4 + 5
= ________
= ________

13 + 2 × 6
= ________
= ________

4 × 9 − 7
= ________
= ________

32 − 5 × 5
= ________
= ________

7 × 7 + 5 × 3
= ________
= ________

18 ÷ 2 + 6
= ________
= ________

4. 아래 주사위 그림을 보고 알맞은 식을 세워 주사위 눈의 합을 구해 보세요.

⚃ ⚃ ⚃ ⚄ ⚁ ⚁ ⚅ ⚅

_______________ _______________

= _______________ = _______________

= _______________ = _______________

5. 저스틴은 다트를 5번 던졌어요. 알맞은 식을 세워 저스틴의 총점을 계산해 보세요.

❶ 4점 1개와 6점 4개

____

= _______________

= _______________

❷ 8점 2개와 5점 3개

____

= _______________

= _______________

6. 아래 글을 읽고 알맞은 식을 세워 답을 구해 보세요.

❶ 엠마는 7유로짜리 책 2권과 3유로짜리 책 1권을 샀어요. 구매한 책은 모두 얼마일까요?

____

= _______________

= _______________

❷ 친구 4명이 5유로짜리 페스츄리 1개와 2유로짜리 음료수 1잔을 각자 주문했어요. 친구들이 주문한 음식은 모두 얼마일까요?

____

= _______________

= _______________

실력이 자란 만큼 별을 색칠하세요.

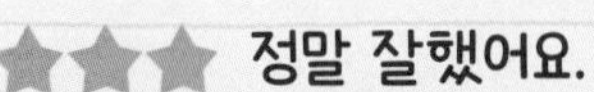

★★★ 정말 잘했어요.
★★☆ 꽤 잘했어요.
★☆☆ 앞으로 더 노력할게요.

단원 종합 문제

____ 월 ____ 일 ____ 요일

1. 계산해 보세요.

$9 \times 2 - 7$	$8 + 5 \times 3$	$19 - 20 \div 4$
= ______	= ______	= ______
= ______	= ______	= ______

$6 \times 4 + 3 \times 2$	$16 \div (8 - 6)$	$(4 + 1) \times 8$
= ______	= ______	= ______
= ______	= ______	= ______

2. 아래 주사위 그림을 보고 알맞은 식을 세워 주사위 눈의 합을 구해 보세요.

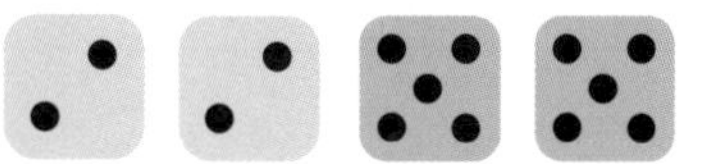

______
= ______
= ______

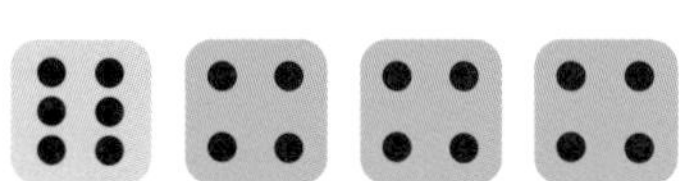

______
= ______
= ______

3. 아이리스는 다트를 5번 던졌어요. 알맞은 식을 세워 아이리스의 총점을 계산해 보세요.

① 2점 4개와 3점 1개

______
= ______
= ______

② 4점 2개와 6점 3개

______
= ______
= ______

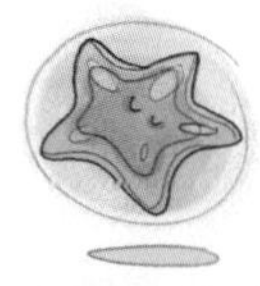

4. 계산식이 성립하도록 아래 식에 괄호를 넣어 보세요.

$6 - 3 \times 8 = 24$

$38 - 12 + 6 = 20$

$5 + 3 \times 5 - 4 = 8$

$4 \times 5 + 2 = 28$

$30 \div 10 - 4 = 5$

$3 + 2 \times 2 - 1 = 9$

5. □ 안에 +, −, ×, ÷를 알맞게 써넣어 보세요.

9 □ 2 □ 6 = 3

8 □ 6 □ 4 = 32

2 □ 3 □ 6 = 36

3 □ (10 □ 5) = 45

(25 □ 23) □ 8 = 6

60 □ (34 □ 8) = 18

6. 아래 글을 읽고 알맞은 식을 세워 답을 구해 보세요.

❶ 오시안과 친구 2명은 4유로짜리 지우개 1개와 3유로짜리 연필 1자루를 각자 샀어요. 구매한 학용품의 가격은 모두 얼마일까요?

____

= __________

= __________

❷ 새나는 3유로짜리 펜 6개를 샀어요. 돈을 내고 나니 5유로가 남았어요. 물건을 사기 전에 새나가 가지고 있던 돈은 얼마일까요?

____

= __________

= __________

7. 아래 글을 읽고 알맞은 식을 세워 답을 구해 보세요.

❶ 8과 7의 곱

____

❷ 54를 9로 나눈 몫

____

❸ 5와 7의 곱에 4를 더하세요.

____

= __________

= __________

❹ 3과 7의 곱에서 4를 빼세요.

____

= __________

= __________

8. 계산해 보세요.

$(7 + 2) \times (3 + 6)$

= ________________

= ________________

$(23 - 17) \times (18 - 6)$

= ________________

= ________________

$3 + 6 \times 4 - 4 \div 4$

= ________________

= ________________

9. 5부터 10까지의 숫자를 한 번씩 사용하여 식이 성립하도록 빈칸에 알맞게 써넣어 보세요.

10. 1부터 5까지의 숫자를 한 번씩 사용하여 식이 성립하도록 빈칸에 알맞게 써넣어 보세요.

(□ + □) × □ − □ × □ = 27

□ × (□ + □ + □) + □ = 46

11. 나는 어떤 수일까요?

❶ 13에서 5를 뺀 후 이 수를 곱하면 72예요.

____

❷ 23에 31을 더한 후 이 수로 나누면 몫이 6이에요.

____

❸ 이 수에 3을 더한 값에 9를 곱하면 99예요.

____

❹ 이 수에서 12를 뺀 값에 12를 곱하면 36이에요.

____

____ 월 ____ 일 ____ 요일

★ 합

$8 + 5 = 13$ (8, 5: 더하는 수 / 13: 합)

- 덧셈의 결과를 합이라고 해요.

★ 차

$13 - 5 = 8$ (13: 빼어지는 수 / 5: 빼는 수 / 8: 차)

- 뺄셈의 결과를 차라고 해요.

★ 곱

$3 \times 8 = 24$ (3: 곱해지는 수 / 8: 곱하는 수 / 24: 곱)

- 곱셈의 결과를 곱이라고 해요.

★ 몫

$\frac{24}{3} = 8$ (24: 나누어지는 수 / 3: 나누는 수 / 8: 몫)

$24 \div 3 = 8$ (8: 몫)

- 나눗셈의 결과를 몫이라고 해요.

★ 혼합 계산의 순서

- 먼저 괄호 안의 식을 계산해요.
- 그다음 곱셈과 나눗셈을 왼쪽에서 오른쪽으로 차례로 계산해요.
- 마지막으로 덧셈과 뺄셈을 왼쪽에서 오른쪽으로 차례로 계산해요.

예

$3 + 4 \times 5$
$= 3 + 20$
$= 23$

$14 - 12 \div 2$
$= 14 - 6$
$= 8$

$4 \times 8 + 5 \times 3$
$= 32 + 15$
$= 47$

$(9 - 5) \times 7$
$= 4 \times 7$
$= 28$

$(5 + 3) \times (10 - 4)$
$= 8 \times 6$
$= 48$

$24 \div (13 - 7)$
$= 24 \div 6$
$= 4$

도전! 심화 문제

1 계산해 보세요.

(8 − 3) × 6

= ______

= ______

24 − 3 × 5

= ______

= ______

36 ÷ 4 + 3

= ______

= ______

2 그림을 보고 알맞은 식을 세워 답을 구해 보세요.

●●● ●●● ●●● ●	●● ●●●● ●●●●
______	______
= ______	= ______
= ______	= ______

3 아래 설명을 읽고 질문에 답해 보세요.

❶ 엠마는 10유로를 가지고 있어요. 아이스크림 2개를 사고 나면 얼마가 남을까요?

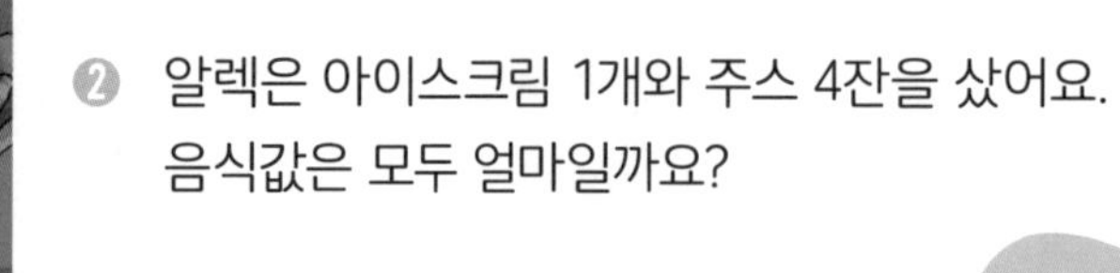

______

❷ 알렉은 아이스크림 1개와 주스 4잔을 샀어요. 음식값은 모두 얼마일까요?

______

□ 안에 +, −, ×, ÷를 알맞게 써넣어 보세요.

8 □ 3 □ 2 = 9

2 □ 7 □ 5 = 19

4 □ 12 □ 3 = 0

10 □ 2 □ 6 = 11

1부터 6까지의 숫자를 빈칸에 알맞게 써넣어 보세요.
숫자는 1번씩만 쓸 수 있어요.

1 2 4 3 6 5

____ × ____ - ____ = 9

(____ + ____) × ____ = 10

6

밑에서부터 사다리를 올라가면서 식이 성립하도록 알맞은 숫자를 빈칸에 써넣어 보세요. 정답에 해당하는 사다리 계단을 색칠해 보세요.

(____ + ____) × ____ = 10

____ ÷ ____ × ____ = 9

____ + ____ × ____ = 8

____ + (____ + ____) = 7

(____ - ____) ÷ ____ = 6

____ - ____ × ____ = 5

____ ÷ (____ + ____) = 4

____ + ____ - ____ = 3

____ - ____ ÷ ____ = 2

2 × 3 - 5 = 1

10
9
8
7
6
5
4
3
2
1

8 네 자리 수

천의 자리	백의 자리	십의 자리	일의 자리
2	1	5	8

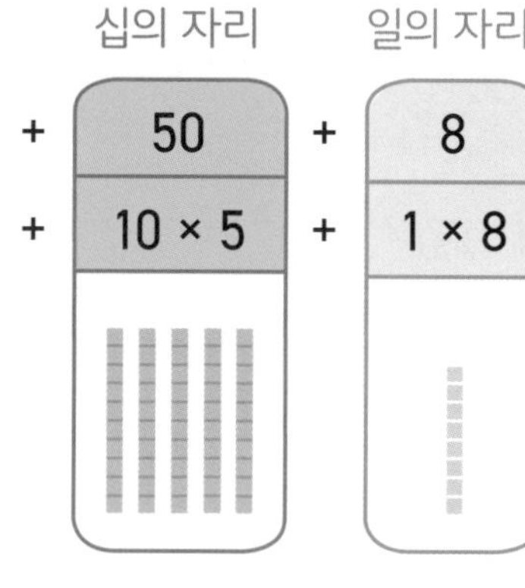

	천의 자리		백의 자리		십의 자리		일의 자리
=	2000	+	100	+	50	+	8
=	1000 × 2	+	100 × 1	+	10 × 5	+	1 × 8

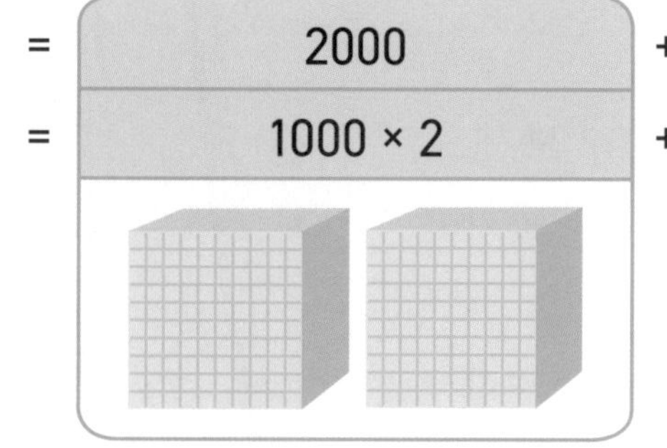
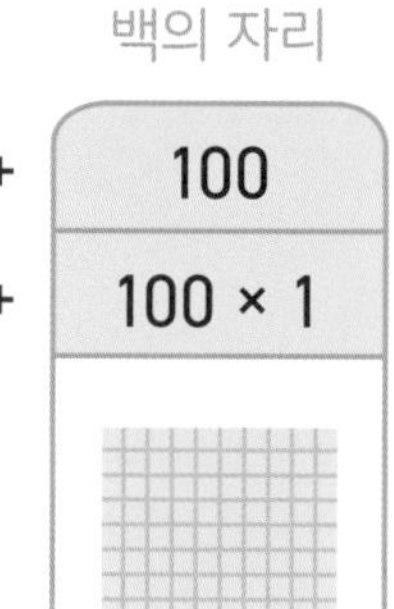

일의 자리, 십의 자리, 백의 자리, 천의 자리에 있는 숫자는 자릿값을 가지고 있어요.

- 1이 10개이면 10이 1개인 것과 같아요. $10 \times 1 = 10$
- 10이 10개면 100과 같아요. $10 \times 10 = 100$
- 10이 100개면 1000과 같아요. $10 \times 100 = 1000$
- 10이 1000개면 10000과 같아요. $10 \times 1000 = 10000$

<수의 크기 비교>

천의 자리부터 비교해 볼까요? 그다음 백의 자리, 십의 자리, 일의 자리 순으로 비교해 보세요.

4377 > 544　　5320 > 5271　　2690 > 2684　　3458 > 3452

1. 그림이 나타내는 수를 쓰고 □ 안에 >, =, <를 알맞게 써넣어 보세요.

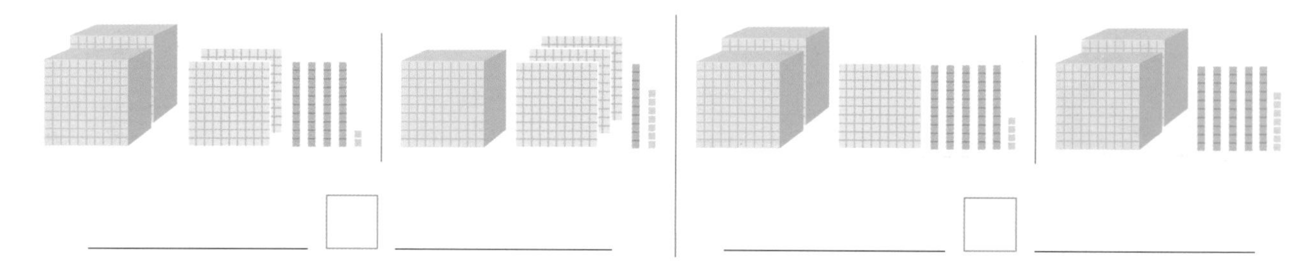

_____ □ _____　　_____ □ _____

2. □ 안에 >, =, <를 알맞게 써넣어 보세요.

6755 □ 6749　　328 □ 3329　　809 □ 819

9700 □ 9707　　516 □ 506　　2401 □ 2411

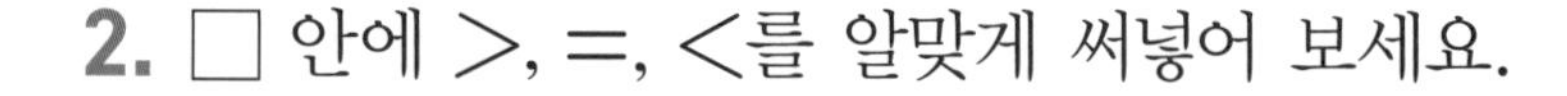

3. 각 자리의 숫자는 얼마를 나타내는지 써 보세요.

8362 = 8000 + 300 + ____________

9108 = ____________

4035 = ____________

2290 = ____________

4. 계산해 보세요.

5000 + 100 + 40 + 6 = ____________

3000 + 400 + 7 = ____________

4000 + 50 + 2 = ____________

1000 + 6 = ____________

2000 + 40 = ____________

400 + 70 + 4 = ____________

9000 + 500 = ____________

700 + 3 = ____________

5. 수를 크기순으로 써넣어 보세요.

❶ 점점 커지는 순서로

☐ < ☐ < ☐ < ☐ < ☐

6013 41
833 1898
6003

❷ 점점 작아지는 순서로

☐ > ☐ > ☐ > ☐ > ☐

989 4560
4563 992
4090

6. 주어진 수보다 1 작은 수와 1 큰 수를 빈칸에 써넣어 보세요.

	2499	
	4699	
	6399	

	3600	
	5200	
	7400	

	2000	
	6099	
	9999	

더 생각해 보아요!

네 자리 수 중 각 자리 숫자의 합이 19가 되는 수 가운데 가장 큰 수는 무엇일까요?

____

7. 사자의 이름을 알아맞혀 보세요.

- 레오의 수에는 7000이 있어요.
- 리나의 수는 일의 자리가 1이에요.
- 라이카의 수는 십의 자리가 4예요.
- 룰루의 수는 십의 자리가 8이에요.
- 루이스의 수가 가장 커요.

8. 아래 설명을 읽고 색칠해 보세요.

- 천의 자리와 십의 자리 숫자가 같은 곳은 파란색
- 백의 자리와 일의 자리 숫자가 같은 곳은 빨간색

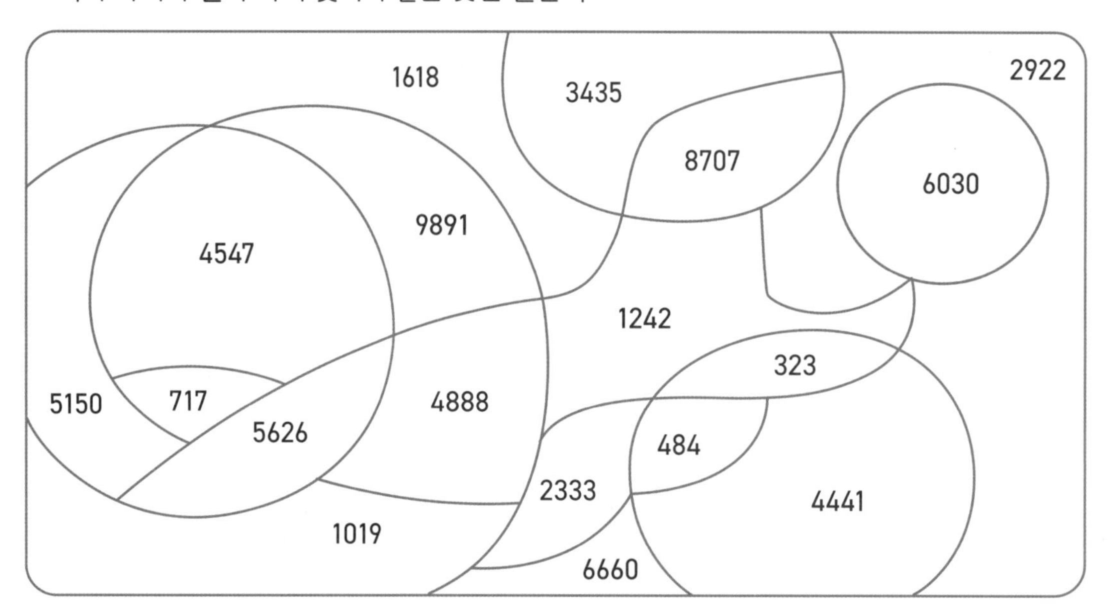

9. 규칙에 따라 빈칸에 알맞은 수를 써넣어 보세요.

7399	7396					7381

2290	2180					1630

10. 보물 상자를 여는 비밀번호를 알아맞혀 보세요.

❶
- 세 자리 수예요.
- 모든 자리의 숫자가 홀수예요.
- 각 자리 숫자의 합은 13이에요.
- 일의 자리 숫자는 백의 자리 숫자의 3배예요.
- 가장 큰 숫자는 일의 자리에 있어요.

____

❷
- 네 자리 수예요.
- 각 자리 숫자의 합은 5예요.
- 같은 숫자가 3개 있어요.
- 가장 큰 숫자는 백의 자리에 있어요.

____

11. 질문에 답해 보세요.

❶ 네 자리 수 중 가장 큰 수는 무엇일까요?

____

❷ 네 자리 수 중 가장 큰 짝수는 무엇일까요?

____

❸ 네 자리 수 중 가장 작은 수는 무엇일까요?

____

❹ 네 자리 수 중 가장 작은 홀수는 무엇일까요?

____

한 번 더 연습해요!

1. 각 자리의 숫자는 얼마를 나타내는지 써 보세요.

6523 = ______________

3209 = ______________

9045 = ______________

1890 = ______________

2. 계산해 보세요.

2000 + 400 + 30 + 6 = ______

4000 + 4 = ______

6000 + 500 + 1 = ______

8000 + 20 = ______

3. □ 안에 >, =, <를 알맞게 써넣어 보세요.

7841 □ 7742　　3303 □ 3313　　2366 □ 2633　　9206 □ 9260

1025 □ 1027　　732 □ 723　　489 □ 498　　7733 □ 7337

_____월 _____일 _____요일

9 세로셈으로 덧셈하기

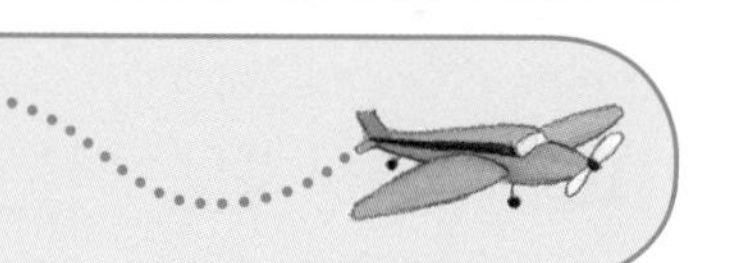

천의 자리	백의 자리	십의 자리	일의 자리	+	천의 자리	백의 자리	십의 자리	일의 자리
2	2	4	5	+	3	7	7	9

	1	1	1	
	2	2	4	5
+	3	7	7	9
	6	0	2	4

- 일의 자리 수끼리 먼저 더하세요. (5+9=14) 더한 값 14 중 4를 일의 자리 줄에 쓰고 1은 십의 자리로 받아 올림 하세요.
- 십의 자리 수를 모두 더하세요. (1+4+7=12) 더한 값 12 중 2를 십의 자리 줄에 쓰고 1은 백의 자리로 받아 올림 하세요.
- 백의 자리 수를 모두 더하세요. (1+2+7=10) 더한 값 10 중 0을 백의 자리 줄에 쓰고 1은 천의 자리로 받아 올림 하세요.
- 마지막으로 천의 자리 수를 모두 더하세요. (1+2+3=6) 6을 천의 자리 줄에 쓰세요.

천의 자리	백의 자리	십의 자리	일의 자리	+	십의 자리	일의 자리	+	백의 자리	십의 자리	일의 자리
7	5	1	9	+	5	7	+	6	4	5

	1	1	2	
	7	5	1	9
			5	7
+		6	4	5
	8	2	2	1

1. 세로셈으로 계산한 후, 정답을 애벌레에서 찾아 ○표 해 보세요.

2153 + 4426

	2	1	5	3
+	4	4	2	6

7526 + 107

	7	5	2	6
+		1	0	7

3174 + 54

	3	1	7	4
+			5	4

4107 + 2955

3556 + 89

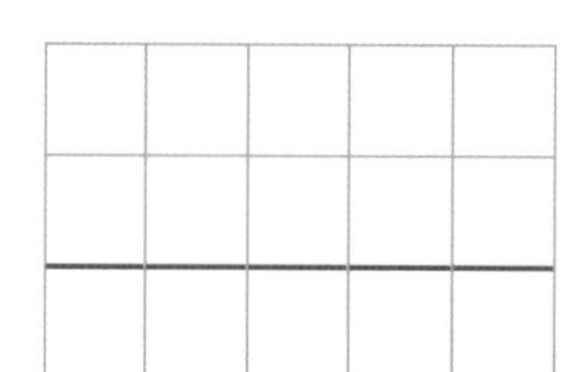

607 + 793

1400 3228 3645 3652 6579 7062 7633 7638

2. 세로셈으로 계산한 후, 정답을 애벌레에서 찾아 ○표 해 보세요.

3482 + 1236 + 3101

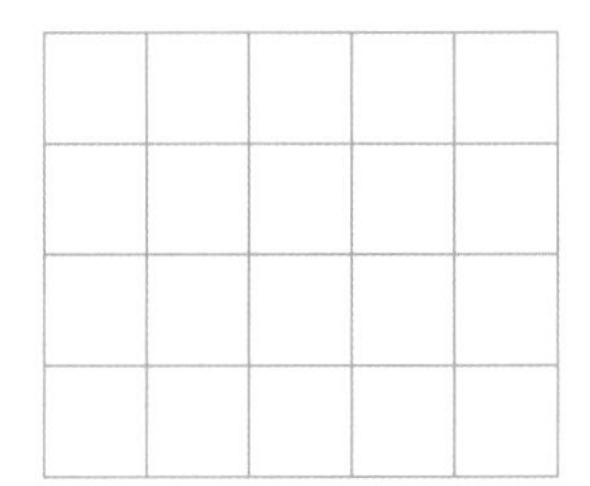

4010 + 52 + 1458

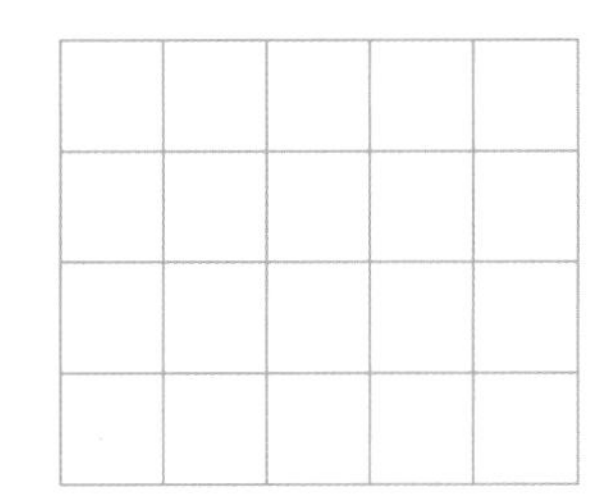

5007 + 29 + 385

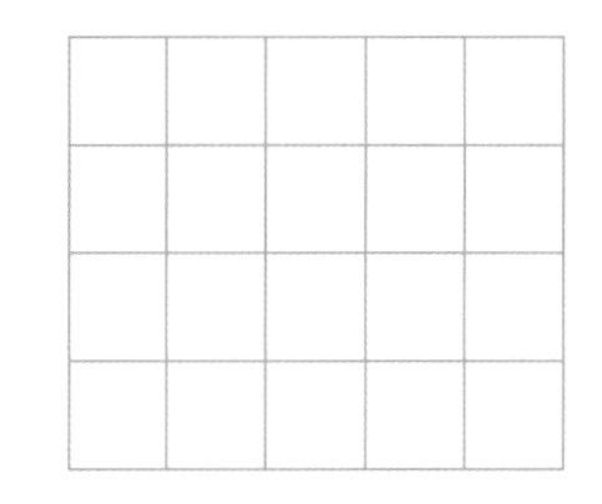

3. 아래 글을 읽고 알맞은 식을 세워 답을 구한 후, 정답을 애벌레에서 찾아 ○표 해 보세요.

❶ 서커스에 관객이 4월에는 2721명, 5월에는 3419명 왔어요. 서커스 관객은 모두 몇 명이었을까요?

식 : ______________________

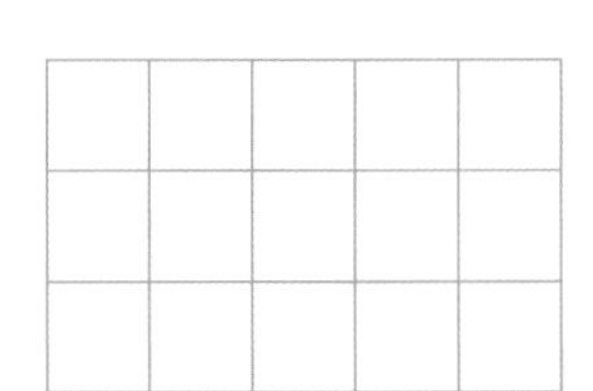

정답 : __________

❷ 서커스에 관객이 6월에는 3752명, 7월에는 3817명, 8월에는 2345명 왔어요. 서커스 관객은 모두 몇 명이었을까요?

식 : ______________________

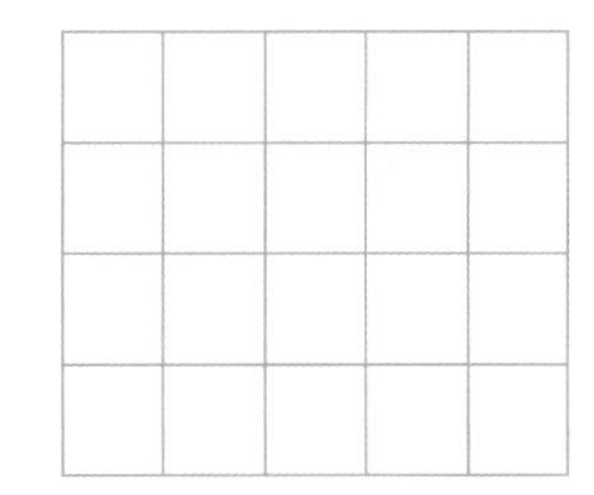

정답 : __________

5421 5520 6140 7809 7819 9889 9914

더 생각해 보아요!

1부터 8까지의 숫자를 한 번씩 사용하여 식이 성립하도록 빈칸에 알맞게 써넣어 보세요.

□□□□ + □□□□ = 9999

□□□□ + □□□□ = 9999

4. 그림이 들어간 식을 보고 그림의 값을 구해 보세요.

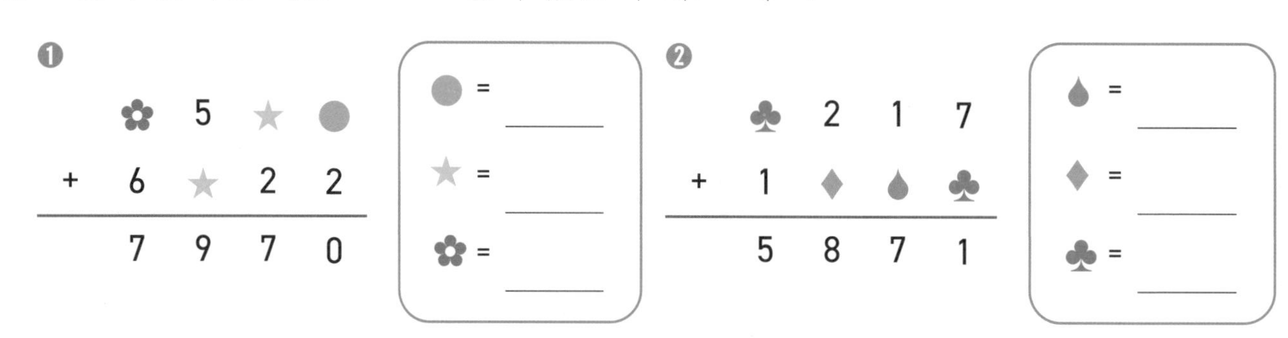

5. 가장 가벼운 앵무새부터 가장 무거운 앵무새까지 순서대로 이름을 써 보세요.

가장 가벼운 앵무새

1. ____________________

2. ____________________

3. ____________________

4. ____________________

5. ____________________

가장 무거운 앵무새

6. 표를 완성하여 마지막 경로의 거리를 구해 보세요.

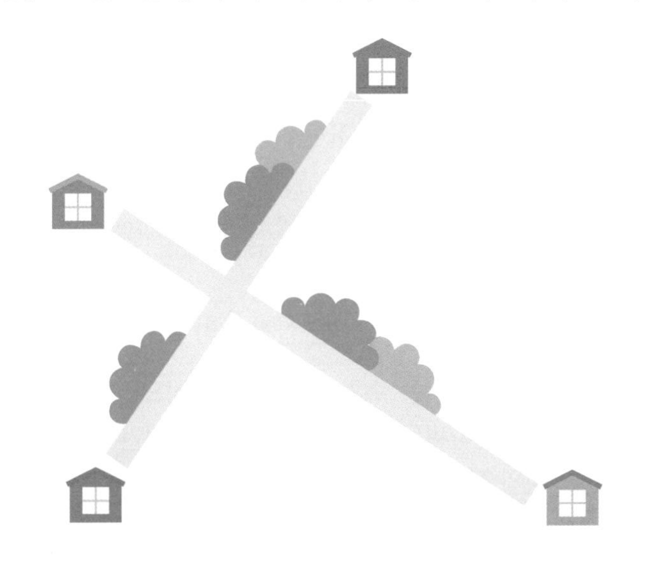

경로	거리
🏠 🏠	14 km
🏠 🏠	16 km
🏠 🏠	9 km
🏠 🏠	

한 번 더 연습해요!

1. 세로셈으로 답을 구해 보세요.

4613 + 2383

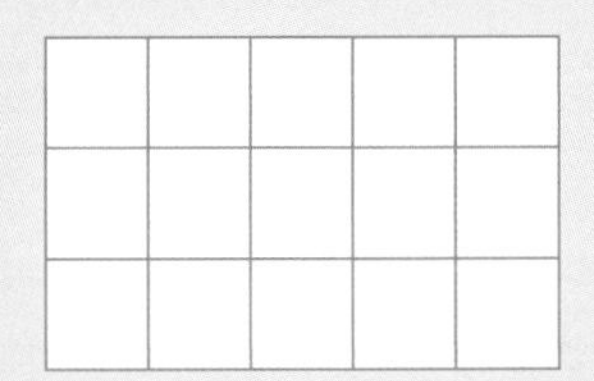

3589 + 504

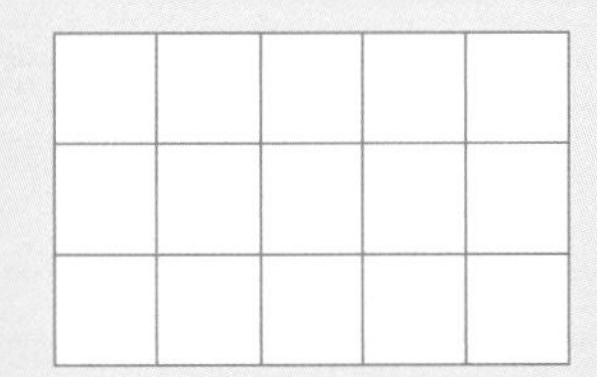

7354 + 54 + 1779

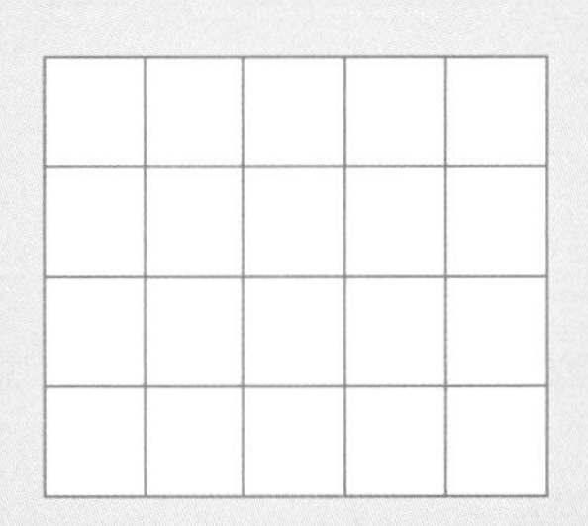

2. 아래 글을 읽고 세로셈으로 답을 구해 보세요.

❶ 극장에 관객이 9월에는 1775명, 10월에는 1236명 방문했어요. 극장 관객은 모두 몇 명이었을까요?

식 :

정답 :

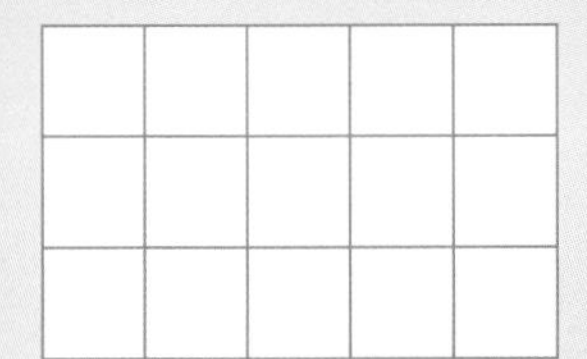

❷ 콘서트에 관객이 첫날에는 2486명, 둘째 날에는 554명 왔어요. 콘서트 관객은 모두 몇 명이었을까요?

식 :

정답 :

10 세로셈으로 뺄셈하기

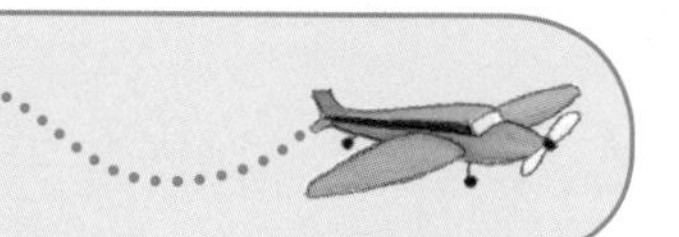

천의 자리 백의 자리 십의 자리 일의 자리 / 천의 자리 백의 자리 십의 자리 일의 자리

4 7 3 4 - 1 9 2 6

	3	10	2	10
	~~4~~	7	~~3~~	4
-	1	9	2	6
	2	8	0	8

- 먼저 일의 자리 수끼리 빼세요. 빼어지는 수가 빼는 수보다 작으면 십의 자리에서 10을 받아 내림하세요. (10은 1이 10개인 것이에요.) 받아 내림한 10을 일의 자리 수 위에 쓰고, 남은 값 2를 십의 자리 수 위에 쓰세요. 받아 내림한 10을 빼어지는 수와 더해 빼고(14-6=8), 뺀 값 8을 일의 자리 줄에 쓰세요.
- 십의 자리 수끼리 빼세요. (2-2=0) 뺀 값 0을 십의 자리 줄에 쓰세요.
- 백의 자리 수끼리 빼세요. 빼어지는 수가 빼는 수보다 작으면 천의 자리에서 1000을 받아 내림하세요. (1000은 100이 10개인 것이에요.) 받아 내림한 1000을 백의 자리 수 위에 쓰고 남은 값 3을 천의 자리 수 위에 쓰세요. 받아 내림한 1000을 빼어지는 수와 더해 빼기하고 (17-9=8), 뺀 값 8을 백의 자리 줄에 쓰세요.
- 마지막으로 천의 자리 수끼리 빼고(3-1=2), 뺀 값 2를 천의 자리 줄에 쓰세요.

천의 자리 백의 자리 십의 자리 일의 자리 / 백의 자리 십의 자리 일의 자리

8 0 0 2 - 4 4 6

		9	9	
	7	~~10~~	~~10~~	10
	~~8~~	0	0	2
-		4	4	6
	7	5	5	6

1. 세로셈으로 계산한 후, 정답을 애벌레에서 찾아 ○표 해 보세요.

4286 - 3171

	4	2	8	6
-	3	1	7	1

7772 - 3623

	7	7	7	2
-	3	6	2	3

6381 - 866

	6	3	8	1
-		8	6	6

4705 - 1648

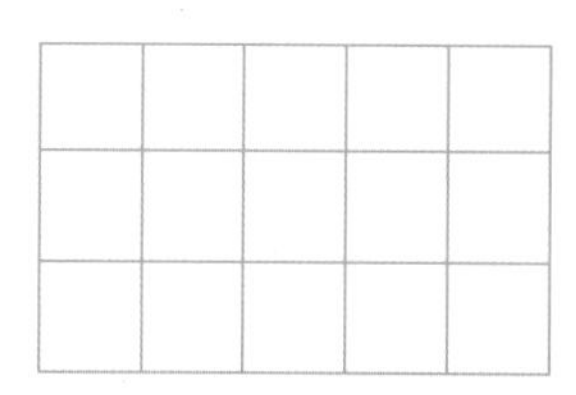

6004 - 96

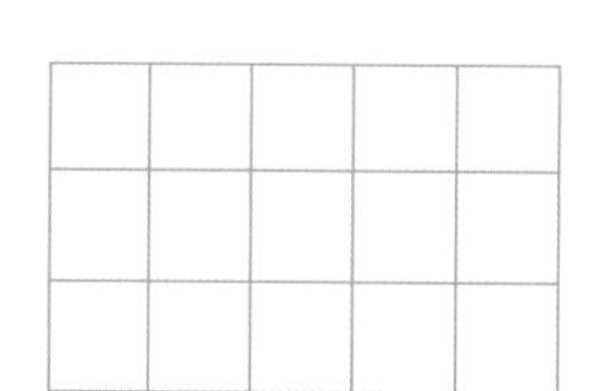

5341 - 650

1115 1355 3057 3189 4149 4691 5515 5908

2. 아래 글을 읽고 세로셈으로 답을 구한 후, 정답을 애벌레에서 찾아 ○표 해 보세요.

❶ 서커스 감독에게 3373유로가 있었는데 1242유로를 썼어요. 서커스 감독에게 남은 돈은 얼마일까요?

식 :

정답 :

❷ 마술사에게 3817유로가 있었는데 2345유로를 썼어요. 마술사에게 남은 돈은 얼마일까요?

식 :

정답 :

❸ 첫날은 총 3800유로, 둘째 날은 2236유로만큼 표가 팔렸어요. 첫날 수입이 둘째 날보다 얼마 더 많을까요?

식 :

정답 :

❹ 동물 수송 차량의 가격은 4500유로인데, 서커스 감독은 615유로만큼 할인을 받았어요. 서커스 감독은 차량 가격으로 얼마를 내면 될까요?

식 :

정답 :

1472 €   1564 €   2013 €   2131 €   3765 €   3885 €

더 생각해 보아요!

1부터 8까지의 숫자를 한 번씩 사용하여 식이 성립하도록 빈칸에 알맞게 써넣어 보세요. 서로 다른 2개의 식을 생각해 보세요.

□□□□ - □□□□ = 1234

□□□□ - □□□□ = 1234

3. 색깔 코드를 알아내어 비둘기의 이름을 알아맞혀 보세요.

PUFFY PUPPY FILLY CUDDY ROYAL INDRI

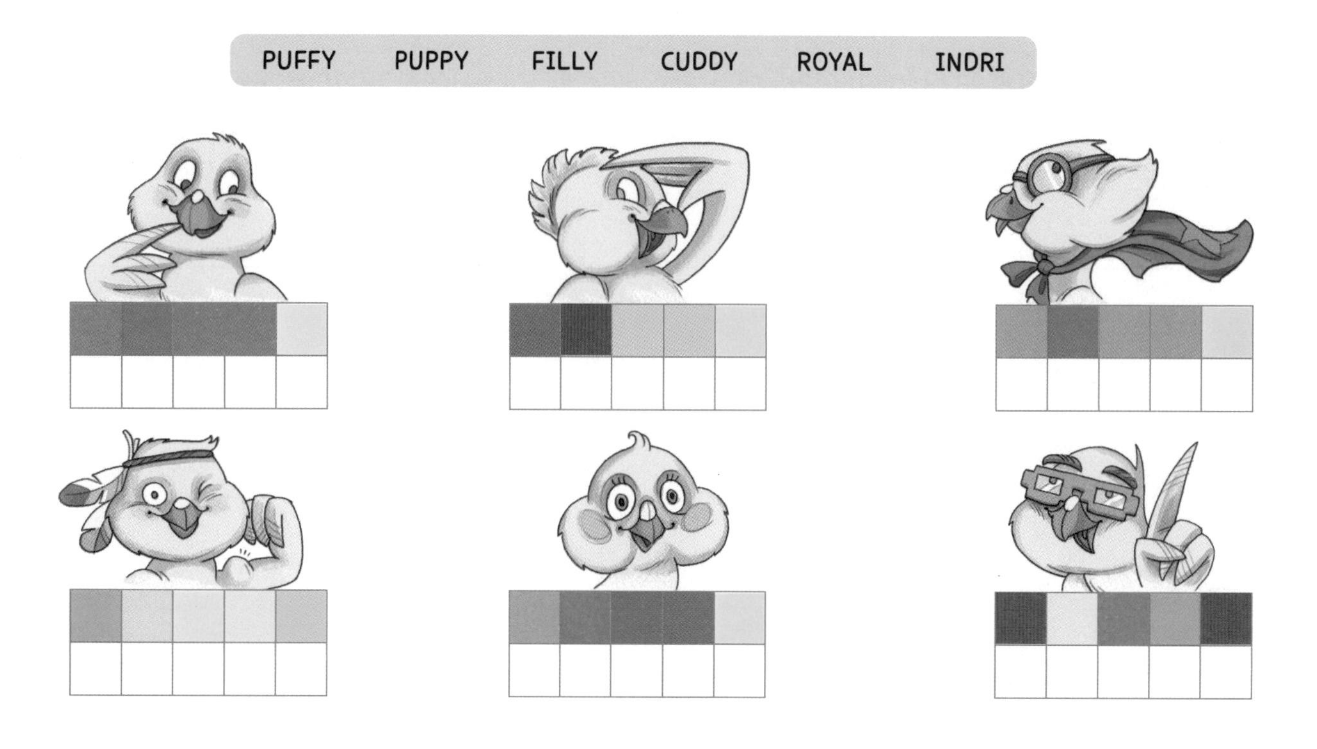

4. 엠마가 정확히 50유로를 모을 수 있도록 길을 찾아보세요. 지나간 길을 되돌아갈 수는 없어요.

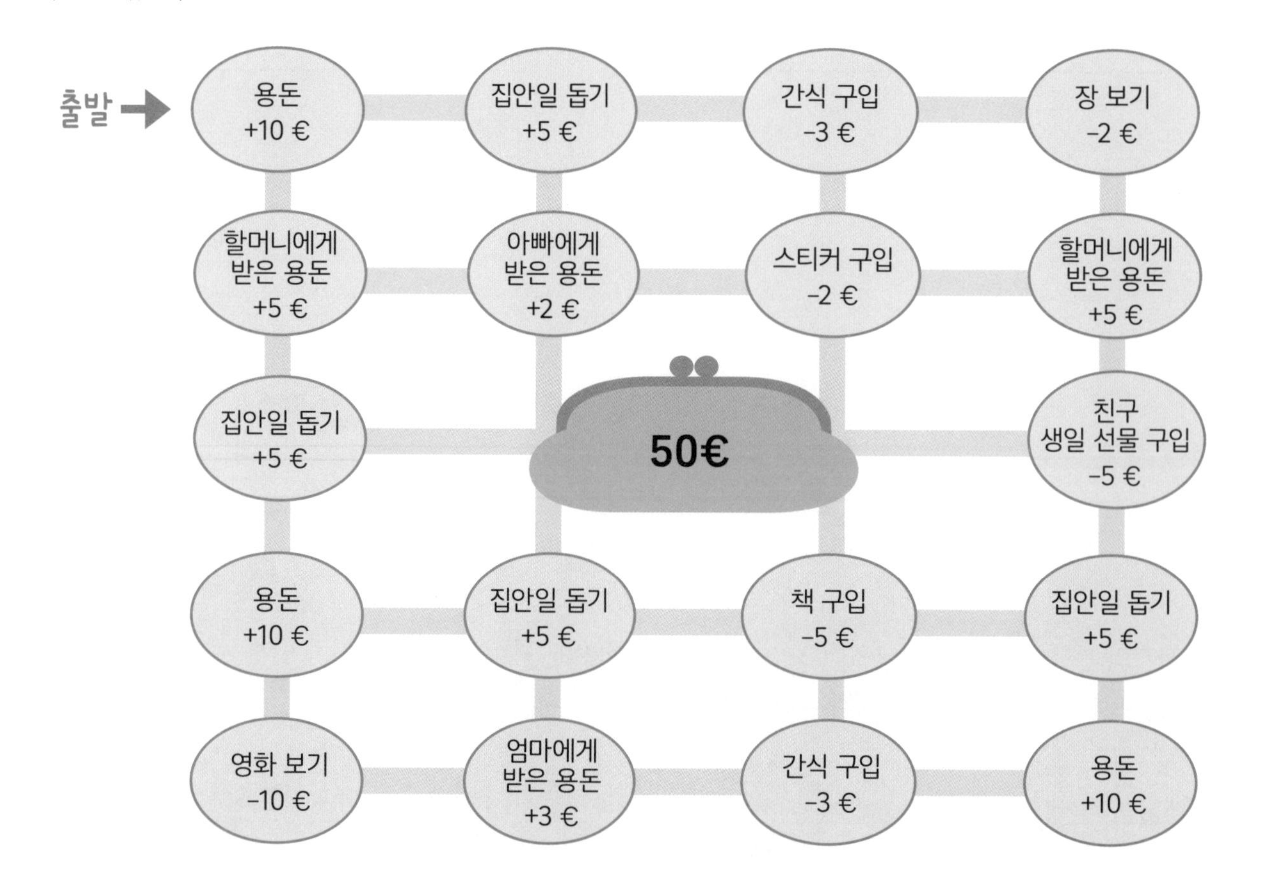

5. 그림이 들어간 식을 보고 그림의 값을 구해 보세요.

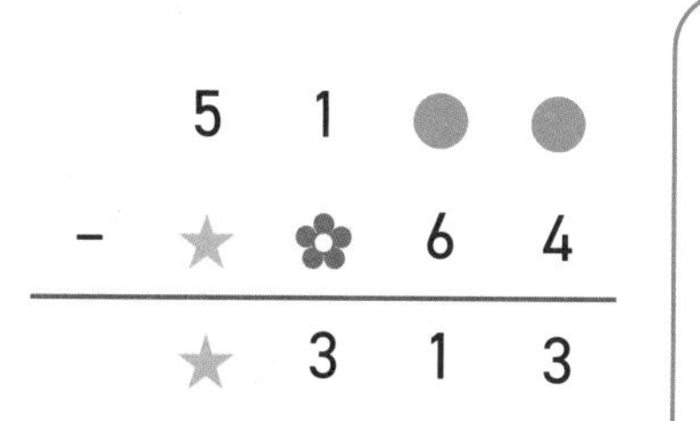

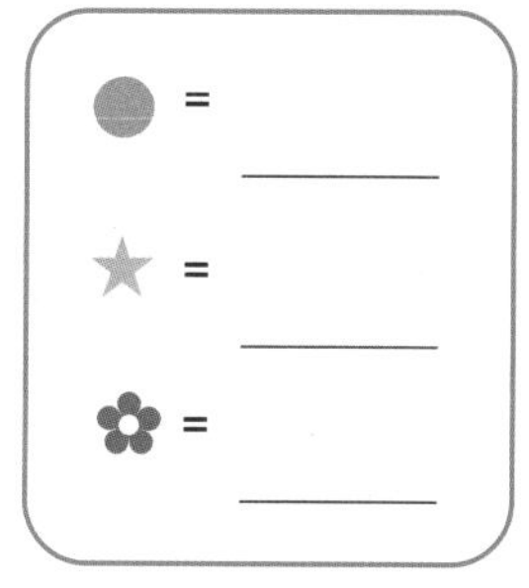

◗ 3 4 3
\- 3 ▲ ■ ▲
4 0 8 1

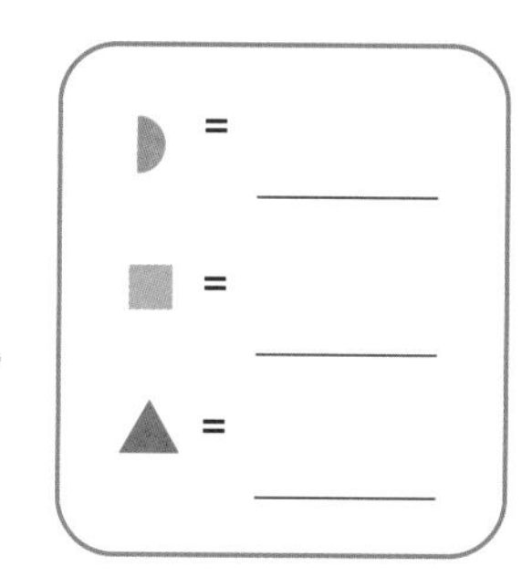

6. 나는 어떤 수일까요? 서로 다른 답 2가지를 생각해 보세요.

- 네 자리 수예요.
- 각 자리 숫자의 합은 10이에요.
- 천의 자리 숫자와 일의 자리 숫자의 차는 0이에요.
- 각 자리의 숫자는 홀수예요.
- 백의 자리 숫자가 가장 커요.

________ 또는 ________

한 번 더 연습해요!

1. 세로셈으로 답을 구해 보세요.

5164 - 2013

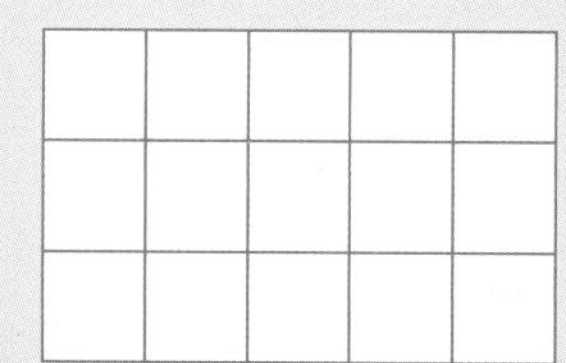

8225 - 144

3132 - 1034

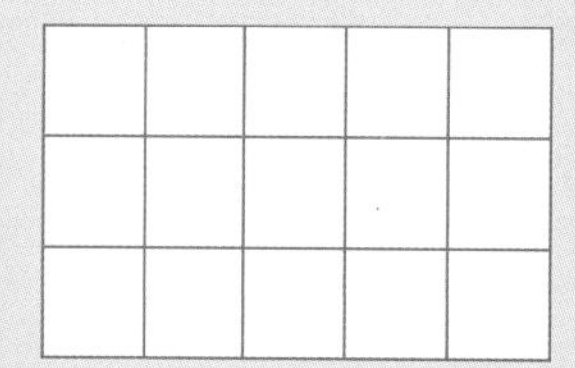

2. 아래 글을 읽고 세로셈으로 답을 구해 보세요.

❶ 광대에게 4701유로가 있었는데 그중 3212유로를 썼어요. 광대에게 남은 돈은 얼마일까요?

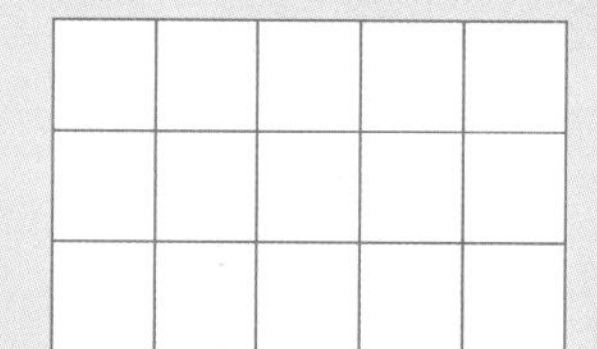

정답 : ________

❷ 새장 가격이 원래 3503유로인데 444유로를 할인해서 팔아요. 새장은 얼마일까요?

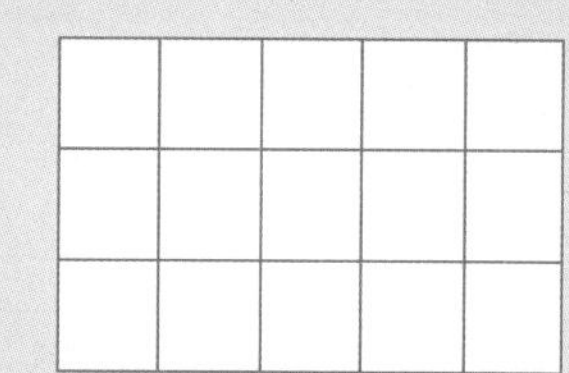

정답 : ________

____월 ____일 ____요일

1. 각 자리의 숫자는 얼마를 나타내는지 써 보세요.

7304 = 7000 + ______________________

2079 = ______________________

4430 = ______________________

2. 계산해 보세요.

8000 + 500 + 20 + 6 = __________

3000 + 300 + 9 = __________

1000 + 90 + 3 = __________

9000 + 7 = __________

3000 + 80 = __________

600 + 60 + 8 = __________

9000 + 900 = __________

400 + 1 = __________

3. □ 안에 >, =, <를 알맞게 써넣어 보세요.

5678 □ 5687

457 □ 450

3145 □ 3045

7070 □ 7071

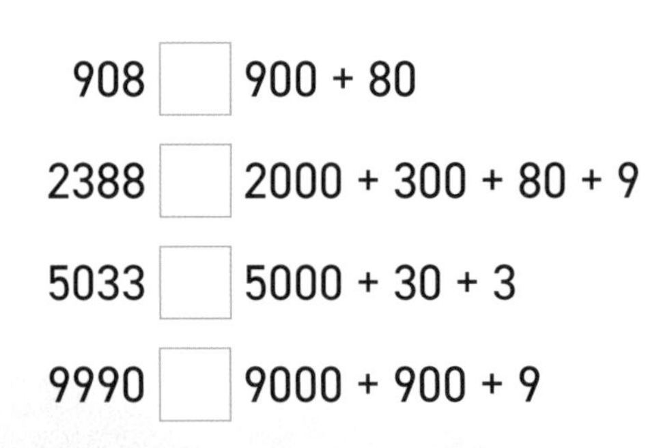

908 □ 900 + 80

2388 □ 2000 + 300 + 80 + 9

5033 □ 5000 + 30 + 3

9990 □ 9000 + 900 + 9

4. 세로셈으로 답을 구한 후, 정답을 애벌레에서 찾아 ○표 해 보세요.

3476 + 523

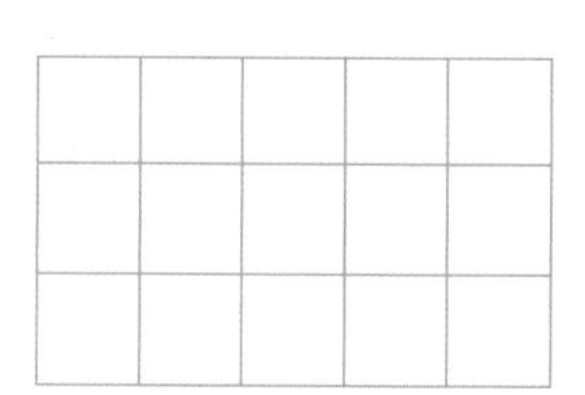

6096 + 1874

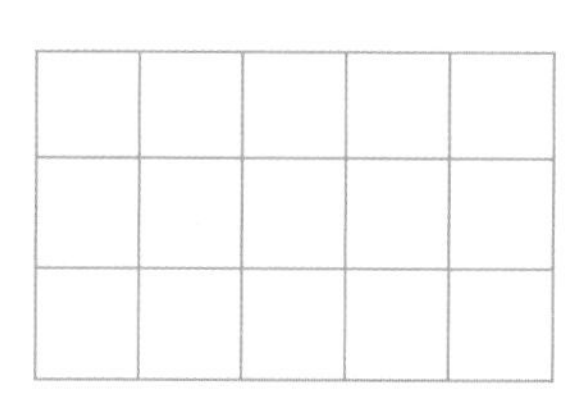

3778 + 4595

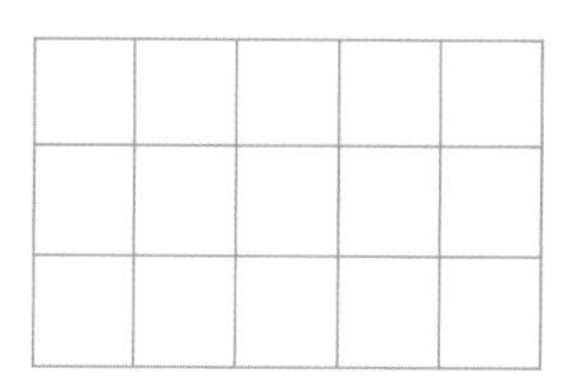

4572 - 451

7443 - 3337

6002 - 1591

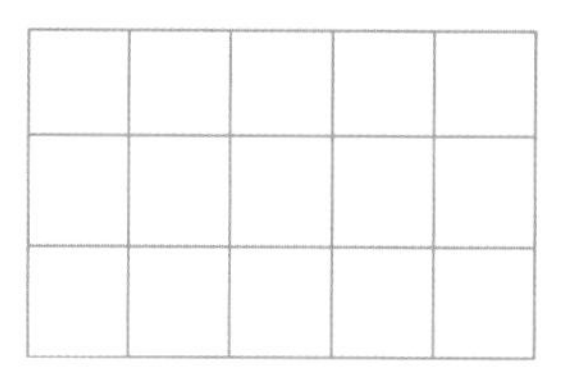

5. 아래 글을 읽고 세로셈으로 답을 구한 후, 정답을 애벌레에서 찾아 ○표 해 보세요.

❶ 영화 관람객이 6월에 3371명, 7월에 2064명 있었어요. 6월 관람객이 7월보다 몇 명 더 많았을까요?

식 :

정답 :

❷ 박물관 관람객이 8월에 3157명, 9월에 3361명, 10월에 2099명 있었어요. 관람객은 모두 몇 명이었을까요?

식 :

정답 :

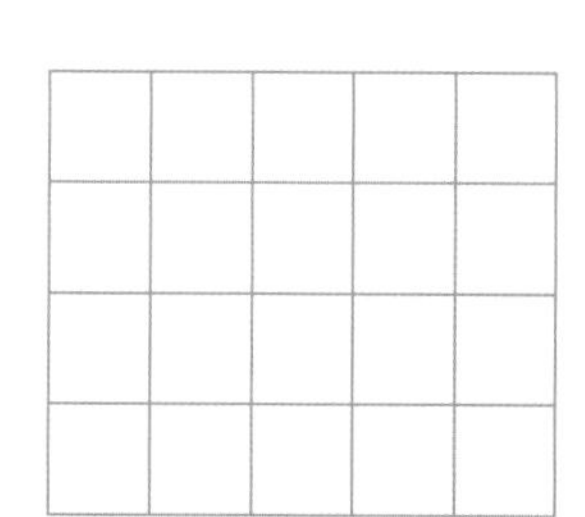

1307 1567 3999 4106 4121 4411 7754 7970 8373 8617

자루에 공이 14개 있어요. 광대 폰투스와 론투스가 번갈아 가며 자루에서 공을 꺼냈어요. 폰투스는 1회에 1개씩, 론투스는 1회에 2개씩 꺼냈는데 마지막에는 자루에 공이 2개 남았어요. 폰투스와 론투스는 각각 몇 개의 공을 꺼냈을까요?

폰투스 : 　　　론투스 :

6. 아래 설명대로 깃발을 그린 후 색칠해 보세요.

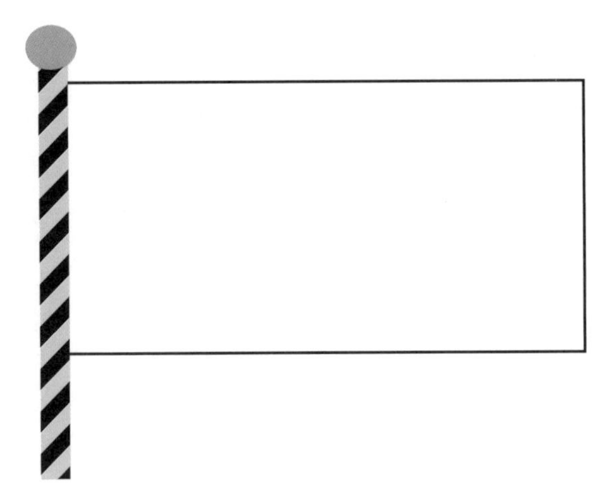

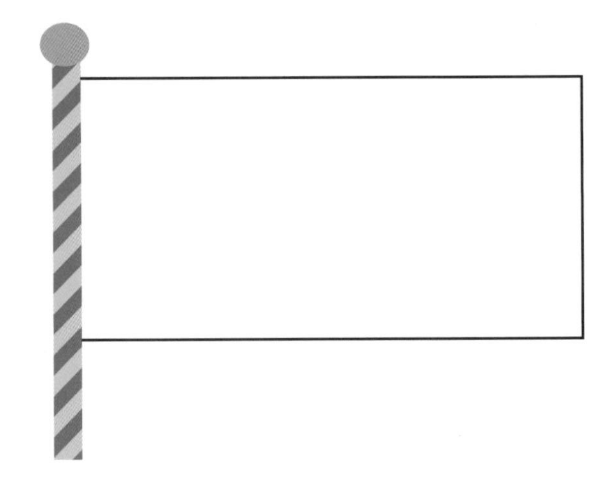

- 직선을 겹치지 않게 그어 깃발을 4개 영역으로 나누어 보세요.
- 각 영역에 원이 최소 1개 이상 들어가도록 그려 보세요.
- 4가지 다른 색깔로 색칠해 보세요.

- 서로 다른 두 방향으로 직선을 그어 깃발을 4개 영역으로 나누어 보세요.
- 각 영역에 삼각형이 최소 1개 이상 들어가도록 그려 보세요.
- 5가지 색깔로 색칠해 보세요.
- 초록색을 칠한다면 빨간색은 쓸 수 없어요.

7. 아래 글을 읽고 질문에 답해 보세요.

엠마는 공을 3번 던져서 아래 숫자를 맞혔어요. 같은 번호를 맞혔을 수도 있어요. 총점이 18이라면 엠마는 어떤 숫자를 맞혔을까요? 답을 여러 개 생각해 보세요. 숫자의 순서는 바뀌어도 돼요.

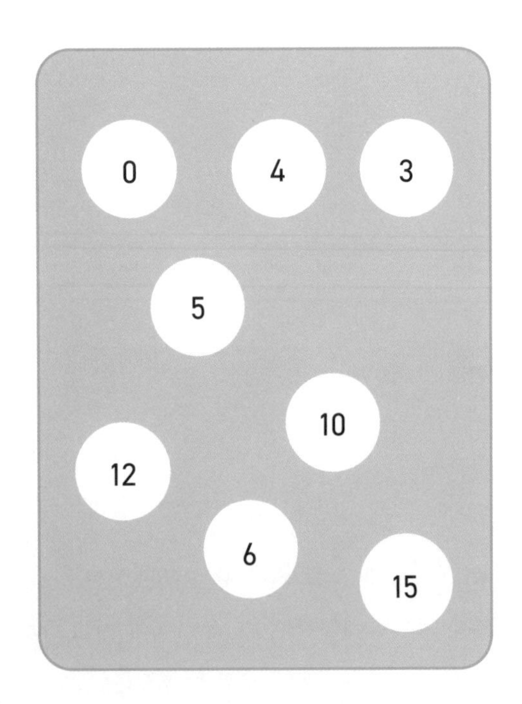

답은 6가지가 있어요.
여러분은 몇 가지를 알아냈나요?

8. 각 가방 안에 있는 물건값의 총액이 같아지도록 물건 2개를 바꾸어 보세요. 바꾼 물건을 화살표로 표시해 보세요.

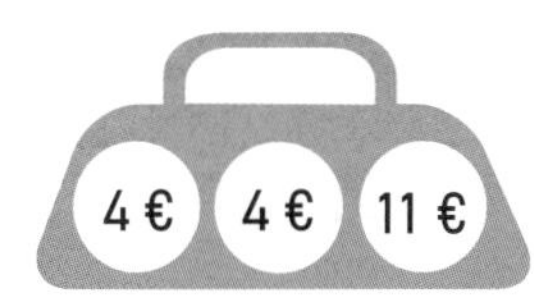

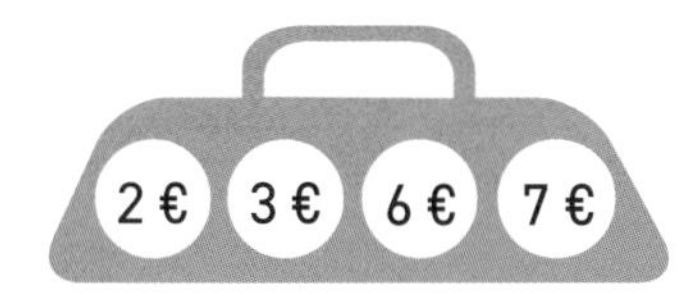

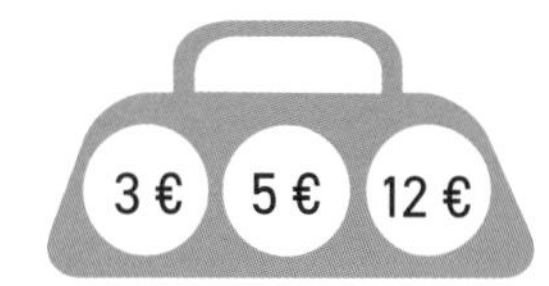

9. 아래 글을 읽고 질문에 답해 보세요.

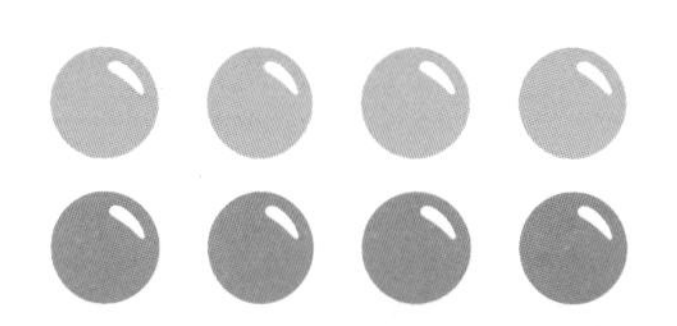

자루에 노란색 공 4개와 초록색 공 4개가 있어요.
알렉이 눈을 감고 1회에 공을 1개씩 꺼내요.

❶ 같은 색깔의 공을 2개 꺼내려면 최대 몇 번까지 공을 꺼내야 할까요?

____

❷ 다른 색깔의 공을 2개 꺼내려면 최대 몇 번까지 공을 꺼내야 할까요?

____

한 번 더 연습해요!

1. □ 안에 >, =, <를 알맞게 써넣어 보세요.

2226 □ 2262

613 □ 631

2299 □ 2298

856 □ 800 + 6

4321 □ 4000 + 300 + 10 + 2

925 □ 900 + 20 + 5

2. 아래 글을 읽고 세로셈으로 답을 구해 보세요.

❶ 영화관에 관객이 11월에 1749명, 12월에 2157명 방문했어요. 관람객은 모두 몇 명이었을까요?

____

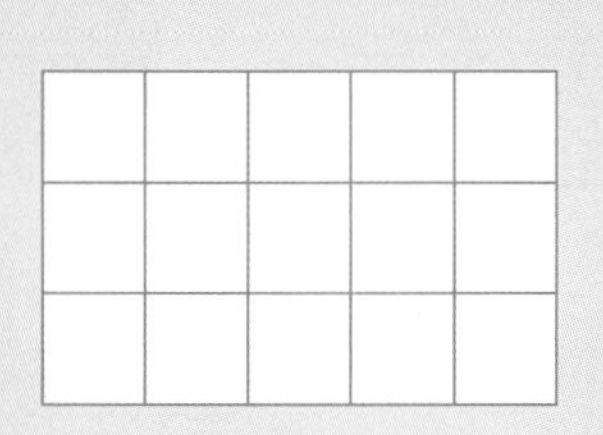

정답 : ________

❷ 관객이 첫 번째 콘서트에 3451명, 두 번째 콘서트에 2944명 왔어요. 첫 번째 콘서트에 몇 명의 관객이 더 왔을까요?

____

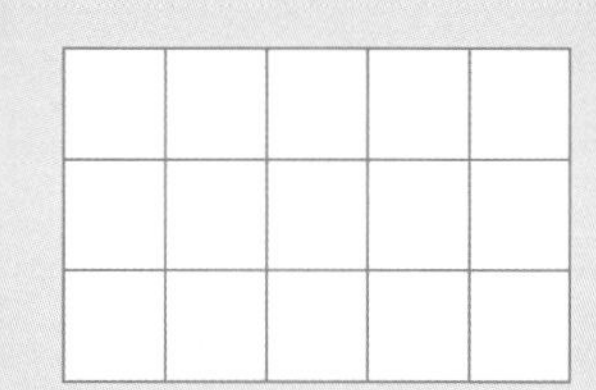

정답 : ________

____월 ____일 ____요일

11 10, 100, 1000이 있는 곱셈하기

10, 100, 1000이 있는 곱셈하기

7 × 10 = 70

7 × 100 = 700

7 × 1000 = 7000

곱하는 수에서 0의 개수는 곱셈값에서 0의 개수와 같아요.

몇십, 몇백, 몇천이 있는 곱셈하기

2 × 30	3 × 500	4 × 2000
= 2 × 3 × 10	= 3 × 5 × 100	= 4 × 2 × 1000
= 6 × 10	= 15 × 100	= 8 × 1000
= 60	= 1500	= 8000

곱하는 수 30, 500, 2000을 어떻게 바꾸었는지 이해했나요?

1. 계산해 보세요.

5 × 10 = ______	8 × 10 = ______	3 × 100 = ______
5 × 100 = ______	10 × 10 = ______	10 × 100 = ______
5 × 1000 = ______	12 × 10 = ______	25 × 100 = ______

2. 계산해 보세요.

3 × 30
= 3 × 3 × 10
= ______ × 10
= ______

4 × 200
= ______ × ______ × 100
= ______ × 100
= ______

2 × 300
= ______ × ______ × 100
= ______ × 100
= ______

6 × 20
= ______ × ______ × 10
= ______ × 10
= ______

3. 계산한 후, 정답을 애벌레에서 찾아 ○표 해 보세요.

4×40	6×300	2×4000
= ______	= ______	= ______
= ______	= ______	= ______
= ______	= ______	= ______
3×50	8×200	2×5000
= ______	= ______	= ______
= ______	= ______	= ______
= ______	= ______	= ______

150 160 1200 1600 1800 6000 8000 10000

4. 계산한 후, 정답을 애벌레에서 찾아 ○표 하세요. 혼합 계산의 순서를 잊지 마세요.

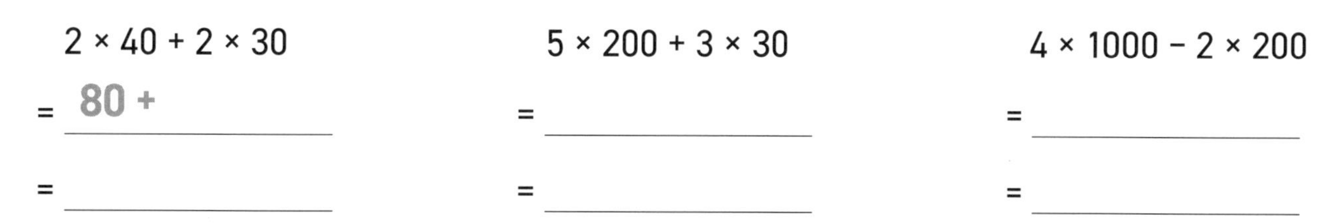

$2 \times 40 + 2 \times 30$	$5 \times 200 + 3 \times 30$	$4 \times 1000 - 2 \times 200$
= 80 + ______	= ______	= ______
= ______	= ______	= ______

5. 아래 글을 읽고 알맞은 식을 세워 답을 구한 후, 정답을 애벌레에서 찾아 ○표 해 보세요.

❶ 설리반은 20유로 지폐 4장과 10유로 지폐 4장을 가지고 있어요. 설리반이 가진 돈은 모두 얼마일까요?

식 : ______

정답 : ______

❷ 소이어는 50유로 지폐 3장과 20유로 지폐 7장을 가지고 있어요. 소이어가 가진 돈은 모두 얼마일까요?

식 : ______

정답 : ______

120 € 140 270 € 290 € 1090 3500 3600

6. 값이 같은 것끼리 선으로 이어 보세요.

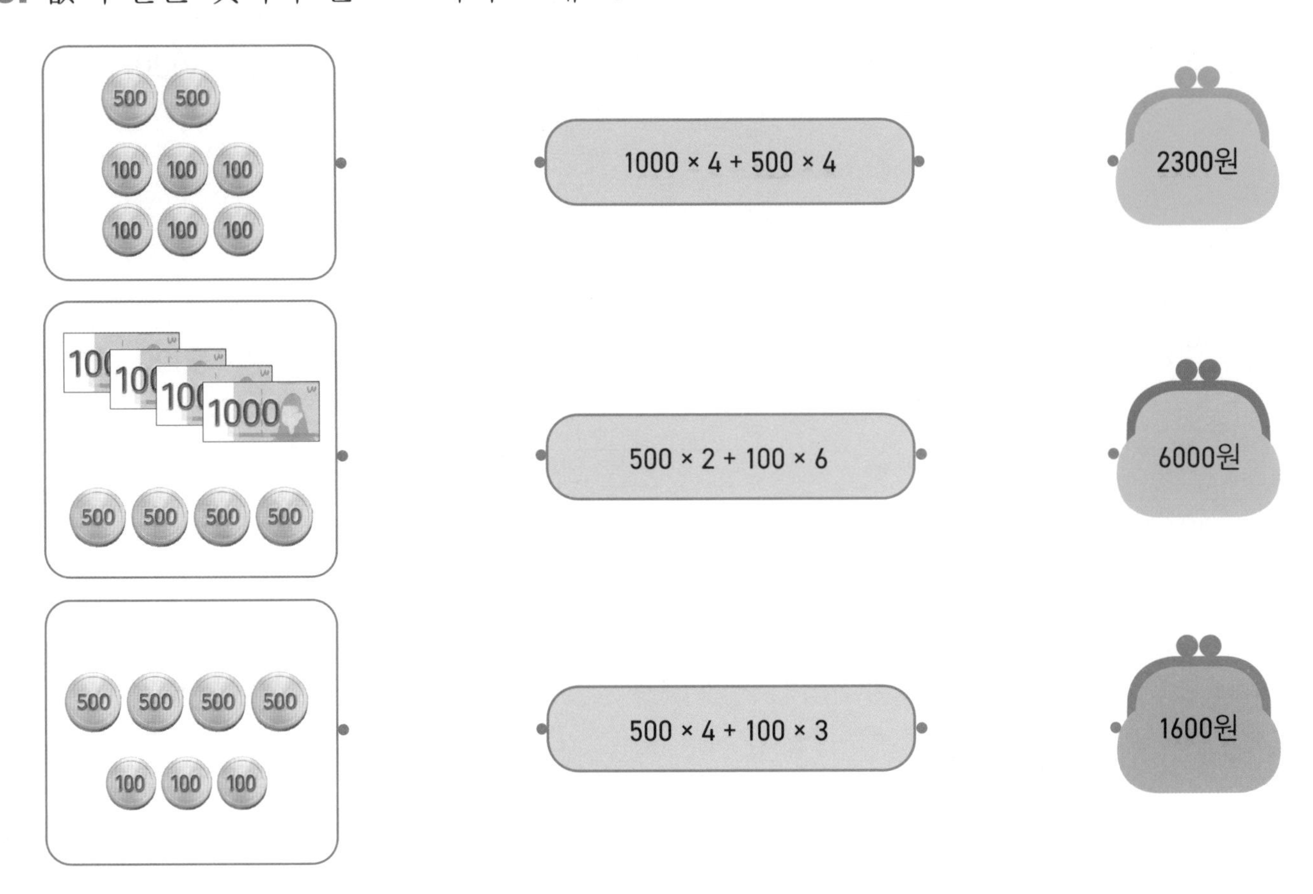

7. 톱니바퀴가 맞물려 돌아가요. 빨간 톱니바퀴가 화살표 방향으로 돌아간다면 톱니바퀴 A, B, C, D, E는 어느 방향으로 돌아갈까요? 톱니바퀴 위에 화살표로 방향을 표시해 보세요.

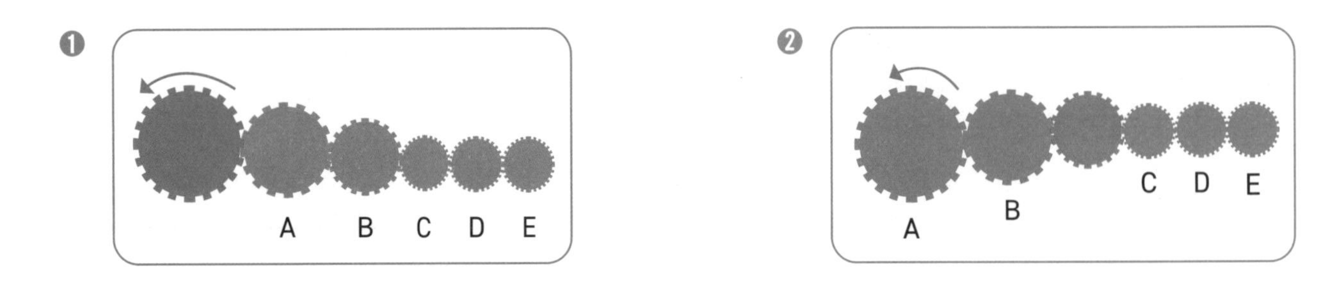

8. □ 안에 >, =, <를 알맞게 써넣어 보세요.

9. 아래 글을 읽고 질문에 답해 보세요.

- 빨간색 영역의 점수에 2를 곱하세요.
- 파란색 영역의 점수에 5를 곱하세요.
- 초록색 영역의 점수에 3을 곱하세요.
- 노란색 영역의 점수를 빼세요.

❶ 마누는 몇 점을 얻었나요?

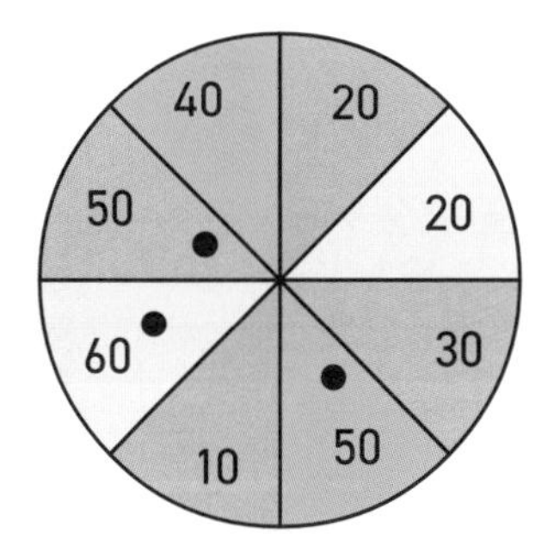

❷ 마이니는 다트 3개를 던져서 130점을 얻었어요. 다트가 어디에 꽂혔을지 표시해 보세요. 서로 다른 답을 2가지 생각해 보세요.

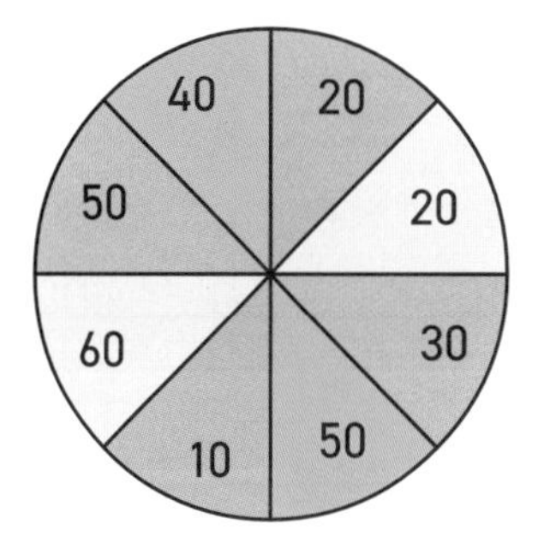

한 번 더 연습해요!

1. 계산 과정을 쓰면서 계산해 보세요.

3 × 40
=
=
=

4 × 200
=
=
=

2 × 2000
=
=
=

2. 아놀드는 10유로 지폐 8장과 50유로 지폐 2장을 가지고 있어요. 아놀드가 가진 돈은 모두 얼마일까요?

식 :

정답 :

______ 월 ______ 일 ______ 요일

12 분배법칙을 이용하여 곱셈하기

천의 자리	백의 자리	십의 자리	일의 자리		
1	3	2	6	×	2

$= 1000 \times 2 + 300 \times 2 + 20 \times 2 + 6 \times 2$

$= 2000 + 600 + 40 + 12$

$= 2652$

- 천의 자리에 곱하세요. ($1000 \times 2 = 2000$)
- 백의 자리에 곱하세요. ($300 \times 2 = 600$)
- 십의 자리에 곱하세요. ($20 \times 2 = 40$)
- 일의 자리에 곱하세요. ($6 \times 2 = 12$)
- 나온 값을 모두 더하세요. $2000 + 600 + 40 + 12 = 2652$

예

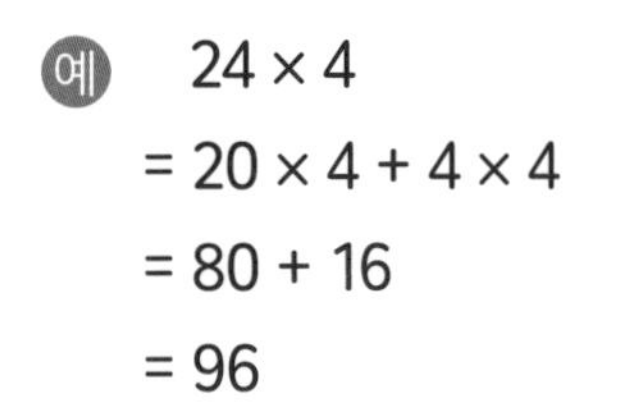

24×4
$= 20 \times 4 + 4 \times 4$
$= 80 + 16$
$= 96$

260×2
$= 200 \times 2 + 60 \times 2 + 0 \times 2$
$= 400 + 120 + 0$
$= 520$

66×2
$= 60 \times 2 + 6 \times 2$
$= 120 + 12$
$= 132$

1. 분배법칙을 이용하여 곱셈한 후, 정답을 애벌레에서 찾아 ○표 해 보세요.

21×4
$= 20 \times 4 +$ ______
= ______
= ______

35×3
= ______
= ______
= ______

45×3
= ______
= ______
= ______

2. 분배법칙을 이용하여 곱셈한 후, 정답을 애벌레에서 찾아 ○표 해 보세요.

121×5
$= 100 \times 5 +$ ______
= ______
= ______

2160×4

= ______
= ______
= ______

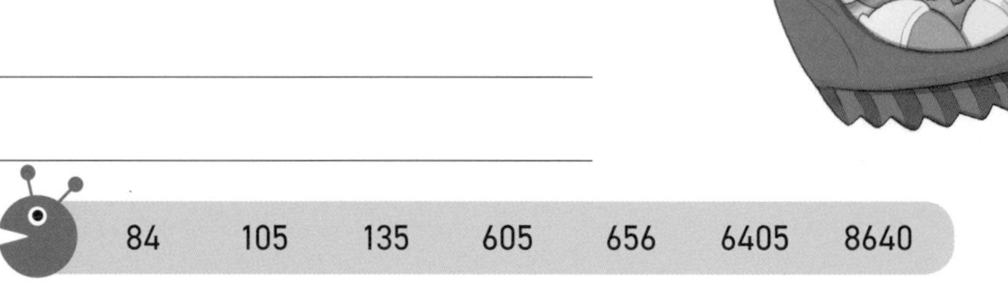

84 105 135 605 656 6405 8640

3. 아래 글을 읽고 알맞은 식을 세워 답을 구한 후, 정답을 애벌레에서 찾아 ○표 해 보세요.

서커스 입장권

성인 34€ 학생 28€
어린이 26€ 가족 98€

❶ 성인 입장권 2장은 얼마일까요?

식 :

정답 :

❷ 어린이 입장권 3장은 얼마일까요?

식 :

정답 :

❸ 학생 입장권 4장은 얼마일까요?

식 :

정답 :

❹ 어린이 입장권 10장은 얼마일까요?

식 :

정답 :

❺ 성인 입장권 1장과 어린이 입장권 2장은 모두 얼마일까요?

식 :

정답 :

❻ 가족 입장권은 성인 입장권 2장보다 얼마 더 비쌀까요?

식 :

정답 :

30 € 68 € 74 € 78 € 86 € 108 € 112 € 260 €

더 생각해 보아요!

3, 4, 5를 한 번씩 사용해 만들 수 있는 세 자리 수를 작은 수에서 큰 수의 순서로 빈칸에 써넣어 보세요. 3, 4, 5가 모두 들어가는 수를 만들어야 해요.

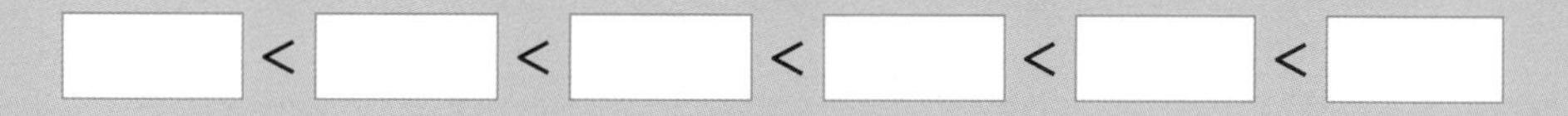

4. 값이 같은 것끼리 선으로 이어 보세요.

12 × 3	10 × 5 + 6 × 5	36
23 × 4	10 × 3 + 2 × 3	92
16 × 5	20 × 4 + 3 × 4	80
14 × 3	10 × 3 + 4 × 3	42
12 × 4	20 × 2 + 2 × 2	48
22 × 2	10 × 4 + 2 × 4	44

5. 아래 설명대로 마구간을 색칠하세요. 각각의 마구간에 사는 말의 이름을 알아맞혀 보세요.

• 라이트닝은 헤이스티 옆 마구간에 살아요.
• 에이스는 노란색 마구간에 살아요.
• 라이트닝은 빨간색과 파란색 마구간 사이에서 "히이이잉" 울어요.
• 스타는 헤이스티 옆에 있는 갈색 마구간에 살아요.
• 에이스는 첫 번째 마구간에서 꼬리를 흔들어요.
• 다리우스는 빨간색 마구간에서 귀리를 먹어요.
• 노란색과 빨간색 마구간은 서로 이웃해 있어요.
• 라이트닝의 마구간은 초록색이에요.

6. 그림이 들어간 식을 보고 그림의 값을 구해 보세요. 1~10까지의 수를 이용하세요.

5 × ● = ★

● × ★ + ● × ✿ = 26

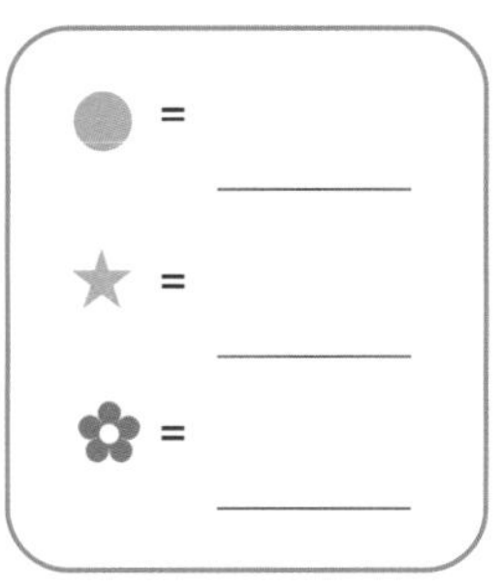

7. 나는 어떤 수일까요?

- 네 자리 수예요.
- 각 자리 숫자의 합은 22예요.
- 천의 자리 숫자는 백의 자리 숫자보다는 1 크고,
  십의 자리 숫자보다는 2 크고, 일의 자리 숫자보다는 3 커요.

정답 : ______

한 번 더 연습해요!

1. 분배법칙을 이용하여 곱셈해 보세요.

32 × 3

= ______

= ______

= ______

253 × 2

= ______

= ______

= ______

2. 아래 글을 읽고 알맞은 식을 세워 답을 구해 보세요. 입장권의 가격은 83쪽 문제 3번과 같아요.

❶ 학생 입장권 3장과 어린이 입장권 1장은 모두 얼마일까요?

식 : ______

정답 : ______

❷ 어린이 입장권 4장과 성인 입장권 1장은 모두 얼마일까요?

식 : ______

정답 : ______

실력을 평가해 봐요!

____월 ____일 ____요일

1. 각 자리의 숫자는 얼마를 나타내는지 써 보세요.

4205 = ____________________　　　　3038 = ____________________

2. □ 안에 >, =, <를 알맞게 써넣어 보세요.

8032 □ 8023　　　　781 □ 718　　　　9822 □ 9288

3002 □ 3020　　　　6511 □ 6501　　　　7412 □ 7422

3. 계산해 보세요.

300 × 5
= ____________
= ____________
= ____________

1123 × 5
= ____________
= ____________
= ____________

4. 아래 글을 읽고 세로셈으로 답을 구해 보세요.

❶ 서커스에 관람객이 5월에 3419명, 7월에 3817명 왔어요. 관람객은 모두 몇 명이었을까요?

식 : ____________________

정답 : ____________________

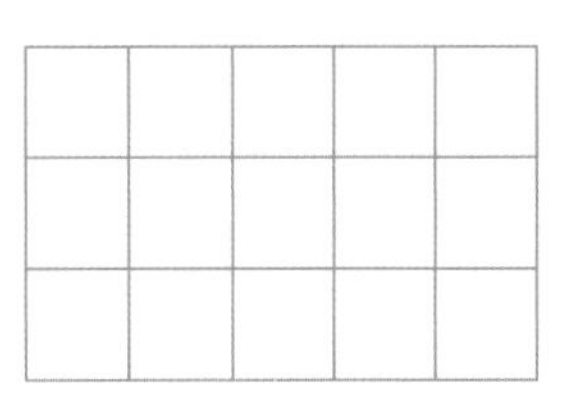

❷ 서커스에 관람객이 6월에 3702명, 8월에 2345명 왔어요. 6월 관람객은 8월보다 몇 명 더 많았을까요?

식 : ____________________

정답 : ____________________

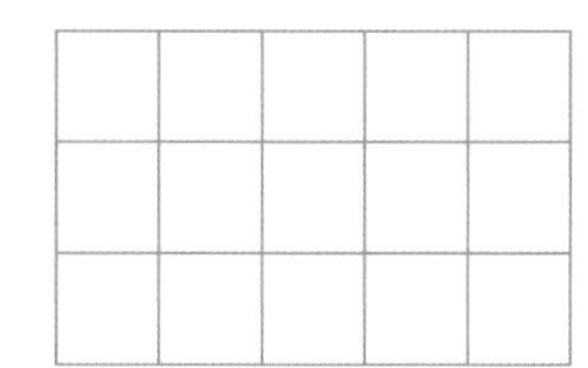

실력이 자란 만큼 별을 색칠하세요.

★★★ 정말 잘했어요.
★★☆ 꽤 잘했어요.
★☆☆ 앞으로 더 노력할게요.

단원 종합 문제

___월 ___일 ___요일

1. 계산해 보세요.

2000 + 300 + 50 + 3 = ______ 6000 + 70 = ______

4000 + 400 + 5 = ______ 9000 + 5 = ______

2. □ 안에 >, =, <를 알맞게 써넣어 보세요.

734 □ 743 | 911 □ 910 | 6740 □ 6074

1918 □ 1919 | 8024 □ 8042 | 8321 □ 8123

5467 □ 5666 | 415 □ 414 | 909 □ 990

3. 계산해 보세요.

9 × 10 = ______ 6 × 10 = ______ 2 × 100 = ______

9 × 100 = ______ 10 × 10 = ______ 10 × 100 = ______

9 × 1000 = ______ 13 × 10 = ______ 23 × 100 = ______

4. 분배법칙을 이용하여 곱셈해 보세요.

32 × 3
= ______
= ______
= ______

45 × 2
= ______
= ______
= ______

34 × 4
= ______
= ______
= ______

5. 아래 글을 읽고 답을 구해 보세요.

❶ 5월에 3474명, 6월에 2194명이 영화를 관람했어요. 관람객은 모두 몇 명이었을까요?

식 : ______

정답 : ______

❷ 7월에 4643명, 8월에 3152명이 영화를 관람했어요. 7월 관람객은 8월보다 몇 명 더 많았을까요?

식 : ______

정답 : ______

6. □ 안에 >, =, <를 알맞게 써넣어 보세요.

665 □ 656

5540 □ 5504

7201 □ 7210

4789 □ 4798

4446 □ 4000 + 400 + 6

5092 □ 5000 + 200 + 90

7. 계산해 보세요.

3 × 20 + 2 × 40
= ______
= ______

2 × 500 + 3 × 30
= ______
= ______

6 × 30 − 4 × 20
= ______
= ______

8. 분배법칙을 이용하여 곱셈해 보세요.

231 × 5
= ______
= ______
= ______

423 × 3
= ______
= ______
= ______

9. 아래 글을 읽고 세로셈으로 답을 구해 보세요.

❶ 금요일 콘서트에 2769명, 토요일 콘서트에 2138명, 일요일 콘서트에 1042명이 왔어요. 콘서트 관객은 모두 몇 명이었을까요?

식 : ______

정답 : ______

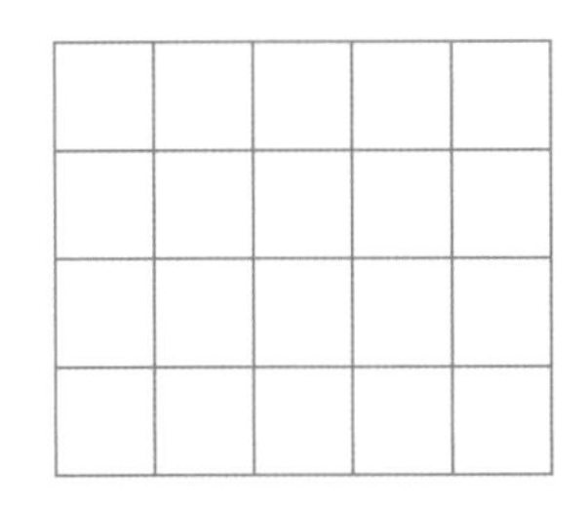

❷ 콘서트 입장권이 1680장 있었는데 그중 1194장이 예약 판매되었어요. 콘서트 입장권은 몇 장 남았을까요?

식 : ______

정답 : ______

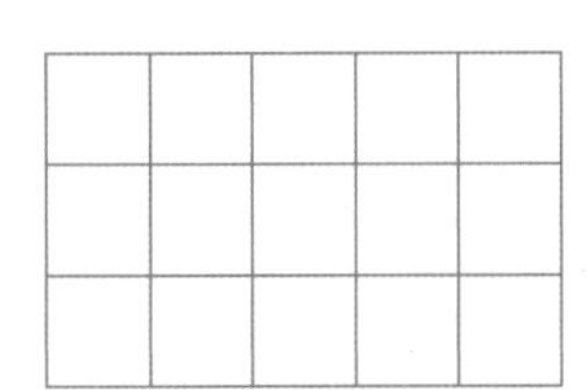

10. 계산해 보세요.

$3 \times 60 + 2 \times 50$	$7 \times 200 + 6 \times 80$	$9 \times 30 - 4 \times 60$
= ______	= ______	= ______
= ______	= ______	= ______

11. 분배법칙을 이용하여 계산해 보세요.

456×3	2063×4
= ______	= ______
= ______	= ______
= ______	= ______

12. 아래 글을 읽고 세로셈으로 답을 구해 보세요.

선생님은 2150유로를 가지고 있었는데, 1312유로짜리 컴퓨터 1대와 619유로짜리 태블릿 1대를 구매했어요. 선생님에게 남은 돈은 얼마일까요?

식 : ______ 정답 : ______

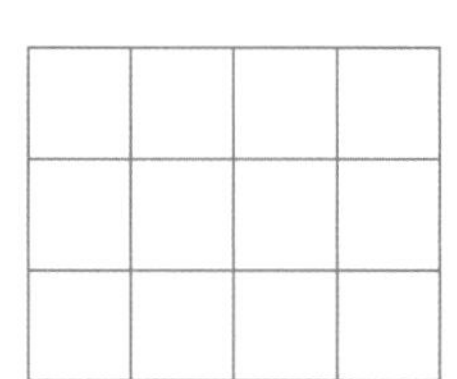

13. 계산식이 성립하도록 1~4, 6~9 사이의 숫자를 빈칸에 알맞게 써넣어 보세요. 숫자는 1번씩만 쓸 수 있어요.

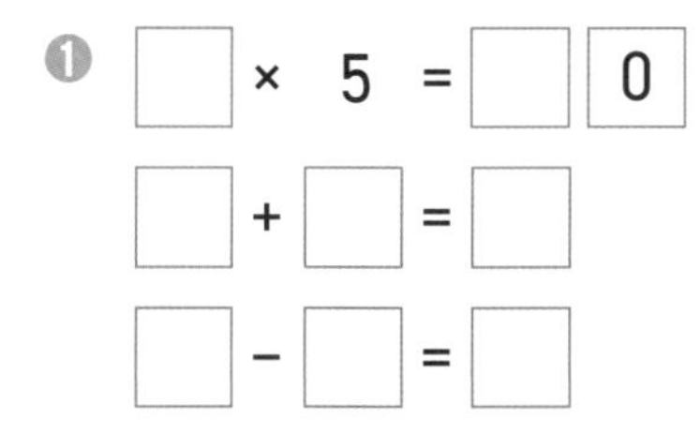

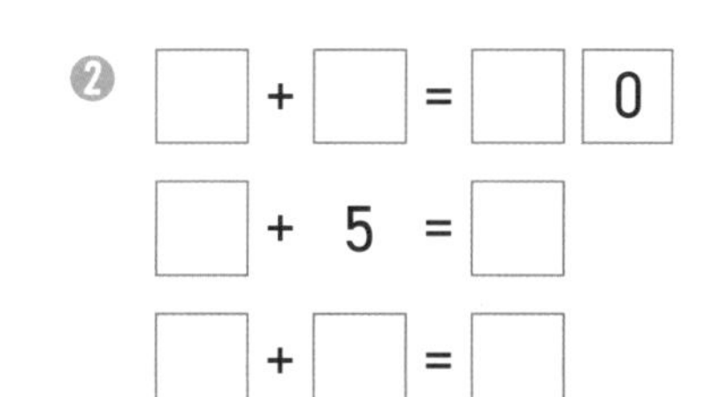

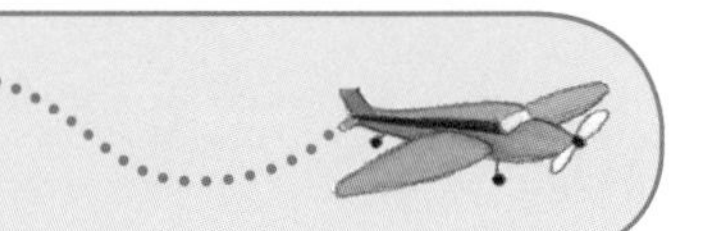

13 세로셈으로 곱셈하기

천의 자리	백의 자리	십의 자리	일의 자리
2	3	2	6 × 4

	1	1	2	
	2	3	2	6
×				4
	9	3	0	4

백의 자리	십의 자리	일의 자리
3	1	5 × 4

			2	
		3	1	5
×				4
	1	2	6	0

- 먼저 일의 자리에서 곱셈하세요. (6 × 4 = 24) 곱셈값에서 일의 자리 수 4를 일의 자리 줄에 쓰고, 받아 올림하는 수 2를 십의 자리 위에 써 놓으세요.
- 십의 자리에서 곱셈하세요. (2 × 4 = 8) 곱셈값에 일의 자리에서 받아 올림한 수 2를 더하세요. (8 + 2 = 10) 0을 십의 자리 줄에 쓰고, 받아 올림하는 수 1은 백의 자리 위에 써 놓으세요.
- 백의 자리에서 곱셈하세요. (3 × 4 = 12) 곱셈값에 십의 자리에서 받아 올림한 수 1을 더하세요. (12 + 1 = 13) 3을 백의 자리 줄에 쓰고, 받아 올림하는 수 1은 천의 자리 위에 써 놓으세요.
- 천의 자리에서 곱셈하세요. (2 × 4 = 8) 곱셈값에 백의 자리에서 받아 올림한 수 1을 더하세요. (8 + 1 = 9) 9를 천의 자리 줄에 쓰세요.

1. 세로셈으로 답을 구한 후, 정답을 애벌레에서 찾아 ○표 해 보세요.

214 × 2

		2	1	4
×				2

305 × 3

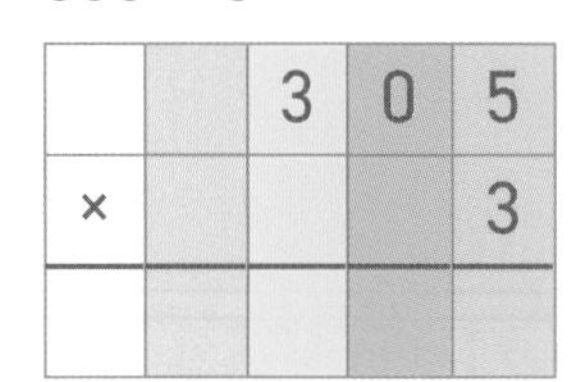

		3	0	5
×				3

314 × 4

		3	1	4
×				4

1410 × 5

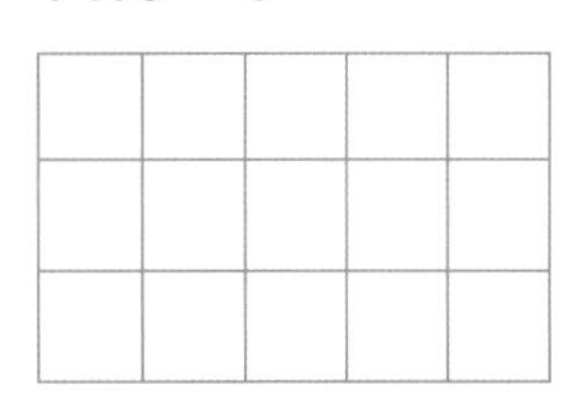

3276 × 3

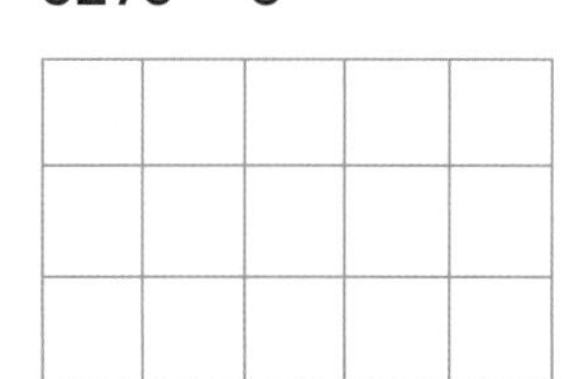

4825 × 2

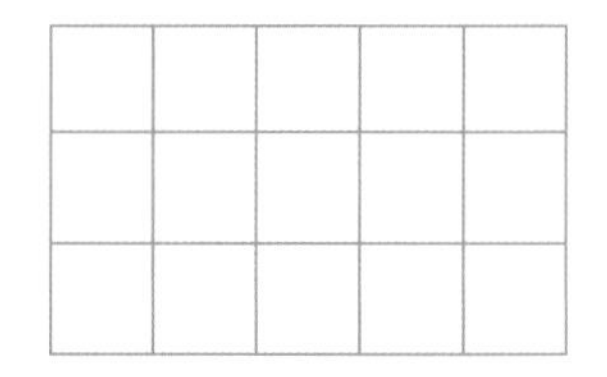

428 915 1146 1256 7050 9315 9650 9828

2. 아래 글을 읽고 알맞은 식을 세워 답을 구한 후, 정답을 애벌레에서 찾아 ○표 해 보세요.

❶ 학교에서 컴퓨터 4대를 구매했어요.
모두 얼마일까요?

식 :

정답 :

❷ 학교에서 전화기 3대를 구매했어요.
모두 얼마일까요?

식 :

정답 :

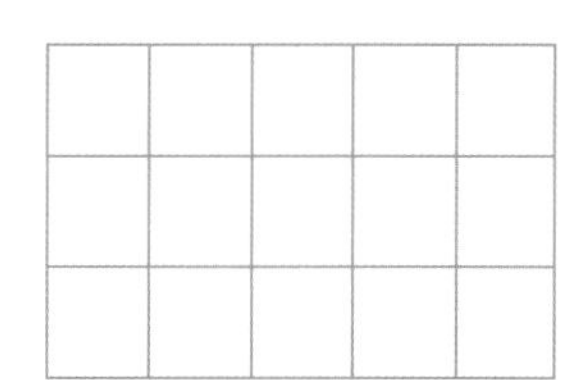

❸ 엠마의 아빠 회사에서 컴퓨터 2대와 전화기 1대를 구매했어요. 모두 얼마일까요?

식 :

정답 :

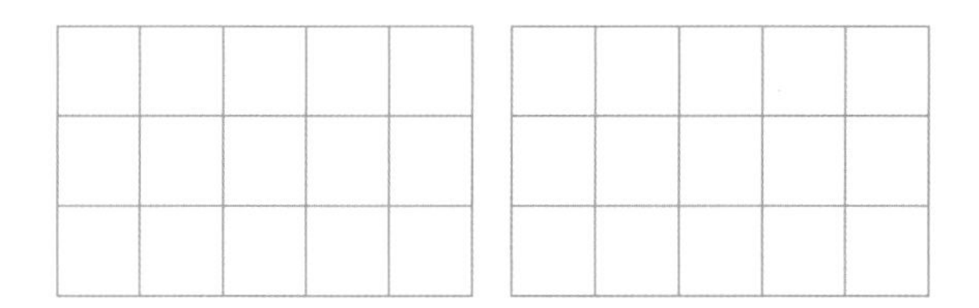

❹ 알렉의 엄마 회사에서 태블릿 2대와 전화기 1대를 구매했어요. 모두 얼마일까요?

식 :

정답 :

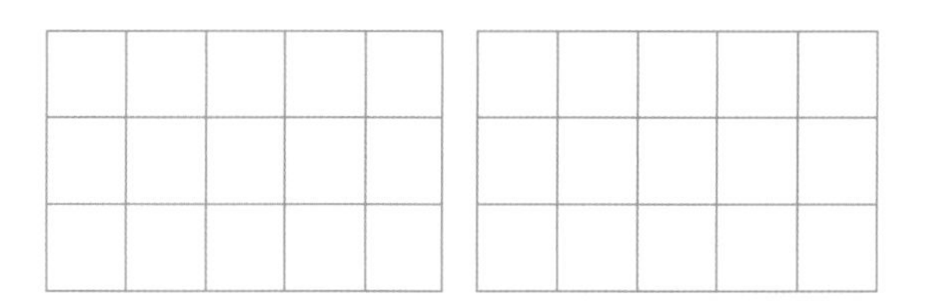

1338 € 1806 € 2014 € 2914 € 3486 € 4936 €

3. 코드를 살펴보고 다음 물음에 답해 보세요.

A	A	D	A
1	1	4	1

A	B	U
1	2	21

C	E	C	I	L	I	A
3	5	3	9	12	9	1

❶ 아이들의 이름을 알아맞혀 보세요.

1	4	5	12	5

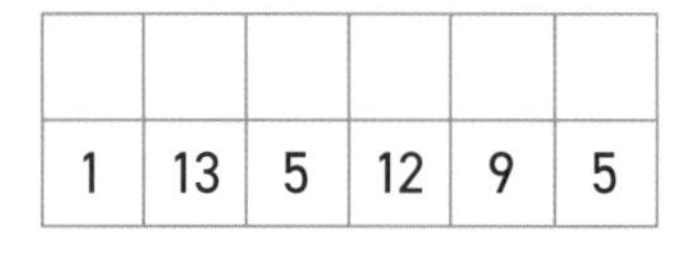

1	13	5	12	9	5

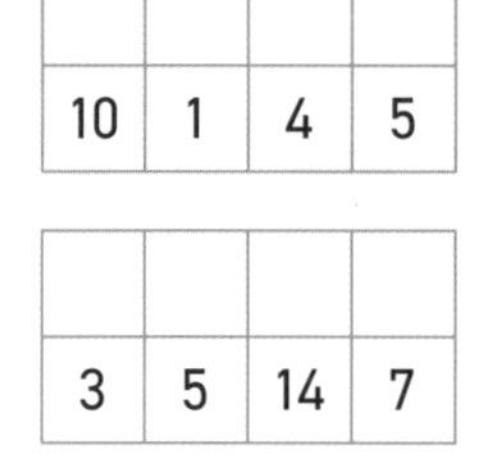

10	1	4	5

4	1	14	25

3	9	14	4	25

3	5	14	7

❷ 코드를 이용해 여러분의 성과 이름을 써 보세요.

---

4. 규칙에 따라 빈칸에 알맞은 수를 써넣어 보세요.

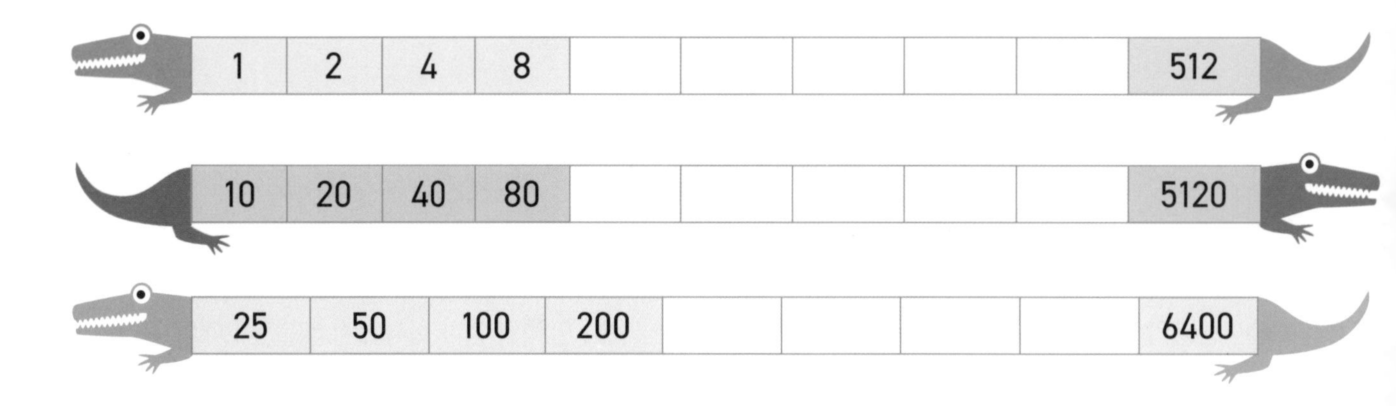

1	2	4	8						512
10	20	40	80						5120
25	50	100	200					6400	

5. 서커스 팀은 5가지 프로그램을 연습하여 그중 3개를 골라 서커스 쇼를 하려고 해요. 몇 가지 서커스 쇼를 만들 수 있을까요? 단, 순서는 바뀌어도 돼요.

A 케틀벨 저글링 쇼
B 광대의 물 쇼
C 그네 곡예사와 원숭이
D 힘센 아저씨의 박살 쇼
E 마술 쇼

A	B	C				

정답 : ______________________

6. 선을 이용해 다음 곱셈식을 계산해 보세요.

옛날 중국에서는 선을 이용하여 곱셈을 했어요. 오른쪽 그림은 2123×3을 나타낸 거예요. 파란색 선은 곱해지는 수 2123을 나타내고, 빨간색 선은 곱하는 수 3을 나타내요. 교차점의 개수가 천의 자리, 백의 자리, 십의 자리, 일의 자리 수를 뜻해요. 그래서 곱셈값은 6369가 나와요.

<보기>

2123 × 3

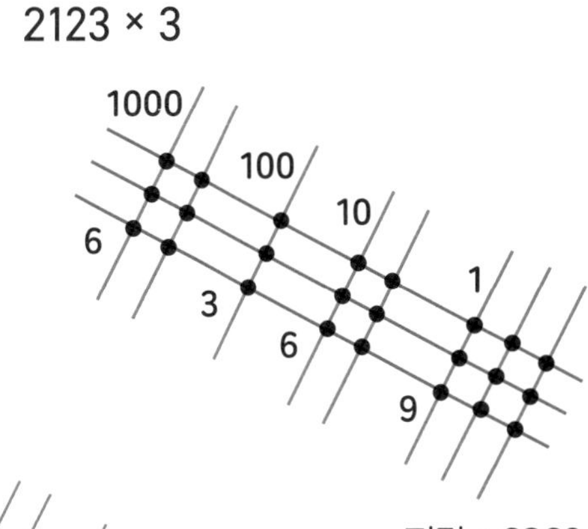

정답 : 6369

❶

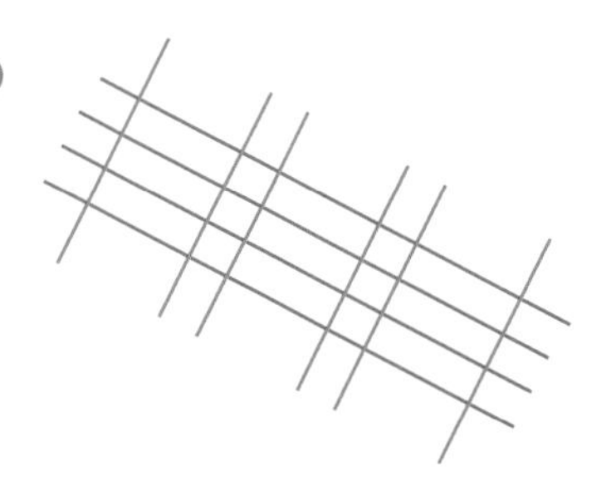

식 :

정답 :

❷

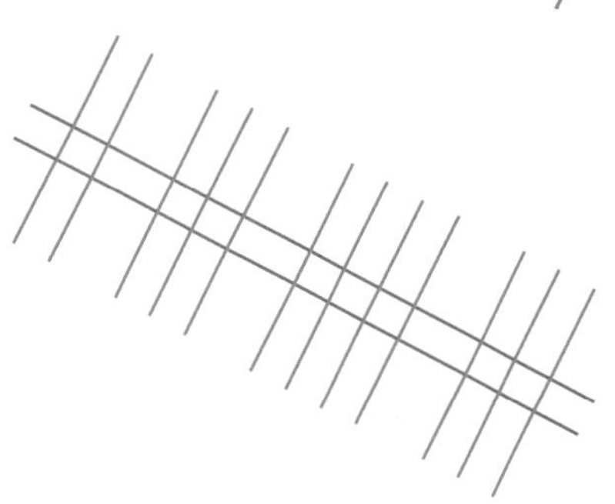

식 :

정답 :

한 번 더 연습해요!

1. 세로셈으로 답을 구해 보세요.

823 × 2

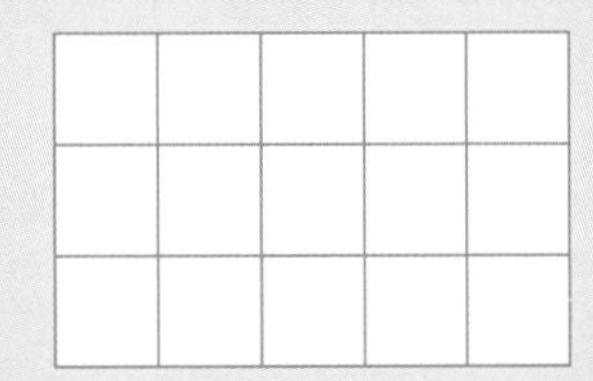

2163 × 4

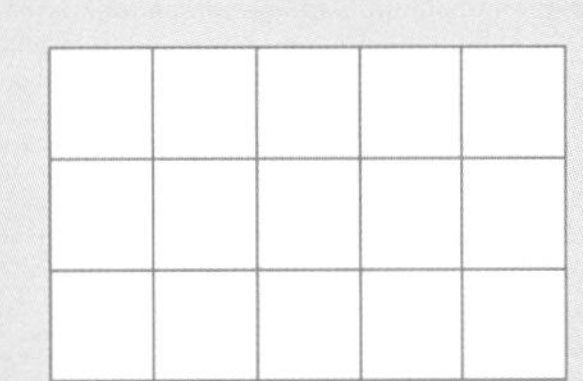

2803 × 3

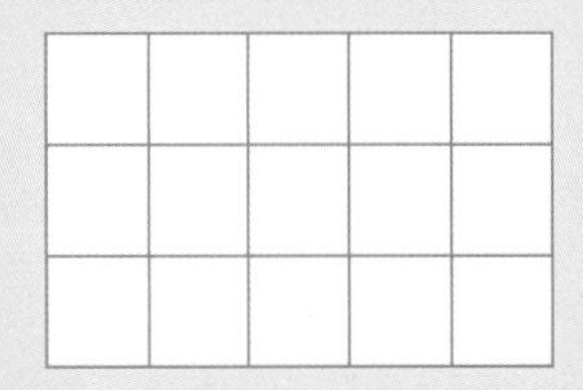

2. 아래 글을 읽고 세로셈으로 답을 구해 보세요. 물건 가격은 91쪽 문제 2번과 같아요.

❶ 교장 선생님은 컴퓨터 5대를 구매했어요. 컴퓨터 값은 모두 얼마일까요?

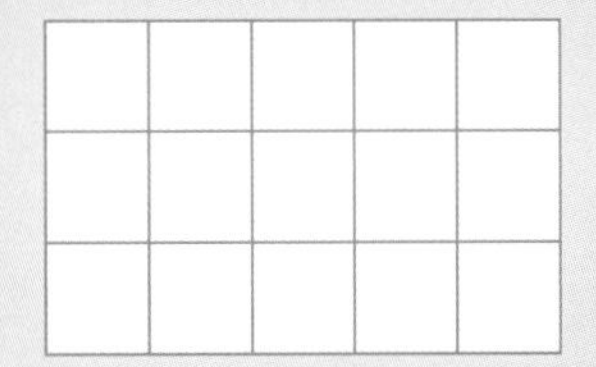

정답 :

❷ 교장 선생님은 태블릿 3대를 구매했어요. 태블릿 값은 모두 얼마일까요?

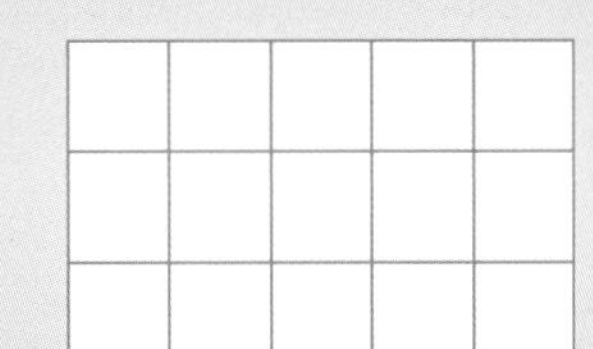

정답 :

____월 ____일 ____요일

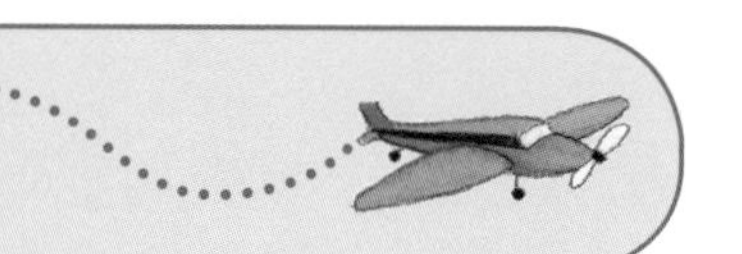

14 (몇십몇)×(몇십몇)

십의 자리 일의 자리 × 십의 자리 일의 자리

1 6 × 1 2

		1	
		1	6
×		1	2
		3	2
+	1	6	0
	1	9	2

- 먼저 일의 자리 수끼리 곱셈을 하세요. (6×2=12) 곱셈값에서 일의 자리 수 2를 일의 자리 줄에 쓰고, 받아 올림하는 수 1을 십의 자리 위에 써 놓으세요.
- 십의 자리와 일의 자리 수 곱셈을 하세요. (1×2=2) 곱셈값에 일의 자리에서 받아 올림한 수 1을 더하세요. (2+1=3) 3을 십의 자리 줄에 쓰세요.
- 이번에는 일의 자리와 십의 자리 수 곱셈을 하세요. (6×1=6)
- 6은 십의 자리 수니까 32 아래 십의 자리 줄에 맞추어 쓰세요. 일의 자리와 십의 자리 수를 곱하면 일의 자리는 항상 0이 되므로 일의 자리에 0을 쓰세요.
- 십의 자리 수끼리 곱셈을 하세요. (1×1=1) 이때 계산 결과는 백의 자리 수가 되므로 1을 백의 자리 줄에 쓰세요.
- 마지막으로 32와 160을 더하세요. (32+160=192)

1. 세로셈으로 답을 구한 후, 정답을 애벌레에서 찾아 ○표 해 보세요.

23 × 13

		2	3
×		1	3

32 × 21

		3	2
×		2	1

41 × 21

		4	1
×		2	1

45 × 13

		4	5
×		1	3

33 × 24

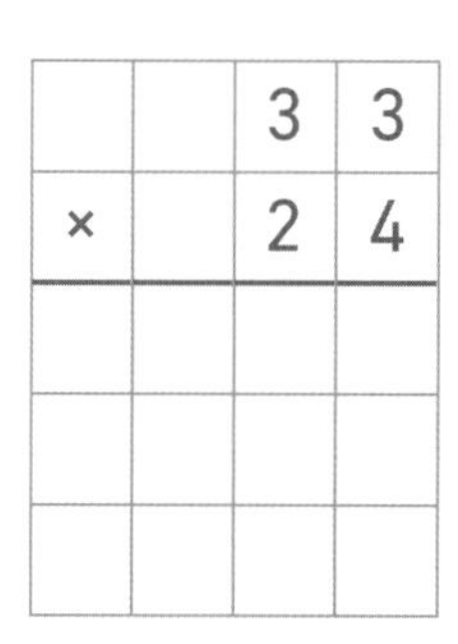

		3	3
×		2	4

14 × 14

		1	4
×		1	4

196 288 299 585 624 672 792 861

2. 아래 글을 읽고 세로셈으로 답을 구한 후, 정답을 애벌레에서 찾아 ○표 해 보세요.

❶ 영화관 입장권 1장이 42유로예요. 입장권 13장은 모두 얼마일까요?

식 :

정답 :

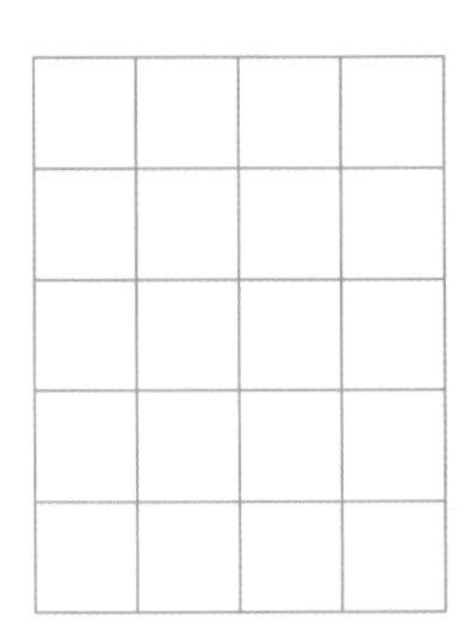

❷ 서커스 입장권 1장이 22유로예요. 입장권 26장은 모두 얼마일까요?

식 :

정답 :

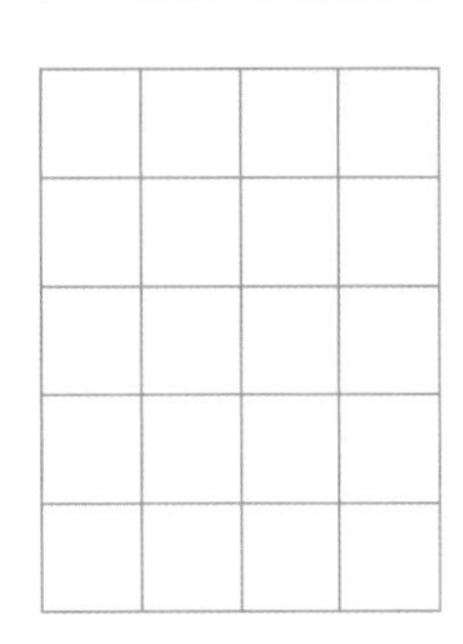

❸ 콘서트 입장권 1장이 58유로예요. 입장권 12장은 모두 얼마일까요?

식 :

정답 :

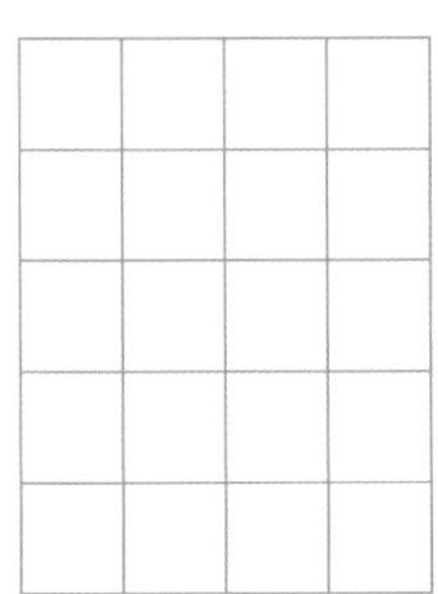

531 €　546 €　572 €　687 €　696 €

더 생각해 보아요!

영화관의 성인 입장권 2장과 어린이 입장권 1장 가격은 모두 합해서 30유로예요. 어린이 입장권은 성인 입장권 가격의 절반이에요. 어린이 입장권의 가격은 얼마일까요?

3. 규칙에 따라 빈칸에 알맞은 수를 써넣어 보세요.

2	4	6							20
20	40	60							200
200	400	600							2000

4	8	12							40
40	80	120							400
400	800	1200							4000

4. 코드를 풀어 다음 메시지를 읽어 보세요.

A B C D E F G H I J

❶

25	15	21
	O	

11	14	15	23
		O	

8	15	23
	O	

20	15
	O

21	19	5
		E

3	9	16	8	5	18
				E	

❷

9	19

9	20

6	21	14

20	15

21	19	5
		E

14	21	13	2	5	18	19
				E		

9	14	19	20	5	1	4
				E	A	

15	6

12	5	20	20	5	18	19
				E		

?

❸ 코드를 이용하여 여러분만의 메시지를 만들어 보세요.

5. 숫자 0, 2, 5, 6을 이용해 3000보다 큰 네 자리 수를 만들어 보세요. 그리고 부등호의 방향에 맞게 크기순으로 써 보세요.

_______ < _______ < _______ < _______ < _______ < _______ <

_______ < _______ < _______ < _______ < _______ < _______

6. 계산해 보세요.

14 × 16 = 224	19 × 19 = 361	27 × 25 = 675
15 × 16 = _______	20 × 19 = _______	26 × 25 = _______
16 × 16 = _______	21 × 19 = _______	25 × 25 = _______

한 번 더 연습해요!

1. 세로셈으로 답을 구해 보세요.

21 × 33

		2	1
×		3	3

13 × 52

		1	3
×		5	2

15 × 12

		1	5
×		1	2

2. 아래 글을 읽고 세로셈으로 답을 구해 보세요.

❶ 팔찌 1개의 가격이 41유로예요. 팔찌 14개는 얼마일까요?

식 : _______________

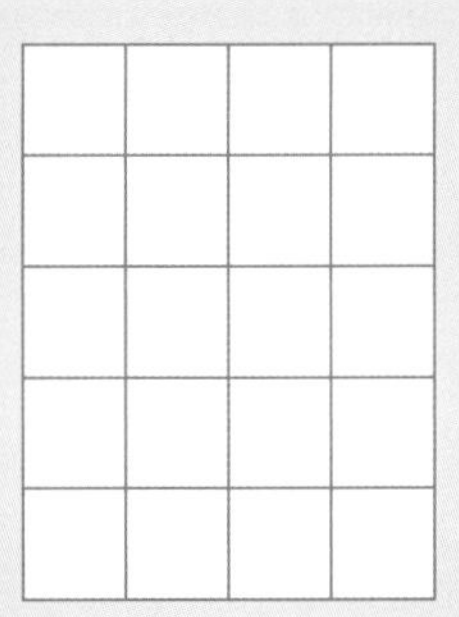

정답 : _______

❷ 놀이공원 입장권 1장은 22유로예요. 입장권 25장은 모두 얼마일까요?

식 : _______________

정답 : _______

___월 ___일 ___요일

15 세 자리 수×두 자리 수

백의 자리, 십의 자리, 일의 자리

2 1 6 × 3 4

(받아 올림: 1, 2)

		2	1	6
×		1	3	4
	1	8	6	4
+	6	4	8	0
	7	3	4	4

- 백의 자리로 받아 올림하는 1은 3×6=18에서 나온 1이에요.
- 십의 자리로 받아 올림하는 2는 4×6=24에서 나온 2예요.
- 일의 자리와 십의 자리를 곱하면 일의 자리 수는 항상 0이 돼요.

십의 자리, 일의 자리

6 5 × 3 0

(받아 올림: 1)

			6	5
×			3	0
			0	0
+	1	9	5	0
	1	9	5	0

1. 세로셈으로 답을 구한 후, 정답을 애벌레에서 찾아 ○표 해 보세요.

23 × 54

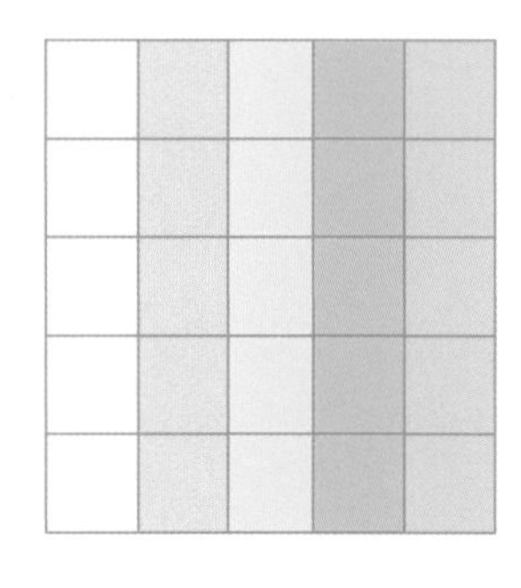

37 × 22

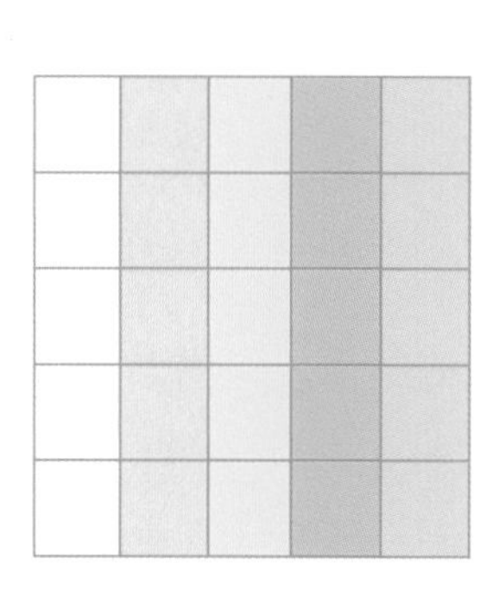

164 × 20

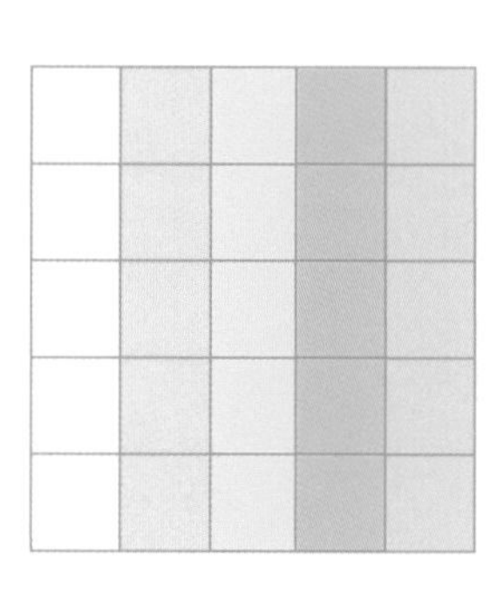

206 × 32

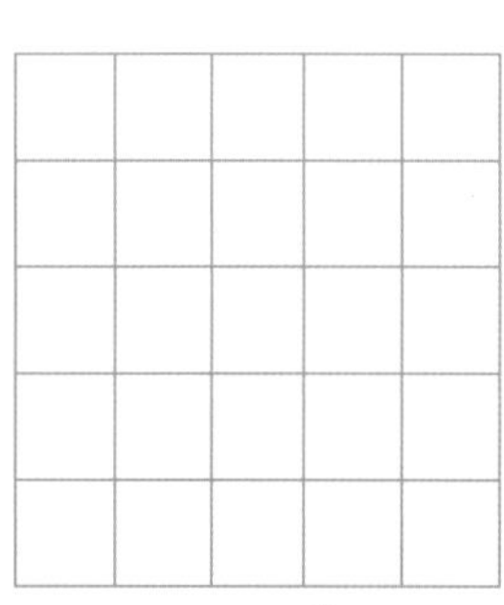

213 × 24

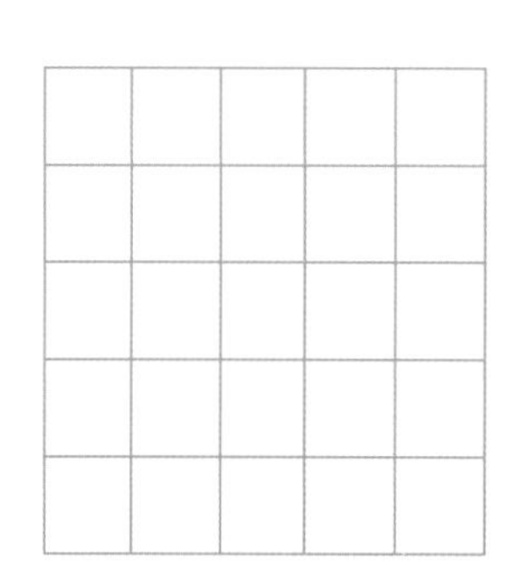

228 × 32

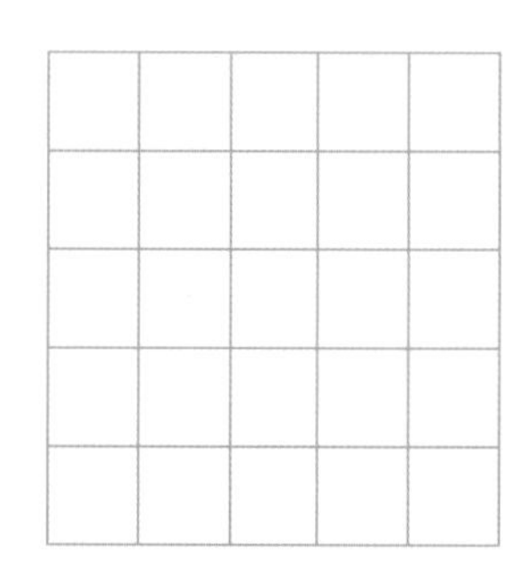

814 915 1242 3280 4898 5112 6592 7296

2. 아래 글을 읽고 세로셈으로 답을 구한 후, 정답을 애벌레에서 찾아 ○표 해 보세요.

❶ 광대는 트램펄린에서 하루 평균 413번을 점프해요. 24일 동안 광대는 모두 몇 번 점프할까요?

식 : ______________________

정답 : ______________________

❷ 광대는 하루 평균 훌라후프를 262번 돌려요. 32일 동안 광대는 훌라후프를 모두 몇 번 돌릴까요?

식 : ______________________

정답 : ______________________

❸ 곡예사는 하루 평균 공을 524번 던져요. 13일 동안 곡예사는 공을 모두 몇 번 던질까요?

식 : ______________________

정답 : ______________________

❹ 곡예사는 하루 평균 공을 191번 떨어뜨려요. 30일 동안 곡예사는 공을 모두 몇 번 떨어뜨릴까요?

식 : ______________________

정답 : ______________________

5921 5730 6812 8384 8761 9912

더 생각해 보아요!

어린이 입장권 2장과 성인 입장권 1장은 모두 합해서 30유로예요. 어린이 입장권 2장과 성인 입장권 2장은 44유로예요. 어린이 입장권 1장의 가격은 얼마일까요?

____

3. 칩은 어느 서커스를 보고 싶은 걸까요? 계산값이 4000보다 작게 나오는 길을 따라가 보세요.

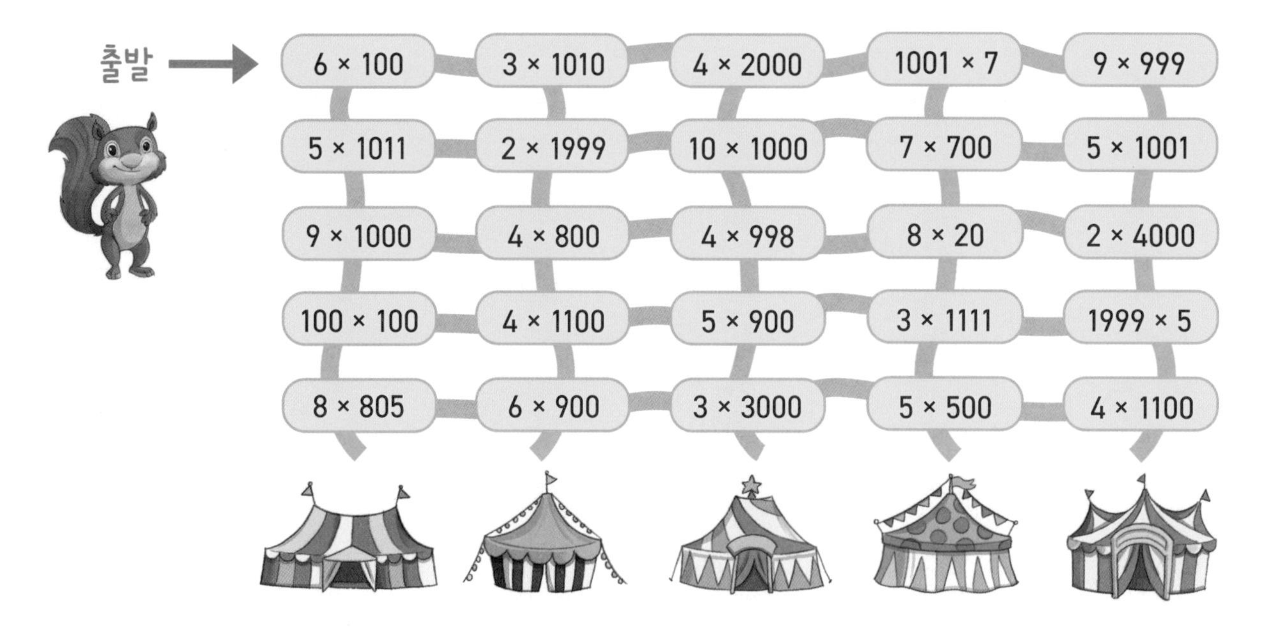

4. 각 가방 안에 있는 물건값의 총액이 같아지도록 물건 2개를 바꾸어 보세요. 바꾼 물건을 화살표로 표시해 보세요.

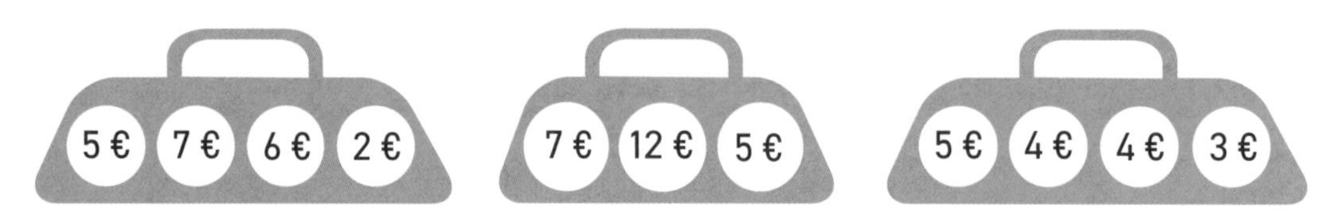

5. 아래 글을 읽고 질문에 답해 보세요.

아이들이 벽에 공을 던져 숫자를 맞혀요. 맞힌 숫자만큼 점수를 얻어요. 공 1개는 숫자 1개만 맞힐 수 있어요.

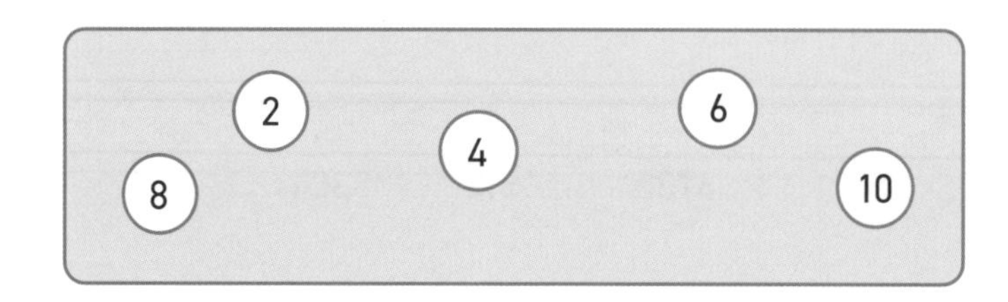

❶ 카일라는 3개를 맞혀서 24점을 받았어요. 카일라가 맞힌 숫자는 _____, _____, _____예요.

❷ 루디는 4개를 맞혀서 28점을 받았어요. 루디가 맞힌 숫자는 _____, _____, _____, _____예요.

❸ 앨빈은 3개를 맞혀서 22점을 받았어요. 앨빈이 맞힌 숫자는 _____, _____, _____예요.

❹ 비비안은 4개를 맞혀서 22점을 받았어요. 비비안이 맞힌 숫자는 _____, _____, _____, _____예요.

6. 아래 글을 읽고 질문에 답해 보세요.

주머니 안에 감초 사탕 4개, 초콜릿 사탕 4개, 알사탕 4개가 들어 있어요. 주머니 속을 보지 않고 사탕을 1번에 1개씩 꺼내려고 해요.

❶ 종류별로 사탕을 1개씩 꺼내려면 최대 몇 번까지 사탕을 꺼내야 할까요?

____

❷ 같은 종류의 사탕 2개를 꺼내려면 최대 몇 번까지 사탕을 꺼내야 할까요?

____

한 번 더 연습해요!

1. 세로셈으로 답을 구해 보세요.

24 × 34

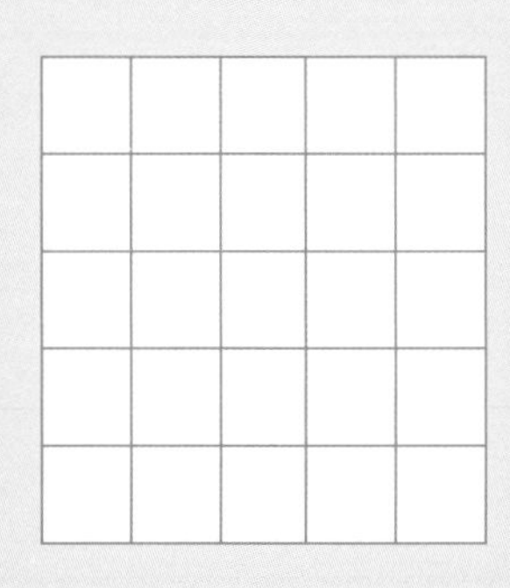

139 × 22

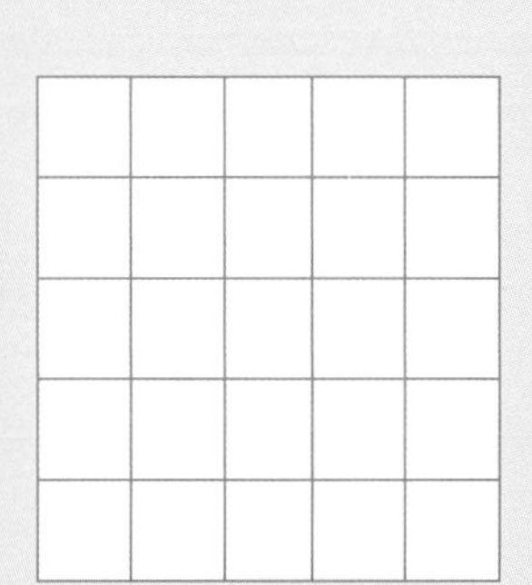

306 × 20

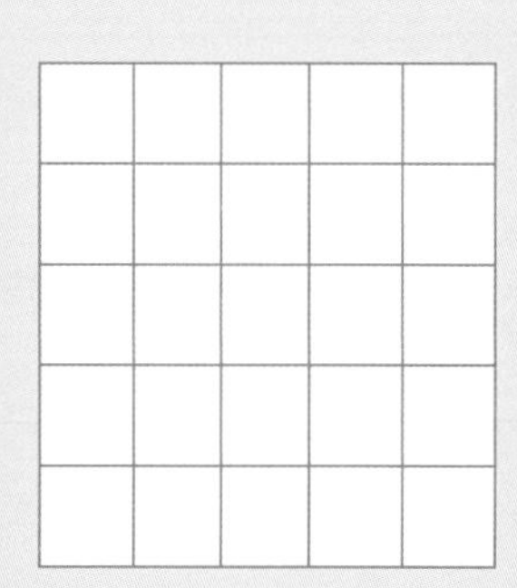

2. 평균적으로 곡예사는 하루에 408번 링을 던져요. 13일 동안 곡예사는 링을 모두 몇 번 던질까요? 식을 세우고 세로셈으로 계산해 보세요.

식 : ______________________

정답 : ______________________

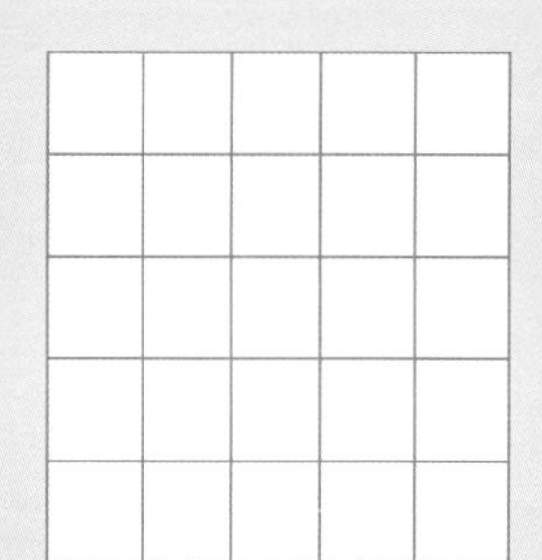

__ 월 __ 일 __ 요일

16 혼합 계산의 순서

그네 곡예사는 하루에 41번,
17일 동안 연습했어요.
연습을 700번 하려면 몇 번 더
해야 할까요?

<혼합 계산의 순서>
1. 괄호 안의 식을 먼저 계산하세요.
2. 곱셈과 나눗셈을 왼쪽에서 오른쪽으로 차례로 계산해요.
3. 덧셈과 뺄셈을 왼쪽에서 오른쪽으로 차례로 계산해요.

$700 - 41 \times 17$
$= 700 - 697$
$= 3$

		4	1
×		1	7
	2	8	7
+	4	1	0
	6	9	7

정답: 3번

1. 혼합 계산의 순서를 생각하면서 계산해 보세요.

$4 \times 4 + 5 =$ $16 + 5$ ______

$3 \times 3 + 4 \times 3 =$ $9 + 12$ ______

$50 - 6 \times 5 =$ ______

$(4 + 8) \div 4 =$ ______

2. 계산한 후, 정답을 애벌레에서 찾아 ○표 해 보세요.

$23 \times (27 - 3)$
= ______
= ______

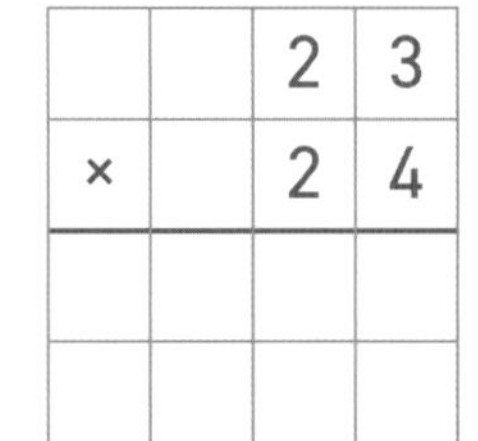

$(4 + 9) \times 53$
= ______
= ______

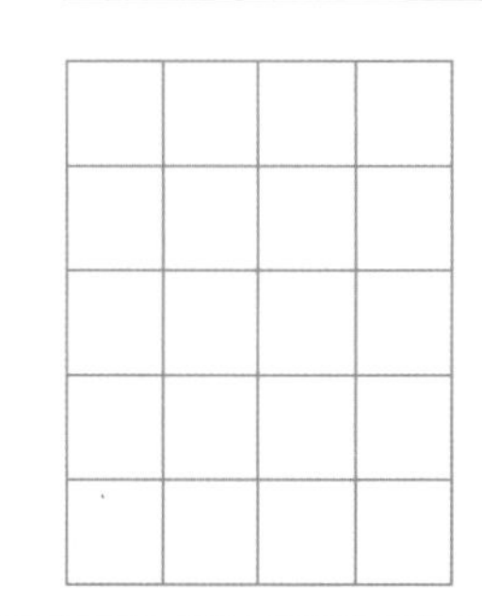

$290 - 15 \times 19$
= ______
= ______

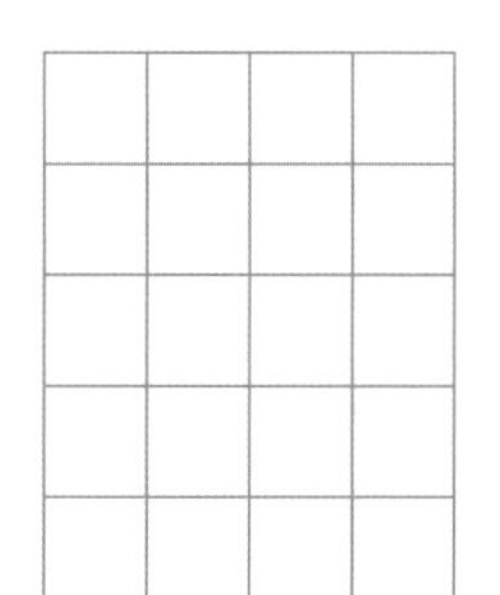

5 15 552 613 689

3. 아래 글을 읽고 알맞은 식을 세워 답을 구한 후, 정답을 애벌레에서 찾아 ○표 해 보세요.

❶ 선생님은 320유로를 가지고 있었는데 피자 24판을 샀어요. 남은 돈은 얼마일까요?

식 : ______________________

정답 : ______________________

		1	3
×		2	4

❷ 선생님은 245유로를 가지고 있었는데 햄버거 17개를 샀어요. 남은 돈은 얼마일까요?

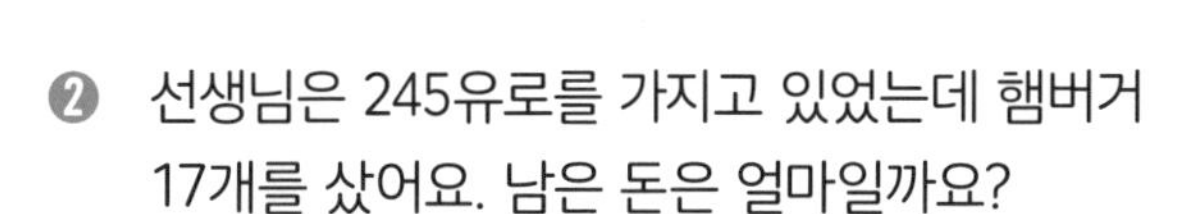

식 : ______________________

정답 : ______________________

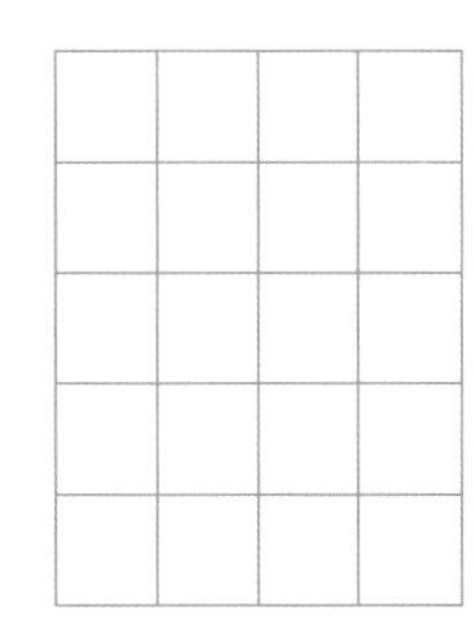

❸ 선생님은 햄버거 23개와 치킨 샐러드 1개를 샀어요. 음식값은 모두 얼마일까요?

식 : ______________________

정답 : ______________________

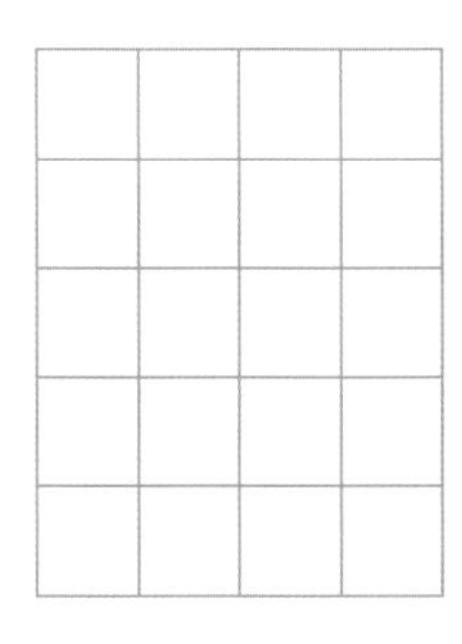

❹ 선생님은 피자 28판과 새우 수프 1그릇을 샀어요. 음식값은 모두 얼마일까요?

식 : ______________________

정답 : ______________________

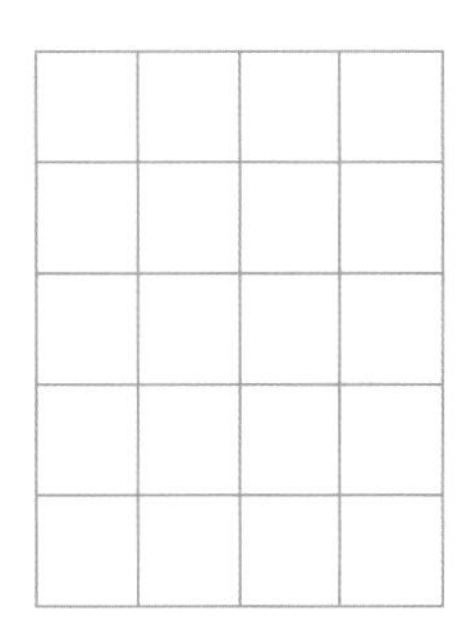

△ 대신 들어갈 수 있는 수 가운데 가장 큰 수를 써 보세요.

$9 \times \triangle < 200$

△ = ______________________

7 €　8 €　10 €

334 €　356 €　373 €

4. 규칙에 따라 빈칸에 알맞은 수를 써넣어 보세요.

5	10	15							50
50	100	150							500
500	1000	1500							5000

6	12	18							60
60	120	180							600
600	1200	1800							6000

5. 보물 상자를 여는 비밀번호를 알아맞혀 보세요.

❶
- 네 자리 수예요.
- 각 자리 숫자의 합은 3이에요.
- 이 수에서 1000을 빼어도 여전히 네 자리 수예요.
- 이 수는 홀수예요.

____

❷
- 네 자리 수예요.
- 3개 자리의 숫자가 같아요.
- 각 자리 숫자의 합은 33이에요.
- 이 수에는 숫자 6이 없어요.
- 백의 자리 숫자가 가장 커요.

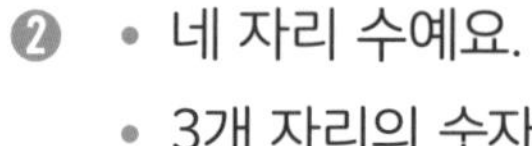

____

6. 바람이 불어 숫자 카드를 모두 흩트려 놓았어요. 카드 1장을 1번씩 이용해서 식이 성립하도록 숫자를 원래대로 배열해 보세요.

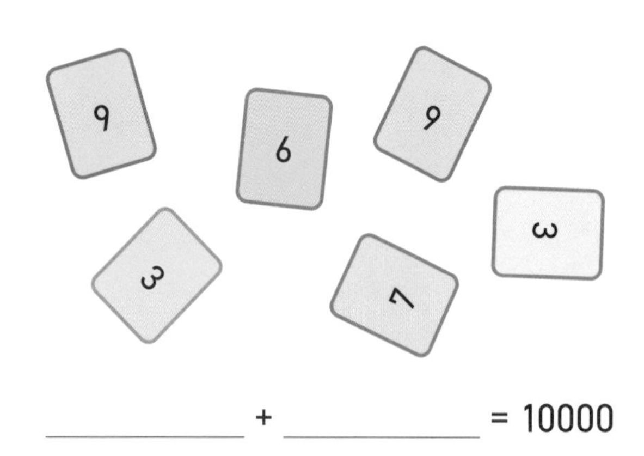

________ + ________ = 10000

7. 주어진 조각을 이용해 보물을 찾는 길을 만들어 보세요.

3가지 조각을 모두 이용하세요.
조각의 방향을 바꿀 수 있고, 필요한 만큼 여러 번 이용할 수 있어요.
로봇과 해골, 노랑 몬스터가 있는 길은 피해 가야 해요.

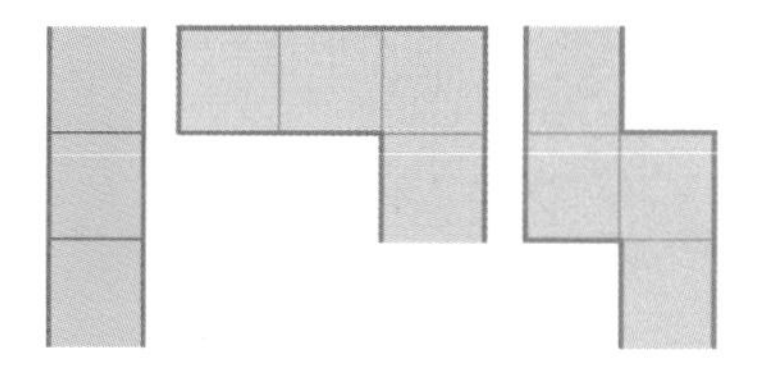

출발

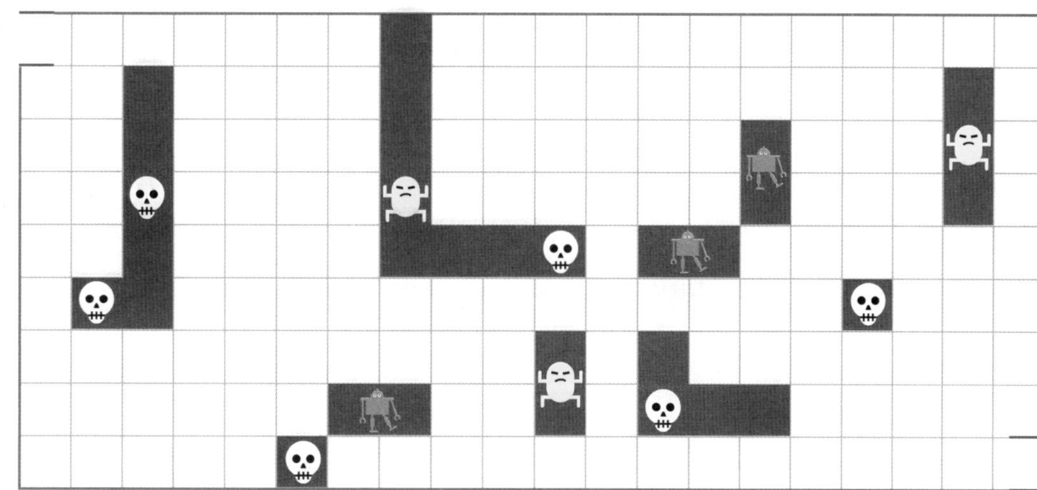

한 번 더 연습해요!

1. 아래 글을 읽고 알맞은 식을 세워 답을 구해 보세요. 가격은 103쪽 문제 3번과 같아요.

❶ 선생님은 학생들이 먹을 치킨 샐러드 19개와 자신이 먹을 새우 수프 1그릇을 주문했어요. 음식값은 모두 얼마일까요?

식 : ______

정답 : ______

❷ 선생님은 학생들이 먹을 햄버거 20개를 주문했어요. 300유로를 내면 거스름돈으로 얼마를 돌려받을까요?

식 : ______

정답 : ______

___월 ___일 ___요일

1. 먼저 분배법칙을 이용하여 곱셈한 후 세로셈으로 답을 구해 보세요.

2317 × 3

= ______________________

= ______________________

= ______________________

4503 × 2

= ______________________

= ______________________

= ______________________

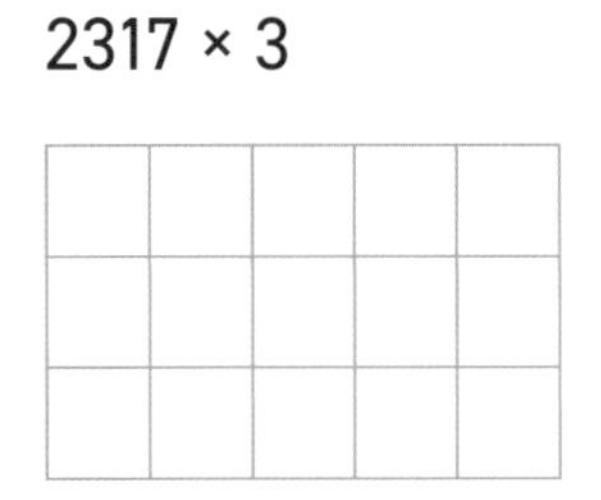

2317 × 3

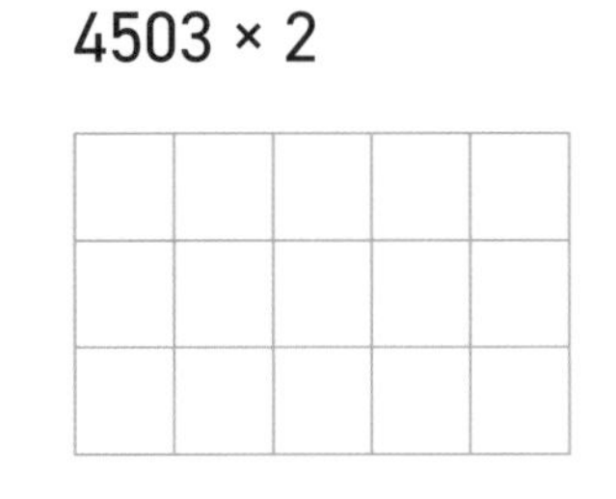

4503 × 2

2. 아래 곱셈식에서 잘못된 곳을 찾아보세요. 그리고 다시 바르게 계산해 보세요.

①

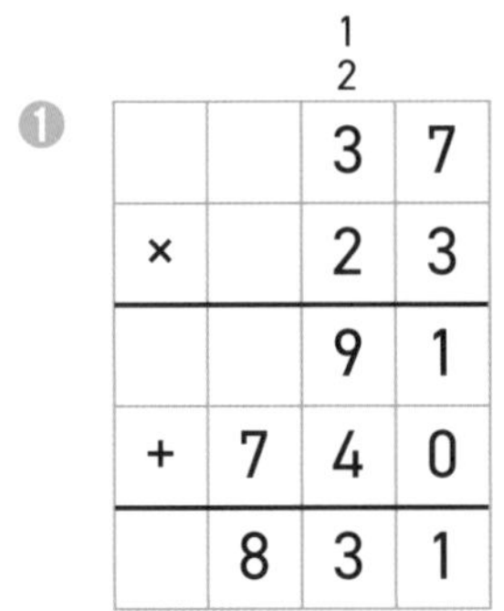

		1 2	
		3	7
×		2	3
		9	1
+	7	4	0
	8	3	1

②

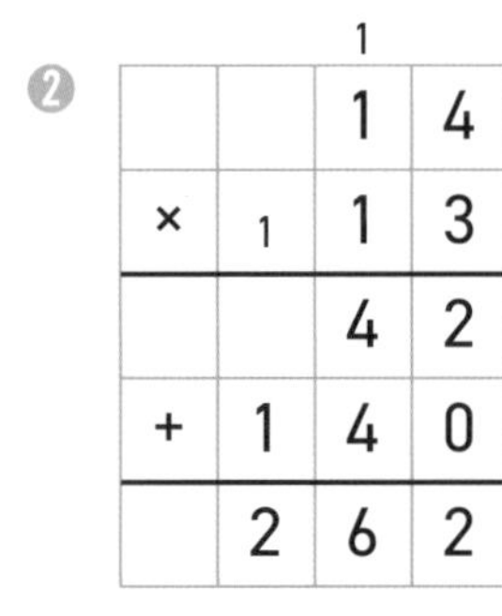

		1	
		1	4
×	1	1	3
		4	2
+	1	4	0
	2	6	2

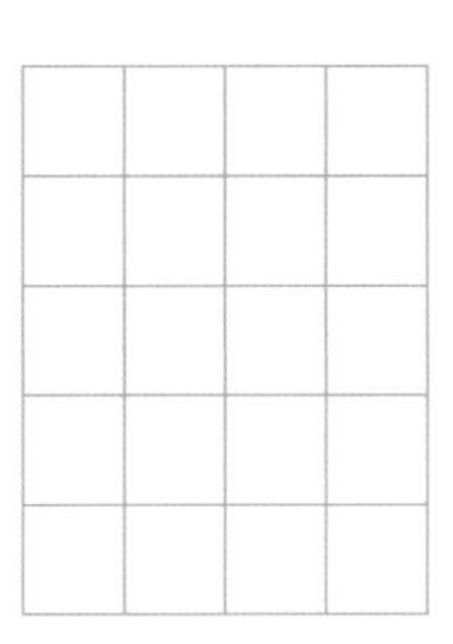

3. 아래 글을 읽고 알맞은 식을 세워 답을 구한 후, 정답을 애벌레에서 찾아 ○표 해 보세요.

❶ 선생님은 학생 23명의 영화관 입장권을 샀어요. 입장권 1장은 17유로예요. 400유로를 내면 거스름돈으로 얼마를 돌려받을까요?

식 : ____________________

____

____

정답 : __________

❷ 선생님은 학생 25명의 영화관 입장권을 샀어요. 입장권 1장은 19유로예요. 선생님은 480유로를 가지고 있었는데 남은 돈은 얼마일까요?

식 : ____________________

____

____

정답 : __________

❸ 선생님은 학생들에게 나눠 줄 책 19권을 샀어요. 책은 1권에 33유로예요. 선생님은 630유로를 가지고 있었는데 남은 돈은 얼마일까요?

식 : ____________________

____

____

정답 : __________

❹ 선생님은 색연필 37세트를 샀어요. 1세트에 15유로예요. 선생님은 570유로를 가지고 있었는데 남은 돈은 얼마일까요?

식 : ____________________

____

____

정답 : __________

3 € 5 € 6 € 9 € 12 € 15 €

더 생각해 보아요!

△에 들어갈 수 있는 수 가운데 가장 큰 수를 써 보세요.

△ × △ < 150

△ = ____________________

4. 아래 설명대로 서커스 천막을 그린 후 색칠해 보세요.

❶
- 세로 선을 그어 천막을 6개 영역으로 나누세요.
- 2가지 다른 색으로 천막을 칠하세요. 서로 만나는 부분은 같은 색으로 칠하지 않아요.
- 천막 꼭대기에 깃발이 날리고 있어요.

❷
- 가로 선을 그어 천막을 6개 영역으로 나누세요.
- 3가지 다른 색으로 천막을 칠하세요. 노란색을 쓰면 파란색은 쓸 수 없고, 빨간색은 반드시 써야 해요.
- 지붕에 3개 이상의 원을 그리세요.

5. 주어진 조각을 이용해 보물을 찾는 길을 만들어 보세요.

3가지 조각을 모두 이용하세요.
조각의 방향을 바꿀 수 있고, 필요한 만큼 여러 번 이용할 수 있어요.
로봇과 해골, 노랑 몬스터가 있는 길은 피해 가야 해요.

출발

6. 선을 이용해 다음 곱셈식을 계산해 보세요.

옛날 중국에서는 선을 이용하여 곱셈을 했어요. 오른쪽 그림은 2123×3을 나타낸 거예요. 파란색 선은 곱해지는 수 2123을 나타내고, 빨간색 선은 곱하는 수 3을 나타내요. 교차점의 개수가 천의 자리, 백의 자리, 십의 자리, 일의 자리 수를 뜻해요. 그래서 곱셈값은 6369가 나와요.

<보기>

2123 × 3

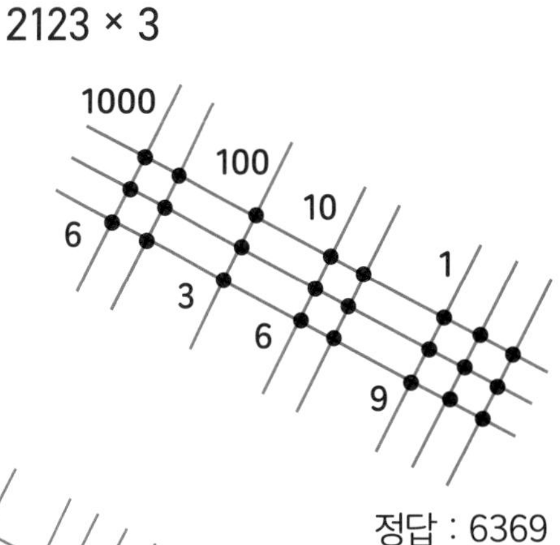

정답 : 6369

❶

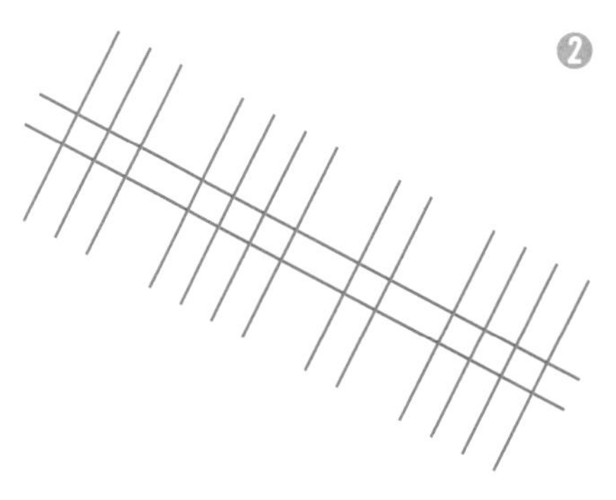

❷

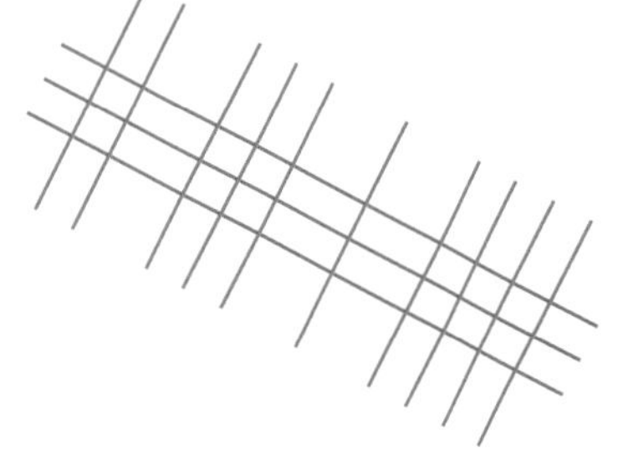

식 :

정답 :

식 :

정답 :

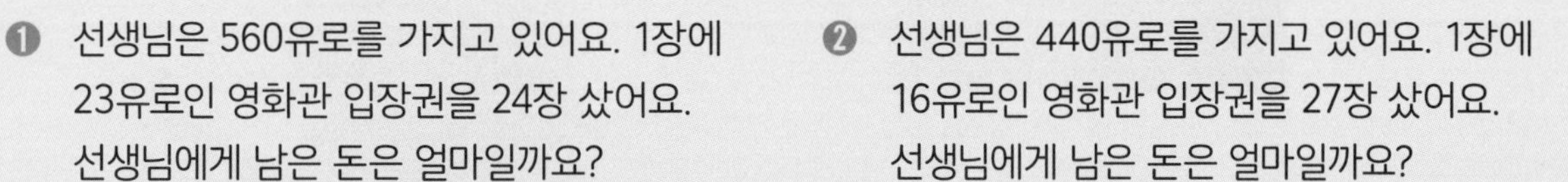

한 번 더 연습해요!

1. 아래 글을 읽고 알맞은 식을 세워 답을 구해 보세요.

❶ 선생님은 560유로를 가지고 있어요. 1장에 23유로인 영화관 입장권을 24장 샀어요. 선생님에게 남은 돈은 얼마일까요?

정답 :

❷ 선생님은 440유로를 가지고 있어요. 1장에 16유로인 영화관 입장권을 27장 샀어요. 선생님에게 남은 돈은 얼마일까요?

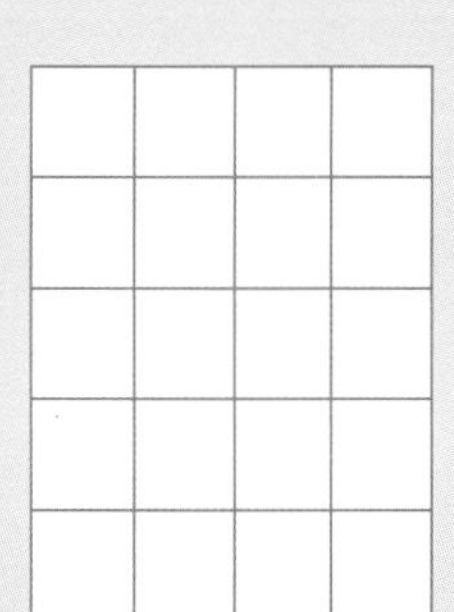

정답 :

7. 그림이 들어간 식을 보고 그림의 값을 구해 보세요.

8. 1칸씩 앞으로 뛸 때마다 주어진 설명대로 빈칸을 색칠해 보세요.

- 빨간색 칸에 도착하면 파란색과 초록색 칸의 순서를 바꾸세요.
- 초록색 칸에 도착하면 다음 2칸의 순서를 바꾸세요.
- 파란색 칸에 도착하면 빨간색 칸을 노란색으로 바꾸세요.
- 노란색 칸에 도착하면 초록색 칸을 빨간색으로 바꾸세요.

출발

처음 뛴 후:

두 번째 뛴 후:

세 번째 뛴 후:

네 번째 뛴 후:

9. 나는 어떤 수일까요?

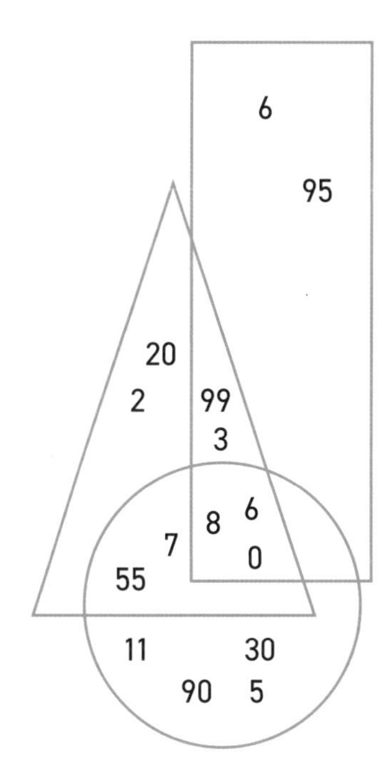

❶ 나는 원 안에 있어요. 각 자리 숫자의 합은 9예요.

❷ 나는 사각형 안에 없어요. 나는 4보다 작아요.

❸ 나는 삼각형 안에 없어요. 나는 9와 10의 곱보다 더 커요.

❹ 나는 삼각형 안에도 있고 원 안에도 있어요. 두 자리 수예요.

❺ 나는 삼각형이나 원 안에 있지 않아요. 나는 2로 나누어떨어져요.

한 번 더 연습해요!

1. 계산해 보세요.

$12 \times 10 =$ ______ $2 \times 40 =$ ______ $5 \times 50 =$ ______

$16 \times 100 =$ ______ $3 \times 300 =$ ______ $6 \times 200 =$ ______

2. 아래 글을 읽고 세로셈으로 답을 구해 보세요.

❶ 비스킷 1봉지에 비스킷이 88개 들어 있어요. 23봉지에는 비스킷이 모두 몇 개 들어 있을까요?

식 :

정답 :

❷ 시리얼 1봉지에 시리얼이 172조각 들어 있어요. 34봉지에는 시리얼이 모두 몇 조각 들어 있을까요?

식 :

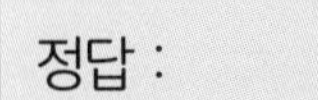

정답 :

실력을 평가해 봐요!

____월 ____일 ____요일

1. □ 안에 >, =, <를 알맞게 써넣어 보세요.

2303 □ 2333
125 □ 215
714 □ 741

1001 □ 1000
4567 □ 4576
3943 □ 3493

2555 □ 2000 + 500 + 50
6612 □ 600 + 10 + 2
7623 □ 7100 + 400 + 20 + 3

2. 세로셈으로 답을 구해 보세요.

4516 + 2483

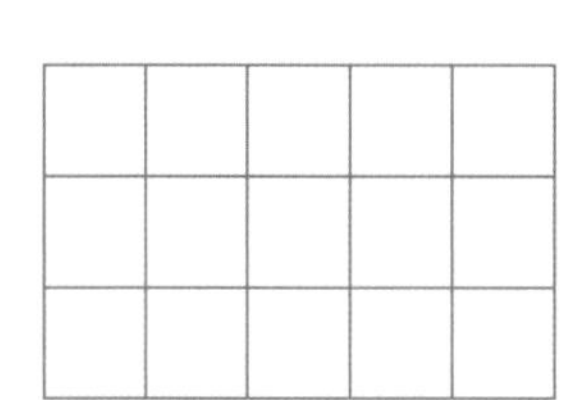

2642 + 3289

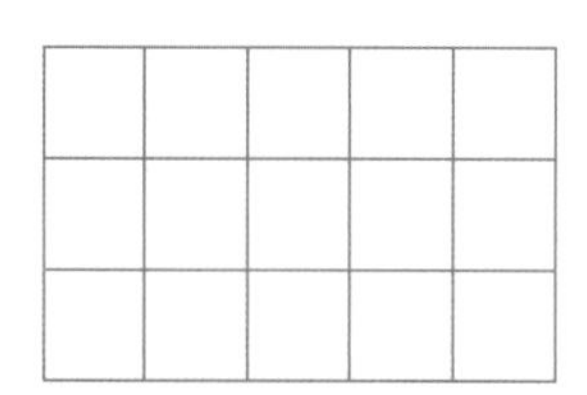

7329 + 695

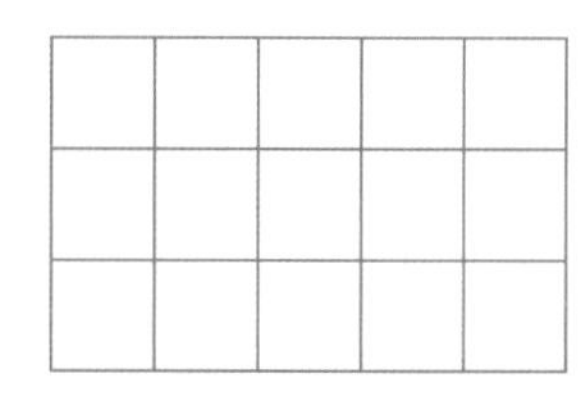

5367 − 3135

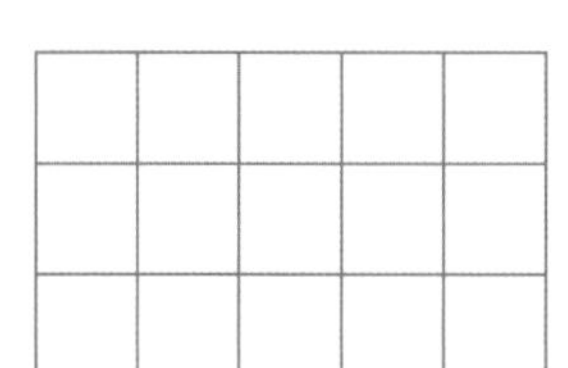

4753 − 2447

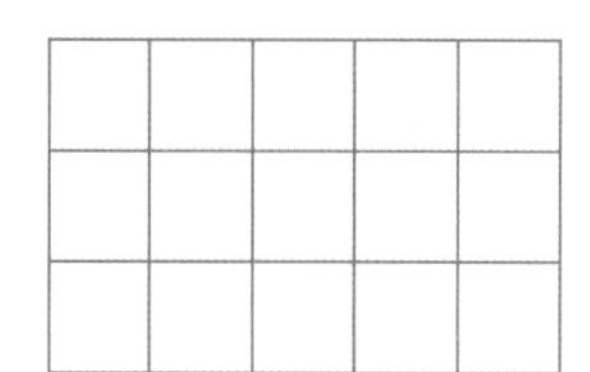

6003 − 376

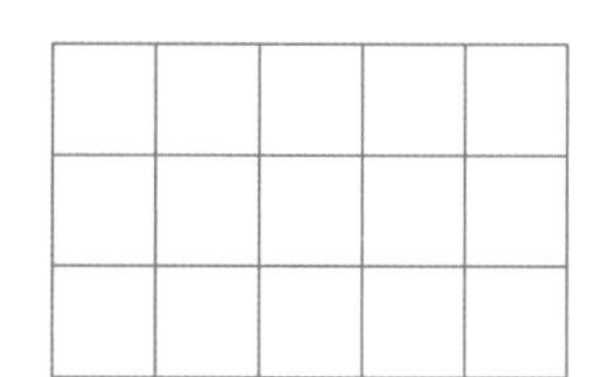

3. 계산해 보세요.

20 × 4
= ______
= ______
= ______

300 × 3
= ______
= ______
= ______

900 × 2
= ______
= ______
= ______

4. 분배법칙을 이용하여 곱셈해 보세요.

213 × 4
= ______
= ______
= ______

3047 × 2
= ______
= ______
= ______

5. 세로셈으로 답을 구해 보세요.

14 × 35

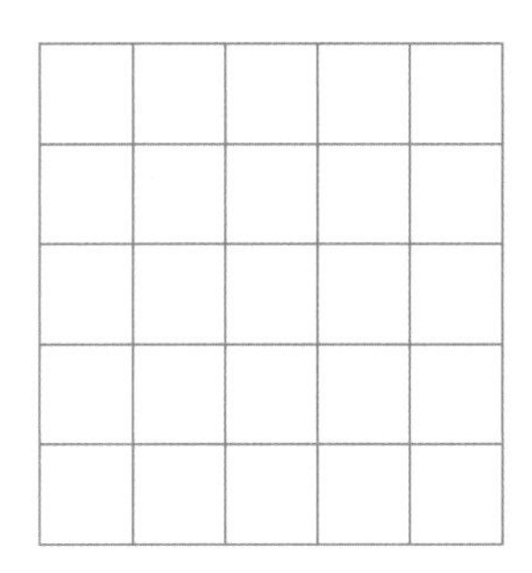

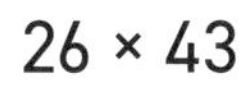

26 × 43

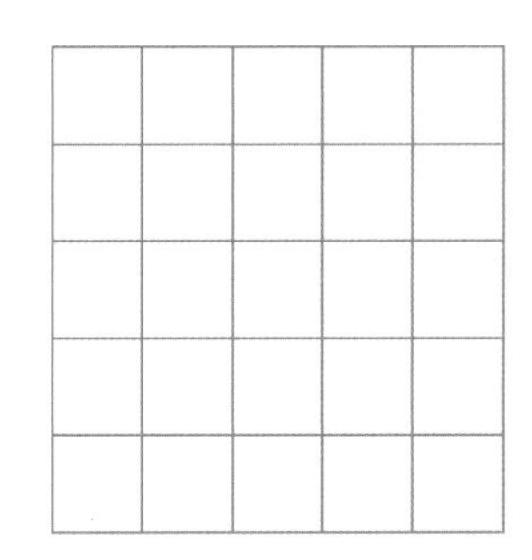

147 × 23

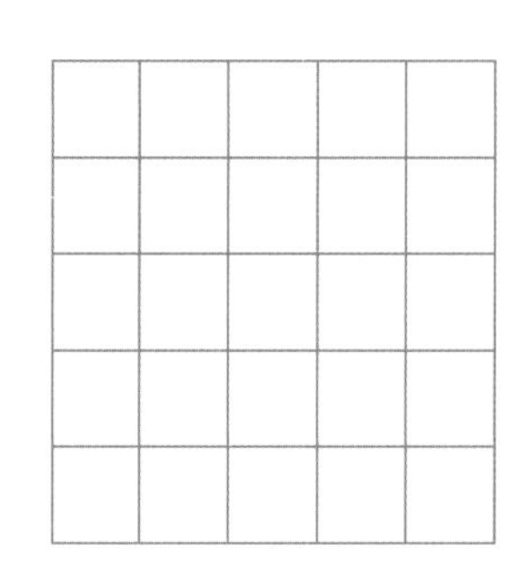

6. 아래 글을 읽고 알맞은 식을 세워 답을 구해 보세요.

❶ 선생님은 1대에 1246유로인 컴퓨터 2대를 구매했어요. 2500유로를 내면 얼마를 거슬러 받을까요?

식 :

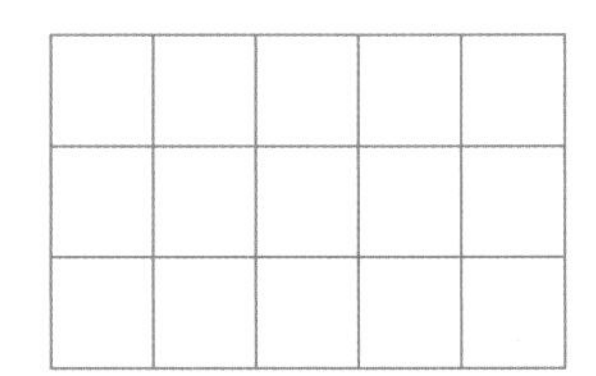

정답 :

❷ 학교에서 1대에 826유로인 프린터 3대와 12유로짜리 인쇄용지를 구매했어요. 구매한 물건값은 모두 얼마일까요?

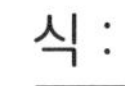

식 :

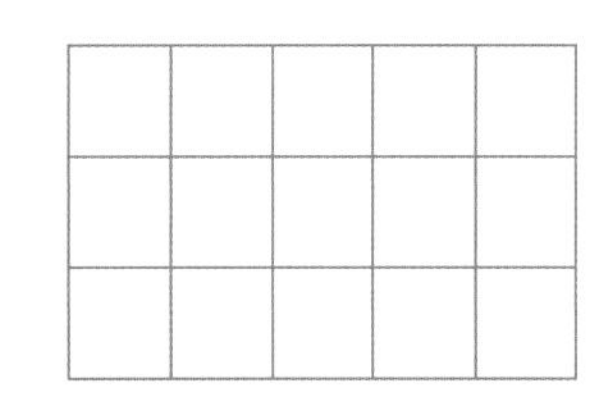

정답 :

실력이 자란 만큼 별을 색칠하세요.

★★★ 정말 잘했어요.

★★☆ 꽤 잘했어요.

★☆☆ 앞으로 더 노력할게요.

단원 종합 문제

____월 ____일 ____요일

1. □ 안에 >, =, <를 알맞게 써넣어 보세요.

4189 □ 4198　　3369 □ 3693　　7612 □ 7100 + 512

2. 세로셈으로 답을 구해 보세요.

2177 + 3314　　5264 + 457　　3174 − 1146

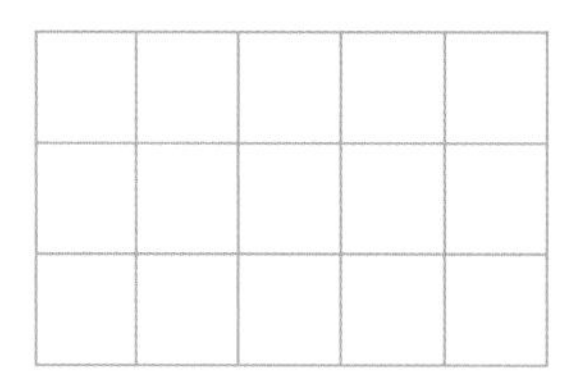

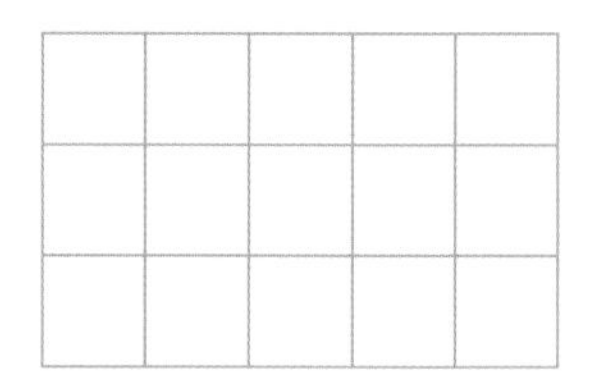

3. 계산해 보세요.

20 × 3
= ______
= ______
= ______

100 × 5
= ______
= ______
= ______

200 × 6
= ______
= ______
= ______

43 × 2
= ______
= ______
= ______

26 × 3
= ______
= ______
= ______

47 × 2
= ______
= ______
= ______

4. 아래 글을 읽고 알맞은 식을 세워 답을 구해 보세요.

❶ 태블릿 케이스 1개 가격이 37유로예요. 케이스 12개의 가격은 얼마일까요?

식 : ______

정답 : ______

❷ 선생님은 1대에 428유로인 태블릿을 4대 구매했어요. 1720유로를 내면 얼마를 거슬러 받을까요?

식 : ______

정답 : ______

5. □ 안에 >, =, <를 알맞게 써넣어 보세요.

8201	□	8500 - 301	180	□	3 × 60
1133	□	900 + 233	1650	□	2 × 800
8677	□	7900 + 777	1800	□	6 × 200

6. 세로셈으로 답을 구해 보세요.

4562 + 2339

7293 - 2367

6072 - 391

7. 분배법칙을 이용하여 곱셈해 보세요.

235 × 3

=

=

=

2409 × 2

=

=

=

8. 아래 글을 읽고 알맞은 식을 세워 답을 구해 보세요.

① 줄타기 곡예사는 1달 평균 347번 연습을 해요. 14달 동안 곡예사는 모두 몇 번 연습하게 될까요?

식 :

정답 :

② 평균적으로 광대는 1달에 716번씩 2달 동안 연습해요. 모두 1440번 연습하려면 광대는 몇 번 더 연습해야 할까요?

식 :

정답 :

9. 세로셈으로 답을 구해 보세요.

2798 + 4589

5003 − 1426

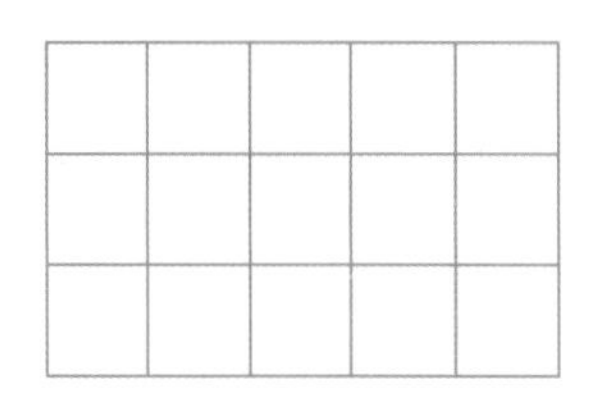

4126 − 255

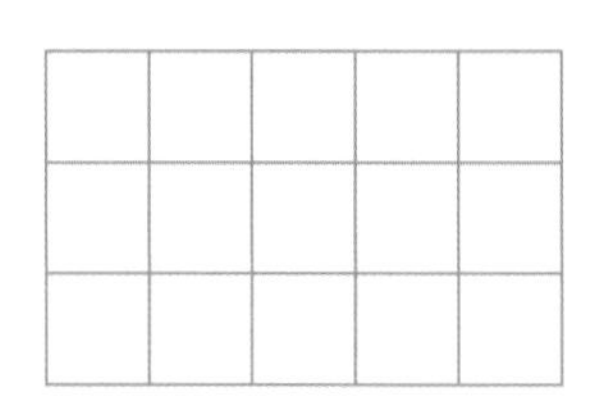

10. 계산해 보세요.

3 × 700 − 5 × 25

= ______

= ______

1045 × 3

= ______

= ______

11. 아래 글을 읽고 알맞은 식을 세워 답을 구해 보세요.

❶ 선생님에게 710유로가 있었는데 1권에 27유로인 책을 25권 샀어요. 선생님에게 남은 돈은 얼마일까요?

식 : ______

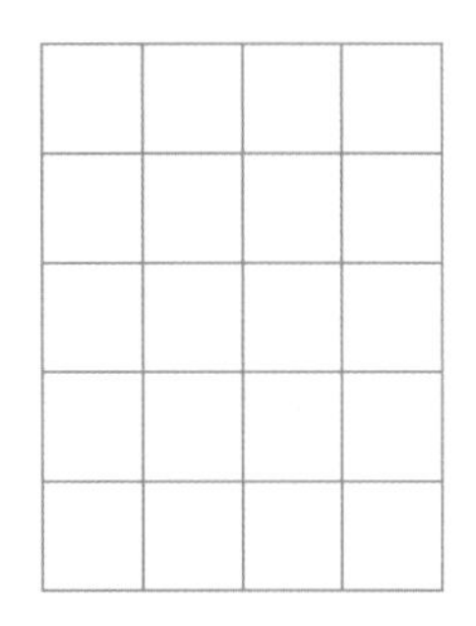

정답 : ______

❷ 선생님에게 900유로가 있어요. 선생님은 1개에 23유로인 종이 상자를 45개 주문하려고 해요. 돈이 얼마 더 필요할까요?

식 : ______

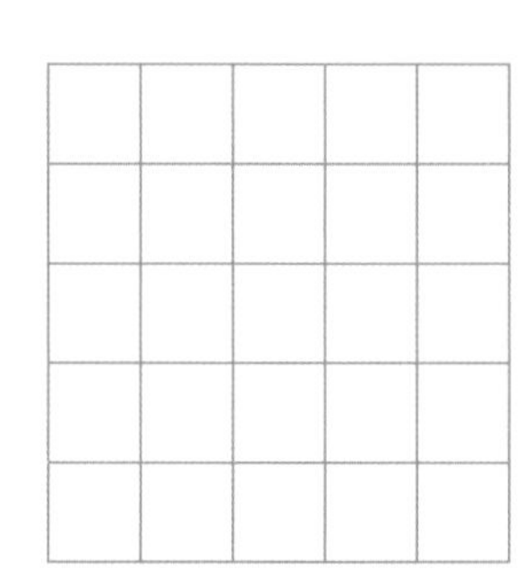

정답 : ______

12. 빈칸에 알맞은 수를 써넣어 보세요.

______ × 2 = 4836

______ × 3 = 9663

______ × 4 = 4856

______ × 3 = 6945

____ 월 ____ 일 ____ 요일

★ 네 자리 수

- 일의 자리, 십의 자리, 백의 자리, 천의 자리에 있는 숫자는 자릿값을 가지고 있어요.

천의 자리	백의 자리	십의 자리	일의 자리
3	7	3	1

삼천칠백삼십일이라고 읽어요.

$1 \times 10 = 10$
$10 \times 10 = 100$
$100 \times 10 = 1000$
$1000 \times 10 = 10000$

★ 세로셈으로 덧셈하기

천의 자리	백의 자리	십의 자리	일의 자리		백의 자리	십의 자리	일의 자리
4	3	6	4	+	6	5	9

		1	1	1
	4	3	6	4
+		6	5	9
	5	0	2	3

★ 세로셈으로 뺄셈하기

천의 자리	백의 자리	십의 자리	일의 자리		천의 자리	백의 자리	십의 자리	일의 자리
5	3	0	2	-	1	4	9	6

	4	12	9 (~~10~~)	10
	~~5~~	~~3~~	0	2
-	1	4	9	6
	3	8	0	6

★ 10, 100, 1000이 있는 곱셈하기

$6 \times 10 = 60$
$6 \times 100 = 600$
$6 \times 1000 = 6000$

2×3000
$= 2 \times 3 \times 1000$
$= 6 \times 1000$
$= 6000$

★ 분배법칙을 이용하여 곱셈하기

천의 자리	백의 자리	십의 자리	일의 자리		
2	3	1	7	×	3

$= 2000 \times 3 + 300 \times 3 + 10 \times 3 + 7 \times 3$
$= 6000 + 900 + 30 + 21$
$= 6951$

★ 세로셈으로 곱셈하기

백의 자리	십의 자리	일의 자리		
4	5	3	×	4

		2	1	
		4	5	3
×				4
	1	8	1	2

백의 자리	십의 자리	일의 자리			
3	7	4	×	2	3

		1 2	1	
		3	7	4
×		1	2	3
	1	1	2	2
+	7	4	8	0
	8	6	0	2

1

주어진 조건대로 색칠해 보세요.

- 천의 자리와 십의 자리의 숫자가 같은 경우
- 백의 자리와 일의 자리의 숫자가 같은 경우
- 천의 자리와 일의 자리의 숫자가 같은 경우
- 백의 자리와 십의 자리의 숫자가 같은 경우

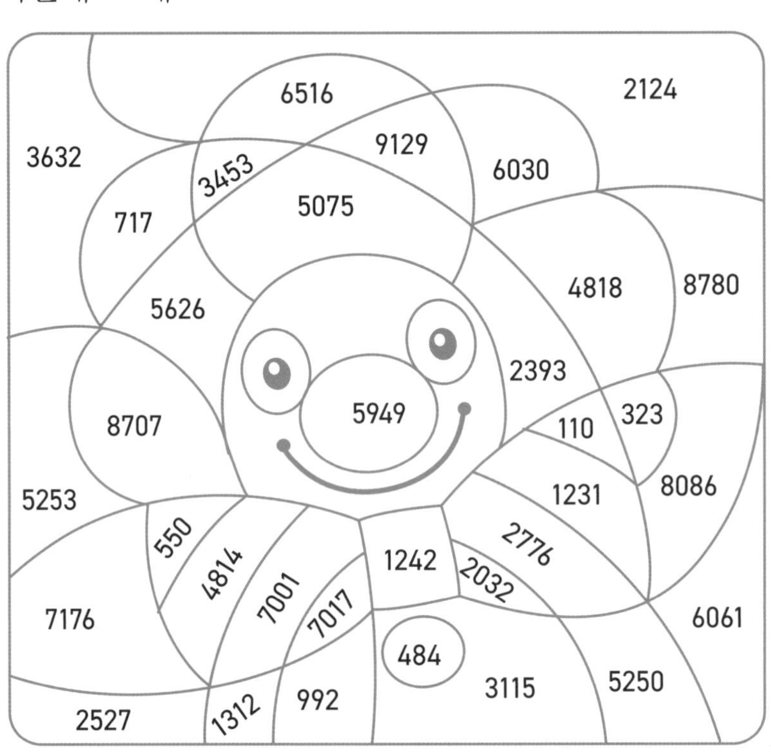

2

❶ 마르시가 던진 다트의 총점은 몇 점일까요?

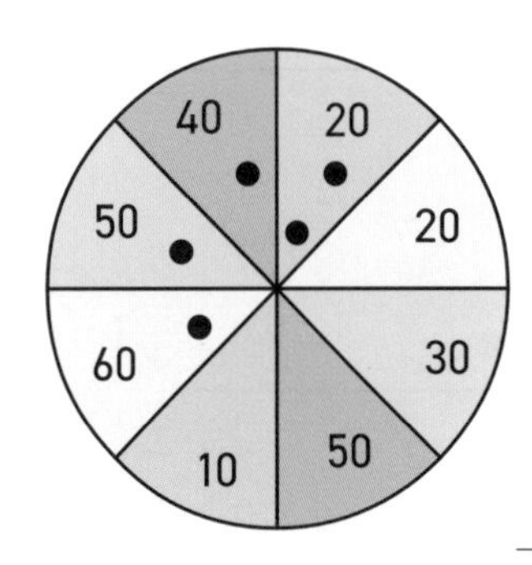

❷ 앨버트는 다트를 4번 던져서 130점을 얻었어요. 다트판에 꽂힌 다트를 그려 보세요.

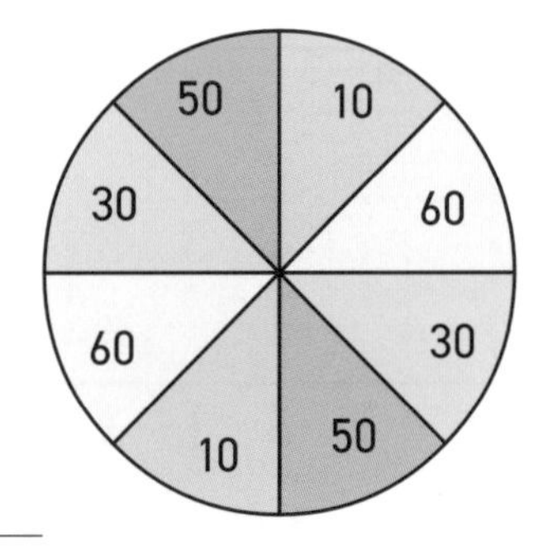

3

캐시가 먹고 싶은 솜사탕은 어떤 것일까요?
계산값이 1000보다 더 큰 길을 따라가 보세요.

출발

10 × 1000	2 × 600	2110 - 900	8 × 100
10 × 100	4 × 40	2 × 1000	300 + 477
1250 - 300	4 × 300	750 + 500	180 + 120
2 × 200	3 × 300 + 200	9 × 100	2 × 500 - 400

4

광대의 연습 일지를 완성해 보세요. 광대는 매일 같은 양을 연습해요.

	1일	2일	5일
트램펄린 점프	50번	100번	번
물구나무서기	회	40회	회
외발자전거 타기	300m	m	m
저글링	분	20분	분

5

그림이 들어간 식을 보고 그림의 값을 구해 보세요.

2 × ★ + ● = 11

3 × ★ - ● = 9

★ = ______ ● = ______

혼합 계산의 순서 복습

____월 ____일 ____요일

1. 계산한 후, 정답을 애벌레에서 찾아 해당하는 알파벳을 빈칸에 써넣어 보세요.

$2 \times 5 + 3$ A
= ____
= ____

$4 + 7 \times 5$ P
= ____
= ____

$14 \div 2 + 8$ R
= ____
= ____

$8 \times 4 - 7$ I
= ____
= ____

$43 - 2 \times 6$ Y
= ____
= ____

$48 - 24 \div 3$ G
= ____
= ____

$6 \times 6 + 3 \times 3$ L
= ____
= ____

$10 \times 7 - 8 \times 8$ E
= ____
= ____

$3 \times (6 + 3)$ F
= ____
= ____

$(18 - 14) \times 3$ A
= ____
= ____

$(8 - 7) \times (15 + 6)$ A
= ____
= ____

$36 \div (2 + 7)$ M
= ____
= ____

$(30 - 6) \div 8$ A
= ____
= ____

<혼합 계산의 순서>
1. 괄호 안의 식
2. 곱셈과 나눗셈을 왼쪽에서 오른쪽으로 차례로
3. 덧셈과 뺄셈을 왼쪽에서 오른쪽으로 차례로

39	45	3	31		13

27	21	25	15		40	12	4	6

2. 아래 글을 읽고 알맞은 식을 세워 답을 구한 후, 정답을 애벌레에서 찾아 ○표 해 보세요.

❶ 아빠는 야구 모자 2개와 지갑 1개를 샀어요. 물건값은 모두 얼마일까요?

식 : ______________________

____

정답 : ______________________

❷ 할머니는 스카프 1장과 지갑 2개를 샀어요. 물건값은 모두 얼마일까요?

식 : ______________________

____

정답 : ______________________

❸ 엄마는 20유로를 가지고 있었는데 깃발 3개를 샀어요. 엄마에게 남은 돈은 얼마일까요?

식 : ______________________

____

정답 : ______________________

❹ 할아버지는 야구 모자 3개와 스카프 2장을 샀어요. 물건값은 모두 얼마일까요?

식 : ______________________

____

정답 : ______________________

❺ 지갑 5개는 깃발 4개보다 얼마나 더 비쌀까요?

식 : ______________________

____

정답 : ______________________

❻ 티아와 아이라는 모자 1개와 스카프 1장의 물건값을 절반씩 나누어 냈어요. 한 사람당 얼마씩 냈을까요?

식 : ______________________

____

정답 : ______________________

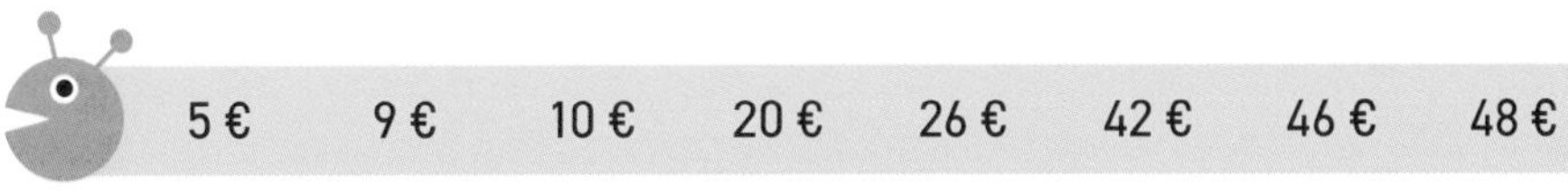

더 생각해 보아요!

아만다는 리비아보다 3세 더 많고, 하이디는 리비아보다 2세 더 적어요. 세 사람의 나이를 모두 합하면 34예요. 소녀들의 나이는 각각 몇 세일까요?

아만다: ________세 리비아: ________세 하이디: ________세

3. 1부터 36까지의 수가 가로, 세로, 대각선으로 계속 연속될 수 있도록 아래 표를 완성해 보세요.

❶

				24	
18	16	20	23		
15		12	29	30	27
14			5 ← 4		31
	7	36			3
9			34	1 →	2

❷

	27		30		33
		29	36		32
21	23	24	35	10	1
			11		9
	16	14	3	8	
	18	15		5	

4. 마야인들은 수를 나타내는 자신들만의 방법이 있었어요. 아래 〈보기〉를 잘 살펴보고 이를 이용하여 답을 구해 보세요.

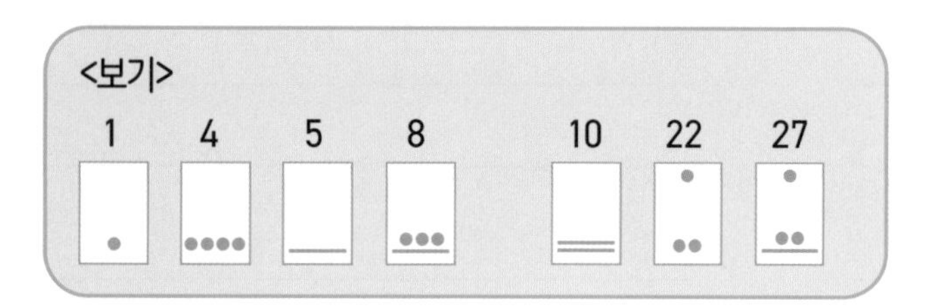

❶ × +

❷ × −

❸ − ×

5. □ 안에 +, −, ×, ÷를 알맞게 써넣어 보세요.

3 □ 2 □ 1 = 7

3 □ 2 □ 1 = 5

3 □ 2 □ 1 = 2

3 □ 2 □ 1 = 1

6. 네모 칸의 왼쪽에 있는 수는 가로축에 있는 동그라미 개수를 나타내고,
네모 칸의 아래쪽에 있는 수는 세로축에 있는 동그라미 개수를 나타내요.
빠진 동그라미를 그려 보세요.

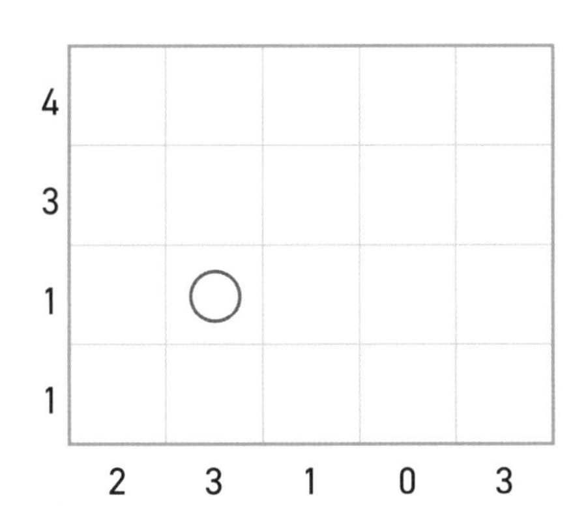

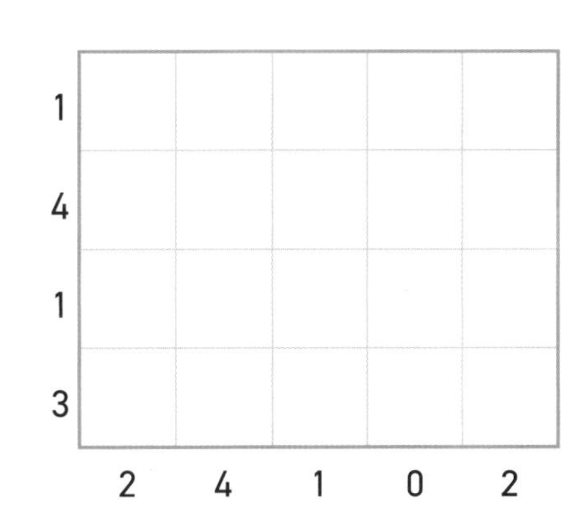

한 번 더 연습해요!

1. 계산해 보세요.

(5 + 2) × 2
= ______
= ______

30 ÷ (24 − 19)
= ______
= ______

4 × 6 + 3
= ______
= ______

32 − 5 × 5
= ______
= ______

6 × (4 + 3)
= ______
= ______

8 × 3 + 3 × 10
= ______
= ______

2. 아래 글을 읽고 알맞은 식을 세워 답을 구해 보세요. 물건의 가격은 121쪽 문제 2번과 같아요.

❶ 아르토는 지갑 3개와 야구 모자 1개를 샀어요. 물건값은 모두 얼마일까요?

식 : ______

______

정답 : ______

❷ 에시는 25유로를 가지고 있었는데 스카프 3장을 샀어요. 에시에게 남은 돈은 얼마일까요?

식 : ______

______

정답 : ______

____월 ____일 ____요일

1. 아래 계산에서 잘못된 곳을 찾아 표시한 후 바르게 계산해 보세요.

❶

	1			
	3	7	4	4
+	3	5	3	6
	7	1	7	0

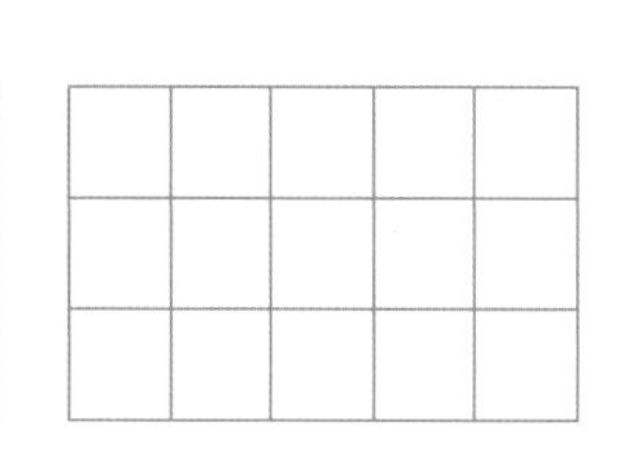

❷

			4	10
	7	3	~~5~~	1
-	1	7	2	3
	6	4	2	8

2. 먼저 분배법칙을 이용하여 계산하고, 세로셈으로 답을 구해 보세요.

214 × 4

= ______________________

= ______________________

214 × 4

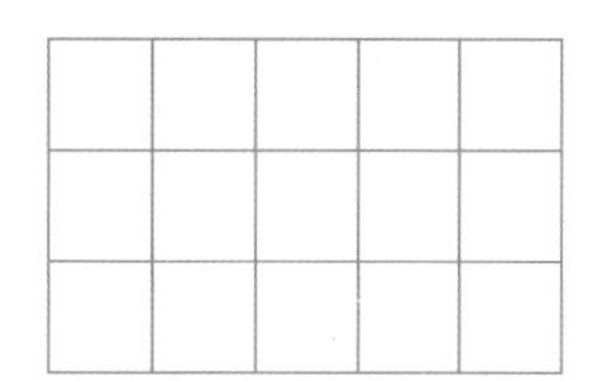

1260 × 3

= ______________________

= ______________________

1260 × 3

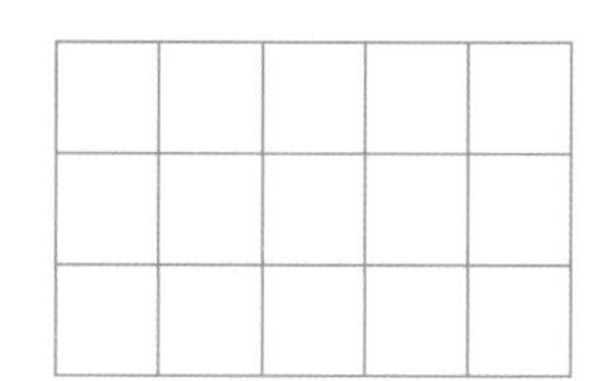

2521 × 2

= ______________________

= ______________________

2521 × 2

3. 세로셈으로 답을 구한 후, 정답을 애벌레에서 찾아 ○표 해 보세요.

321 × 14

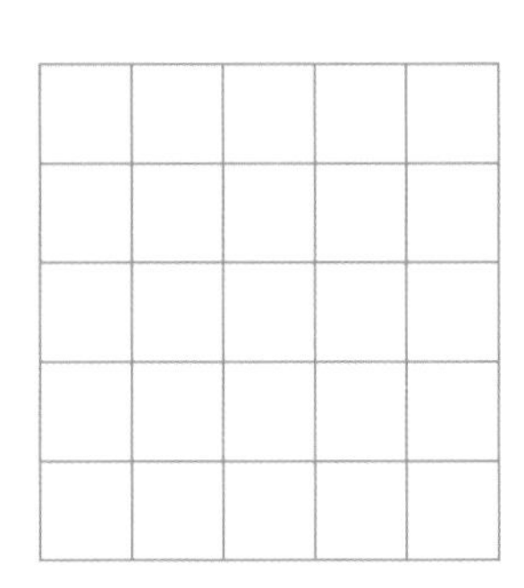

227 × 31

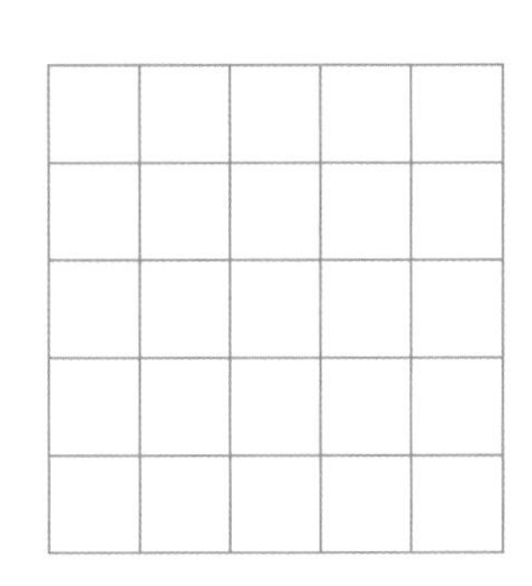

216 × 22

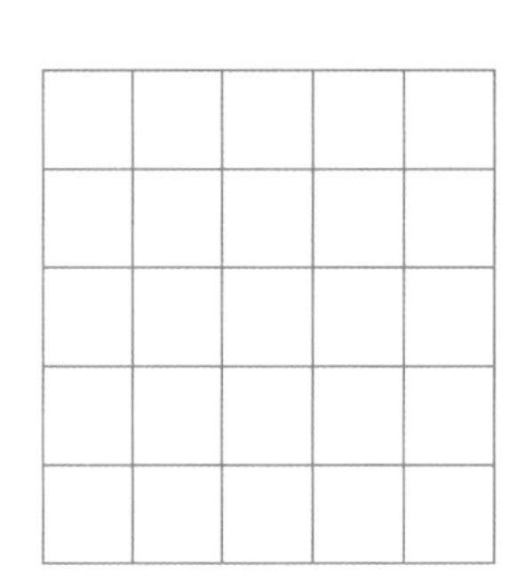

4. 아래 글을 읽고 세로셈으로 답을 구한 후, 정답을 애벌레에서 찾아 ○표 해 보세요.

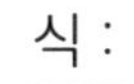

❶ 역기 선수는 1주일에 평균 346번 역기를 들어 올려요. 24주 동안 역기를 평균 몇 번 들어 올릴까요?

식 : ______________________

정답 : ______________________

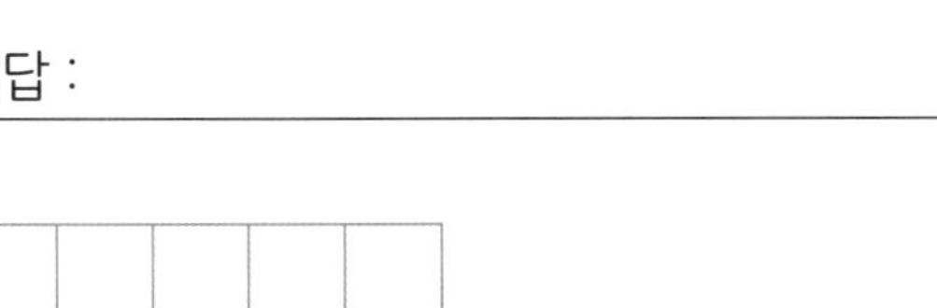

❷ 마술사는 1달에 평균 238회 마술을 해요. 25달 동안 마술을 평균 몇 회 할까요?

식 : ______________________

정답 : ______________________

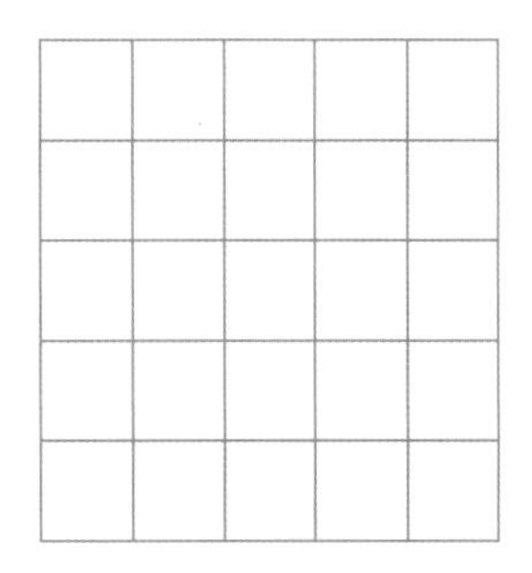

4494 4752 5567 5950 7037 7435 8304

더 생각해 보아요!

아래 식이 성립하도록 빈칸에 알맞은 수를 써넣어 보세요.

4 × ___ ___ 2 ___ = 80 ___ 0

5. 아래 코드를 참고하여 캐시가 지나간 경로를 표시해 보세요.

캐시의 번호 코드
6 2 4 3 5 3 1 6 4 3 5 1

1 = 1칸 뛰기
2 = 2칸 뛰기
3 = 3칸 뛰기
4 = 오른쪽으로 1번 돌기
5 = 왼쪽으로 1번 돌기
6 = 1칸 건너뛰기

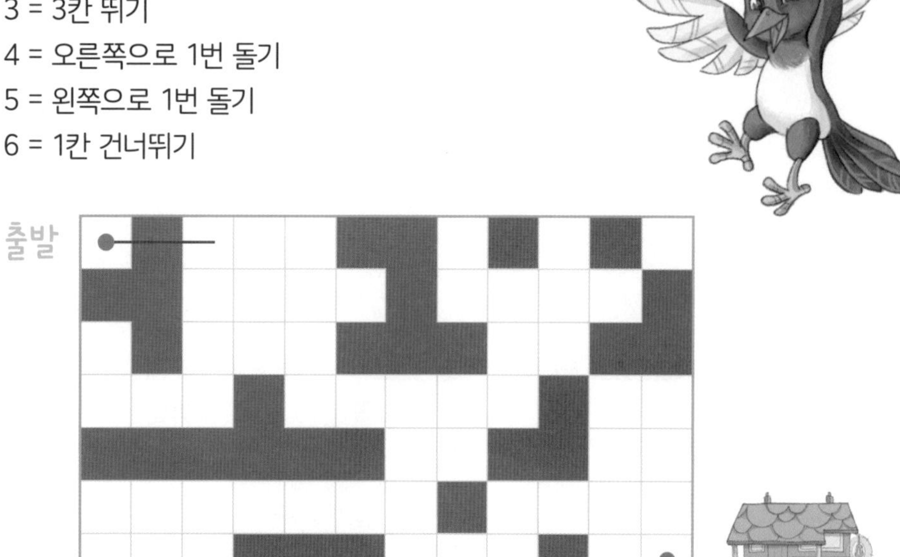

6. 샌드위치 안에 들어가는 재료 종류가 4가지예요. 4가지 중 2가지를 선택할 수 있을 때 서로 다른 샌드위치를 만들 수 있는 재료의 조합은 몇 가지일까요? 단, 순서는 상관없어요.

햄 / 치즈 / 오이 / 토마토

정답 :

7. 아래 글을 읽고 질문에 답해 보세요.

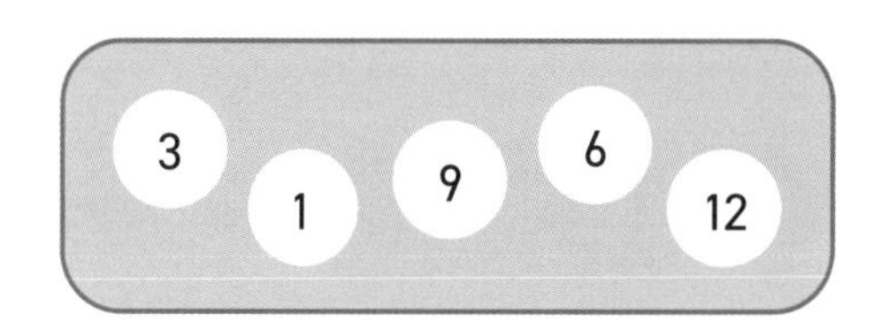

공을 던져 숫자를 맞히면 그 수만큼 점수를 얻어요. 1개의 숫자에 1번만 맞힐 수 있어요.

❶ 노엘은 3개 맞혀서 19점을 얻었어요.
노엘이 맞힌 수 ____________

❷ 앨버트는 4개 맞혀서 25점을 얻었어요.
앨버트가 맞힌 수 ____________

❸ 메이는 3개 맞혀서 22점을 얻었어요.
메이가 맞힌 수 ____________

❹ 엘리는 4개 맞혀서 28점을 얻었어요.
엘리가 맞힌 수 ____________

한 번 더 연습해요!

1. 알맞은 식을 세우고 분배법칙을 이용하여 계산해 보세요.

❶ 광대는 1회 공연할 때 공 38개가 필요해요. 공연을 3회 한다면 광대는 공이 몇 개 필요할까요?

식 : ____________

____

____

정답 : ____________

❷ 광대는 트램펄린 공연 때 149번 점프를 해요. 트램펄린 공연을 2회 한다면 광대는 점프를 몇 번 할까요?

식 : ____________

____

____

정답 : ____________

2. 아래 글을 읽고 세로셈으로 답을 구해 보세요.

❶ 태블릿 1대 가격이 346유로예요. 태블릿을 24대 사려면 얼마가 있어야 할까요?

식 : ____________

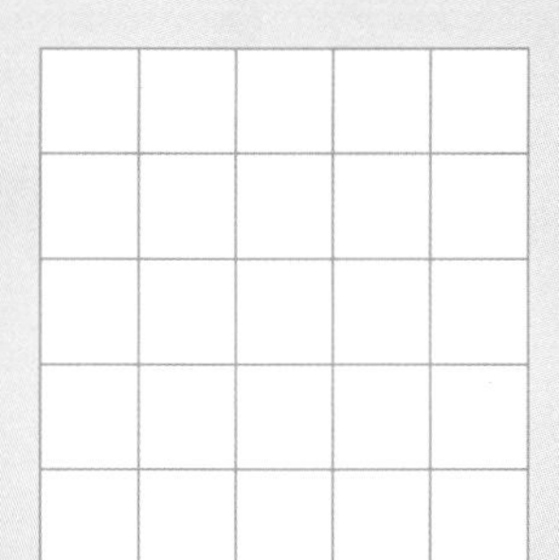

정답 : ____________

❷ 전화기 1대의 가격이 238유로예요. 전화기를 25대 사려면 얼마가 있어야 할까요?

식 : ____________

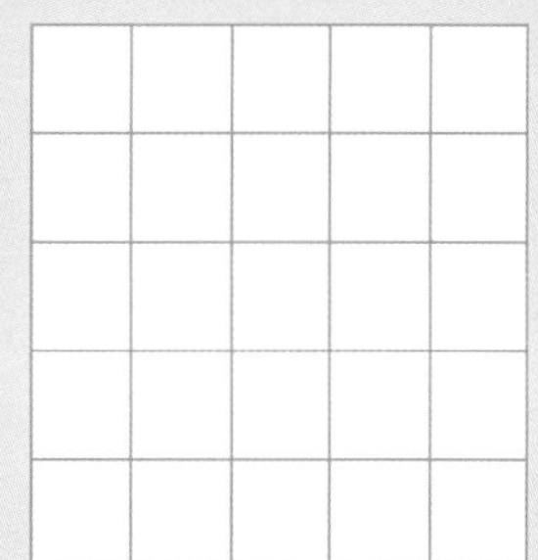

정답 : ____________

놀이 수학

후프 놀이

인원 : 2명　준비물 : 주사위 2개, 133쪽 활동지

놀이 1	놀이 2	놀이 3

놀이 방법

1. 한 명은 교재를, 다른 한 명은 활동지를 이용하세요.
2. 1회에 후프 1개씩 전진할 수 있어요.
3. 순서를 정해 주사위 2개를 굴려요. 파란색 후프에 도착하면, 주사위 눈의 숫자를 주어진 대로 계산한 후 답을 표에 써넣으세요. 빨간색 후프에 도착하면, 주사위 눈의 숫자를 순서에 상관없이 빈칸에 써넣고 답을 구하세요.
4. 후프를 모두 통과한 후, 답을 더한 값이 더 큰 사람이 놀이에서 이겨요.

줄 당기기

인원 : 2명 준비물 : 주사위 2개, 134쪽 활동지

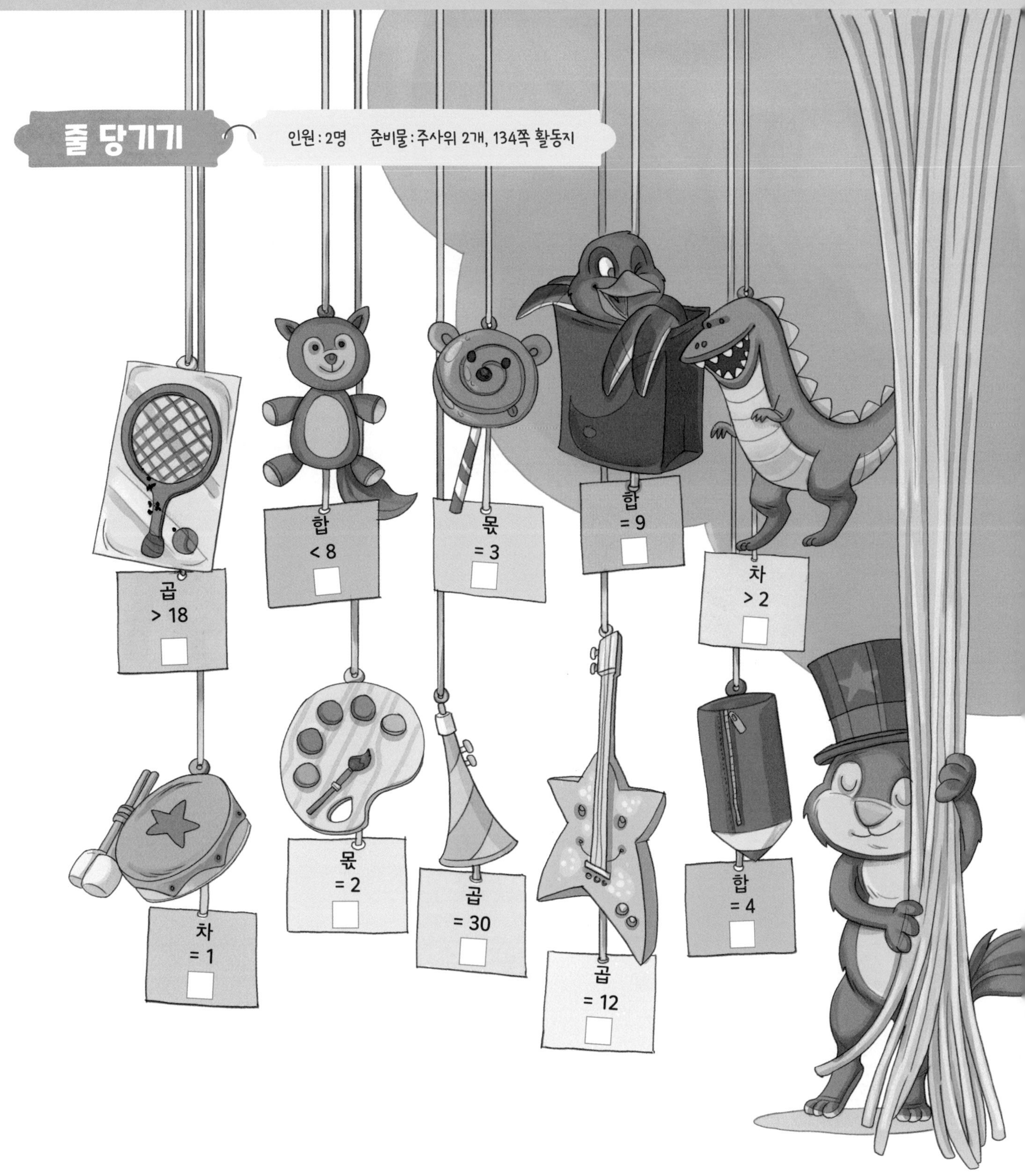

놀이 방법

1. 한 명은 교재를, 다른 한 명은 활동지를 이용하세요.
2. 순서를 정해 주사위 2개를 굴려요. 주사위 눈의 합, 차, 곱, 몫을 계산하여 정답에 해당하는 □에 V표 하세요. 예를 들어, 주사위 눈이 5와 6이 나왔다면 곱=30이나 차=1인 □에 V표 할 수 있어요.
3. 1회에 1칸만 V표 할 수 있어요. V표 할 □가 없거나 남아 있지 않다면 다음 사람에게 순서가 돌아가요.
4. 모든 □ 안에 V표를 먼저 하는 사람이 놀이에서 이겨요.

곱셈 어드벤처

인원 : 2명 준비물 : 놀이 말 2개, 주사위 2개

참가자 1	참가자 2

놀이 방법

1. 순서를 정해 주사위 2개를 동시에 굴려요. 주사위 1개의 눈은 앞으로 나아가야 할 걸음 수이고, 다른 주사위의 눈은 원 안의 수에 곱해야 할 수예요.
2. 먼저 말을 옮긴 후, 도착한 원의 수에 다른 주사위의 눈이 나타내는 수를 곱하세요.
3. 2개의 주사위 중 어떤 주사위가 걸음 수가 되고, 곱하는 수가 될지는 자신이 정할 수 있어요.
4. 곱셈 결과를 표에 기록하고 모두 더한 값이 최종 점수가 돼요.
5. 더 큰 점수를 얻은 사람이 놀이에서 이겨요.

1000 만들기

인원 : 2명 준비물 : 주사위 1개, 135쪽 활동지

놀이 1

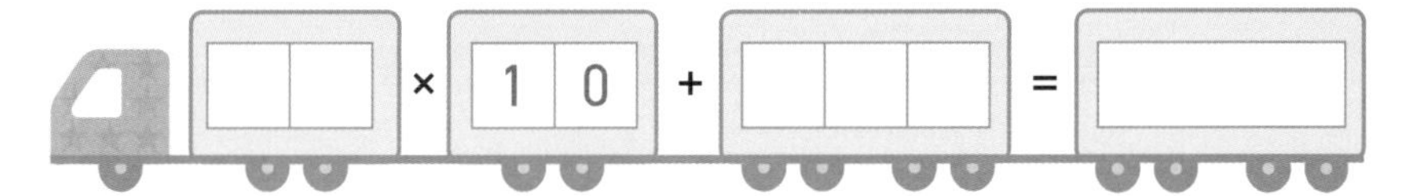

놀이 2

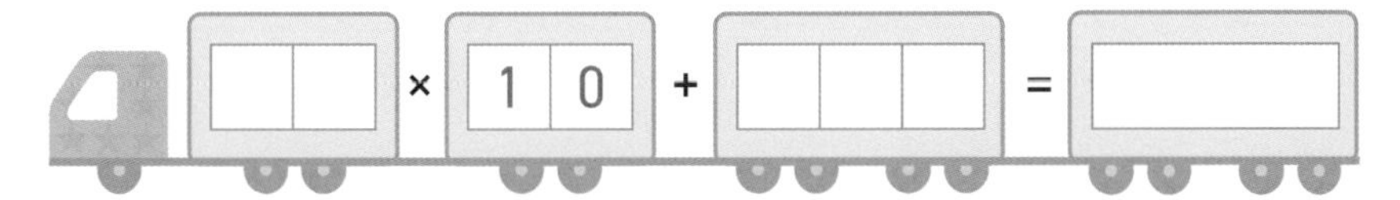

놀이 3

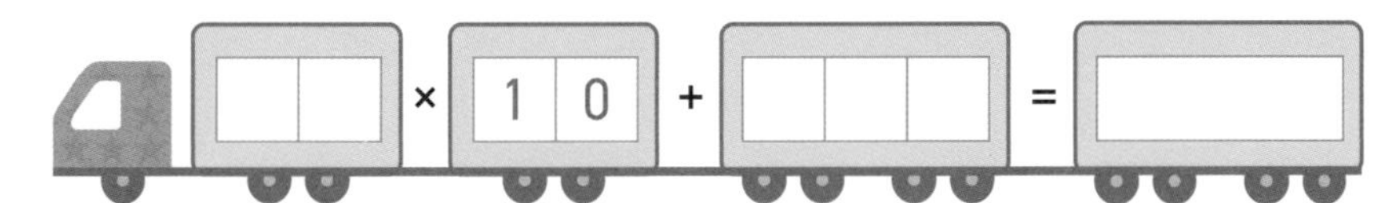

놀이 방법

1. 한 명은 교재를, 다른 한 명은 활동지를 이용하세요.
2. 순서를 정해서 주사위를 던져요.
3. 주사위를 5번 던져서 나온 눈을 □ 안에 차례대로 쓰세요.
4. 빈칸이 모두 채워지면 주어진 식대로 계산하세요.
5. 계산 결과가 1000에 가장 가까운 사람이 놀이에서 이기고, 1000을 넘기면 져요.

100 만들기

인원 : 2명 준비물 : 주사위 1개, 135쪽 활동지

놀이 1

□ × 10 + □ × 5 + □ × 5 + □ × 3 + □ × 3 + □ × 2 = □

놀이 2

□ × 10 + □ × 5 + □ × 5 + □ × 3 + □ × 3 + □ × 2 = □

놀이 3

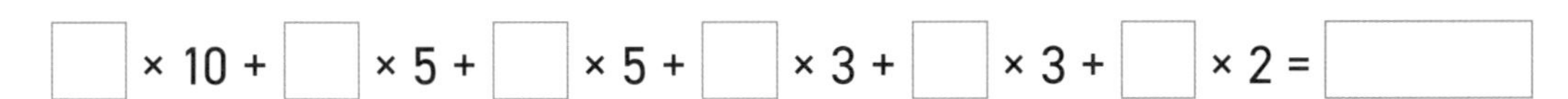

놀이 방법

1. 한 명은 교재를, 다른 한 명은 활동지를 이용하세요.
2. 주사위를 6번 던져서 나온 눈을 □ 안에 차례대로 쓰세요.
3. 주사위 던지기는 중간에 멈출 수 있어요. 대신 남은 □는 0으로 채워요.
4. 계산 결과가 100에 가장 가까운 사람이 놀이에서 이기고, 100을 넘기면 져요.

128쪽 놀이 수학 <후프 놀이>에 활용하세요.

놀이 1	놀이 2	놀이 3

129쪽 놀이 수학 <줄 당기기>에 활용하세요.

 131쪽 놀이 수학 <1000 만들기>에 활용하세요.

놀이 1

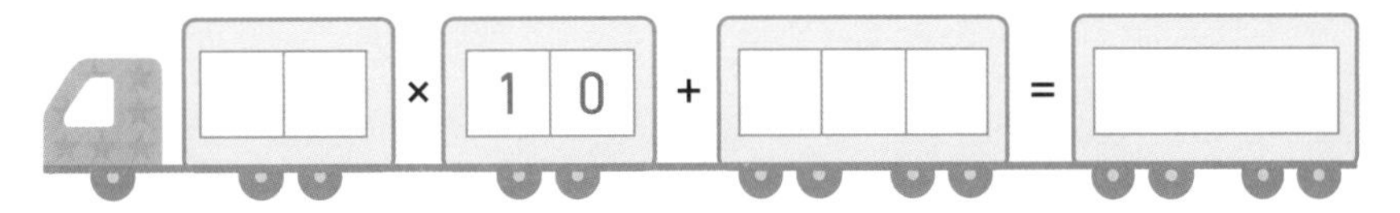

놀이 2

놀이 3

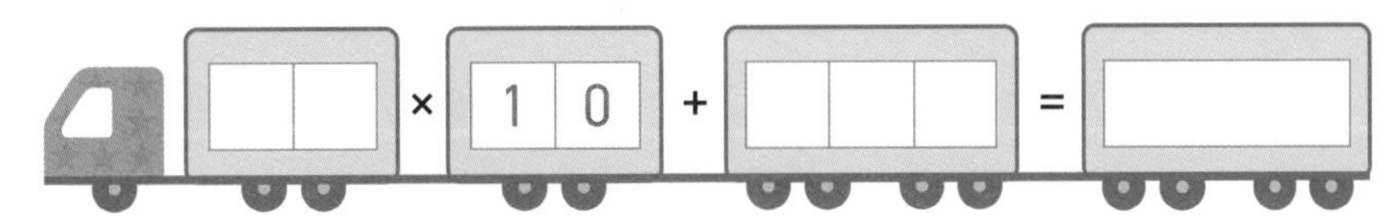

131쪽 놀이 수학 <100 만들기>에 활용하세요.

놀이 1

$\square \times 10 + \square \times 5 + \square \times 5 + \square \times 3 + \square \times 3 + \square \times 2 = \square$

놀이 2

$\square \times 10 + \square \times 5 + \square \times 5 + \square \times 3 + \square \times 3 + \square \times 2 = \square$

놀이 3

$\square \times 10 + \square \times 5 + \square \times 5 + \square \times 3 + \square \times 3 + \square \times 2 = \square$

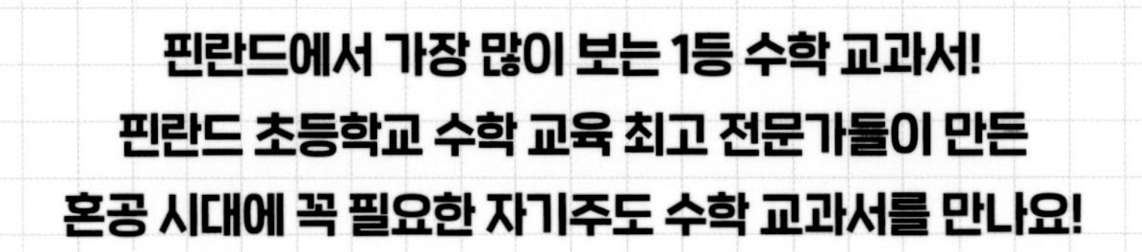

핀란드에서 가장 많이 보는 1등 수학 교과서!
핀란드 초등학교 수학 교육 최고 전문가들이 만든
혼공 시대에 꼭 필요한 자기주도 수학 교과서를 만나요!

123
456
789

핀란드 수학 교과서, 왜 특별할까?

수학적 구조를 발견하고 이해하게 하여 수학 공식을 암기할 필요가 없어요.

수학적 이야기가 풍부한 그림으로 수학 학습에 영감을 불어넣어요.

교구를 활용한 놀이를 통해 수학 개념을 이해시켜요.

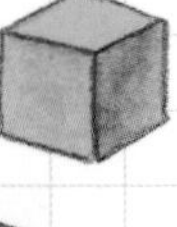

수학과 연계하여 컴퓨팅 사고와 문제 해결력을 키워 줘요.

연산, 서술형, 응용과 심화, 사고력 문제가 한 권에 모두 들어 있어요.

어떤 문제를 푸느냐에
따라 수학 사고력은
달라집니다!

개별가 없음(세트로만 판매)

64410
9 791192 183046

ISBN 979-11-92183-04-6
979-11-92183-03-9 (세트)

무형광 종이 인쇄로 아이들 눈을 지켜 줘요.

핀란드 4학년 수학 교과서

4-1

2권

글 파이비 키빌루오마, 킴모 뉘리넨, 피리타 페랄라,
페카 록카, 마리아 살미넨, 티모 타피아이넨

그림 미리야미 만니넨

옮김 박문선

감수 이경희(전 수학 교과서 집필진), 핀란드수학교육연구회

★★★
최신 핀란드
국립교육과정
반영

마음이음
놀이 수학 카드와
동영상 제공

글 **파이비 키빌루오마** | Päivi Kiviluoma
탐페레에서 초등학교 교사로 일하고 있습니다. 학생들마다 문제 해결 도출 방식이 다르므로 수학 교수법에 있어서도 어떻게 접근해야 할지 늘 고민하고 도전합니다.

킴모 뉘리넨 | Kimmo Nyrhinen
투루쿠에서 수학과 과학을 가르치고 있습니다. 「핀란드 수학 교과서」 외에도 화학, 물리학 교재를 집필했습니다. 낚시와 버섯 채집을 즐겨하며, 체력과 인내심은 자연에서 얻을 수 있는 놀라운 선물이라 생각합니다.

피리타 페랄라 | Pirita Perälä
탐페레에서 초등학교 교사로 일하고 있습니다. 수학을 제일 좋아하지만 정보통신 기술을 활용한 수업에도 관심이 많습니다. 「핀란드 수학 교과서」를 집필하면서 다양한 수준의 학생들이 즐겁게 도전하며 배울 수 있는 교재를 만드는 데 중점을 두었습니다.

페카 록카 | Pekka Rokka
교사이자 교장으로 30년 이상 재직하며 1~6학년 모든 과정을 가르쳤습니다. 학생들이 수학 학습에서 영감을 얻고 자신만의 강점을 더 발전시킬 수 있는 교재를 만드는 게 목표입니다.

마리아 살미넨 | Maria Salminen
오울루에서 초등학교 교사로 일하고 있습니다. 체험과 실습을 통한 배움, 협동, 유연한 사고를 중요하게 생각합니다. 수학 교육에 있어서도 이를 적용하여 똑같은 결과를 도출하기 위해 얼마나 다양한 방식으로 접근할 수 있는지 토론하는 것을 좋아합니다.

티모 타피아이넨 | Timo Tapiainen
오울루에 있는 고등학교에서 수학 교사로 있습니다. 다양한 교구를 활용하여 수학을 가르치고, 학습 성취가 뛰어난 학생들에게 적절한 도전 과제를 제공하는 것을 중요하게 생각합니다.

옮김 **박문선**
연세대학교 불어불문학과를 졸업하고 한국외국어대학교 통역 번역 대학원 영어과를 전공하였습니다. 졸업 후 부동산 투자 회사 세빌스코리아(Savills Korea)에서 5년간 에디터로 근무하면서 다양한 프로젝트 통번역과 사내 영어교육을 담당했습니다. 현재 프리랜서로 번역 활동 중입니다.

감수 **이경희**
서울교육대학교와 동 대학원에서 초등교육방법을 전공했으며, 2009 개정 교육과정에 따른 초등학교 수학 교과서 집필진으로 활동했습니다. ICME12(세계 수학교육자대회)에서 한국 수학 교과서 발표, 2012년 경기도 연구년 교사로 덴마크에서 덴마크 수학을 공부했습니다. 현재 학교를 은퇴하고 외국인들에게 한국어를 가르쳐 주며 봉사 활동을 하고 있습니다. 집필한 책으로는 『외우지 않고 구구단이 술술술』 『예비 초등학생을 위한 든든한 수학 짝꿍』 『한 권으로 끝내는 초등 수학사전』 등이 있습니다.

핀란드수학교육연구회
학생들이 수학을 사랑할 수 있도록 그 방법을 고민하며 찾아가는 선생님들이 모였습니다. 강주연(위림초), 김영훈(위성초), 김태영(서하초), 박성수(위성초), 심지원(위성초), 이은철(수동초), 정원상(금반초), 홍수진(위성초) 선생님이 참여하였습니다.

핀란드
4학년
수학 교과서

초등학교 학년 반

이름

QR코드를 스캔하면 놀이 수학
동영상을 보실 수 있습니다.

핀란드 4학년 수학 교과서 4-1 2권

초판 1쇄 발행 2022년 1월 10일
초판 2쇄 발행 2022년 9월 30일

지은이 파이비 키빌루오마, 킴모 뉘리넨, 피리타 페랄라, 페카 록카, 마리아 살미넨, 티모 타피아이넨
그린이 미리야미 만니넨 **옮긴이** 박문선 **감수** 이경희, 핀란드수학교육연구회
펴낸이 정혜숙 **펴낸곳** 마음이음

책임편집 이금정 **디자인** 디자인서가
등록 2016년 4월 5일(제2018-000037호)
주소 03925 서울시 마포구 월드컵북로 402 9층 917A호(상암동 KGIT센터)
전화 070-7570-8869 **팩스** 0505-333-8869
전자우편 ieum2016@hanmail.net
블로그 https://blog.naver.com/ieum2018

ISBN 979-11-92183-05-3 64410
979-11-92183-03-9 (세트)

핀란드 4학년 수학 교과서

4-1 2권

글 파이비 키빌루오마, 킴모 뉘리넨, 피리타 페랄라,
페카 록카, 마리아 살미넨, 티모 타피아이넨

그림 미리야미 만니넨

옮김 박문선

감수 이경희(전 수학 교과서 집필진), 핀란드수학교육연구회

마음이음

아이들이 수학을 공부해야 하는 이유는 수학 지식을 위한 단순 암기도 아니며, 많은 문제를 빠르게 푸는 것도 아닙니다. 시행착오를 통해 정답을 유추해 가면서 스스로 사고하는 힘을 키우기 위함입니다.

핀란드의 수학 교육은 다양한 수학적 활동을 통하여 수학 개념을 자연스럽게 깨닫게 하고, 논리적 사고를 유도하는 문제들로 학생들이 수학에 흥미를 갖도록 하는 데 성공했습니다. 이러한 자기 주도적인 수학 교과서가 우리나라에 번역되어 출판하게 된 것을 두 팔 벌려 환영하며, 학생들이 수학을 즐겁게 공부하게 될 것이라 생각하여 감히 추천하는 바입니다.

하동우(민족사관고등학교 수학 교사)

수학은 언어, 그림, 색깔, 그래프, 방정식 등으로 다양하게 표현하는 의사소통의 한 형태입니다. 이들 사이의 관계를 파악하면서 수학적 사고력도 높아지는데, 안타깝게도 우리나라 교육 환경에서는 수학이 의사소통임을 인지하기 어렵습니다. 수학 교육 과정이 수직적으로 배열되어 있기 때문입니다. 그런데 『핀란드 수학 교과서』는 배운 개념이 거미줄처럼 수평으로 확장, 반복되고, 아이들은 넓고 깊게 스며들 듯이 개념을 이해할 수 있습니다.

정유숙(쑥샘TV 운영자)

『핀란드 수학 교과서』를 보는 순간 다양한 문제들을 보고 놀랐습니다. 다양한 형태의 문제를 풀면서 생각의 폭을 넓히고, 생각의 힘을 기르고, 수학 실력을 보다 안정적으로 만들 수 있습니다. 또한 놀이와 탐구로 학습하면서 수학에 대한 흥미가 높아져 문제를 스스로 이해하고 터득하는 데 도움이 됩니다.

숫자가 바탕이 되는 수학은 세계적인 유일한 공통 과목입니다. 21세기를 이끌어 갈 아이들에게 4차산업혁명을 넘어 인공지능 시대에 맞는 창의적인 사고를 길러 주는 바람직한 수학 교육이 이 책을 통해 이루어지길 바랍니다.

김재련(사월이네 공부방 원장)

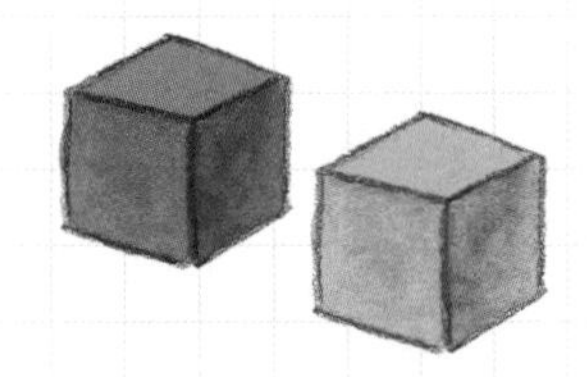

한국의 학생들에게

「핀란드 수학 교과서(Star Maths)」 시리즈를 펴낸 오타바(Otava) 출판사는 교재 전문 출판사로 120년이 넘는 역사를 지닌 명실상부한 핀란드의 대표 출판사입니다. 특히 「Star Maths」 시리즈는 핀란드 학교 현장의 수학 전문가들이 최신 핀란드 국립교육과정을 반영하여 함께 개발한 핀란드의 대표 수학 교과서입니다.

수 개념과 십진법을 이해하기 위한 탄탄한 기반을 제공하여 연산 능력을 키우고, 기본, 응용, 심화 문제 등 학생 개개인의 학습 차이를 다각도에서 고려하여 다양한 평가 문제를 실었습니다. 또한 친구 또는 부모님과 함께 놀이를 통해 문제 해결을 하며 수학적 즐거움을 발견하여 수학에 대한 긍정적인 태도를 갖도록 합니다.

한국의 학생들이 이 책과 함께 즐거운 수학 세계로 여행을 떠나길 바랍니다.

파이비 키빌루오마, 킴모 뉘리넨, 피리타 페랄라, 페카 록카,
마리아 살미넨, 티모 타피아이넨(STAR MATHS 공동 저자)

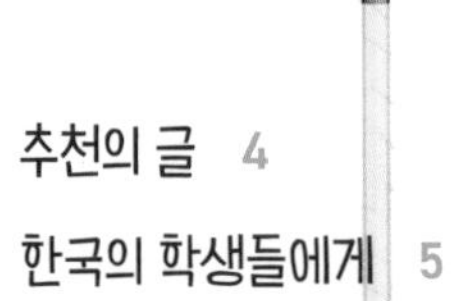

차례

추천의 글 4

한국의 학생들에게 5

1 나눗셈 8

2 나머지 12

3 10, 100, 1000이 있는 나눗셈 16

연습 문제 20

4 분배법칙을 이용하여 나눗셈하기 24

5 부분으로 나누어 나눗셈하기 1 28

6 부분으로 나누어 나눗셈하기 2 32

7 부분으로 나누어 나눗셈하기 3 36

연습 문제 40

실력을 평가해 봐요! 46

단원 종합 문제 48

단원 정리 51

도전! 심화 문제 52

8 직선 54

9 점의 좌표 58

10 거울에 비친 모습 62

11 대칭 66

연습 문제 70

12 선대칭 74

실력을 평가해 봐요! 80

단원 종합 문제 82

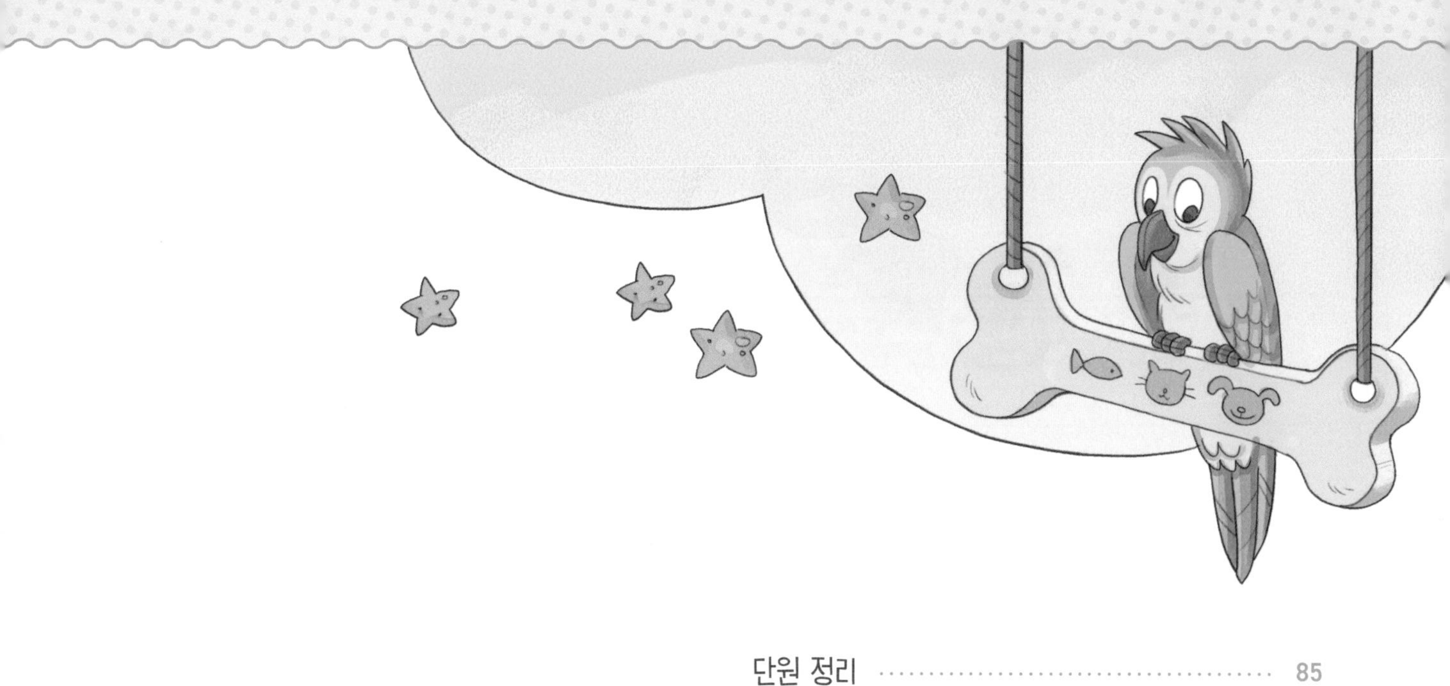

단원 정리 ········ 85

도전! 심화 문제 ········ 86

나눗셈 복습 ········ 88

평면도형과 대칭 복습 ········ 92

놀이 수학

- 나눗셈 낚시 ········ 96
- 주사위 2개로 하는 나눗셈 ········ 97
- 주사위 3개로 하는 나눗셈 ········ 97
- 좌표를 찍어라 ········ 98
- 대칭축은 몇 개일까? ········ 99

탐구 과제

- 놀이를 만들어 봐요! ········ 100
- 리모컨 놀이 ········ 101

1 나눗셈

물고기 15마리가 어항 3곳에 똑같이 나뉘어 있어요. 어항에 물고기가 몇 마리씩 있을까요?

물고기 150마리가 연못 3곳에 똑같이 나뉘어 있어요. 연못에 물고기가 몇 마리씩 있을까요?

$15 \div 3 = 5$ 또는 $\frac{15}{3} = 5$

검산 : $3 \times 5 = 15$

$150 \div 3 = 50$ 또는 $\frac{150}{3} = 50$

검산 : $3 \times 50 = 150$

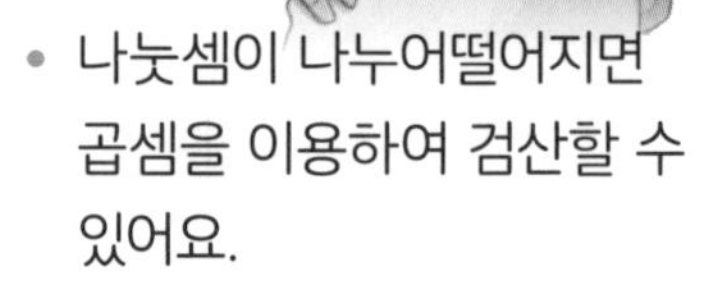

- 나눗셈이 나누어떨어지면 곱셈을 이용하여 검산할 수 있어요.
- 나누어지는 수가 10배 늘어나면 몫도 10배 늘어나요.

$12 \div 4 = 3$	$\frac{27}{3} = 9$	$\frac{20}{5} = 4$
$120 \div 4 = 30$	$\frac{270}{3} = 90$	$\frac{200}{5} = 40$

1. 계산한 후, 검산식을 세워 검산해 보세요.

$24 \div 4 =$ ______

검산 : ____________________

$18 \div 2 =$ ______

검산 : ____________________

$\frac{35}{5} =$ ______

검산 : ____________________

$\frac{42}{6} =$ ______

검산 : ____________________

2. 계산해 보세요.

$6 \div 3 =$ ______ $18 \div 3 =$ ______ $\frac{8}{4} =$ ______ $\frac{16}{4} =$ ______

$60 \div 3 =$ ______ $180 \div 3 =$ ______ $\frac{80}{4} =$ ______ $\frac{160}{4} =$ ______

3. 아래 글을 읽고 알맞은 식을 세워 답을 구한 후, 정답을 애벌레에서 찾아 ○표 해 보세요.

❶ 물고기 14마리를 어항 2개에 똑같이 나누어 담았어요. 어항 1개에 몇 마리씩 있을까요?

식 : ____________________

정답 : ____________________

❷ 물고기 140마리를 어항 2개에 똑같이 나누어 담았어요. 어항 1개에 몇 마리씩 있을까요?

식 : ____________________

정답 : ____________________

❸ 물고기 12마리를 어항 3개에 똑같이 나누어 담았어요. 어항 1개에 몇 마리씩 있을까요?

식 : ____________________

정답 : ____________________

❹ 물고기 120마리를 어항 3개에 똑같이 나누어 담았어요. 어항 1개에 몇 마리씩 있을까요?

식 : ____________________

정답 : ____________________

❺ 조개껍데기 16개를 2개씩 나누었어요. 조개껍데기는 몇 모둠이 될까요?

식 : ____________________

정답 : ____________________

❻ 조개껍데기 160개를 2개씩 나누었어요. 조개껍데기는 몇 모둠이 될까요?

식 : ____________________

정답 : ____________________

❼ 조개껍데기 21개를 7개씩 나누었어요. 조개껍데기는 몇 모둠이 될까요?

식 : ____________________

정답 : ____________________

❽ 조개껍데기 210개를 7개씩 나누었어요. 조개껍데기는 몇 모둠이 될까요?

식 : ____________________

정답 : ____________________

3 4 5 7 8 30 40 50 70 80

더 생각해 보아요!

나는 어떤 수일까요?

- 네 자리 수이고 1이 들어 있지 않아요.
- 십의 자리 숫자를 일의 자리 숫자로 나누면 몫이 4예요.
- 천의 자리 숫자와 백의 자리 숫자를 곱하면 25예요.

____

4. 계산한 후, 정답에 해당하는 알파벳을 애벌레에서 찾아 빈칸에 써넣어 보세요.

18 ÷ 2 = ______ □	14 ÷ 7 = ______ □	25 ÷ 5 = ______ □
12 ÷ 4 = ______ □	12 ÷ 6 = ______ □	22 ÷ 2 = ______ □
20 ÷ 2 = ______ □	15 ÷ 5 = ______ □	21 ÷ 3 = ______ □
14 ÷ 7 = ______ □	12 ÷ 3 = ______ □	27 ÷ 3 = ______ □
14 ÷ 2 = ______ □	32 ÷ 4 = ______ □	12 ÷ 6 = ______ □
24 ÷ 3 = ______ □	16 ÷ 4 = ______ □	20 ÷ 5 = ______ □
8 ÷ 2 = ______ □	16 ÷ 2 = ______ □	9 ÷ 9 = ______ □
		30 ÷ 3 = ______ □

1	2	3	4	5	6	7	8	9	10	11
D	S	H	I	G	H	U	N	T	E	O

5. 누가 누구인지 알아맞혀 보세요.

JANE JANA ANNE TENA ANNA CATE

♦	◗	◗	♦

♦	◗	◗	♧

💧	♦	◗	♦

💧	♦	◗	♧

●	♦	♣	♧

♣	♧	◗	♦

6. □ 안에 >, =, <를 알맞게 써넣어 보세요.

$\frac{18}{3}$ □ $\frac{18}{2}$

$\frac{12}{3}$ □ $\frac{12}{4}$

$\frac{16}{2}$ □ $\frac{32}{4}$

$\frac{8}{4}$ □ $\frac{8}{8}$

$\frac{24}{6}$ □ $\frac{24}{4}$

$\frac{30}{5}$ □ $\frac{60}{10}$

7. 식이 성립하도록 자루 속에서 알맞은 수를 골라 빈칸에 써넣어 보세요. 자루 안의 수는 1번씩만 쓸 수 있어요.

_____ ÷ _____ = 8

_____ ÷ _____ = 5

_____ ÷ _____ = 7

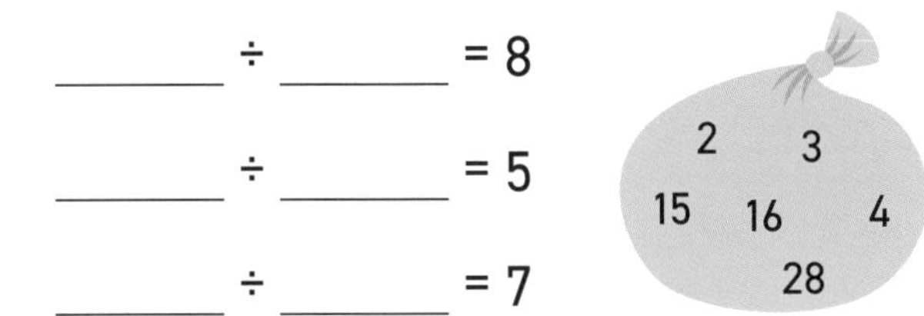

_____ ÷ _____ = 6

_____ ÷ _____ = 4

_____ ÷ _____ = 7

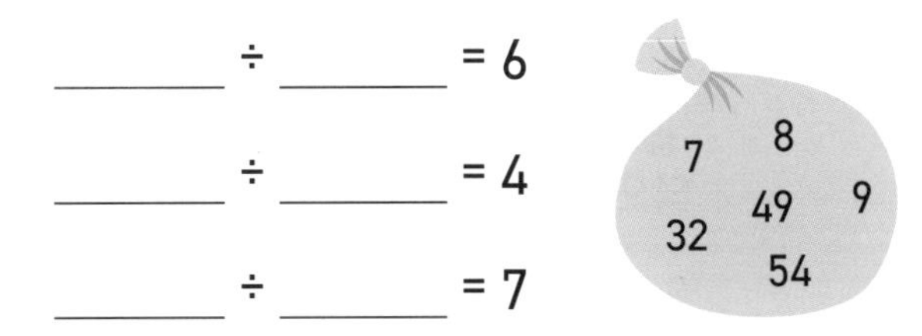

8. 암산으로 답을 구해 보세요.

❶ 반려동물 가게에서 토끼 다리 개수를 모두 합하니 48개예요. 토끼는 모두 몇 마리 있을까요?

____

❷ 반려동물 가게에서 골든 햄스터의 다리와 꼬리 개수를 모두 합하니 25개예요. 골든 햄스터는 모두 몇 마리 있을까요?

____

한 번 더 연습해요!

1. 계산한 후, 검산식을 세워 검산해 보세요.

$\frac{32}{4}$ = _____

검산 : _____________________

$\frac{20}{2}$ = _____

검산 : _____________________

$\frac{25}{5}$ = _____

검산 : _____________________

$\frac{24}{6}$ = _____

검산 : _____________________

2. 아래 글을 읽고 알맞은 식을 세워 답을 구해 보세요.

❶ 물고기 16마리를 어항 4개에 똑같이 나누어 담았어요. 어항 1개에 몇 마리씩 있을까요?

식 : _____________________

정답 : _____________________

❷ 물고기 160마리를 어항 4개에 똑같이 나누어 담았어요. 어항 1개에 몇 마리씩 있을까요?

식 : _____________________

정답 : _____________________

2 나머지

금붕어 19마리를 3마리씩 나누어 어항에 담으려고 해요. 어항이 몇 개 필요할까요? 그리고 금붕어 몇 마리가 남을까요?

19 ÷ 3 = 6, 나머지 1

정답 : 어항이 6개 필요하며, 금붕어 1마리가 남아요.

검산 : 3 × 6 + 1 = 19

몫 몫

19 ÷ 3 = 6, 나머지 1

나누어지는 수 나누는 수 나머지

- 나눗셈이 나누어떨어지지 않으면 곱셈과 덧셈을 이용하여 검산할 수 있어요.

1. 구슬을 6개씩 나누어 보세요. 계산한 후, 검산식을 세워 검산해 보세요.

❶

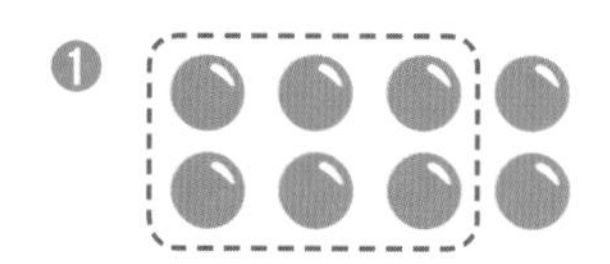

8 ÷ 6 = __1__, 나머지 ____

검산 : __6__ × __1__ + ____ = ____

❷

10 ÷ 6 = ____, 나머지 ____

검산 : ____ × ____ + ____ = ____

❸

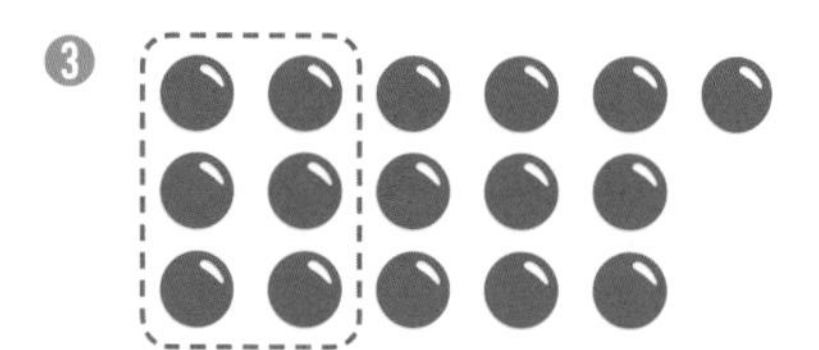

16 ÷ 6 = ____, 나머지 ____

검산 : ____ × ____ + ____ = ____

❹

17 ÷ 6 = ____, 나머지 ____

검산 : ____ × ____ + ____ = ____

❺

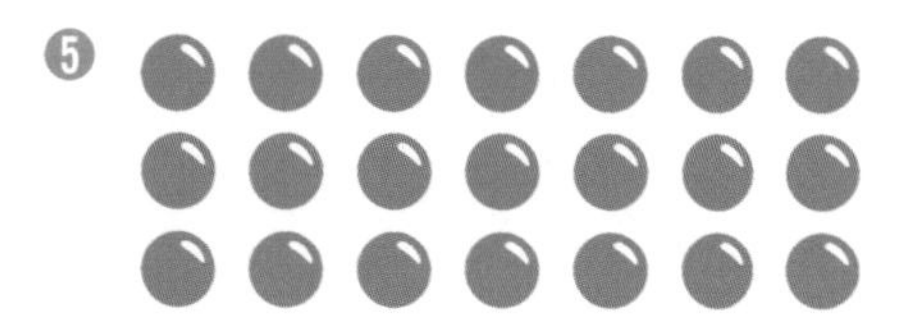

21 ÷ 6 = ____, 나머지 ____

검산 : ____ × ____ + ____ = ____

❻

25 ÷ 6 = ____, 나머지 ____

검산 : ____ × ____ + ____ = ____

2. 계산한 후, 검산식을 세워 검산해 보세요.

7 ÷ 2 = ____, 나머지 ____

검산 : ____________________

23 ÷ 5 = ____, 나머지 ____

검산 : ____________________

25 ÷ 7 = ____, 나머지 ____

검산 : ____________________

11 ÷ 3 = ____, 나머지 ____

검산 : ____________________

10 ÷ 4 = ____, 나머지 ____

검산 : ____________________

35 ÷ 8 = ____, 나머지 ____

검산 : ____________________

3. 알맞은 식을 세워 답을 구해 보세요.

❶ 나누어지는 수가 11, 나누는 수가 4예요.

____

❷ 나누어지는 수가 18, 나누는 수가 5예요.

____

4. 아래 글을 읽고 알맞은 식을 세워 답을 구해 보세요.

❶ 29유로로 어린이 입장권을 몇 장 살 수 있으며, 얼마가 남을까요?

식 : ____________________

정답 : ________장, ________유로가 남아요.

❷ 52유로로 성인 입장권을 몇 장 살 수 있으며, 얼마가 남을까요?

식 : ____________________

정답 : ________장, ________유로가 남아요.

동물원 입장권 가격

어린이 5€
성인 8€

더 생각해 보아요!

나는 어떤 수일까요?

- 12보다 크고 48보다 작아요.
- 5로 나누면 2가 남아요.
- 4로 나누면 나누어떨어지며, 몫은 짝수예요.

____

5. 가장 위에 놓인 막대부터 차례대로 치워 보세요. 막대를 치운 순서대로 막대의 알파벳을 빈칸에 써넣어 보세요.

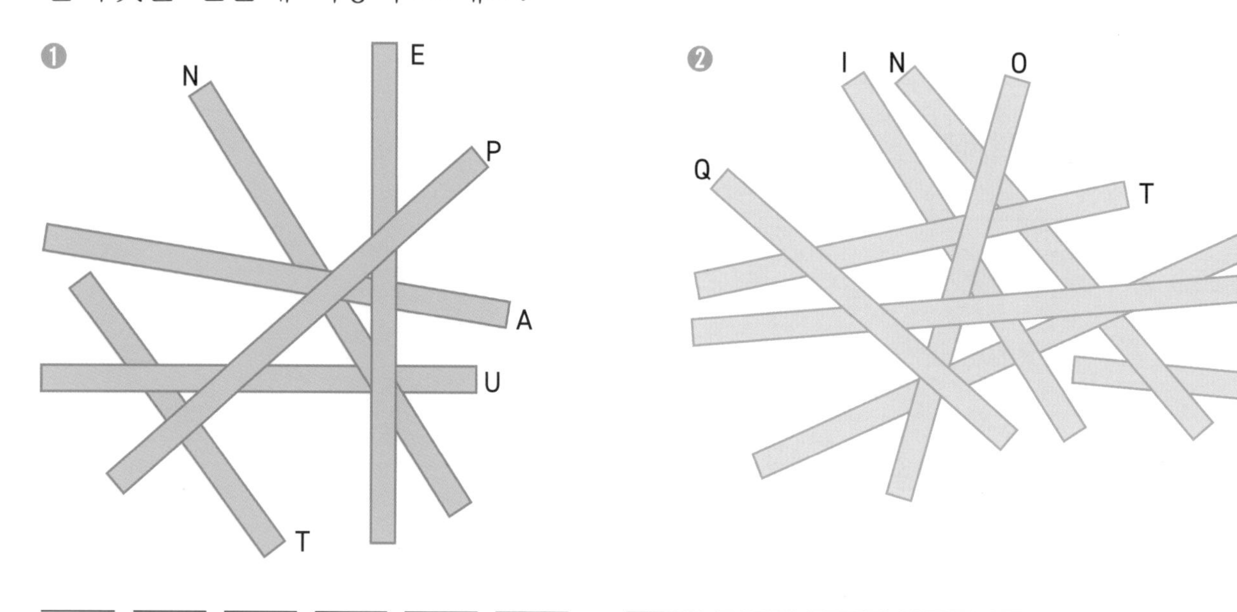

____ ____ ____ ____ ____ ____   ____ ____ ____ ____ ____ ____ ____ ____

6. 계산값이 45보다 작은 값이 나오도록 빈칸에 연산 기호를 써넣고 계산하여 답을 구해 보세요.

45 ☐ 5 = ______   45 ☐ 5 = ______

7. 계산 결과가 맞도록 알맞은 수를 찾아 빈칸에 써넣어 보세요. 수는 1번씩만 쓸 수 있어요.

2	4	5	7	10	17

____ ÷ ____ = 3, 나머지 1

____ ÷ ____ = 2, 나머지 2

____ ÷ ____ = 3, 나머지 2

3	6	8	19	20	44

____ ÷ ____ = 7, 나머지 2

____ ÷ ____ = 6, 나머지 1

____ ÷ ____ = 2, 나머지 4

8. 17÷5를 이용하여 서술형 문제를 만들어 보세요. 그림으로 표현하고 알맞은 식을 세워 답을 구해 보세요.

9. 누가 누구인지 알아맞혀 보세요.

MARLA BELLA LENNY ALLAN ALLEN LINDA ARLEY ALLIE

★	■	■	★	◆

★	■	■	◗	◆

★	■	■	●	◗

■	◗	◆	◆	♣

★	▼	■	◗	♣

▲	◗	■	■	★

■	●	◆	💧	★

●	★	▼	■	★

10. 빈칸에 알맞은 수를 써넣어 보세요.

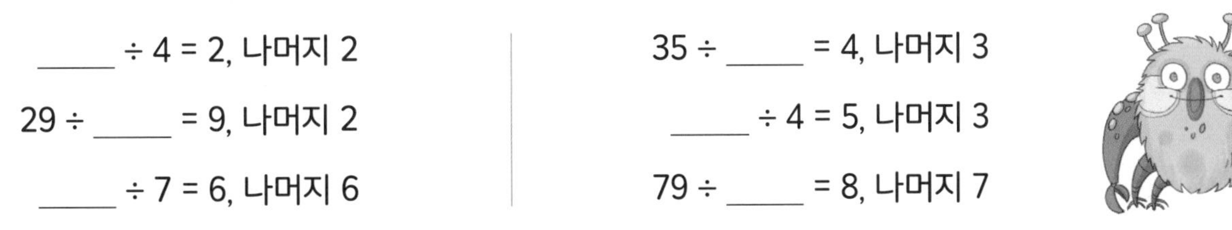

_____ ÷ 4 = 2, 나머지 2

29 ÷ _____ = 9, 나머지 2

_____ ÷ 7 = 6, 나머지 6

35 ÷ _____ = 4, 나머지 3

_____ ÷ 4 = 5, 나머지 3

79 ÷ _____ = 8, 나머지 7

한 번 더 연습해요!

1. 계산한 후, 검산식을 세워 검산해 보세요.

8 ÷ 3 = ____________________

검산 : ____________________

14 ÷ 4 = ____________________

검산 : ____________________

27 ÷ 5 = ____________________

검산 : ____________________

34 ÷ 6 = ____________________

검산 : ____________________

2. 아래 글을 읽고 알맞은 식을 세워 답을 구해 보세요.

어린이 입장권은 4유로, 성인 입장권은 7유로예요.

❶ 45유로로 성인 입장권을 몇 장 살 수 있으며, 얼마가 남을까요?

식 : ____________________

정답 : _____장, _____유로가 남아요.

❷ 31유로로 어린이 입장권을 몇 장 살 수 있으며, 얼마가 남을까요?

식 : ____________________

정답 : _____장, _____유로가 남아요.

3 10, 100, 1000이 있는 나눗셈

3000 ÷ 10 = 300, 검산 300 × 10 = 3000

3000 ÷ 100 = 30, 검산 30 × 100 = 3000

3000 ÷ 1000 = 3, 검산 3 × 1000 = 3000

270 ÷ 10 = 27　　1760 ÷ 10 = 176　　3500 ÷ 100 = 35　　3050 ÷ 10 = 305

1. 계산해 보세요.

10 ÷ 10 = ______	100 ÷ 100 = ______	1000 ÷ 1000 = ______
50 ÷ 10 = ______	500 ÷ 100 = ______	5000 ÷ 1000 = ______
90 ÷ 10 = ______	900 ÷ 100 = ______	9000 ÷ 1000 = ______
100 ÷ 10 = ______	1000 ÷ 100 = ______	10000 ÷ 1000 = ______

2. 계산해 보세요.

6000 ÷ 10 = ______	2000 ÷ 10 = ______	150 ÷ 10 = ______
6000 ÷ 100 = ______	2000 ÷ 100 = ______	240 ÷ 10 = ______
6000 ÷ 1000 = ______	2000 ÷ 1000 = ______	590 ÷ 10 = ______
7750 ÷ 10 = ______	4100 ÷ 100 = ______	1030 ÷ 10 = ______
1830 ÷ 10 = ______	3900 ÷ 100 = ______	2070 ÷ 10 = ______
2390 ÷ 10 = ______	5200 ÷ 100 = ______	6080 ÷ 10 = ______

3. 아래 글을 읽고 알맞은 식을 세워 답을 구한 후, 정답을 애벌레에서 찾아 ○표 해 보세요.

❶ 커크는 10유로짜리 지폐를 여러 장 가지고 있어요. 모두 합했더니 300유로예요. 커크는 10유로 지폐를 모두 몇 장 가지고 있을까요?

식 : ____________________

정답 : ____________________

❷ 미라는 10유로짜리 지폐로 150유로를 가지고 있어요. 미라는 10유로 지폐를 모두 몇 장 가지고 있을까요?

식 : ____________________

정답 : ____________________

❸ 앤은 1유로짜리 동전으로 500유로를 가지고 있어요. 앤은 1유로 동전을 모두 몇 개 가지고 있을까요?

식 : ____________________

정답 : ____________________

❹ 매점의 현금 출납기에 100유로짜리 지폐로 2700유로가 있어요. 100유로 지폐는 모두 몇 장일까요?

식 : ____________________

정답 : ____________________

❺ 줄스는 100유로짜리 지폐로 1000유로를 가지고 있어요. 줄스는 100유로 지폐를 모두 몇 장 가지고 있을까요?

식 : ____________________

정답 : ____________________

❻ 상인이 10유로짜리 지폐로 1730유로를 가지고 있어요. 상인은 10유로 지폐를 모두 몇 장 가지고 있을까요?

식 : ____________________

정답 : ____________________

4. 혼합 계산의 순서를 생각하면서 계산한 후, 정답을 애벌레에서 찾아 ○표 해 보세요.

$6000 \div 1000 + 120$
= ____________
= ____________

$3300 \div 100 - 30$
= ____________
= ____________

$(90 + 100) \div 10$
= ____________
= ____________

3 10 15 17 19 27 30 126 173 400 500

더 생각해 보아요!

앤톤은 이몬에게 가진 돈의 절반을 주었어요. 그리고 이몬은 자기가 가진 돈의 절반을 앤톤에게 주었어요. 누가 돈을 더 많이 가지고 있을까요?

____

5. 계산값이 100보다 작은 길을 따라가 보세요.

출발

100 ÷ 10	10 × 6	190 − 50	3500 ÷ 10	500 × 250
1000 ÷ 10	10 ÷ 10	10 × 10	1000 ÷ 1	600 × 2
100 × 10	40 ÷ 1	800 ÷ 10	2000 ÷ 10	290 − 95
10 × 100	40 × 40	100 ÷ 10	2000 ÷ 100	180 ÷ 10
1000 × 1	4 × 100	20 × 20	600 − 250	600 ÷ 100

6. 계산해 보세요.

$\frac{15}{3}$ = ______ $\frac{18}{6}$ = ______ $\frac{25}{5}$ = ______ $\frac{12}{4}$ = ______

$\frac{150}{3}$ = ______ $\frac{180}{6}$ = ______ $\frac{250}{5}$ = ______ $\frac{120}{4}$ = ______

7. 햄스터의 이름과 주인을 알아맞혀 보세요.

이름 : ______ ______ ______ ______

주인 : ______ ______ ______ ______

- 오스쿠는 검은색이 아니에요.
- 미사와 에밀리의 햄스터는 나란히 있어요.
- 툴리아의 햄스터 이름은 '스핀'이에요.
- 스핀은 퍼그 왼쪽에 있어요.
- 에밀리의 햄스터는 갈색이에요.
- 퍼그는 흰색 햄스터의 오른쪽에 있어요.
- 시나의 햄스터는 검은색도 갈색도 아니에요.
- 윌버트는 갈색 햄스터 옆에 있어요.

8. 그림이 들어간 식을 보고 그림의 값을 구해 보세요.

❶

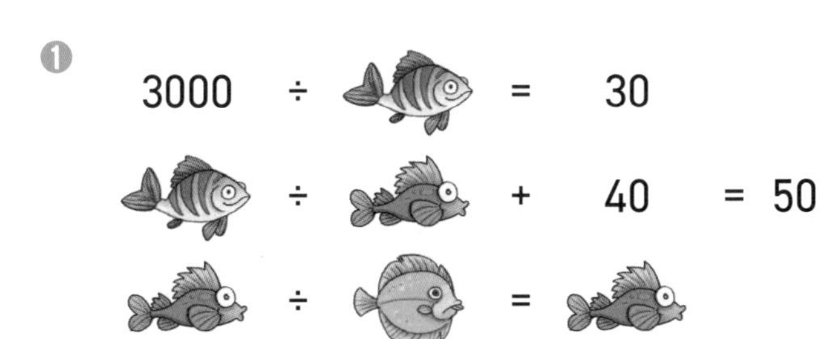

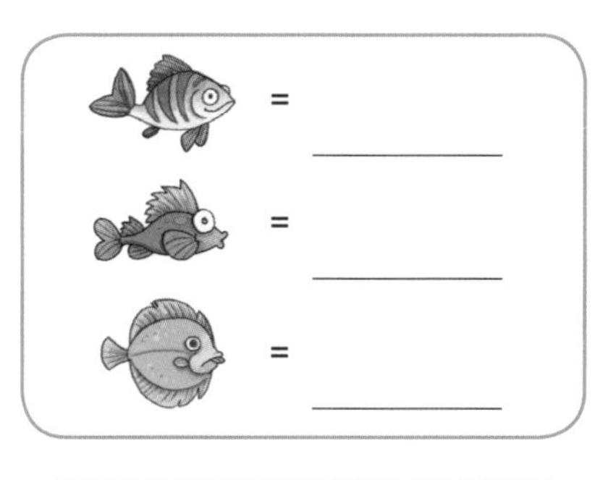

❷

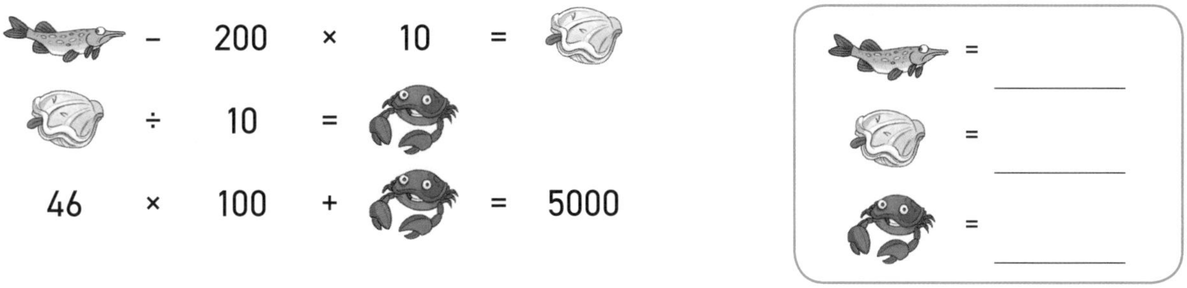

− 200 × 10 =

÷ 10 =

46 × 100 + = 5000

= ______

= ______

= ______

9. 10과 5를 곱한 값과 10을 5로 나눈 몫을 더한 합은 얼마일까요?

______

한 번 더 연습해요!

1. 계산해 보세요.

3000 ÷ 1000 + 97

= ______

= ______

2250 ÷ 10 − 25

= ______

= ______

2. 아래 글을 읽고 알맞은 식을 세워 답을 구해 보세요.

❶ 줄리는 10유로짜리 지폐로 900유로를 가지고 있어요. 줄리는 10유로 지폐를 모두 몇 장 가지고 있을까요?

식 : ______

정답 : ______

❷ 아리엘은 100유로짜리 지폐로 1200유로를 가지고 있어요. 아리엘은 100유로 지폐를 모두 몇 장 가지고 있을까요?

식 : ______

정답 : ______

____ 월 ____ 일 ____ 요일

1. 아래 글을 읽고 알맞은 식을 세워 답을 구해 보세요.

❶ 물고기 18마리를 어항 2개에 똑같이 나누어 담았어요. 어항 1개에 몇 마리씩 있을까요?

식 : ____________________

정답 : ____________________

❷ 물고기 180마리를 어항 2개에 똑같이 나누어 담았어요. 어항 1개에 몇 마리씩 있을까요?

식 : ____________________

정답 : ____________________

❸ 물고기 21마리를 3마리씩 나누었어요. 물고기는 몇 모둠으로 나누어질까요?

식 : ____________________

정답 : ____________________

❹ 물고기 210마리를 3마리씩 나누었어요. 물고기는 몇 모둠으로 나누어질까요?

식 : ____________________

정답 : ____________________

2. 계산해 보세요.

$\frac{30}{3}$ = ________ $\frac{28}{4}$ = ________ $\frac{48}{6}$ = ________ $\frac{21}{7}$ = ________

$\frac{300}{3}$ = ________ $\frac{280}{4}$ = ________ $\frac{480}{6}$ = ________ $\frac{210}{7}$ = ________

3. 계산한 후, 검산식을 세워 검산해 보세요.

$13 \div 3$ = ____________________

검산 : ____________________

$19 \div 4$ = ____________________

검산 : ____________________

$21 \div 6$ = ____________________

검산 : ____________________

$29 \div 5$ = ____________________

검산 : ____________________

4. 아래 글을 읽고 알맞은 식을 세워 답을 구한 후, 정답을 애벌레에서 찾아 ○표 해 보세요.

❶ 잰은 10유로짜리 지폐로 300유로를 가지고 있어요. 잰은 10유로 지폐를 모두 몇 장 가지고 있을까요?

식 : ______________________

정답 : ______________________

❷ 현금 출납기에 100유로짜리 지폐로 2200유로가 있어요. 100유로 지폐는 모두 몇 장일까요?

식 : ______________________

정답 : ______________________

❸ 매점의 현금 출납기에 5유로짜리 지폐로 300유로가 있어요. 5유로 지폐는 모두 몇 장일까요?

식 : ______________________

정답 : ______________________

❹ 자동판매기에 2유로짜리 동전으로 160유로가 있어요. 2유로 동전은 모두 몇 개일까요?

식 : ______________________

정답 : ______________________

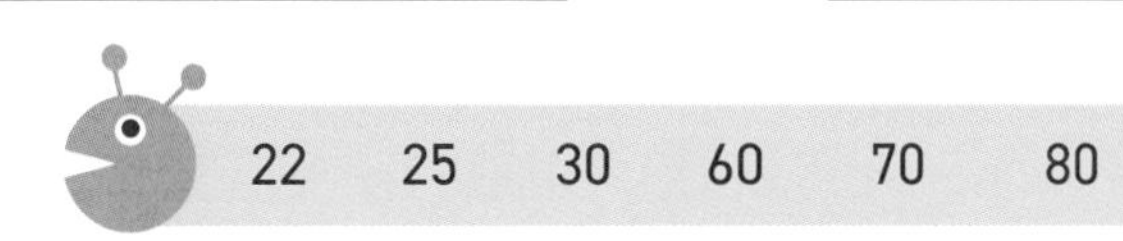

5. 혼합 계산의 순서를 생각하면서 계산한 후, 정답을 애벌레에서 찾아 ○표 해 보세요.

$20 \div 2 + 5$
= ______________
= ______________

$(15 - 9) \div 3$
= ______________
= ______________

$3 \times (4 + 6)$
= ______________
= ______________

$55 - 200 \div 4$
= ______________
= ______________

$300 \div 6 + 19$
= ______________
= ______________

$80 - 8 \times 5$
= ______________
= ______________

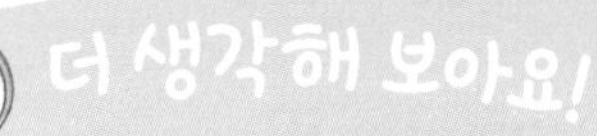

더 생각해 보아요!

나는 어떤 수일까요?

- 100보다 작은 수예요.
- 9로 나누어떨어져요.
- 이 수에서 1을 빼면 10으로 나누어떨어져요.

____

6. 아래 글을 읽고 레니의 수를 알아맞혀 보세요.

- 레니의 수는 4로 나누어떨어져요.
- 레니의 수는 8로 나누어떨어져요.
- 레니의 수는 3으로 나누어떨어져요.
- 남은 두 수의 차에 2를 곱하면 레니의 수를 구할 수 있어요.

레니의 수 : ____________

7. 계산한 후, 정답을 애벌레에서 찾아 ○표 해 보세요.

3000 ÷ 100 + 200
= ____________
= ____________

(2000 − 1000) ÷ 1000
= ____________
= ____________

6700 ÷ 100 − 60
= ____________
= ____________

500 + 500 ÷ 5
= ____________
= ____________

4550 ÷ 10 + 45
= ____________
= ____________

140 − 1400 ÷ 100
= ____________
= ____________

8. □ 안에 >, =, <를 알맞게 써넣어 보세요.

5000 ÷ 10 □ 5000 ÷ 100

5500 ÷ 100 □ 5500 ÷ 10

1000 ÷ 1000 □ 100 ÷ 100

1000 ÷ 100 □ 100 ÷ 10

2000 ÷ 1000 □ 2000 ÷ 10

1600 ÷ 100 □ 160 ÷ 10

1800 ÷ 10 □ 1900 ÷ 10

2240 ÷ 10 □ 2200 ÷ 10

9. 그림이 들어간 식을 보고 그림의 값을 구해 보세요.

❶

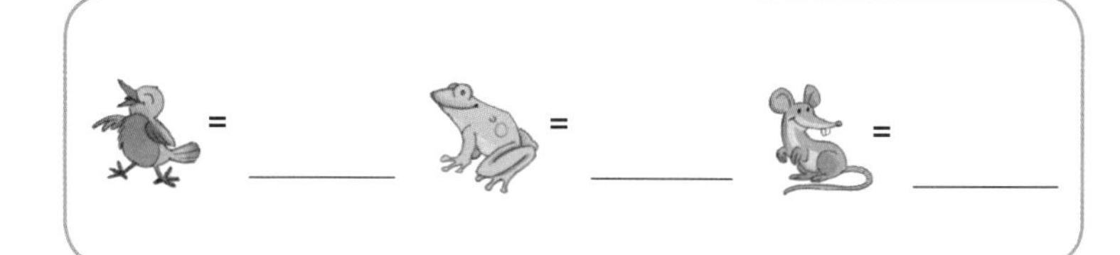

❷

÷ 100 − 5 =

− ÷ 10 =

\+ 100 ÷ 10 = 60

한 번 더 연습해요!

1. 계산해 보세요.

$\frac{9}{3}$ = ______ $\frac{30}{5}$ = ______ $\frac{18}{6}$ = ______ $\frac{36}{4}$ = ______

$\frac{90}{3}$ = ______ $\frac{300}{5}$ = ______ $\frac{180}{6}$ = ______ $\frac{360}{4}$ = ______

2. 계산한 후, 검산식을 세워 검산해 보세요.

21 ÷ 4 = ______

검산 : ______

28 ÷ 5 = ______

검산 : ______

3. 아래 글을 읽고 알맞은 식을 세워 답을 구해 보세요.

❶ 아이라는 5유로짜리 지폐로 200유로를 가지고 있어요. 아이라가 가진 5유로 지폐는 몇 장일까요?

식 : ______

정답 : ______

❷ 현금 출납기에 100유로짜리 지폐로 6600유로가 있어요. 100유로 지폐는 몇 장일까요?

식 : ______

정답 : ______

____월 ____일 ____요일

4 분배법칙을 이용하여 나눗셈하기

천의 자리 / 백의 자리 / 십의 자리 / 일의 자리

$$\frac{2\ 4\ 2\ 8}{2} = \frac{2000}{2} + \frac{400}{2} + \frac{20}{2} + \frac{8}{2}$$
$$= 1000 + 200 + 10 + 4$$
$$= 1214$$

- 먼저 천의 자리를 나누세요. ($2000 \div 2 = 1000$)
- 백의 자리를 나누세요. ($400 \div 2 = 200$)
- 십의 자리를 나누세요. ($20 \div 2 = 10$)
- 일의 자리를 나눈 후 모두 더하세요. ($8 \div 2 = 4$)
- $\frac{2428}{2}$의 몫은 1214예요.

분배법칙을 이용하여 암산하기 :

$\frac{2428}{2} = 1214$ ← 천의 자리 2, 백의 자리 4, 십의 자리 2, 일의 자리 8을 2로 똑같이 나눌 수 있어요.

$\frac{609}{3} = 203$ ← 백의 자리 6, 십의 자리 0, 일의 자리 9를 3으로 똑같이 나눌 수 있어요.

1. 계산 과정을 쓰면서 계산한 후, 정답을 애벌레에서 찾아 ○표 해 보세요.

$\frac{64}{2} =$ ____________________

$\frac{286}{2} =$ ____________________

$\frac{336}{3} =$ ____________________

$\frac{2426}{2} =$ ____________________

$\frac{84}{4} =$ ____________________

$\frac{639}{3} =$ ____________________

$\frac{408}{2} =$ ____________________

$\frac{6006}{6} =$ ____________________

21 32 112 143 204 213 312 1001 1212 1213

2. 암산으로 계산한 후, 정답을 애벌레에서 찾아 ○표 해 보세요.

$77 \div 7 =$ ________

$48 \div 4 =$ ________

$86 \div 2 =$ ________

$482 \div 2 =$ ________

$669 \div 3 =$ ________

$909 \div 9 =$ ________

$6066 \div 6 =$ ________

$5005 \div 5 =$ ________

$2826 \div 2 =$ ________

11 12 43 101 110 223 241 1001 1011 1201 1413

3. 아래 글을 읽고 알맞은 식을 세워 답을 구한 후, 정답을 애벌레에서 찾아 ○표 해 보세요.

❶ 주머니 3개에 총 369개의 구슬이 들어 있어요. 각 주머니에 같은 수의 구슬이 들어 있다면 주머니 1개에 구슬이 몇 개씩 있을까요?

식 : ____________________

정답 : ____________________

❷ 주머니 4개에 총 484개의 구슬이 들어 있어요. 각 주머니에 같은 수의 구슬이 들어 있다면 주머니 1개에 구슬이 몇 개씩 있을까요?

식 : ____________________

정답 : ____________________

❸ 상자 2개에 총 682개의 단추가 들어 있어요. 각 상자에 같은 수의 단추가 들어 있다면 상자 1개에 단추가 몇 개씩 있을까요?

식 : ____________________

정답 : ____________________

❹ 상자 3개에 총 909개의 바늘이 들어 있어요. 각 상자에 같은 수의 바늘이 들어 있다면 상자 1개에 바늘이 몇 개씩 있을까요?

식 : ____________________

정답 : ____________________

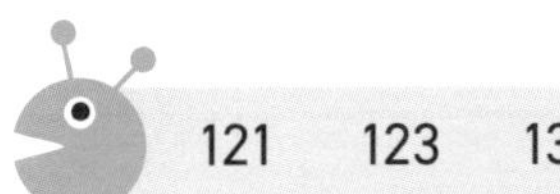

4. 물건 가격의 합계가 아래와 같다면 물건 1개의 가격은 얼마일까요?

❶ 

848유로

____

❷   

639유로

____

❸ 

404유로

____

❹    

440유로

____

더 생각해 보아요!

어항에 넣을 물고기와 장식용 바위가 모두 50유로예요. 물고기가 바위보다 20유로 더 비싸다면 바위의 가격은 얼마일까요?

____

5. 다음 수로 나누었을 때 나누어떨어지는 길을 따라가 보세요. 칩은 어떤 간식을 먹을까요?

❶ 3으로 나누어떨어지는 수

12	25	28	22
21	24	18	25
28	16	30	27
20	25	14	15
13	19	23	21
6	12	16	33

❷ 9로 나누어떨어지는 수

27	81	15	40
24	36	54	90
12	80	58	45
10	9	99	18
54	63	89	92
72	73	81	54

6. 계산해 보세요.

$\frac{140}{7}$ = ______ $\frac{180}{2}$ = ______ $\frac{120}{6}$ = ______ $\frac{250}{5}$ = ______

$\frac{540}{6}$ = ______ $\frac{350}{7}$ = ______ $\frac{320}{8}$ = ______ $\frac{210}{3}$ = ______

7. 다음 수로 나누었을 때 나누어떨어지는 수를 알아보고 빈칸에 써넣어 보세요.

❶ 6으로 나누어떨어지는 수

❷ 9로 나누어떨어지는 수

____

❸ 6과 9로 모두 나누어떨어지는 수

____

❹ 3, 6, 9로 모두 나누어떨어지는 수

____

8. 아래 글을 읽고 질문에 답해 보세요. 나는 어떤 수일까요?

❶ 나를 4로 나눈 몫은 12를 3으로 나눈 몫과 같아요.

____

❷ 나를 3으로 나눈 몫은 24를 4로 나눈 몫과 같아요.

____

9. 아래 도형을 똑같은 모양의 3부분으로 나누고, 각각 다른 색깔로 칠해 보세요.

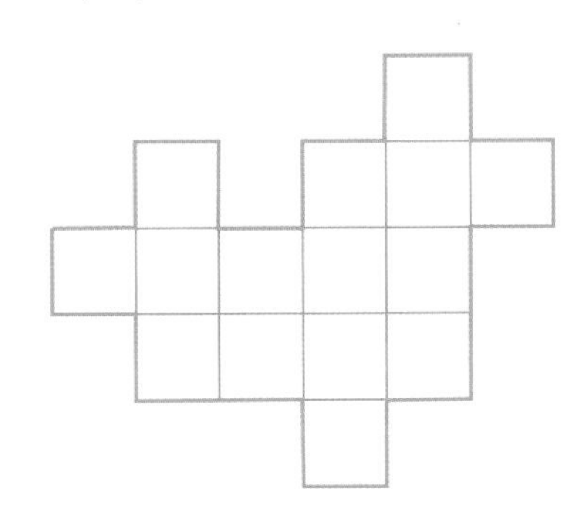

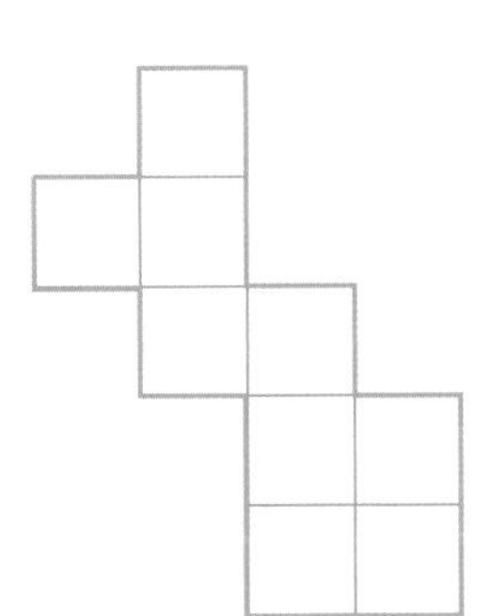

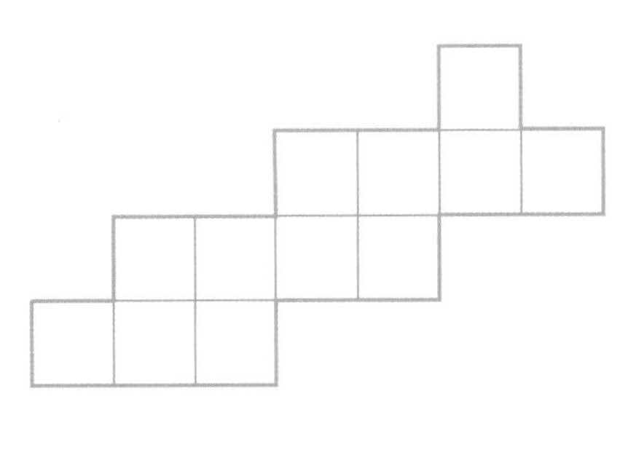

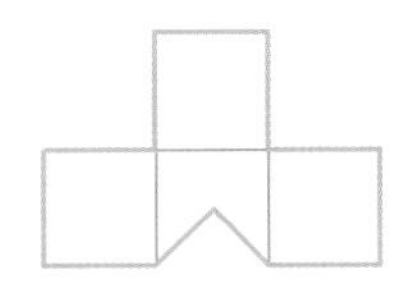

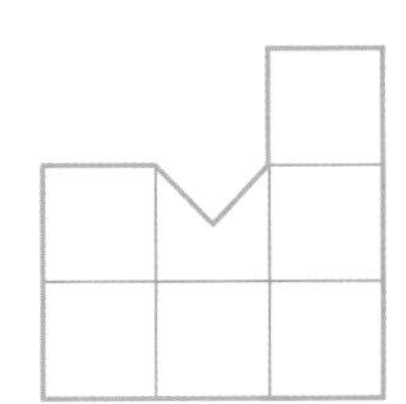

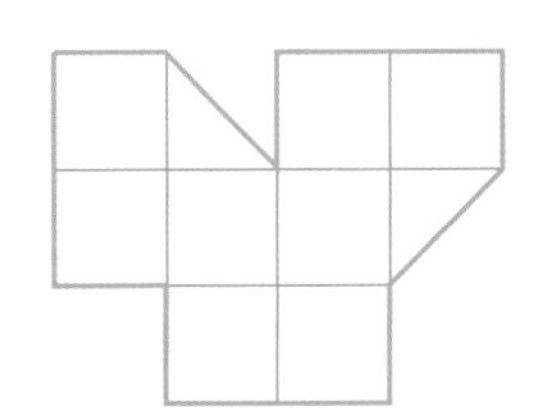

한 번 더 연습해요!

1. 계산해 보세요.

$\frac{44}{4}$ = ________　$\frac{262}{2}$ = ________　$\frac{966}{3}$ = ________　$\frac{4808}{4}$ = ________

$\frac{62}{2}$ = ________　$\frac{284}{2}$ = ________　$\frac{505}{5}$ = ________　$\frac{8880}{8}$ = ________

2. 아래 글을 읽고 알맞은 식을 세워 답을 구해 보세요.

❶ 진주 482개를 상자 2개에 똑같이 나누어 담았어요. 상자 1개에 진주가 몇 개씩 들어 있을까요?

식 : ________________

정답 : ________________

❷ 압정 636개를 상자 3개에 똑같이 나누어 담았어요. 상자 1개에 압정이 몇 개씩 들어 있을까요?

식 : ________________

정답 : ________________

5 부분으로 나누어 나눗셈하기 1

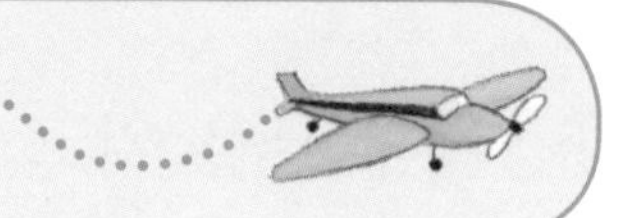

$\frac{51}{3}$을 계산할 때, 나눗셈을 부분으로 나누어서 할 수 있어요.

1. 나누어지는 수 51을 3으로 나눌 수 있는 두 부분으로 나누어요.
   처음 부분은 나누는 수에 10을 곱한 값과 같아요. (3 × 10 = 30)
   두 번째 부분은 나누어지는 수에서 처음 부분을 뺀 값과 같아요. (51 − 30 = 21)
   두 부분은 모두 나누는 수 3의 곱셈표에 나와요.

$\frac{51}{3}$을 자릿값으로 나눌 수는 없어요.

3	6	9	12	15	18	21	24	27	30

2. 두 부분으로 나누어진 30과 21을
   각각 3으로 나눈 후 값을 더해요.

$\frac{51}{3}$
$= \frac{30}{3} + \frac{21}{3}$
$= 10 + 7$
$= 17$

1. 계산한 후, 정답을 애벌레에서 찾아 ○표 해 보세요. 곱셈표를 이용해도 좋아요.

3	6	9	12	15	18	21	24	27	30

$\frac{42}{3}$ = $\frac{30}{3}$ + ______ = ______ + ______ = ______

$\frac{54}{3}$ = ______ + ______ = ______ + ______ = ______

$\frac{45}{3}$ = ______ + ______ = ______ + ______ = ______

$\frac{57}{3}$ = ______ + ______ = ______ + ______ = ______

14 15 17 18 19 20

2. 4단을 잘 살펴보고 계산하여 답을 구한 후, 정답을 애벌레에서 찾아 ○표 해 보세요.

4	8	12	16	20	24	28	32	36	40

처음 부분은 나누는 수에 10을 곱한 값이야~.

$\frac{52}{4} = \frac{40}{4} + \frac{\quad}{4} = 10 + \underline{\qquad} = \underline{\qquad}$

$\frac{56}{4} = \frac{\quad}{4} + \frac{\quad}{4} = \underline{\qquad} + \underline{\qquad} = \underline{\qquad}$

$\frac{72}{4} = \frac{\quad}{4} + \frac{\quad}{4} = \underline{\qquad} + \underline{\qquad} = \underline{\qquad}$

$\frac{68}{4} = \frac{\quad}{4} + \frac{\quad}{4} = \underline{\qquad} + \underline{\qquad} = \underline{\qquad}$

3. 아래 글을 읽고 알맞은 식을 세워 답을 구해 보세요.

❶ 물고기 60마리를 어항 4개에 똑같이 나누어 담았어요. 어항 1개에 물고기가 몇 마리씩 있을까요?

식 : ____________________

정답 : ____________________

❷ 장식용 바위 48개를 어항 3개에 똑같이 나누어 담았어요. 어항 1개에 바위가 몇 개씩 있을까요?

식 : ____________________

정답 : ____________________

12 13 14 15 16 17 18 19

더 생각해 보아요!

강아지가 각 영역에 1마리만 있도록 직선을 3개 그어 나누어 보세요.

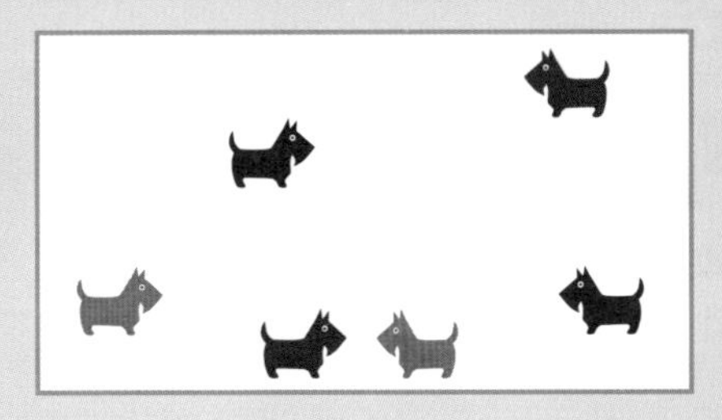

4. 다음 수로 나누었을 때 나누어떨어지는 길을 따라가 보세요. 캐시가 무엇을 발견할까요?

❶ 4로 나누어떨어지는 수

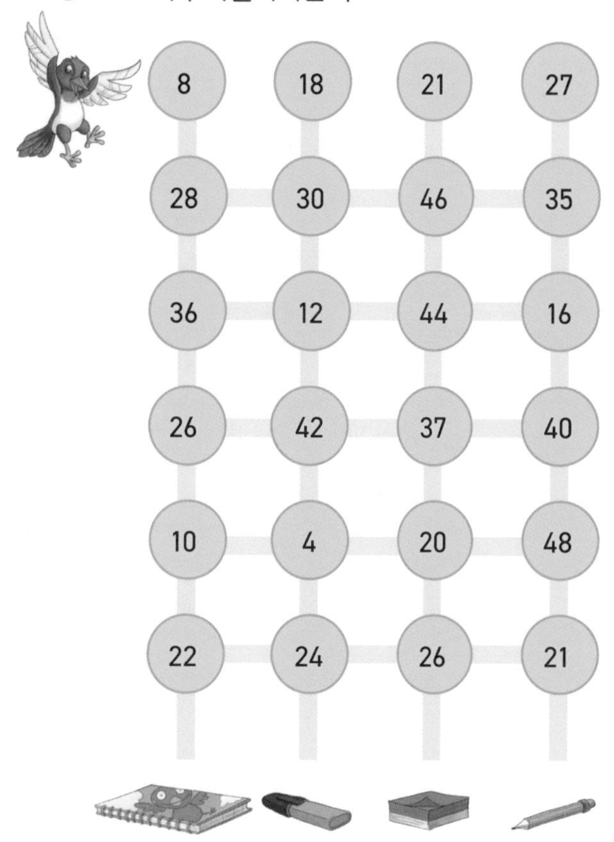

❷ 8로 나누어떨어지는 수

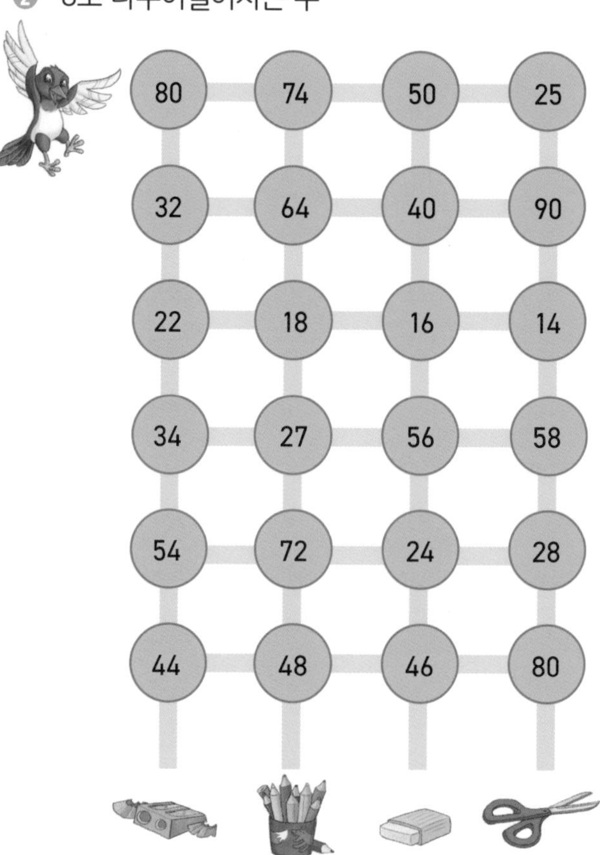

5. 아래 글을 읽고 벨라의 수를 알아맞혀 보세요.

- 벨라의 수는 3으로 나누어떨어져요.
- 벨라의 수는 6으로 나누어떨어져요.
- 벨라의 수는 4로 나누어떨어져요.
- 남은 두 수 가운데 하나는 다른 수의 절반이에요. 그 수가 벨라의 수예요.

벨라의 수 : ______________

6. 계산해 보세요.

$\frac{240}{4}$ = ________　　$\frac{150}{5}$ = ________　　$\frac{210}{3}$ = ________　　$\frac{160}{4}$ = ________

$\frac{300}{6}$ = ________　　$\frac{600}{5}$ = ________　　$\frac{140}{7}$ = ________　　$\frac{400}{8}$ = ________

7. 아래 도형을 똑같은 모양의 3부분으로 나누고 각각 다른 색깔로 칠해 보세요.

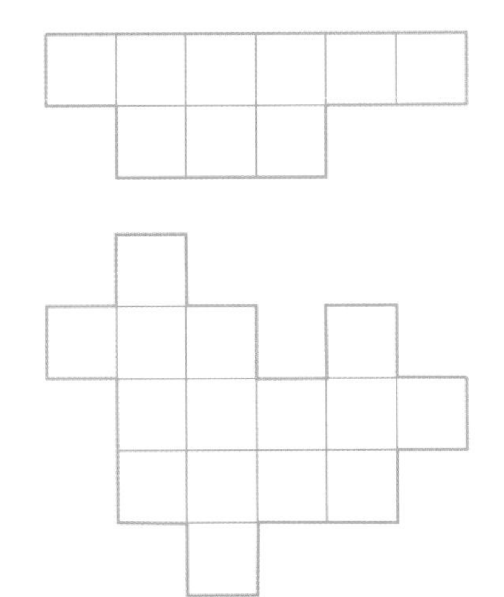

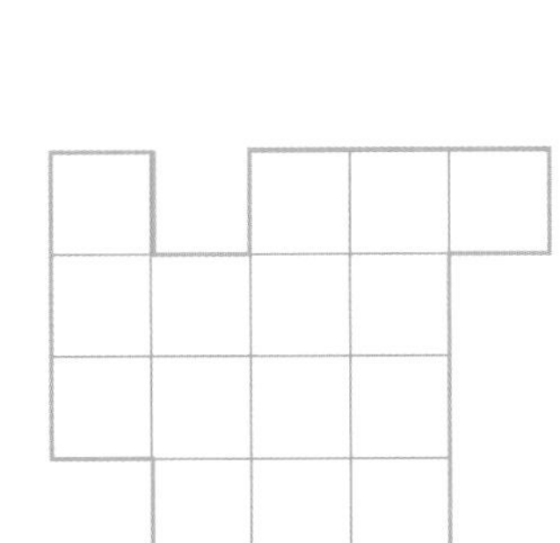

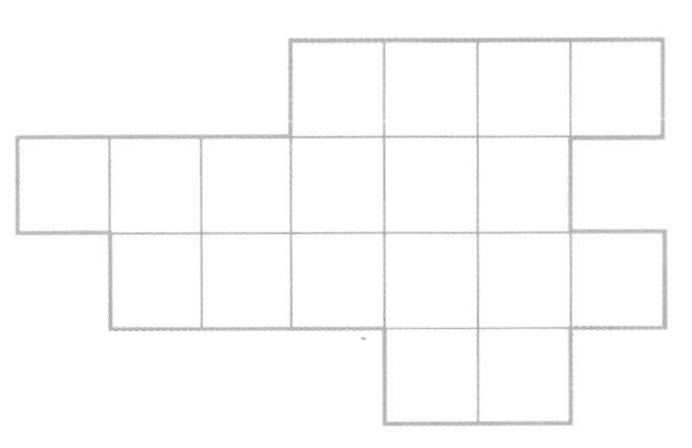

8. 아래 글을 읽고 알맞은 식을 세워 답을 구해 보세요. 괄호를 사용해 보세요.

❶ 12와 4의 합을 12와 4의 차로 나눈 몫은 얼마인가요?

____

____

❷ 18과 6의 차를 18을 6으로 나눈 몫에 곱하면 얼마인가요?

____

____

한 번 더 연습해요!

1. 계산해 보세요.

$\frac{32}{2}$ = ______ + ______ = ______ + ______ = ______

$\frac{64}{4}$ = ______ + ______ = ______ + ______ = ______

2. 아래 글을 읽고 알맞은 식을 세워 답을 구해 보세요.

❶ 물고기 57마리를 어항 3개에 똑같이 나누었어요. 어항 1개에 몇 마리씩 있을까요?

식 : ____________________

정답 : ____________________

❷ 물고기 52마리를 어항 4개에 똑같이 나누었어요. 어항 1개에 몇 마리씩 있을까요?

식 : ____________________

정답 : ____________________

6 부분으로 나누어 나눗셈하기 2

$\frac{78}{3}$ 을 부분으로 나누어서 계산할 수 있어요.

1. 나누어지는 수 78을 3으로 똑같이 나눌 수 있는 두 부분으로 나누어요.
   나누는 수 3의 10배 수를 아래 곱셈표에서 살펴보세요.

3	6	9	12	15	18	21	24	27	30
30	60	90	120	150	180	210	240	270	300

두 부분 모두 3단 곱셈표에서 찾을 수 있어요.

나누어지는 수 78은 60과 90 사이에 있어요.
60과 90 중 더 작은 60이 나누어지는 처음 부분이에요.
두 번째 부분은 나누어지는 수 78에서 처음 부분 60을 뺀 값과 같아요.
(78 - 60 = 18)

2. 두 부분으로 나누어진 60과 18을
   각각 3으로 나눈 후 값을 더해요.

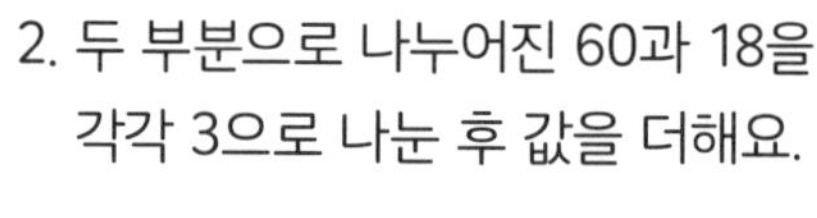

$\frac{78}{3}$

$= \frac{60}{3} + \frac{18}{3}$

$= 20 + 6$

$= 26$

1. 계산한 후, 정답을 애벌레에서 찾아 ○표 해 보세요.

3	6	9	12	15	18	21	24	27	30
30	60	90	120	150	180	210	240	270	300

$\frac{72}{3}$ = ____ + ____ = ____ + ____ = ____

$\frac{81}{3}$ = ____ + ____ = ____ + ____ = ____

$\frac{87}{3}$ = ____ + ____ = ____ + ____ = ____

$\frac{75}{3}$ = ____ + ____ = ____ + ____ = ____

23 24 25 27 28 29

2. 규칙에 따라 빈칸에 알맞은 수를 써넣어 보세요.

2	4	6	8						
20	40	60							

3. 계산한 후, 정답을 애벌레에서 찾아 ○표 해 보세요.

$\frac{52}{2}$ = ______________________

$\frac{58}{2}$ = ______________________

$\frac{56}{2}$ = ______________________

$\frac{54}{2}$ = ______________________

4. 아래 글을 읽고 알맞은 식을 세워 답을 구한 후, 정답을 애벌레에서 찾아 ○표 해 보세요.

❶ 물고기 84마리를 어항 3개에 똑같이 나누어 담았어요. 어항에 물고기가 몇 마리씩 있을까요?

식 : ______________________

정답 : ______________________

❷ 물고기 96마리를 어항 4개에 똑같이 나누어 담았어요. 어항에 물고기가 몇 마리씩 있을까요?

식 : ______________________

정답 : ______________________

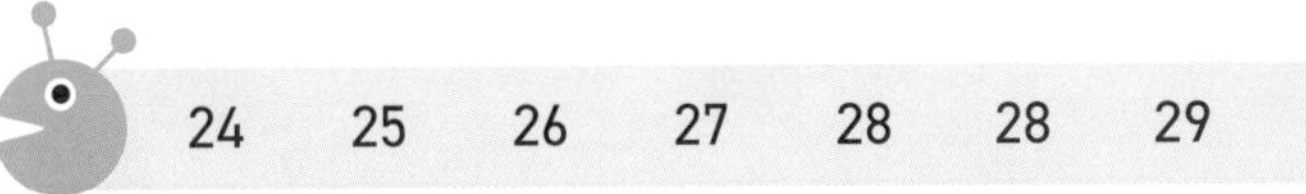

더 생각해 보아요!

각 영역에 조개껍데기가 1개씩만 있도록 직선 3개를 그어 나누어 보세요.

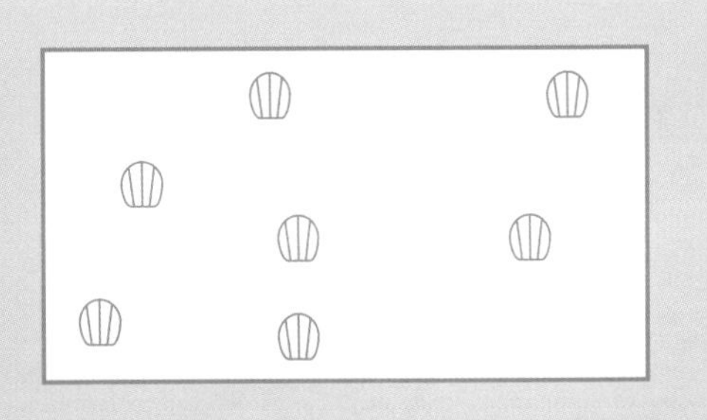

5. 계산한 후, 정답에 해당하는 알파벳을 빈칸에 써넣어 보세요.

33 ÷ 3 = ______ □

10 ÷ 1 = ______ □

27 ÷ 9 = ______ □

6 ÷ 6 = ______ □

56 ÷ 8 = ______ □

35 ÷ 7 = ______ □

24 ÷ 2 = ______ □

5 ÷ 5 = ______ □

36 ÷ 4 = ______ □

32 ÷ 8 = ______ □

64 ÷ 8 = ______ □

14 ÷ 7 = ______ □

42 ÷ 7 = ______ □

3 ÷ 3 = ______ □

16 ÷ 4 = ______ □

52 ÷ 4 = ______ □

18 ÷ 2 = ______ □

1	2	3	4	5	6	7	8	9	10	11	12	13
A	N	U	T	E	M	R	I	S	O	Y	F	H

6. 규칙에 따라 4번째 바둑판을 완성해 보세요.

❶

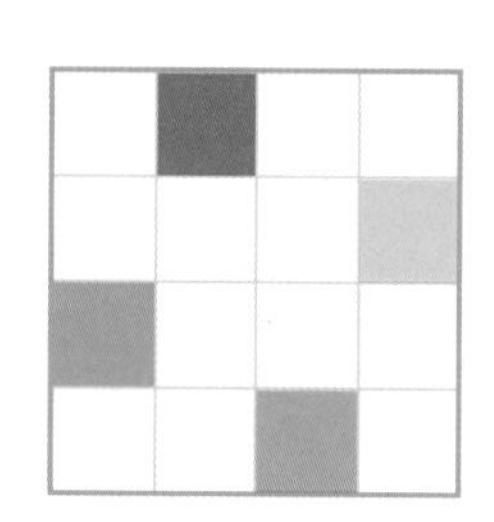
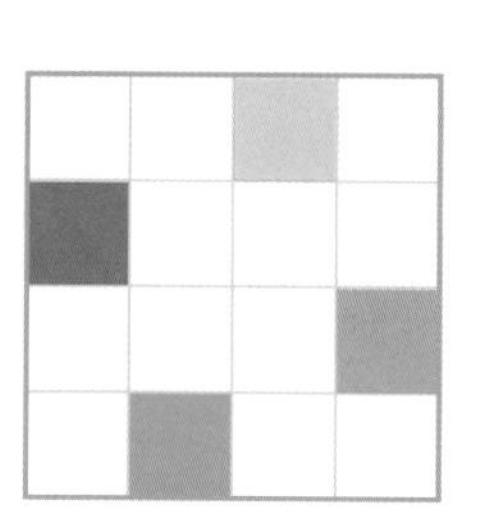
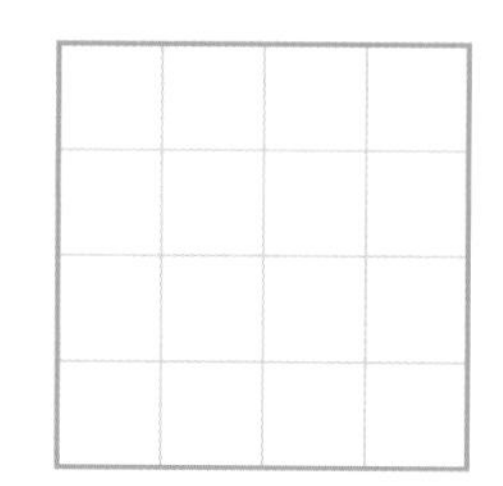

❷

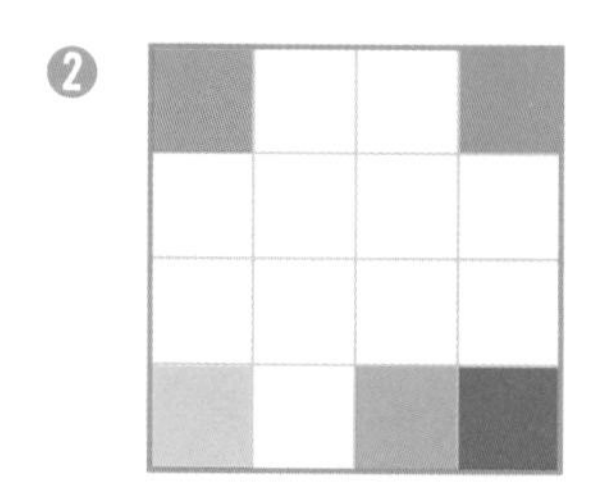
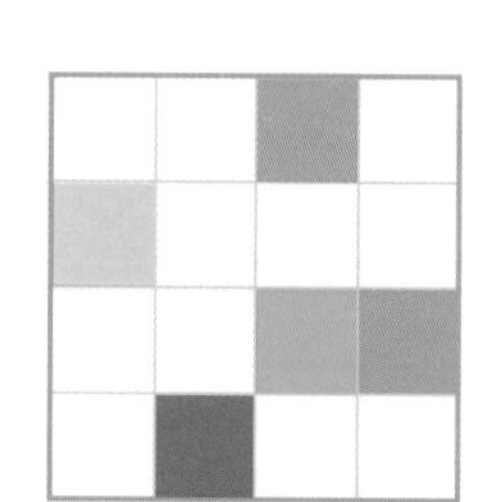
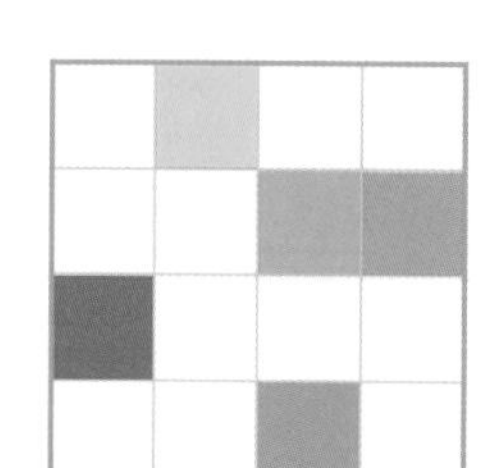
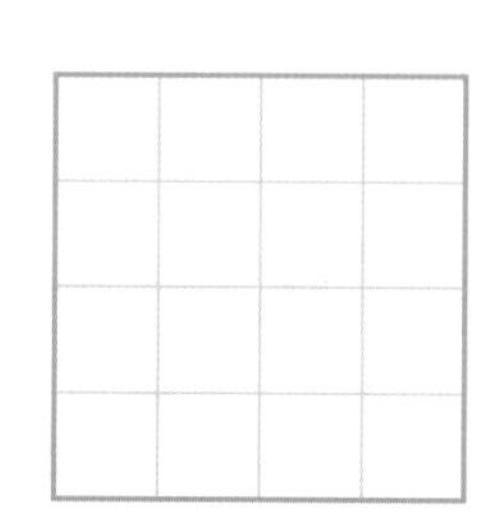

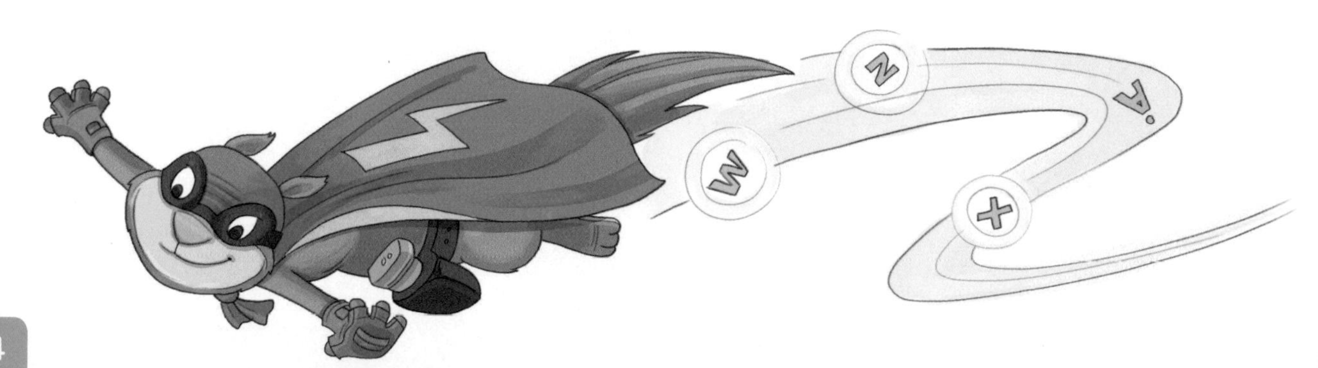

7. 그림이 들어간 식을 보고 그림의 값을 구해 보세요.

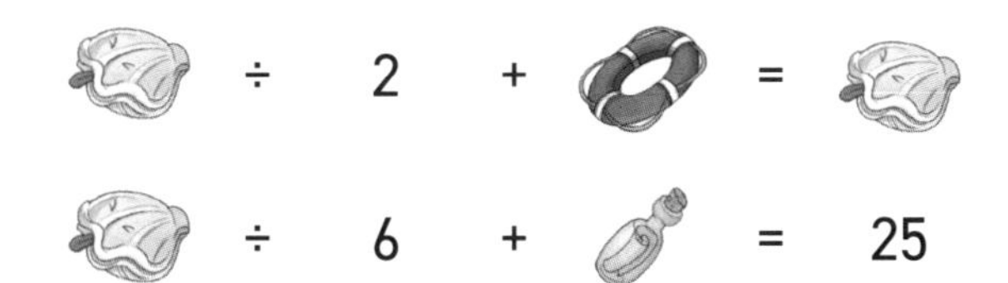

− 40 = 20

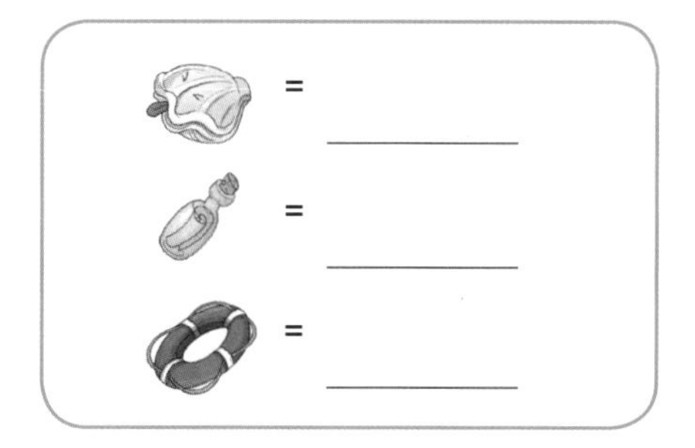

8. 캐시와 칩의 답이 모두 틀렸어요. 그렇다면 엠마의 답은 얼마나 맞았을까요? 맞힌 답에 ○표 하세요.

캐시	칩	엠마
1	X	X
2	1	2
X	2	1

한 번 더 연습해요!

1. 계산해 보세요.

$\frac{84}{3}$ = ______

$\frac{50}{2}$ = ______

2. 아래 글을 읽고 알맞은 식을 세워 답을 구해 보세요.

❶ 물고기 56마리를 어항 2개에 똑같이 나누어 담았어요. 어항 1개에 물고기가 몇 마리씩 있을까요?

식 : ______

정답 : ______

❷ 물고기 87마리를 어항 3개에 똑같이 나누어 담았어요. 어항 1개에 물고기가 몇 마리씩 있을까요?

식 : ______

정답 : ______

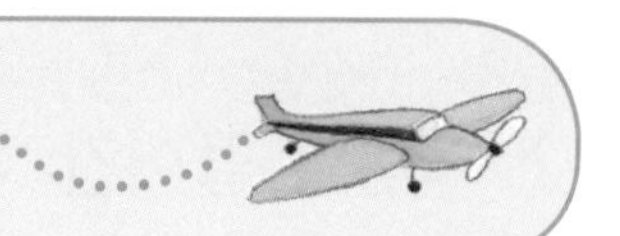

7 부분으로 나누어 나눗셈하기 3

$\frac{135}{3}$를 부분으로 나누어서 계산할 수 있어요.

1. 나누어지는 수 135를 3으로 똑같이 나눌 수 있는 두 부분으로 나누어요.
   나누는 수 3의 10배 수를 아래 곱셈표에서 살펴보세요.

3	6	9	12	15	18	21	24	27	30
30	60	90	120	150	180	210	240	270	300

   나누어지는 수 135는 120과 150 사이에 있어요.
   120과 150 중 더 작은 120이 나누어지는 처음 부분이에요.
   두 번째 부분은 나누어지는 수 135에서 처음 부분 120을 뺀 값과 같아요.
   (135 − 120 = 15)

2. 두 부분으로 나누어진 120과 15를
   각각 3으로 나눈 후 값을 더해요.

$$\frac{135}{3}$$
$$= \frac{120}{3} + \frac{15}{3}$$
$$= 40 + 5$$
$$= 45$$

120과 15는 둘 다 3으로 나누어떨어져요.

1. 아래 곱셈표를 보고 계산한 후, 정답을 애벌레에서 찾아 ○표 해 보세요.

3	6	9	12	15	18	21	24	27	30
30	60	90	120	150	180	210	240	270	300

$\frac{102}{3} = \frac{90}{3} + \frac{12}{3} =$ _____ + _____ = _____

$\frac{108}{3} = \frac{\quad}{3} + \frac{\quad}{3} =$ _____ + _____ = _____

$\frac{165}{3} = \frac{150}{3} + \frac{\quad}{3} =$ _____ + _____ = _____

$\frac{171}{3} = \frac{\quad}{3} + \frac{\quad}{3} =$ _____ + _____ = _____

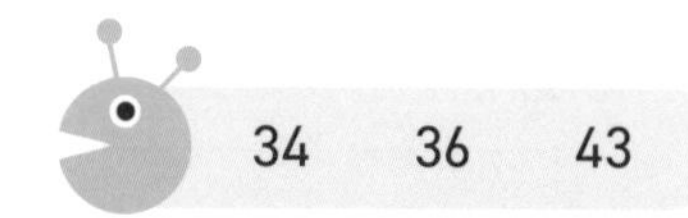
34 36 43
55 57 62

2. 규칙에 따라 빈칸에 알맞은 수를 써넣어 보세요.

5	10	15	20						
50	100	150							

3. 계산한 후, 정답을 애벌레에서 찾아 ○표 해 보세요.

$\frac{155}{5}$ = ____________________

$\frac{185}{5}$ = ____________________

$\frac{225}{5}$ = ____________________

$\frac{270}{5}$ = ____________________

$\frac{345}{5}$ = ____________________

$\frac{415}{5}$ = ____________________

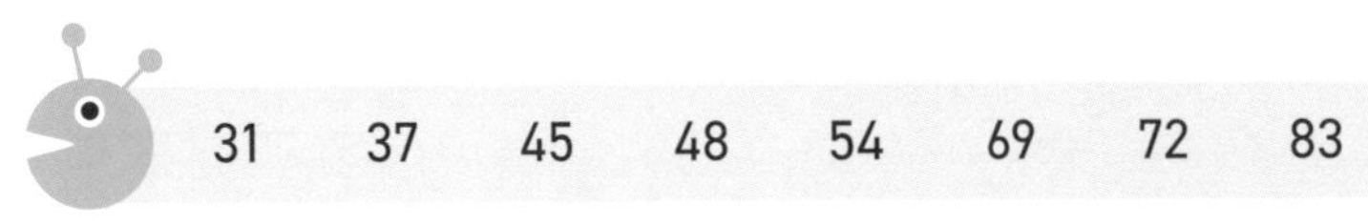

4. 아래 글을 읽고 알맞은 식을 세워 답을 구한 후, 정답을 애벌레에서 찾아 ○표 해 보세요.

❶ 물고기가 3마리에 105유로예요. 개별 가격이 같다면 1마리당 가격은 얼마일까요?

식 : ____________________

정답 : ____________________

❷ 어항이 3개에 237유로예요. 개별 가격이 같다면 1개당 가격은 얼마일까요?

식 : ____________________

정답 : ____________________

❸ 어항 장식물이 5개에 165유로예요. 개별 가격이 같다면 1개당 가격은 얼마일까요?

식 : ____________________

정답 : ____________________

❹ 어항이 5개에 280유로예요. 개별 가격이 같다면 1개당 가격은 얼마일까요?

식 : ____________________

정답 : ____________________

더 생각해 보아요!

나는 어떤 수일까요?

- 100보다 작아요.
- 9로 나누어떨어져요.
- 이 수에 1을 더하면 8로 나누어떨어져요.

____

33 € 35 € 43 €

56 € 79 € 82 €

5. 값이 같은 것끼리 선으로 이어 보세요.

$\frac{134}{2}$	$\frac{180}{2}+\frac{6}{2}$	$40+5$	93
$\frac{171}{3}$	$\frac{120}{3}+\frac{15}{3}$	$60+7$	45
$\frac{186}{2}$	$\frac{160}{4}+\frac{24}{4}$	$90+3$	57
$\frac{135}{3}$	$\frac{120}{2}+\frac{14}{2}$	$30+1$	31
$\frac{184}{4}$	$\frac{120}{4}+\frac{4}{4}$	$50+7$	46
$\frac{124}{4}$	$\frac{150}{3}+\frac{21}{3}$	$40+6$	67

6. 규칙에 따라 4번째 바둑판을 완성해 보세요.

❶

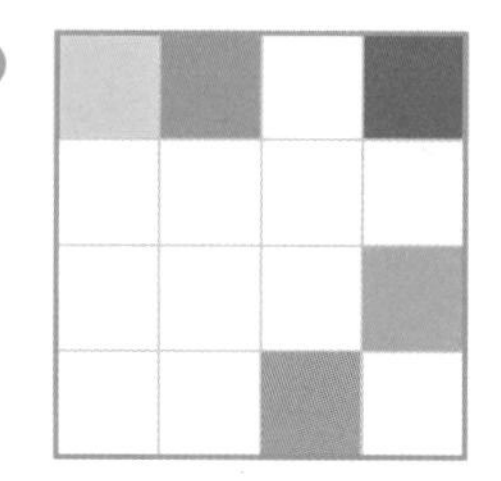

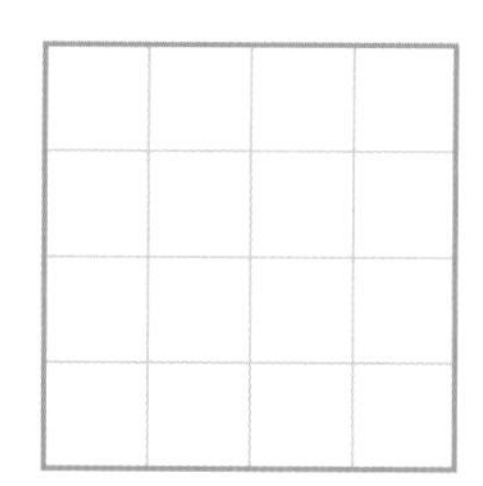

❷

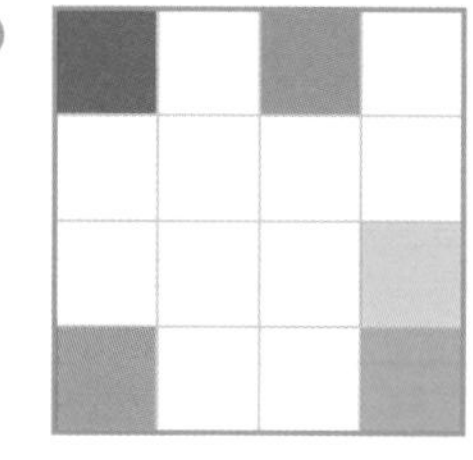

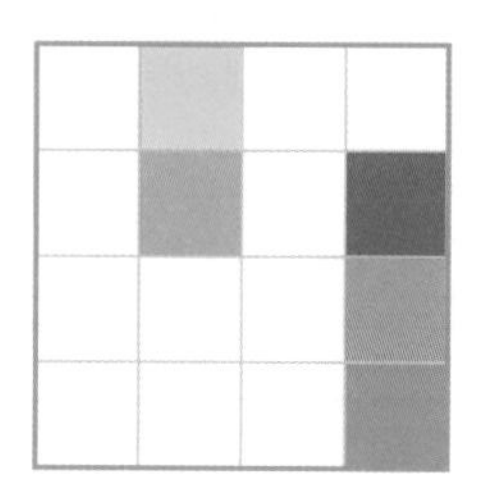

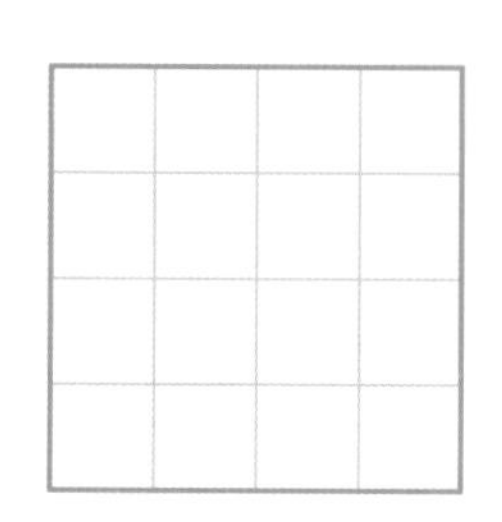

7. 나는 어떤 수일까요?

❶ 나를 8로 나눈 몫은 12를 6으로 나눈 몫과 같아요.

____

❷ 나를 6으로 나눈 몫은 49를 7로 나눈 몫과 같아요.

____

8. 어떤 모양을 합하면 사각형이 될까요? 알파벳을 빈칸에 써넣어 보세요.

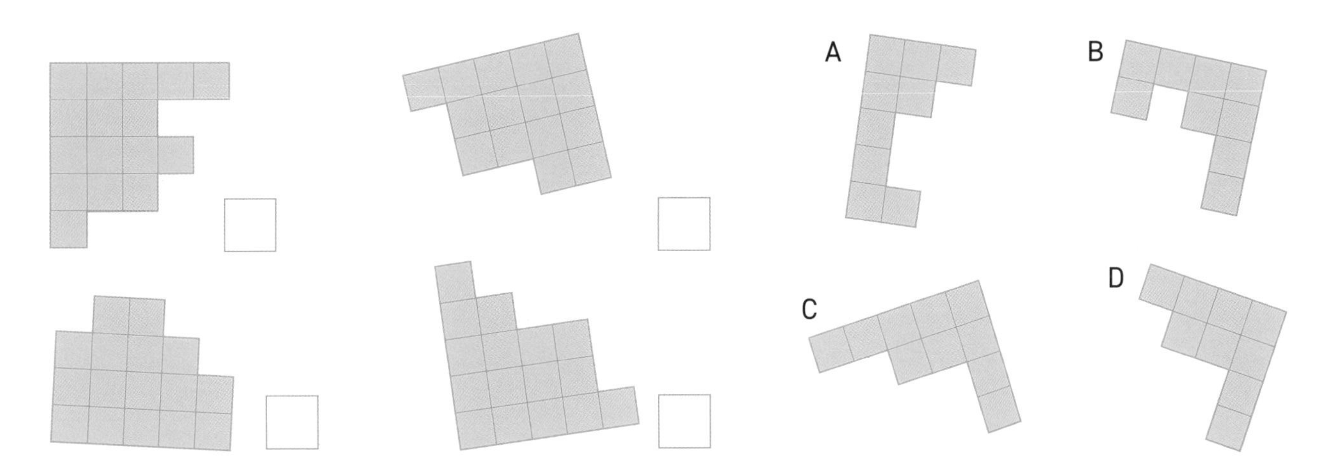

9. 나눗셈이 나누어떨어지지 않고 나머지가 생기면 빈칸에 V표 해 보세요.

$\frac{324}{6}$ = ______ □

$\frac{352}{6}$ = ______ □

$\frac{428}{7}$ = ______ □

$\frac{648}{8}$ = ______ □

한 번 더 연습해요!

1. 규칙에 따라 빈칸에 알맞은 수를 써넣어 보세요.

4	8	12	16						
40	80	120							

2. 계산해 보세요.

$\frac{128}{4}$ = ______

$\frac{176}{4}$ = ______

$\frac{264}{4}$ = ______

$\frac{348}{4}$ = ______

연습 문제

____ 월 ____ 일 ____ 요일

1. 계산한 후, 검산식을 세워 검산해 보세요.

$18 \div 3 =$ ______________

검산 : ______________

$14 \div 2 =$ ______________

검산 : ______________

$39 \div 6 =$ ______________

검산 : ______________

$47 \div 5 =$ ______________

검산 : ______________

2. 계산해 보세요.

$\frac{90}{3} =$ ______ $\frac{80}{2} =$ ______ $\frac{180}{3} =$ ______

$\frac{160}{4} =$ ______ $\frac{150}{5} =$ ______ $\frac{240}{6} =$ ______

3. 분배법칙을 이용하여 나눗셈한 후, 정답을 애벌레에서 찾아 ○표 해 보세요.

$\frac{366}{3} =$ ______________________________

$\frac{4262}{2} =$ ______________________________

$\frac{8408}{4} =$ ______________________________

102 122 1101 2102 2131

4. 계산해 보세요.

$\frac{57}{3} =$ ______________________________

$\frac{68}{4} =$ ______________________________

$\frac{92}{4} =$ ______________________________

5. 규칙에 따라 빈칸에 알맞은 수를 써넣어 보세요.

6	12	18	24						
60	120	180							

6. 계산한 후, 정답을 애벌레에서 찾아 ○표 해 보세요.

$\frac{132}{6}$ = ____________________

$\frac{198}{6}$ = ____________________

$\frac{276}{6}$ = ____________________

$\frac{348}{6}$ = ____________________

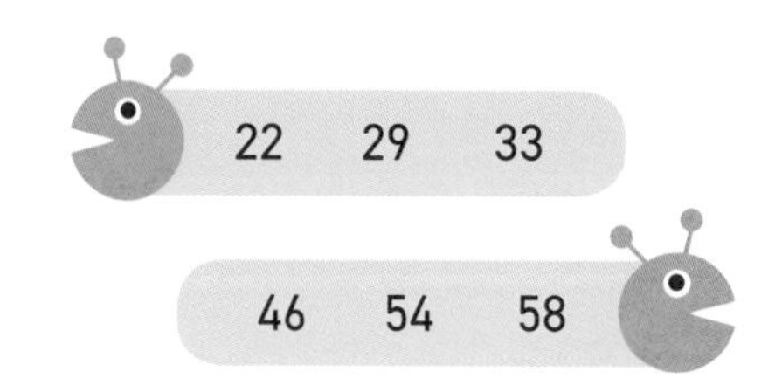

7. 아래 글을 읽고 알맞은 식을 세워 답을 구한 후, 정답을 애벌레에서 찾아 ○표 해 보세요.

❶ 어항 식물이 3개에 108유로예요. 개별 가격이 같다면 1개당 가격은 얼마일까요?

식 :

정답 :

❷ 어항 배경이 3개에 117유로예요. 개별 가격이 같다면 1개당 가격은 얼마일까요?

식 :

정답 :

❸ 어항 장식물이 4개에 168유로예요. 개별 가격이 같다면 1개당 가격은 얼마일까요?

식 :

정답 :

❹ 어항 장식물이 5개에 210유로예요. 개별 가격이 같다면 1개당 가격은 얼마일까요?

식 :

정답 :

더 생각해 보아요!

식이 성립하도록 □ 안에 +, ×를 써넣어 보세요. 3가지 방법을 생각해 보세요.

10 □ 10 □ 10 □ 10 > 1000

10 □ 10 □ 10 □ 10 > 1000

10 □ 10 □ 10 □ 10 > 1000

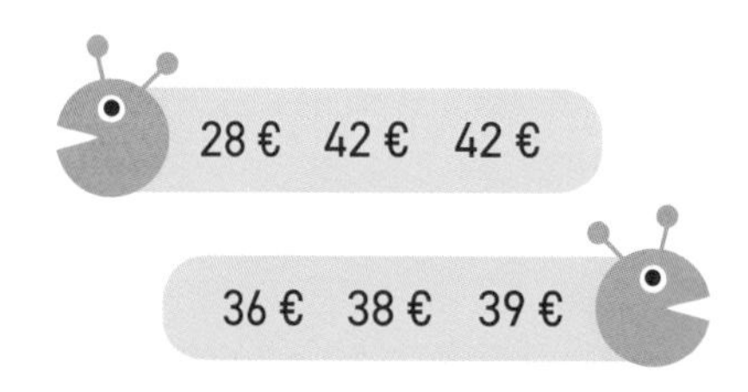

8. 숫자 1부터 100까지 있는 표를 보고 질문에 답해 보세요.

❶ 7로 나누어떨어지는 수에 O표 해 보세요.
❷ 9로 나누어떨어지는 수에 X표 해 보세요.
❸ 계산한 후 답을 표에서 찾아 색칠해 보세요.

27 ÷ 9 = ______
70 ÷ 7 = ______
48 ÷ 8 = ______
69 ÷ 3 = ______
52 ÷ 2 = ______
86 ÷ 2 = ______
92 ÷ 2 = ______
90 ÷ 3 = ______
100 ÷ 2 = ______
48 ÷ 3 = ______

1	2	3	4	5	6	7	8	9	10
11	12	13	14	15	16	17	18	19	20
21	22	23	24	25	26	27	28	29	30
31	32	33	34	35	36	37	38	39	40
41	42	43	44	45	46	47	48	49	50
51	52	53	54	55	56	57	58	59	60
61	62	63	64	65	66	67	68	69	70
71	72	73	74	75	76	77	78	79	80
81	82	83	84	85	86	87	88	89	90
91	92	93	94	95	96	97	98	99	100

9. 아래 표를 잘 살펴보고 3번째 표를 완성해 보세요.

1	2	3
4	5	6
7	8	9

4	1	2
7	5	3
8	9	6

10. 지갑의 주인을 찾아 선으로 이어 주세요. 지갑 2개는 주인이 없어요.

내가 가진 돈은 2명이나 4명이 똑같이 나누어 가질 수 있어.

369 €

133 €

내가 가진 돈은 3명이나 9명이 똑같이 나누어 가질 수 있어.

155 €

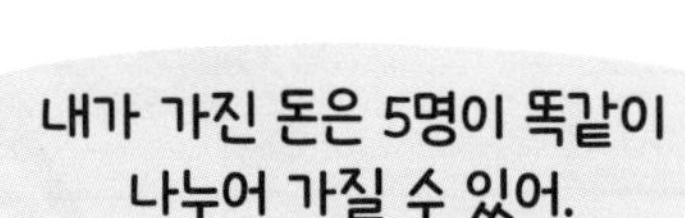
내가 가진 돈은 5명이 똑같이 나누어 가질 수 있어.

237 €

160 €

내가 가진 돈은 2명, 4명, 8명, 10명이 똑같이 나누어 가질 수 있어.

124 €

11. 아래 글을 읽고 질문에 답해 보세요.

- 한 학생의 답은 모두 틀렸어요.
- 한 학생의 답은 모두 맞았어요.

알렉	루이스	엠마
O	O	X
X	O	X
X	X	O
X	O	X

그렇다면 알렉의 답은 얼마나 맞았을까요?

____

한 번 더 연습해요!

1. 계산해 보세요.

$\frac{36}{2}$ = __________

$\frac{91}{7}$ = __________

$\frac{138}{6}$ = __________

12. 나눗셈식이 성립하도록 나누어지는 수, 나누는 수, 몫을 선으로 이어 보세요.

❶

나누어지는 수	나누는 수	몫
5005	3	1001
3069	5	1012
4084	2	1021
2024	4	1023

❷

나누어지는 수	나누는 수	몫
8022	4	2021
6600	3	4011
8084	2	1100
5500	5	2200

❸

나누어지는 수	나누는 수	몫
1505	5	522
1640	3	301
1269	2	423
1044	4	410

13. 계산해 보세요.

$\frac{65}{5}$ = ______

$\frac{188}{4}$ = ______

$\frac{205}{5}$ = ______

$\frac{204}{6}$ = ______

14. 그림이 들어간 식을 보고 그림의 값을 구해 보세요.

❶

❷

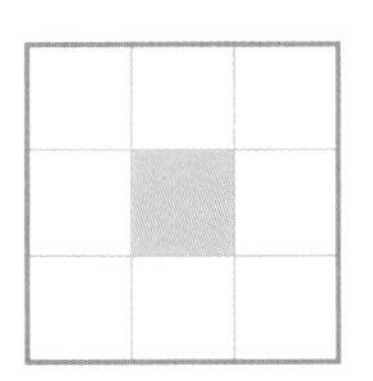

15. 아래 표를 잘 살펴보고 3번째 표를 완성해 보세요.

1	2	3
4	5	6
7	8	9

6	9	8
3	5	7
2	1	4

한 번 더 연습해요!

1. 암산해 보세요.

$\frac{4}{2}$ = ______ $\frac{40}{2}$ = ______ $\frac{14}{7}$ = ______ $\frac{140}{7}$ = ______

2. 계산해 보세요.

$\frac{160}{5}$ = ______ $\frac{120}{5}$ = ______

$\frac{204}{3}$ = ______ $\frac{176}{4}$ = ______

실력을 평가해 봐요!

____ 월 ____ 일 ____ 요일

1. 계산해 보세요.

$\frac{20}{4}$ = ______　　$\frac{35}{5}$ = ______　　$\frac{36}{9}$ = ______　　$\frac{63}{7}$ = ______

2. 계산한 후, 검산식을 세워 검산해 보세요.

13 ÷ 2 = ____________

검산 : ____________

26 ÷ 6 = ____________

검산 : ____________

31 ÷ 7 = ____________

검산 : ____________

35 ÷ 8 = ____________

검산 : ____________

3. 계산해 보세요.

90 ÷ 10 = ______　　3500 ÷ 10 = ______　　5300 ÷ 100 = ______

300 ÷ 10 = ______　　200 ÷ 100 = ______　　6000 ÷ 1000 = ______

4. 계산해 보세요.

20 ÷ 10 + 5

= ____________

= ____________

150 ÷ 5 + 3

= ____________

= ____________

5 × (8 − 6)

= ____________

= ____________

60 − 120 ÷ 3

= ____________

= ____________

5. 분배법칙을 이용하여 계산해 보세요.

$\frac{268}{2}$ = ____________　　$\frac{3093}{3}$ = ____________

6. 계산해 보세요.

$\frac{54}{3}$ = ______________________

$\frac{78}{6}$ = ______________________

$\frac{72}{3}$ = ______________________

$\frac{132}{4}$ = ______________________

$\frac{175}{5}$ = ______________________

7. 아래 글을 읽고 알맞은 식을 세워 답을 구해 보세요.

❶ 구슬 636개를 상자 3개에 똑같은 개수로 나누어 담았어요. 상자 1개에 구슬이 몇 개씩 있을까요?

식 : ______________________

정답 : ______________________

❷ 물고기 85마리를 어항 5개에 똑같이 나누어 담았어요. 어항 1개에 물고기가 몇 마리씩 있을까요?

식 : ______________________

정답 : ______________________

❸ 어항 장식용 성이 4개에 92유로예요. 개별 가격이 같다면 성 1개의 가격은 얼마일까요?

식 : ______________________

정답 : ______________________

❹ 물고기가 4마리에 140유로예요. 개별 가격이 같다면 1마리의 가격은 얼마일까요?

식 : ______________________

정답 : ______________________

실력이 자란 만큼 별을 색칠하세요.

★★★ 정말 잘했어요.

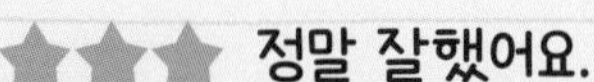

★★☆ 꽤 잘했어요.

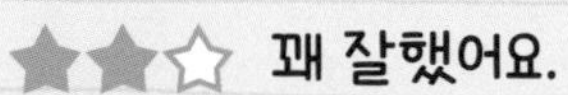

★☆☆ 앞으로 더 노력할게요.

단원 종합 문제

____ 월 ____ 일 ____ 요일

1. 계산해 보세요.

$\frac{24}{4}$ = ______ $\frac{35}{5}$ = ______ $\frac{42}{6}$ = ______

2. 계산한 후, 검산식을 세워 검산해 보세요.

11 ÷ 2 = ______________

검산 : ______________

20 ÷ 3 = ______________

검산 : ______________

3. 계산해 보세요.

$\frac{84}{4}$ = ______________

$\frac{32}{2}$ = ______________

$\frac{75}{3}$ = ______________

$\frac{195}{5}$ = ______________

$\frac{2042}{2}$ = ______________

$\frac{52}{4}$ = ______________

$\frac{84}{3}$ = ______________

$\frac{186}{6}$ = ______________

4. 물고기 92마리를 어항 4개에 똑같이 나누어 담았어요.
어항 1개에 물고기가 몇 마리씩 있을까요?

식 : ______________

____

정답 : ______________

5. 계산해 보세요.

$37 \div 4 =$ ______________ $47 \div 7 =$ ______________

6. 계산해 보세요.

$\frac{78}{3} =$ ______________

$\frac{92}{4} =$ ______________

$\frac{268}{4} =$ ______________

$\frac{396}{6} =$ ______________

7. 계산해 보세요.

$230 \div 10 - 20$
= ______________
= ______________

$3 \times (28 - 18)$
= ______________
= ______________

$1500 \div 100 + 5$
= ______________
= ______________

8. 아래 글을 읽고 알맞은 식을 세워 답을 구해 보세요.

❶ 구슬 404개를 상자 4개에 똑같은 개수로 나누어 담았어요. 상자 1개에 구슬이 몇 개씩 있을까요?

식 : ______________

정답 : ______________

❷ 로렌스는 10유로짜리 지폐로 560유로를 가지고 있어요. 로렌스가 가지고 있는 10유로 지폐는 모두 몇 장일까요?

식 : ______________

정답 : ______________

❸ 어항이 3개에 456유로예요. 개별 가격이 같다면 어항 1개의 가격은 얼마일까요?

식 : ______________

정답 : ______________

❹ 기니피그가 4마리에 180유로예요. 개별 가격이 같다면 기니피그 1마리의 가격은 얼마일까요?

식 : ______________

정답 : ______________

9. 계산해 보세요.

$90 \div 9 + 90$
= ______
= ______

$1001 - 210 \div 10$
= ______
= ______

$(120 - 40) \div 10$
= ______
= ______

$560 + 160 \div 4$
= ______
= ______

$3750 \div 10 + 100$
= ______
= ______

$18 \times (100 - 90)$
= ______
= ______

10. 빈칸에 알맞은 수를 써넣어 보세요.

______ ÷ 4 = 9, 나머지 3

60 ÷ ______ = 8, 나머지 4

31 ÷ ______ = 15, 나머지 1

11. 아래 글을 읽고 알맞은 식을 세워 계산해 보세요.

❶ 닉의 아빠가 84유로를 주고 콘서트 입장권 7장을 샀어요. 저드도 같은 가격의 콘서트 입장권 1장을 샀어요. 저드는 50유로를 내고 얼마를 거슬러 받았을까요?

식 : ______

정답 : ______

❷ 미아의 엄마가 축구 경기 입장권을 4장 샀어요. 입장권은 모두 136유로예요. 오시안과 2명의 친구도 같은 경기에 가요. 오시안과 친구들은 입장료로 얼마를 내야 할까요?

식 : ______

정답 : ______

12. 나눗셈이 나누어떨어지는지 계산해 보세요. 나머지가 생기는 나눗셈에 V표 해 보세요.

$\frac{372}{6}$ = ______ ☐

$\frac{450}{7}$ = ______ ☐

$\frac{642}{8}$ = ______ ☐

단원 정리

____월 ____일 ____요일

★ 나머지

- 나누어떨어지지 않는 나눗셈도 있어요.
- 나누어떨어지지 않으면 나머지가 생겨요.
- 나누어떨어지지 않는 나눗셈은 곱셈과 덧셈으로 검산할 수 있어요.

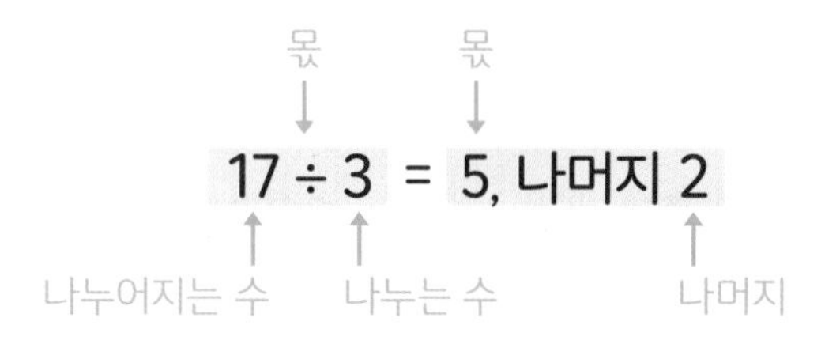

$17 \div 3 = 5$, 나머지 2

검산 : $3 \times 5 + 2 = 17$ 또는 $5 \times 3 + 2 = 17$

★ 10, 100, 1000이 있는 나눗셈

$2000 \div 1000 = 2$　　$340 \div 10 = 34$　　$4200 \div 100 = 42$　　$5070 \div 10 = 507$

★ 분배법칙을 이용하여 나눗셈하기

천의 자리　백의 자리　십의 자리　일의 자리

$$\frac{4\ 2\ 6\ 8}{2}$$

$$\frac{4268}{2} = \frac{4000}{2} + \frac{200}{2} + \frac{60}{2} + \frac{8}{2}$$

$$= 2000 + 100 + 30 + 4$$

$$= 2134$$

★ 부분으로 나누어 나눗셈하기

$$\frac{57}{3} = \frac{30}{3} + \frac{27}{3} = 10 + 9 = 19$$

$$\frac{96}{4} = \frac{80}{4} + \frac{16}{4} = 20 + 4 = 24$$

$$\frac{147}{3} = \frac{120}{3} + \frac{27}{3} = 40 + 9 = 49$$

도전! 심화 문제

1 6으로 나누어떨어지는 물고기를 색칠해 보세요.

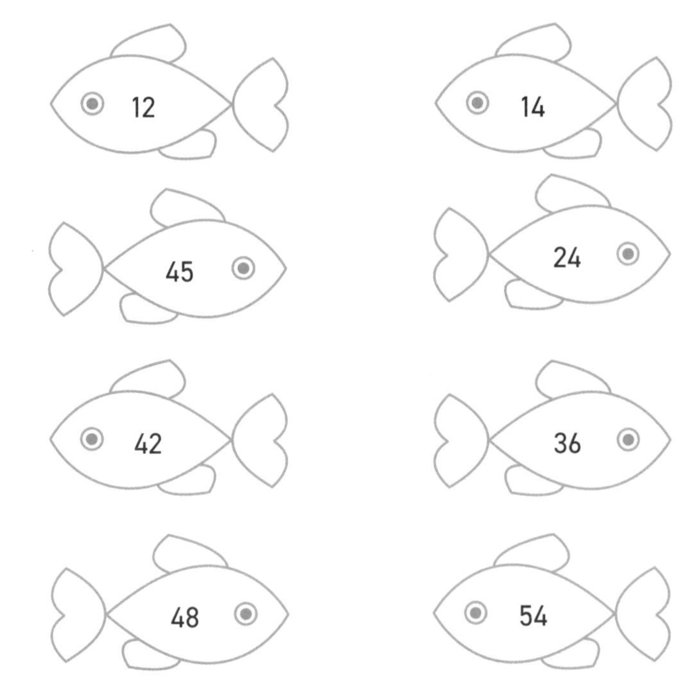

2 계산한 후, 정답을 애벌레에서 찾아 ○표 해 보세요.

$\frac{84}{4}$ = ______ $\frac{303}{3}$ = ______ $\frac{5500}{5}$ = ______ $\frac{6060}{6}$ = ______

10 12 21 101 1100 1010

3 계산해 보세요.

19 ÷ 2 = ______

23 ÷ 3 = ______

39 ÷ 5 = ______

68 ÷ 7 = ______

4 빈칸에 알맞은 수를 써넣어 보세요. 수는 1번씩만 쓸 수 있어요.

2	3	4	2004	2008	2700

______ ÷ ______ = 900

______ ÷ ______ = 1004

______ ÷ ______ = 501

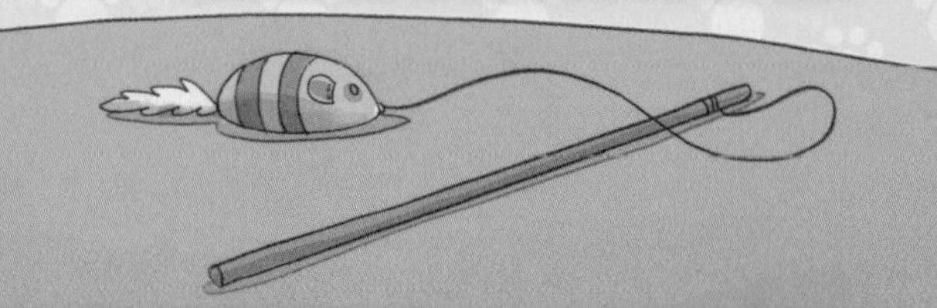

5

값이 같은 것끼리 선으로 이어 보세요.

$\frac{136}{2}$	$\frac{160}{2}+\frac{4}{2}$	$50+3$	68
$\frac{177}{3}$	$\frac{150}{3}+\frac{9}{3}$	$60+8$	59
$\frac{164}{2}$	$\frac{120}{2}+\frac{16}{2}$	$80+2$	53
$\frac{159}{3}$	$\frac{150}{3}+\frac{27}{3}$	$50+9$	82

6

그림이 들어간 식을 보고 그림의 값을 구해 보세요.

 −  = 

 + = 9

 ÷ = 

 = _____

  = _____

 = _____

7

바위 2개의 위치를 서로 바꾸면 규칙에 맞게 돼요. 바위 2개를 찾아 X표 해 보세요.

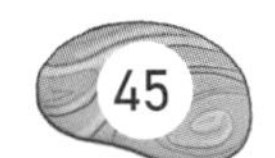

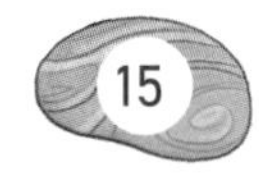

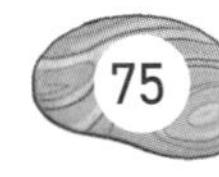

위와 같은 문제를 스스로 만들어 보세요. 어떤 규칙인지 써 보세요.

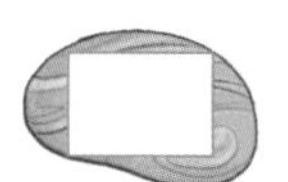 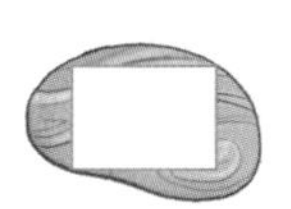 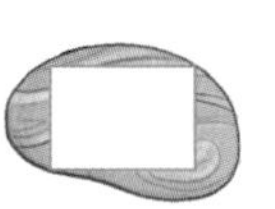 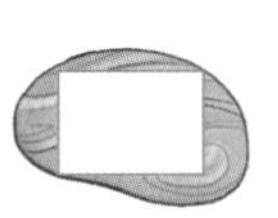 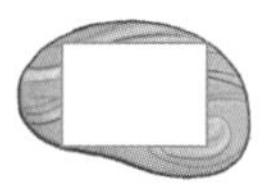

____

____

____ 월 ____ 일 ____ 요일

8 직선

직선은 꺾이거나
굽은 데가 없는
곧은 선을 말해~.

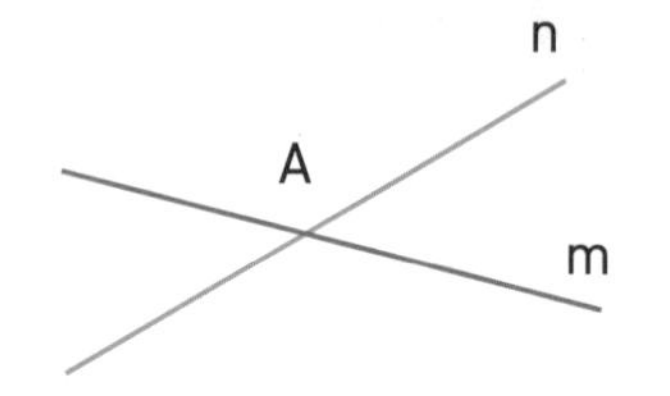
n
A
m

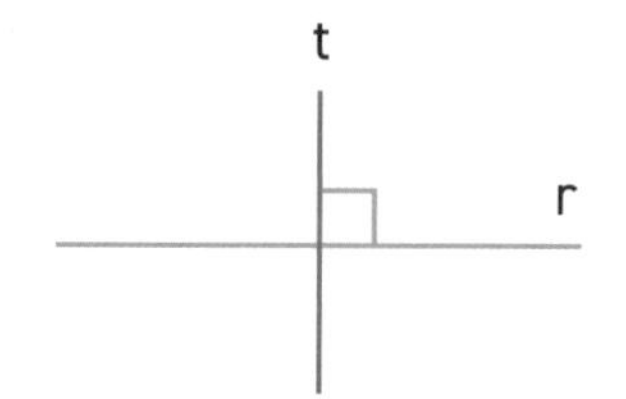
t
r

k

s

- 직선 n과 m은 점 A에서 만나요. 점 A를 직선 n과 m의 만나는 점이라고 해요.
- 직선 t와 r은 서로 수직이에요. 두 직선은 90도를 이루며 만나요.
- 직선 k와 s는 만나지 않고 평행해요.

1. 조건에 맞게 그려 보세요.

❶ 점 B에서 만나는 직선 m과 n

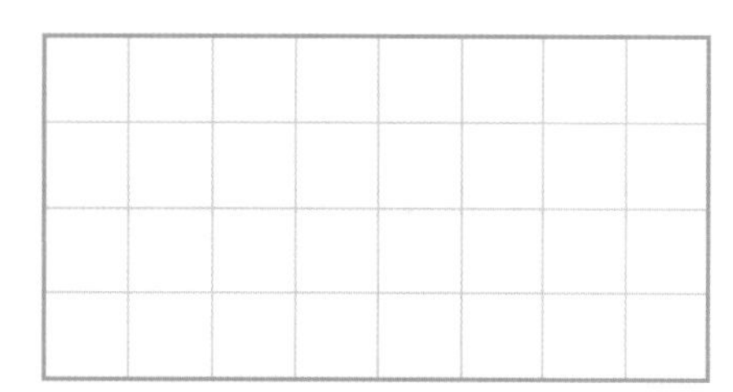

❷ 평행한 직선 v와 u

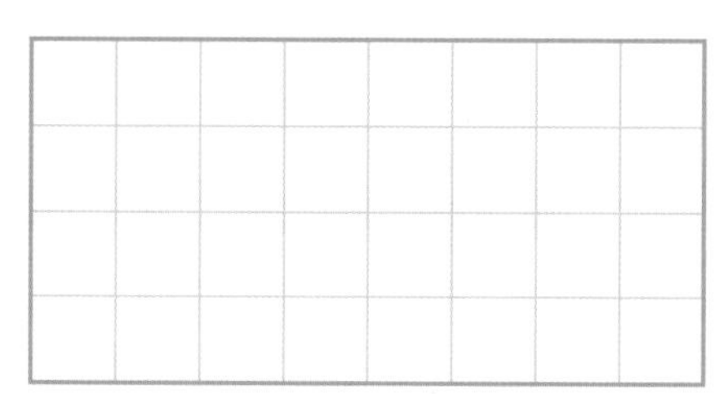

❸ 서로 수직인 직선 t와 s

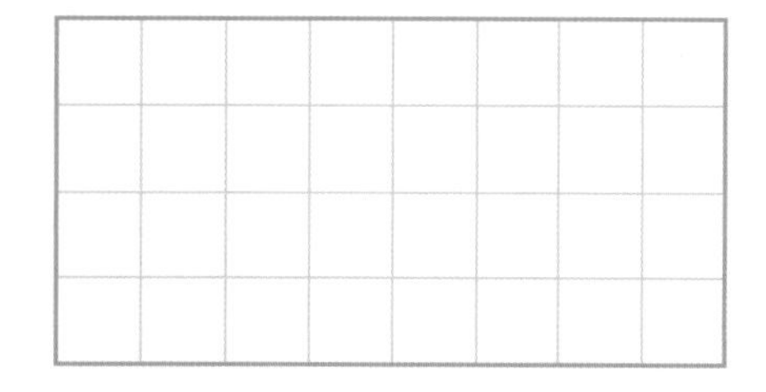

❹ 점 A와 점 B를 지나는 직선 n

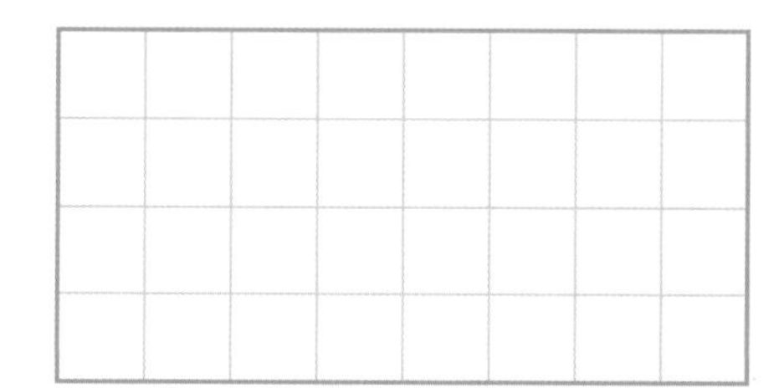

2. 만나는 점을 먼저 예상해 본 후 실제로 만나는 점을 찾아보세요.

직선	예상되는 만나는 점	실제로 만나는 점
n과 m		
n과 p		
n과 s		
m과 s		
m과 p		

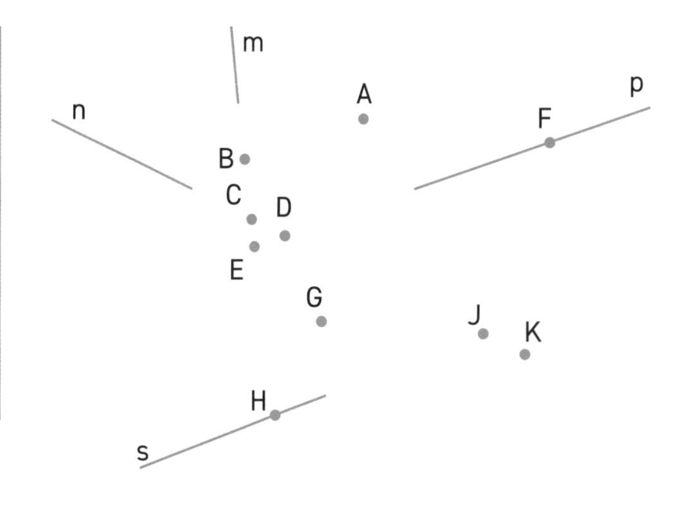

3. 아래 그림을 보고 질문에 답해 보세요.

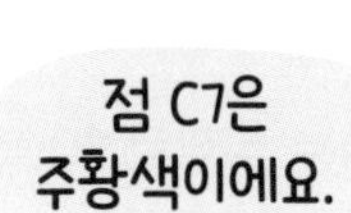

❶ D1에 있는 점은 무슨 색일까요?

____

❷ C3에 있는 점은 무슨 색일까요?

____

❸ E5와 H5를 잇는 직선 n을 그려 보세요.

❹ G2를 지나고 직선 n에 수직인 직선 m을 그려 보세요.

❺ F3을 지나고 직선 m에 평행한 직선 p를 그려 보세요.

❻ 직선 p와 직선 n이 만나는 점은 무슨 색일까요?

____

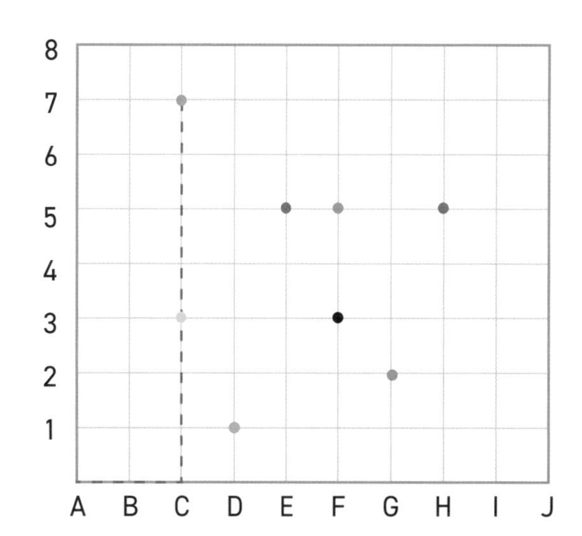

더 생각해 보아요!

같은 직선에 있는 점 3개를 x로 표시해 보세요.

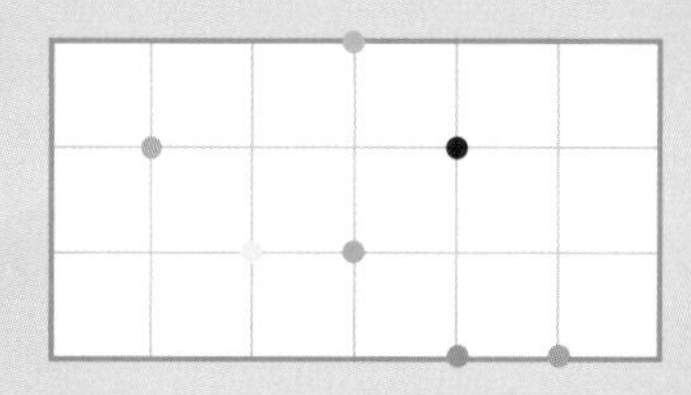

4. 아래 글을 읽고 자동차를 색칠해 보세요.

- ■과 ■ 차는 같은 거리에서 반대 방향으로 가고 있어요.
- ■과 ■ 차는 같은 방향으로 가고 있어요.
- ■과 ■ 차는 같은 교차로를 향해 가고 있어요.
- ■과 ■ 차는 같은 방향으로 가고 있어요.
- ■과 ■ 차는 반대 방향으로 가고 있어요.
- ■과 ■ 차는 반대 방향으로 가고 있어요.
- ■ 차는 ■ 차를 향해 가고 있어요.

5. 질문에 답해 보세요. 알렉, 에시, 미사, 앤은 아래와 같이 길을 따라 곧게 걸어요.

그림에서 1cm는 실제로 100m에 해당해요. 먼저 거리를 어림해 보고 자로 정확하게 측정해 보세요.

❶ 알렉과 미사의 길이 만났을 때 알렉이 걸은 거리

어림한 거리: ____________cm, 실제 거리 ____________cm 또는 ____________m

❷ 앤과 에시의 길이 만났을 때 앤이 걸은 거리

어림한 거리: ____________cm, 실제 거리 ____________cm 또는 ____________m

❸ 미사와 에시의 길이 만났을 때 미사가 걸은 거리

어림한 거리: ____________cm, 실제 거리 ____________cm 또는 ____________m

6. 두 점을 잇는 직선을 가능한 한 많이 그려 보세요.

점은 직선 1개에만 있어야 해요.
직선이 장애물과 부딪히지 않게 그려 보세요.

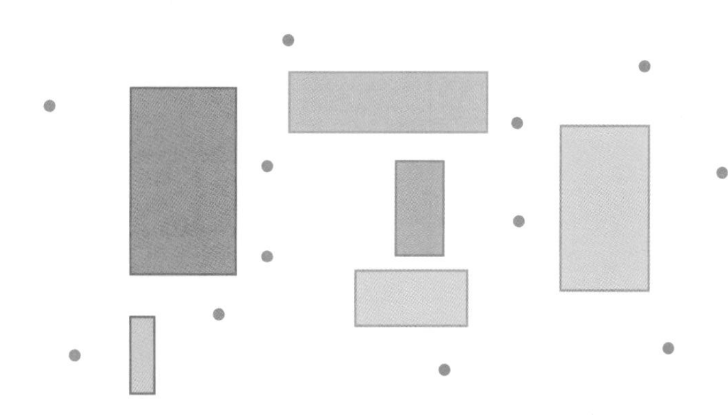

직선 6개를 그릴 수 있어요.
여러분은 몇 개를 그렸나요?

____

7. 만나는 점이 2개인 직선 3개를 그려 보세요.

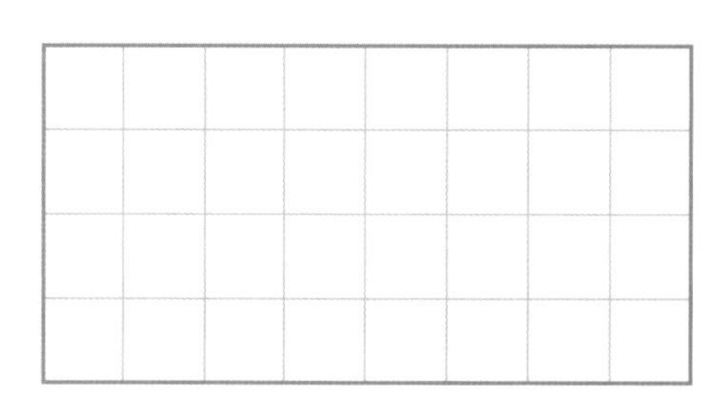

한 번 더 연습해요!

1. 조건에 맞게 그려 보세요.

❶ 점 C에서 만나는 직선 a와 b

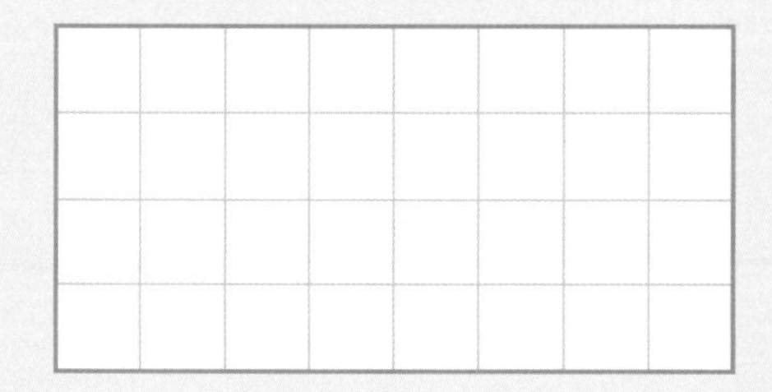

❷ 평행한 직선 l과 m

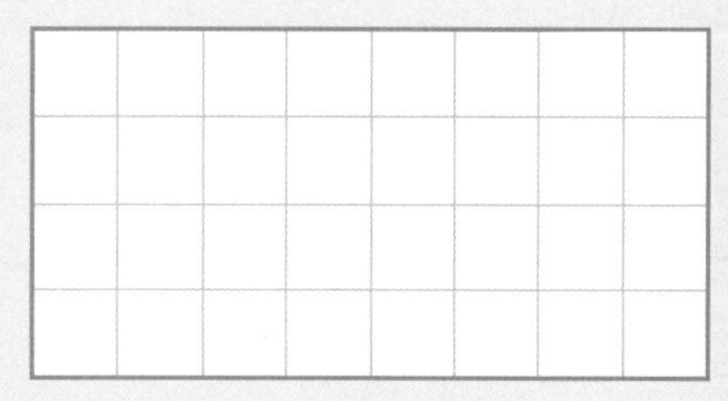

❸ 직선 m과 평행한 직선 s

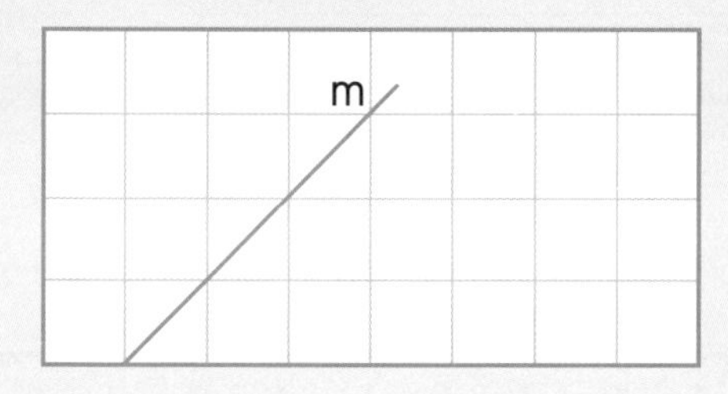

❹ 직선 t와 수직인 직선 k

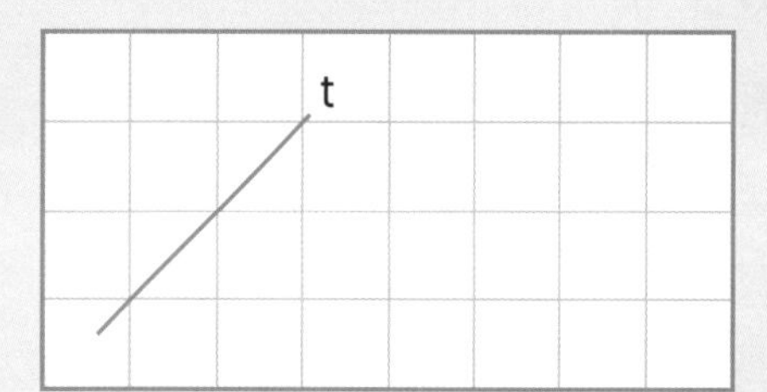

9 점의 좌표

- 오른쪽 그림은 좌표 평면을 나타내요.
- 좌표 평면에는 가로축인 x축, 세로축인 y축이 있어요.
- x축과 y축은 원점 O에서 만나요.

점 A를 찾는 방법 :
원점에서부터 x축을 따라 오른쪽으로 5칸 움직여 보세요.
그리고 y축을 따라 3칸 위로 움직여 보세요.

점 A를 순서쌍으로 표현하는 방법 :

A (5, 3) ← 괄호

x좌표 y좌표

좌표 (5, 3)의 순서쌍은 "오 콤마 삼"으로 읽어요.

점 B의 좌표는 (1, 4), 점 C의 좌표는 (6, 0)
그리고 원점의 좌표는 (0, 0)이에요.

1. 아래 점의 좌표를 순서쌍으로 나타내어 보세요.

❶ 점 A (______, ______)
❷ 점 B (______, ______)
❸ 점 C (______, ______)
❹ 점 D (______, ______)
❺ 점 E (______, ______)
❻ 점 F (______, ______)
❼ 점 G (______, ______)
❽ 점 H (______, ______)
❾ 점 I (______, ______)
❿ 점 J (______, ______)
⓫ 점 K (______, ______)
⓬ 점 L (______, ______)
⓭ 점 M (______, ______)

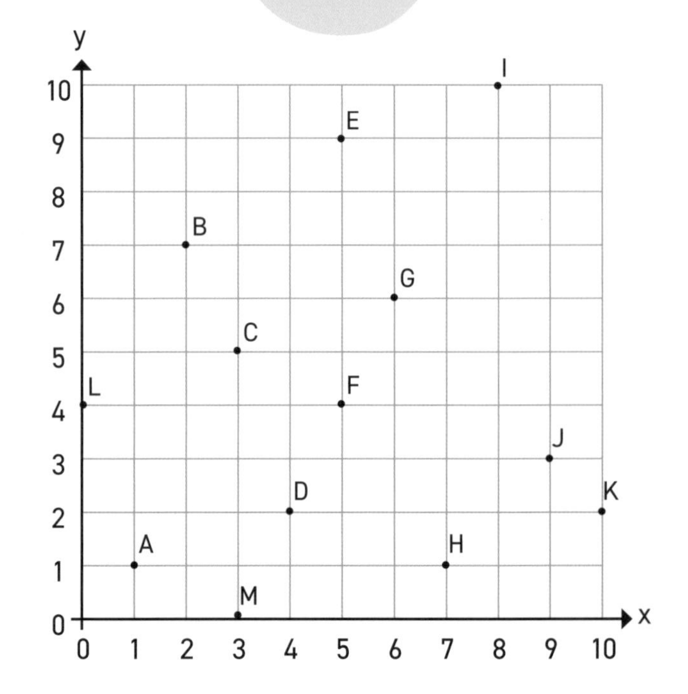

2. 아래 점을 좌표 평면에 나타내어 보세요.

A (4, 6) H (8, 7)

B (2, 8) I (10, 4)

C (1, 3) J (9, 5)

D (0, 7) K (7, 2)

E (5, 9) L (1, 10)

F (3, 10) M (0, 0)

G (6, 0)

3. 아래 설명을 읽고 좌표 평면에 그려 보세요.

❶ 점 (1, 2)와 점 (7, 6)을 지나는 직선 a

❷ 점 (3, 6)과 점 (5, 2)를 지나는 직선 b

직선 a와 직선 b가 만나는 점의 좌표는 무엇일까요?

(________, ________)

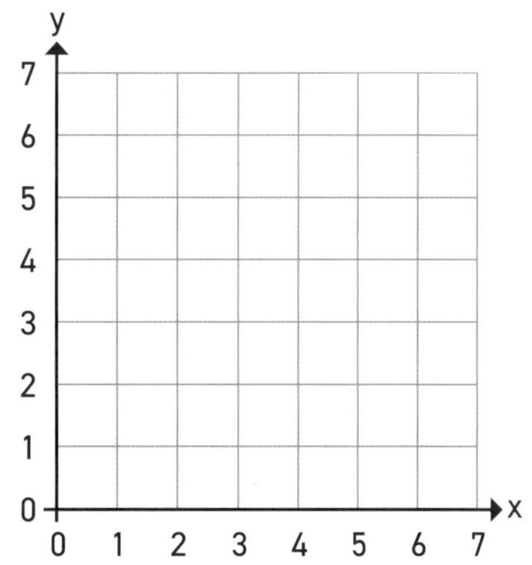

4. 문제 3번의 좌표 평면에 그려 보세요.

❶ 점 (2, 7)과 점 (6, 7)을 지나는 직선 m

❷ 점 (4, 4)를 지나고 직선 m에 평행한 직선 k

❸ 점 (5, 3)을 지나고 직선 m에 수직인 직선 n

더 생각해 보아요!

x축 위의 어떤 점이 y축 위의 점 (0, 5)가 원점에서 떨어진 거리만큼 원점에서 떨어져 있을까요?

(________, ________)

5. 좌표에서 점을 찾아 해당하는 알파벳을 빈칸에 써넣어 보세요. 어떤 문장이 만들어졌나요?

(1, 3) ☐
(3, 4) ☐

(1, 3) ☐
(6, 5) ☐

(6, 5) ☐
(5, 2) ☐
(6, 1) ☐
(2, 6) ☐
(1, 3) ☐
(5, 2) ☐
(3, 1) ☐

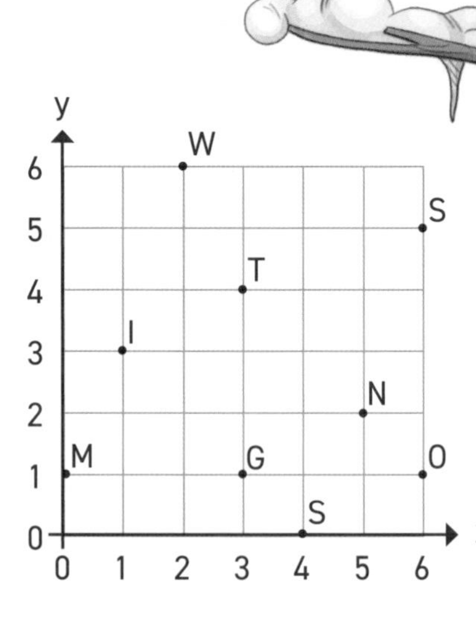

6. 아래 설명대로 움직인다면 어떤 동물을 만나게 될까요?

- 3칸 위로
- 5칸 오른쪽으로
- 2칸 아래로
- 1칸 왼쪽으로
- 4칸 위로
- 3칸 왼쪽으로
- 2칸 위로
- 6칸 오른쪽으로
- 2칸 아래로

____

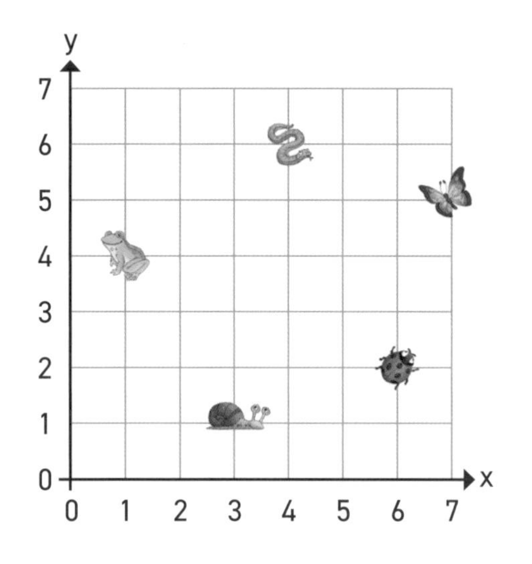

7. 순서쌍을 이용하여 캐시가 강아지 티피에게 가는 길을 나타내어 보세요.

(0, 0), (3, 0), ________________

____

____

____

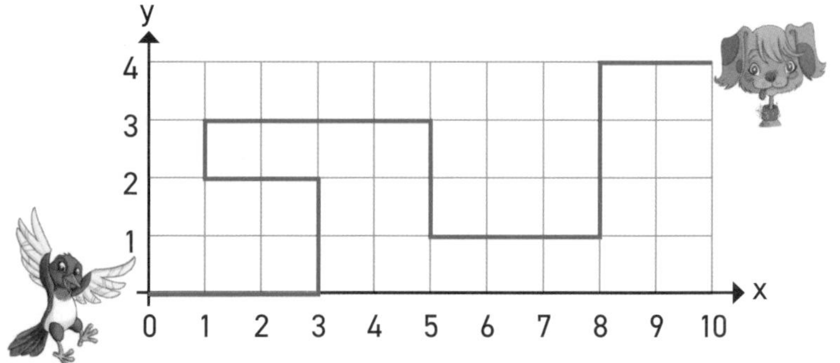

8. 아래 글을 읽고 질문에 답해 보세요.

원점 (0, 0)에서 점 (1, 10)에 이르는 길을
순서쌍을 이용하여 나타내어 보세요.
가로축, 세로축을 따라서만 움직일 수 있어요.
몬스터를 피하고 원에 닿지 않는 길을 찾아보세요.

____

____

____

____

____

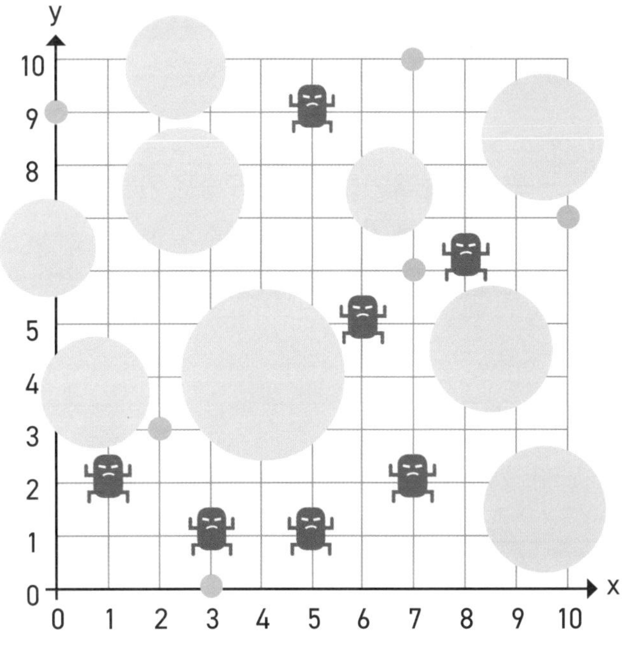

한 번 더 연습해요!

1. 아래 점의 좌표를 순서쌍으로 나타내어 보세요.

A (______, ______)　　D (______, ______)

B (______, ______)　　E (______, ______)

C (______, ______)　　F (______, ______)

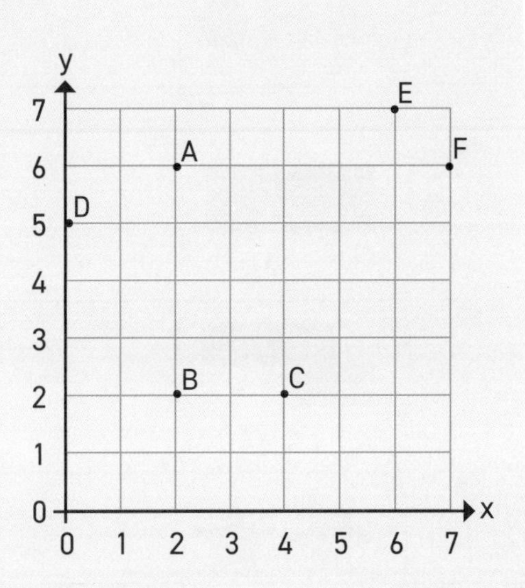

2. 아래 점을 좌표 평면에 나타내어 보세요.

G (1, 4)　　K (3, 5)

H (0, 2)　　L (5, 4)

J (6, 3)　　M (5, 0)

_____ 월 _____ 일 _____ 요일

10 거울에 비친 모습

- 원래 모습과 거울에 비친 모습은 거울로부터 같은 거리에 있어 대칭이에요.
- 원래 모습과 거울에 비친 모습은 크기가 같아요.

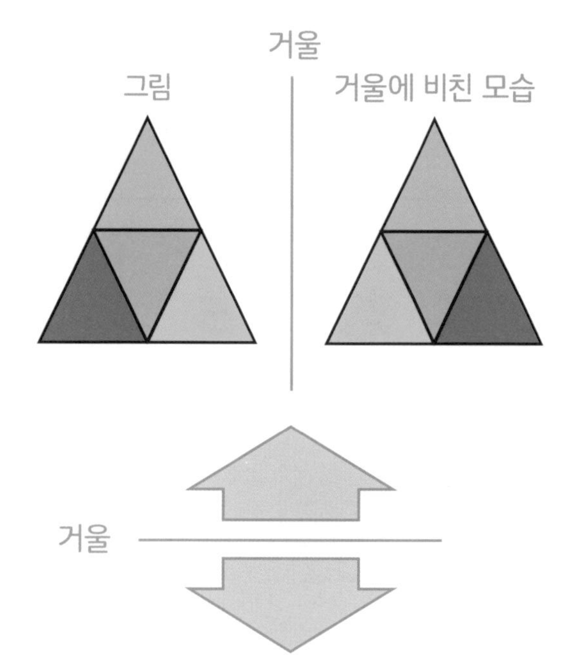

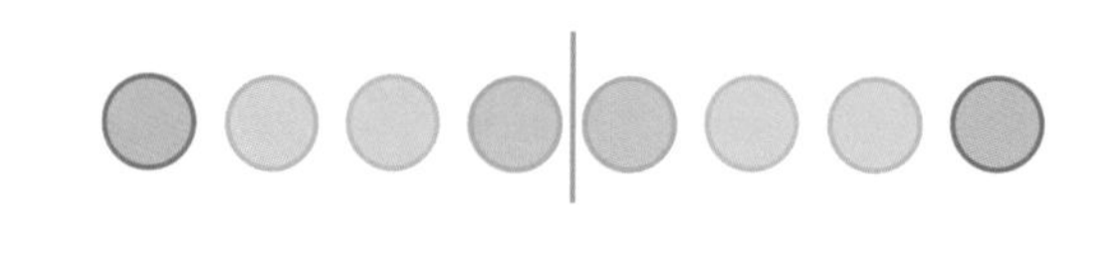

1. A, B, C 중 어떤 것이 거울에 비친 모습일까요? 정답에 ○표 해 보세요.

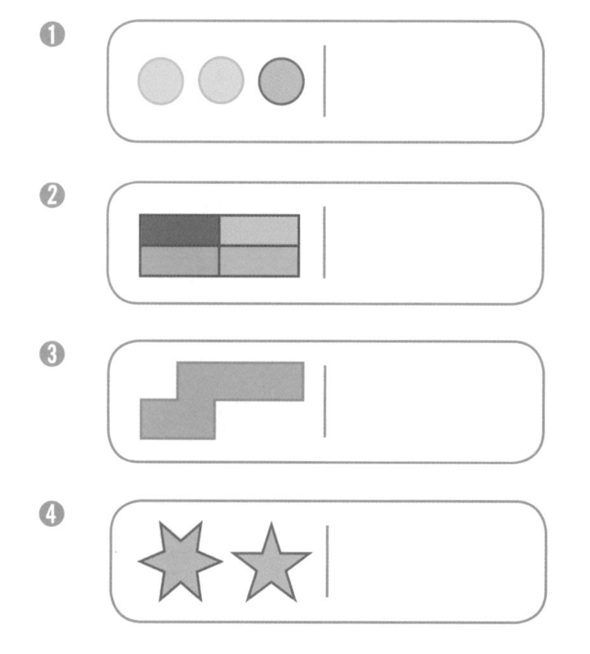

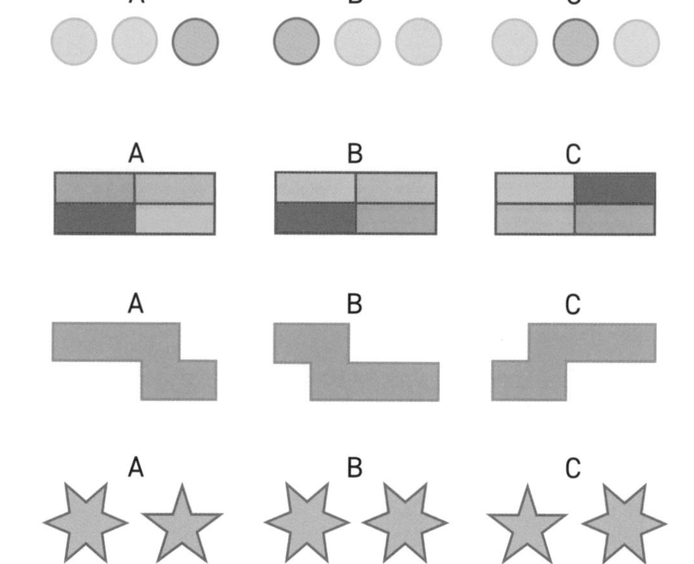

2. 거울에 비친 모습을 색칠해 보세요.

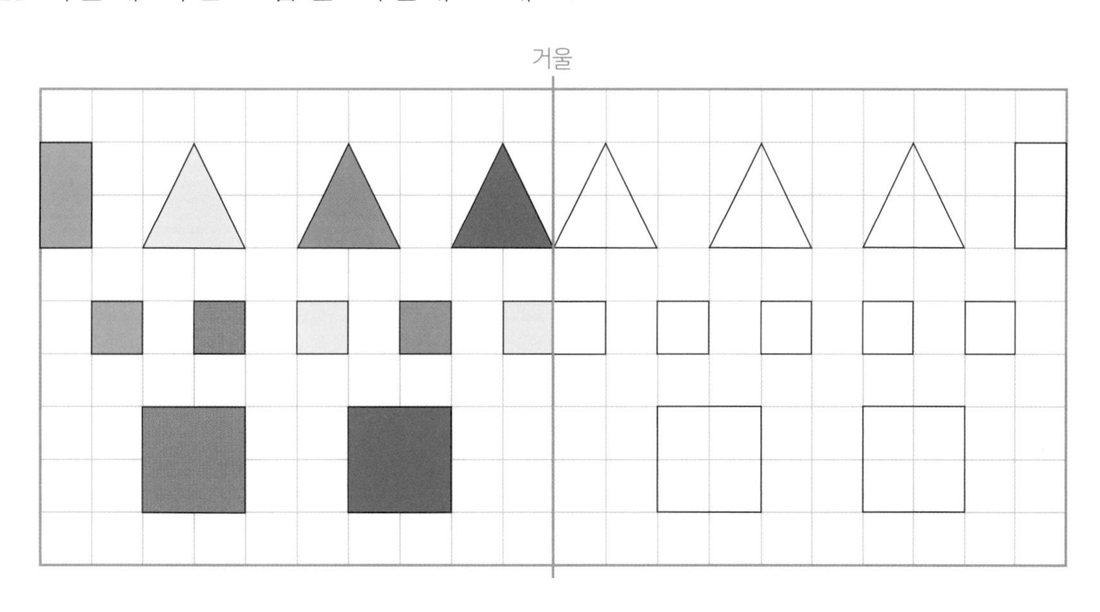

3. 거울에 비친 모습을 그린 후 색칠해 보세요.

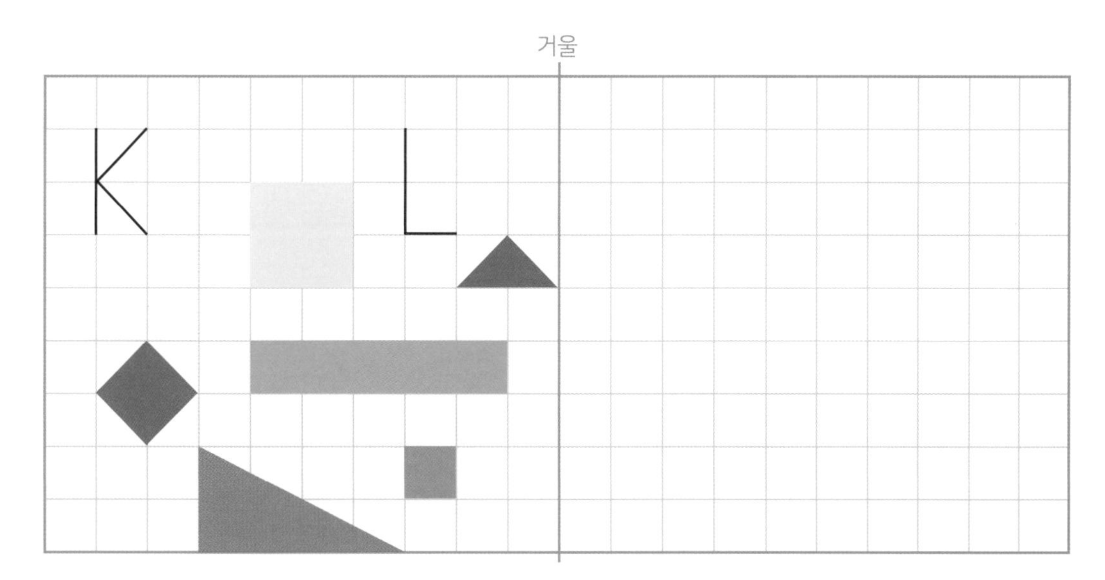

더 생각해 보아요!

다음 알파벳 중 거울에 비친 모습이 원래 모습과 같은 것에 O표 해 보세요. 단, 거울은 좌우로만 비출 수 있어요.

A B C D E F H I J K L M N

4. 질문에 답해 보세요.

❶ 주어진 순서대로 점을 이어 보세요.

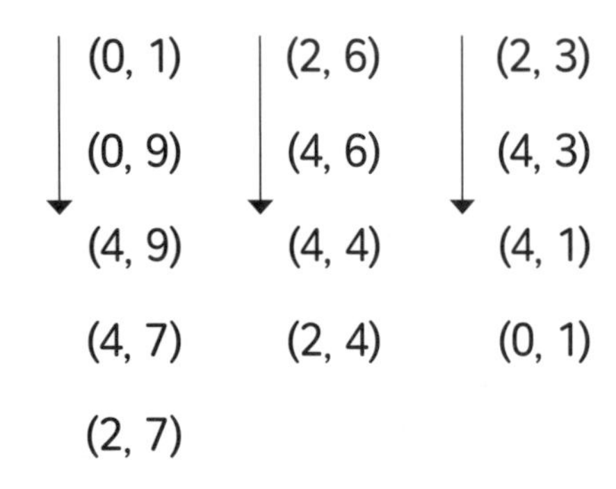

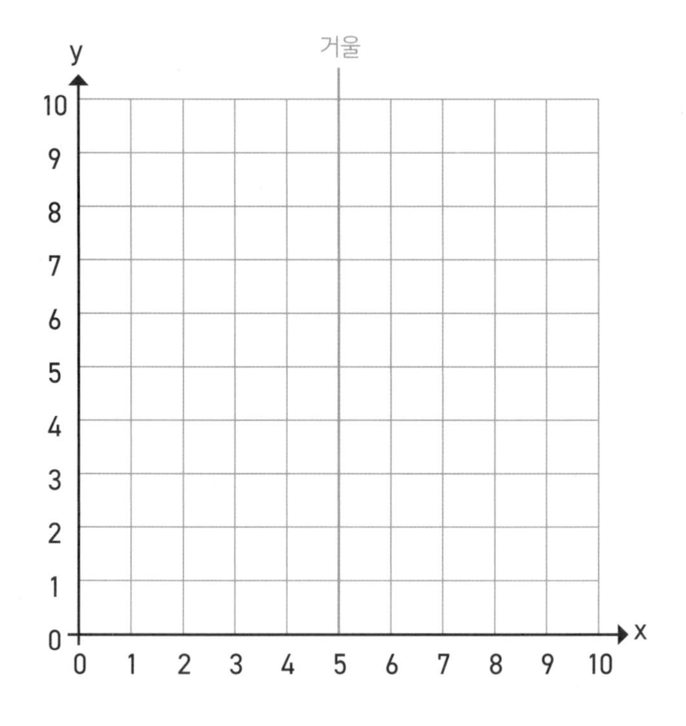

❷ 거울에 비친 모습을 그려 보세요.

5. 위, 아래, 오른쪽, 왼쪽으로 거울에 비친 모습을 그려 보세요.

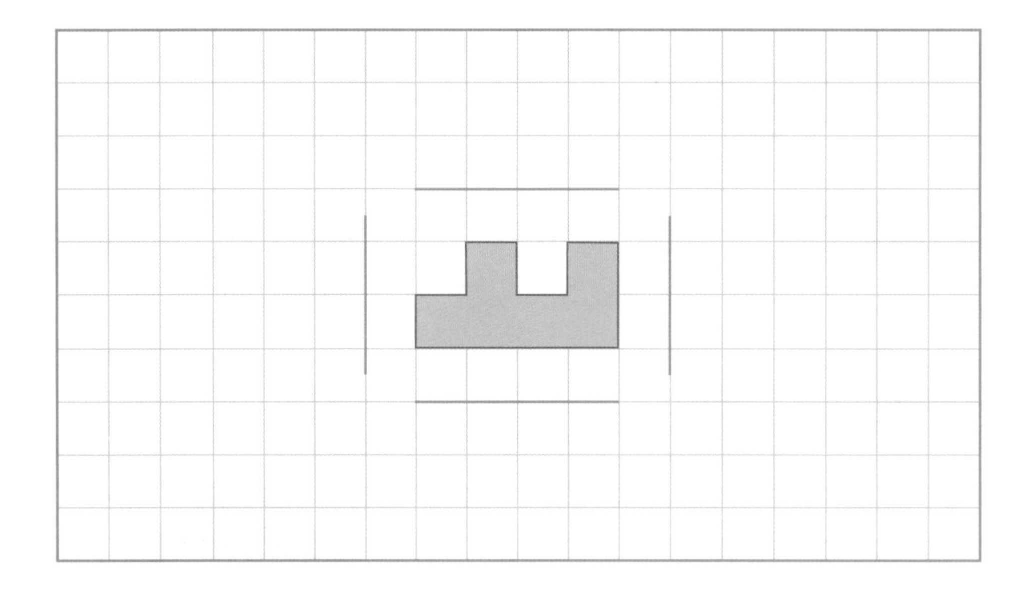

❶ 위와 아래의 모습에서 무엇을 알게 되었나요?

❷ 왼쪽과 오른쪽의 모습에서 무엇을 알게 되었나요?

6. 아래 설명을 읽고 질문에 답해 보세요.

아래 도형 가운데 2개는 모양이 같으며, 2개는 그 도형이 거울에 비친 모습이에요. 이 도형의 아랫면은 초록색이에요. 양방향으로 도형을 돌릴 수는 있지만, 초록색 면이 보이도록 뒤집는 건 안 돼요.

❶ 똑같은 모양의 도형 2개를 찾아 O표 해 보세요. ❷ 거울에 비친 모습 2개를 찾아 X표 해 보세요.

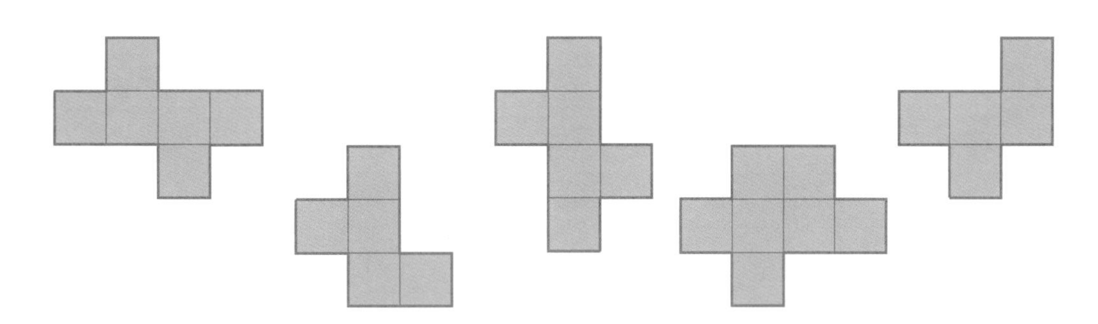

7. 보기에 있는 도형이 거울에 비친 모습을 3개 찾아 ○표 해 보세요.

도형 A~F를 잘 관찰해 보세요. 도형의 아랫면은 노란색이에요. 양방향으로 도형을 돌릴 수는 있지만, 노란색 면이 보이도록 뒤집는 건 안 돼요.

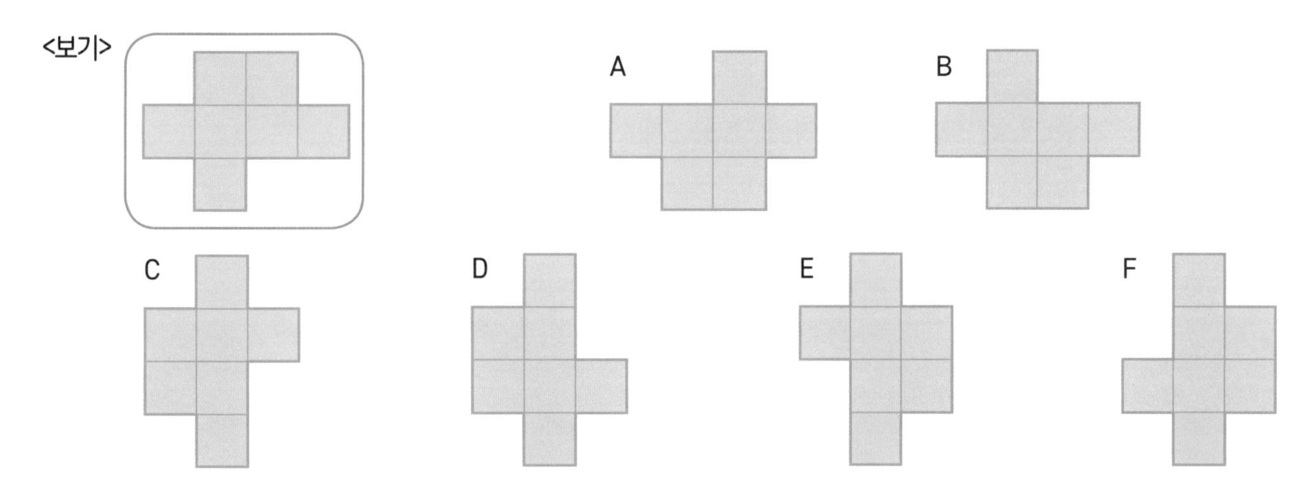

한 번 더 연습해요!

1. 거울에 비친 모습을 색칠해 보세요.

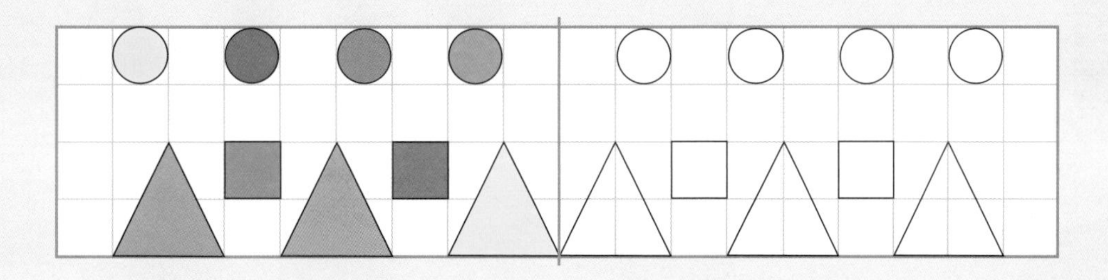

______월 ______일 ______요일

11 대칭

대칭축

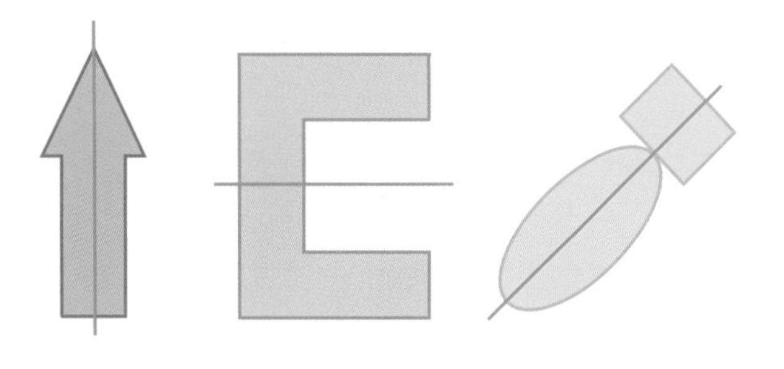

- 직선은 도형을 두 부분으로 나누는데,
  나누어진 두 부분은 서로 거울에 비친 모습이에요.
- 두 부분은 직선을 기준으로 대칭이에요.
- 거울과 같은 기능을 하는 직선을 대칭축이라고 해요.
- 도형에는 대칭축이 여러 개 있을 수 있어요.
- 예를 들어 정사각형은 대칭축이 4개예요.

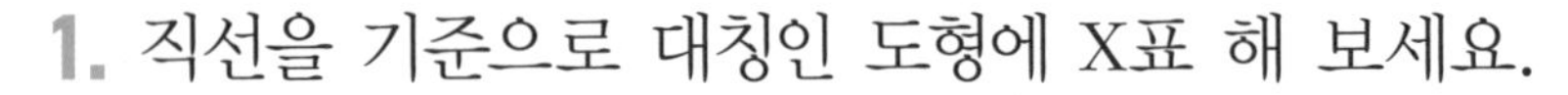

1. 직선을 기준으로 대칭인 도형에 X표 해 보세요.

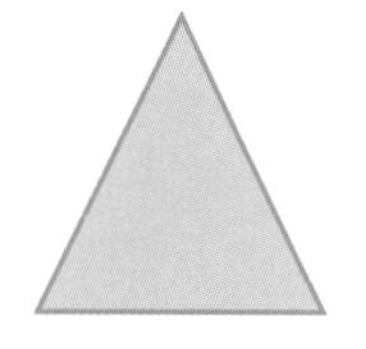

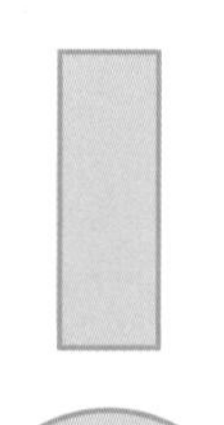

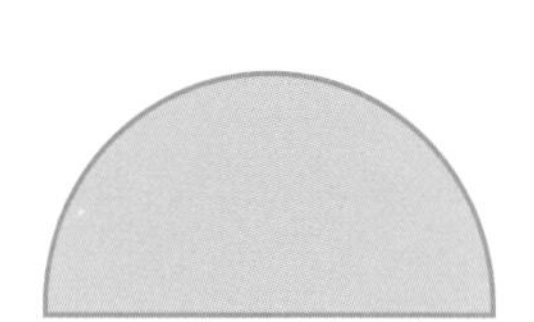
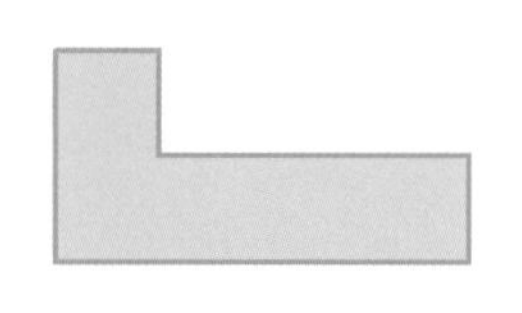

2. 아래 도형에 대칭축을 그려 보세요.

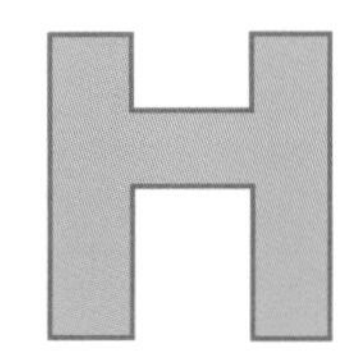
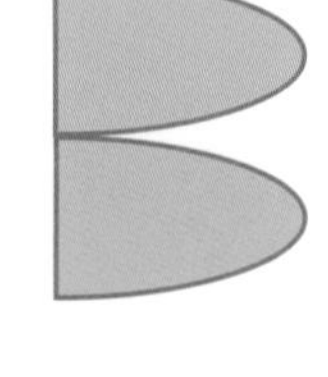
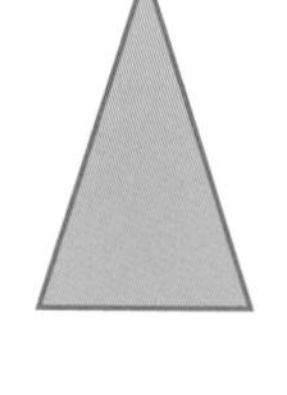
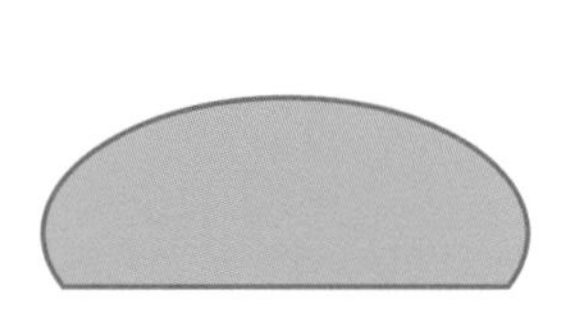
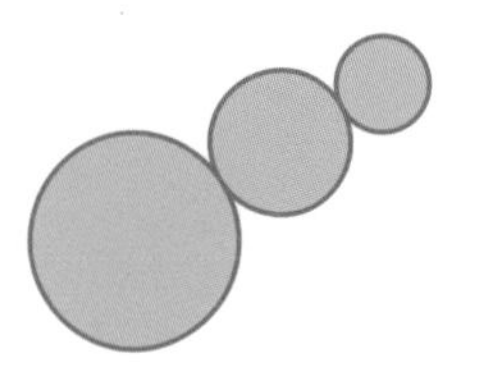
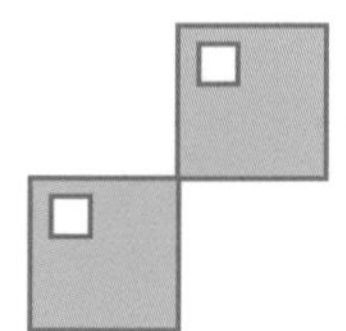

3. 직선을 기준으로 대칭인 도형을 그린 후 색칠해 보세요.

❶ 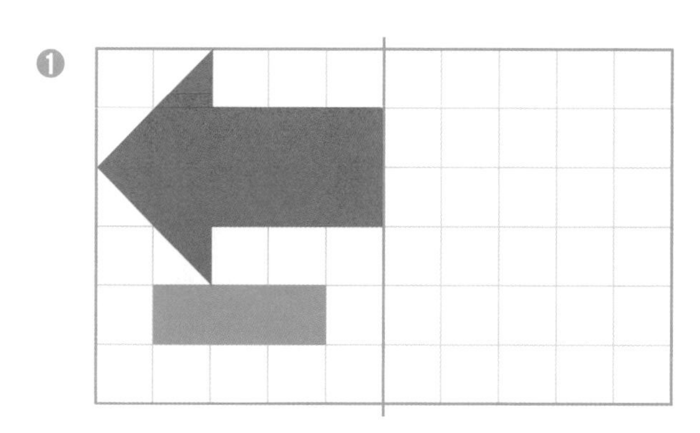

❷ 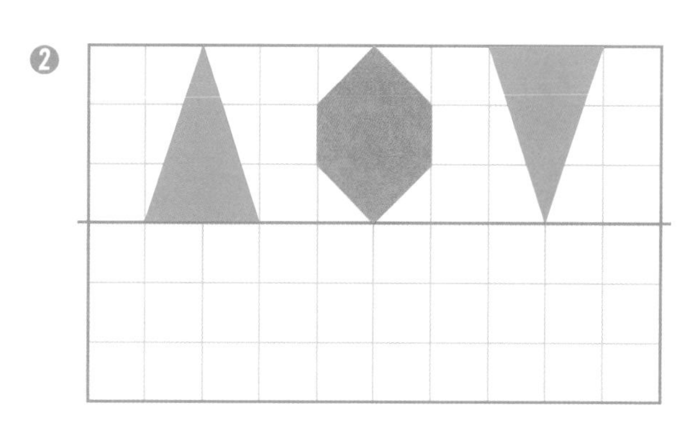

4. 대칭축을 그려 보세요. 각 도형에 대칭축이 몇 개 있을까요?

❶ 

______ 개

❷ 

______ 개

❸ 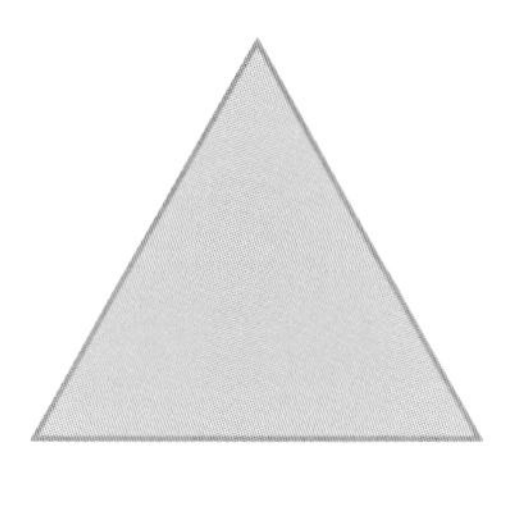

______ 개

❹ 

______ 개

더 생각해 보아요!

원은 대칭축이 몇 개 있을까요?

______

5. 직선을 기준으로 대칭인 수에 X표 해 보세요.

0 1 2 3 4 5 6 7 8 9 10

12 33 40 80 88 100 308

6. 대칭으로 색칠해 보세요.

❶

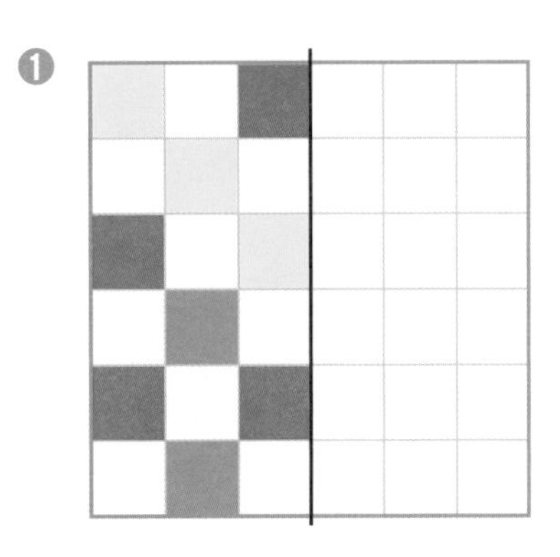

❷

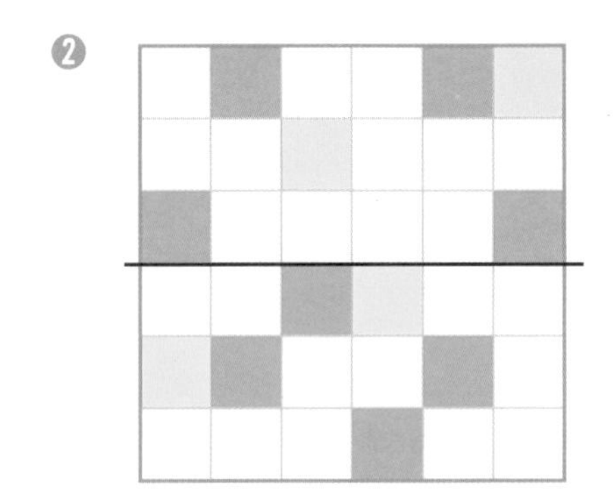

7. 아래 그림을 대칭으로 완성해 보세요.

8. 대칭축을 그린 후 대칭으로 색칠해 보세요.

한 번 더 연습해요!

1. 직선을 기준으로 대칭인 도형에 X표 해 보세요.

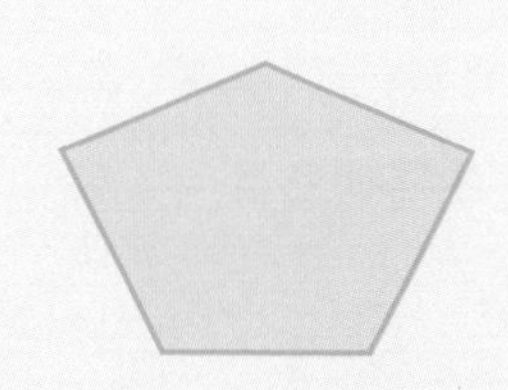

2. 직선을 기준으로 대칭인 도형을 그린 후 색칠해 보세요.

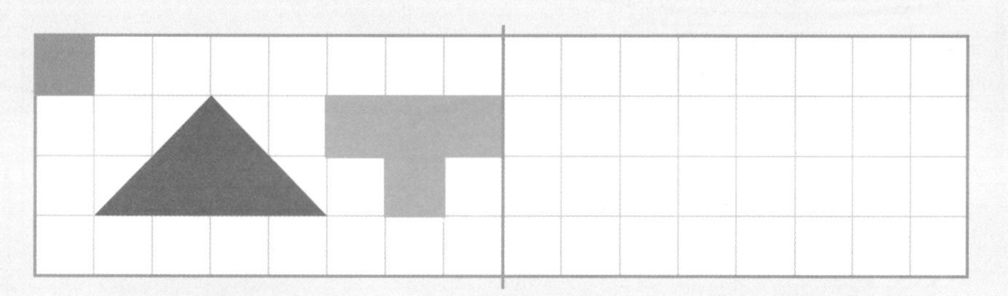

_____ 월 _____ 일 _____ 요일

1. 좌표 평면에 나타내어 보세요.

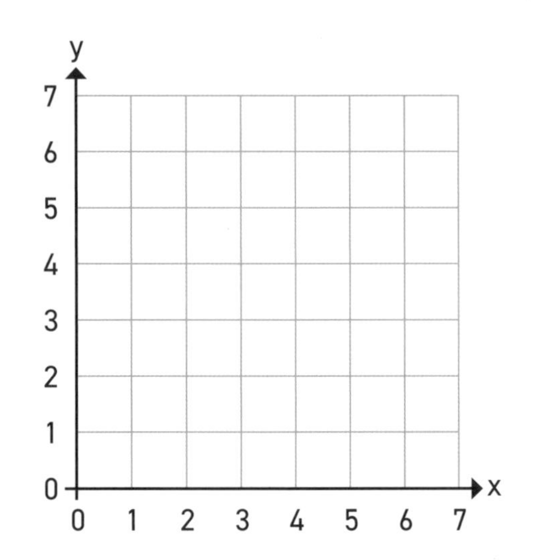

① 점 (2, 2)와 점 (5, 2)를 지나는 직선 n

② 점 (3, 5)를 지나고 직선 n에 수직인 직선 m

③ 직선 n과 직선 m이 만나는 점의 좌표

(________ , ________)

④ 점 (1, 4)를 지나고 직선 n에 평행한 직선

2. 좌표 평면에 나타내어 보세요.

① 점 (0, 1), (1, 3), (4, 2)를 꼭짓점으로 하는 삼각형을 그려 보세요.

② 점 (0, 4), (0, 7), (2, 6)을 꼭짓점으로 하는 삼각형을 그려 보세요.

③ 점 (5, 3), (6, 5), (7, 3)을 꼭짓점으로 하는 삼각형을 그려 보세요.

④ 점 (3, 6), (5, 4), (5, 7)을 꼭짓점으로 하는 삼각형을 그려 보세요.

⑤ 직선을 기준으로 대칭인 삼각형을 빨간색으로 색칠해 보세요.

⑥ 거울에 비친 모습인 삼각형 2개를 초록색으로 색칠해 보세요.

3. 좌표 평면을 살펴보고 질문에 답해 보세요.

❶ 그림을 대칭으로 완성해 보세요.

❷ 고양이 코 끝점의 좌표는 무엇일까요?

(_____, _____)

❸ 고양이 눈의 좌표는 무엇일까요?

(_____, _____)와 (_____, _____)

❹ 고양이 귀 끝점의 좌표는 무엇일까요?

(_____, _____)와 (_____, _____)

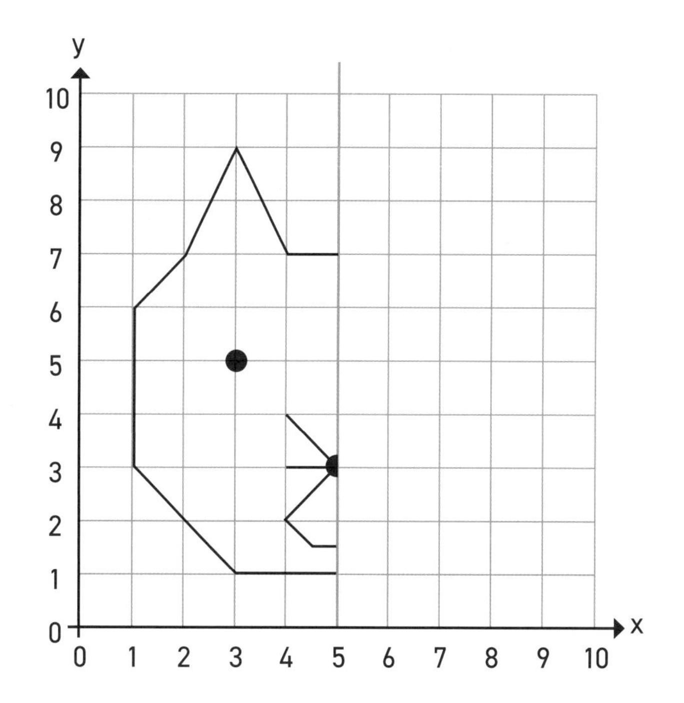

4. 물에 비친 집의 모습을 그려 보세요.

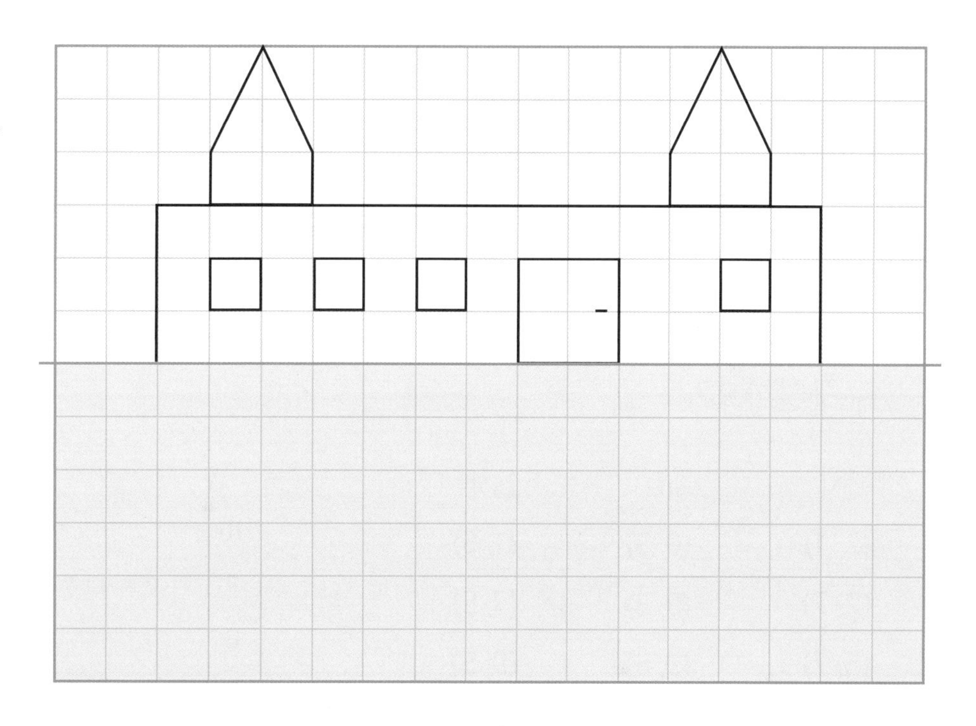

더 생각해 보아요!

대칭축 5개가 있는 도형을 그려 보세요.

5. 대칭축이 1개인 도형을 따라 길을 찾아보세요.

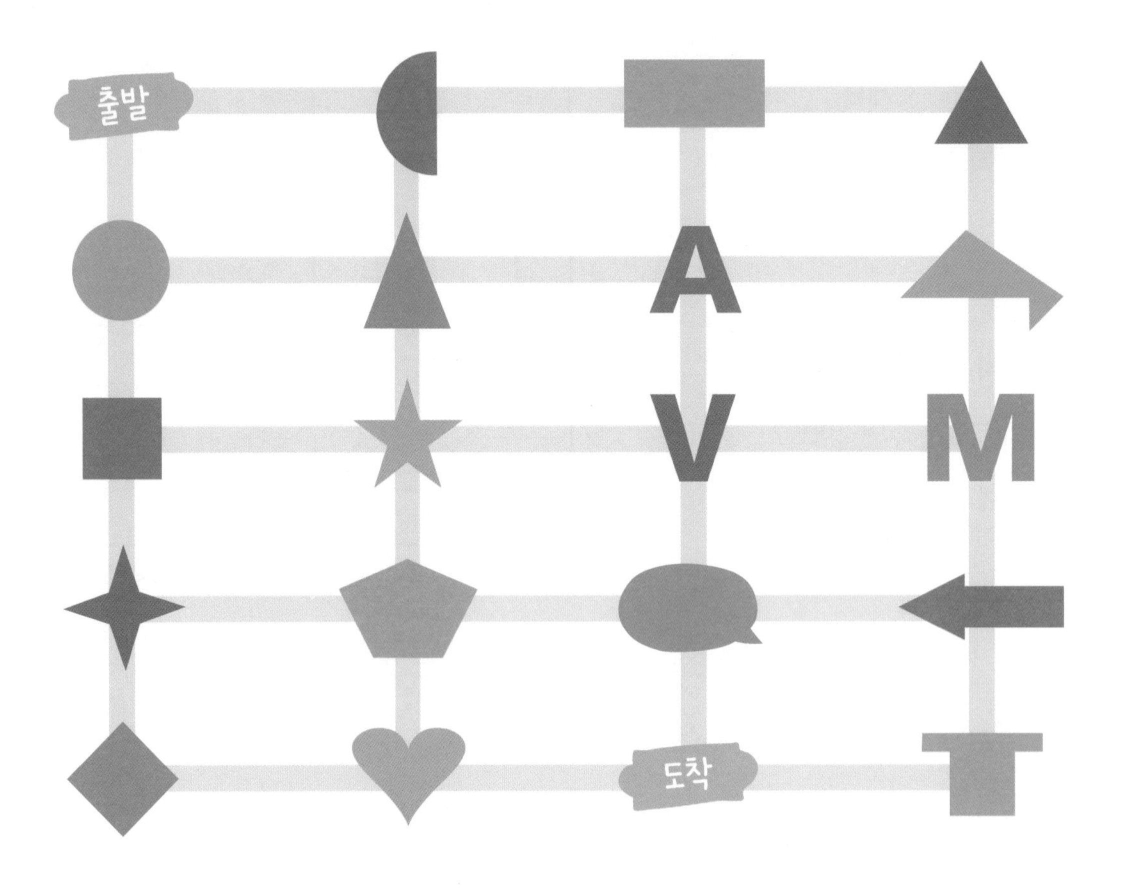

6. 길을 표시해 보세요. 처음 점이 시작점이에요. 가장 먼 거리를 이동한 사람은 누구일까요?

앤지	피터	테이트
(2, 1)	(0, 3)	(1, 5)
(2, 7)	(9, 3)	(7, 5)
(5, 7)	(9, 6)	(9, 5)
(8, 7)	(3, 6)	(9, 1)
(8, 10)	(3, 0)	(1, 1)
(1, 10)	(10, 0)	(1, 4)

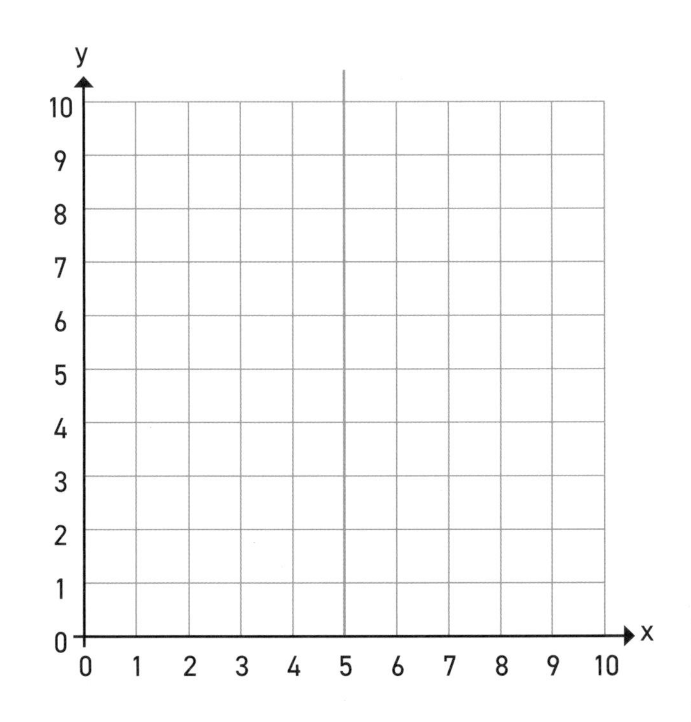

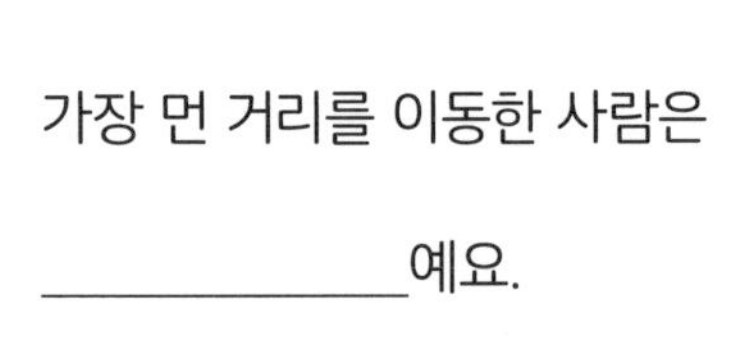
가장 먼 거리를 이동한 사람은

______________예요.

7. 아래 조건에 맞는 도형을 그려 보세요.

❶ 대칭축 2개

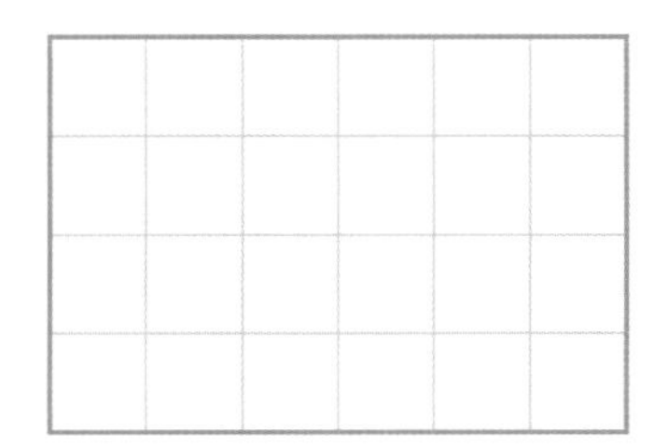

❷ 대칭축 4개

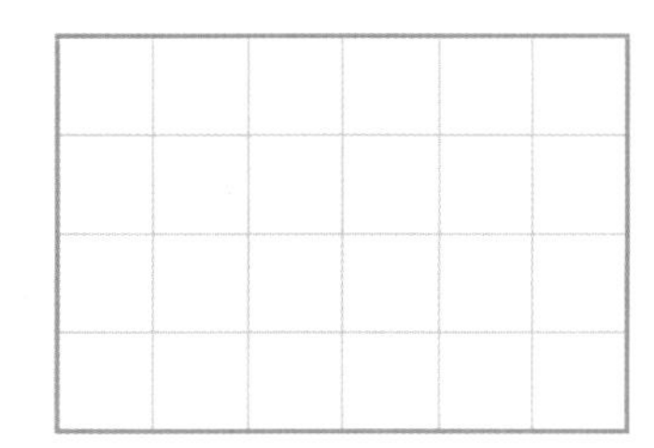

8. 보물이 있는 곳까지 길을 표시해 보세요.
단, 직선 m, n에 평행한 방향으로 움직일 수 있고 연못은 건널 수 없어요.

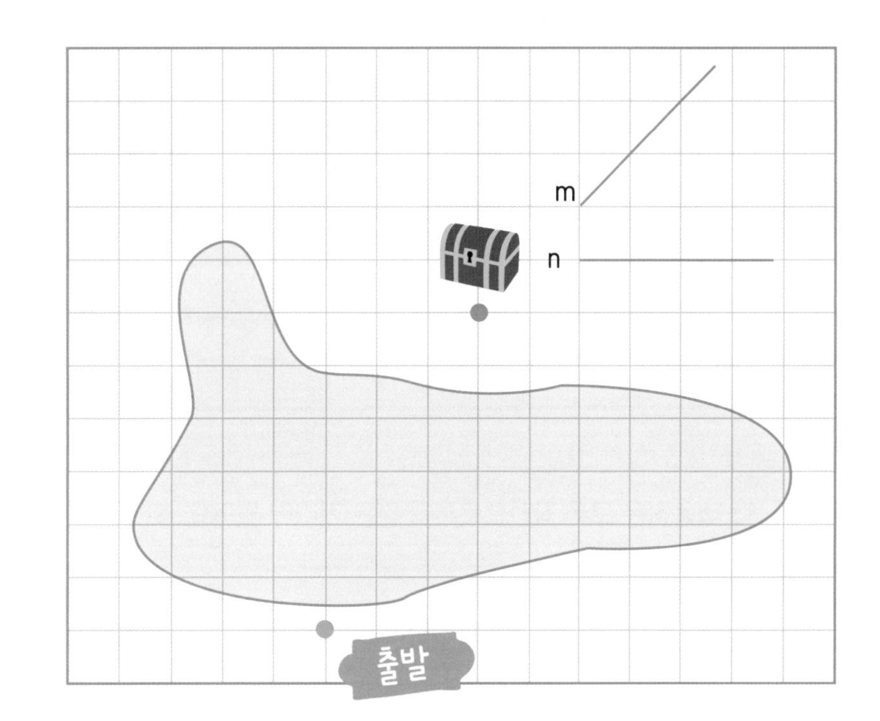

한 번 더 연습해요!

1. 아래 글을 읽고 좌표 평면에 나타내어 보세요.

❶ 점 A (3, 1)과 점 B (0, 4)

❷ 점 (1, 1)과 점 (4, 5)를 지나는 직선 n

❸ 점 (4, 1), (5, 3), (6, 2)를 꼭짓점으로 하는 삼각형

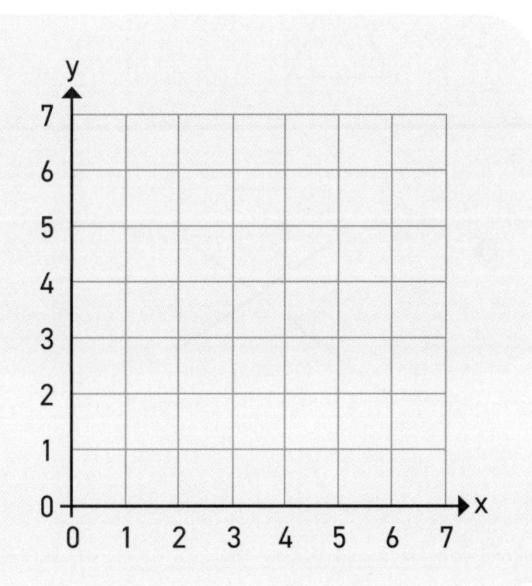

______ 월 ______ 일 ______ 요일

12 선대칭

아래 삼각형들은 직선 n을 기준으로 대칭이에요.

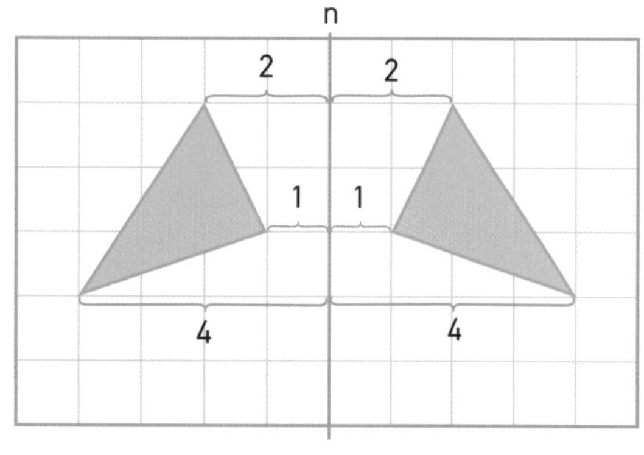

아래 선분들은 직선 k를 기준으로 대칭이에요.

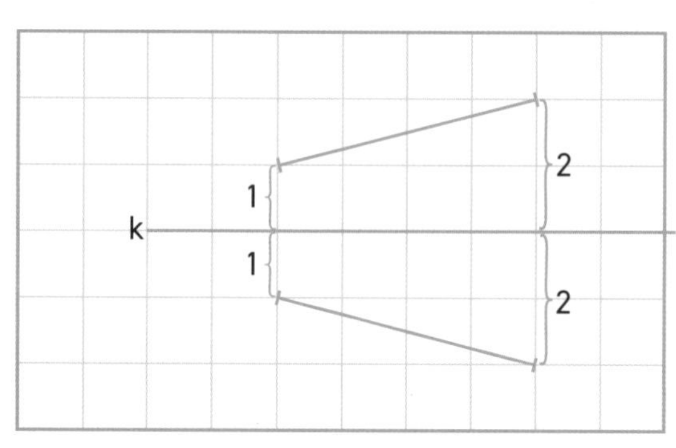

• 각 대응점은 모두 직선으로부터 같은 거리에 있어요.

1. 직선을 중심으로 아래 도형의 대칭을 그려 보세요.

❶

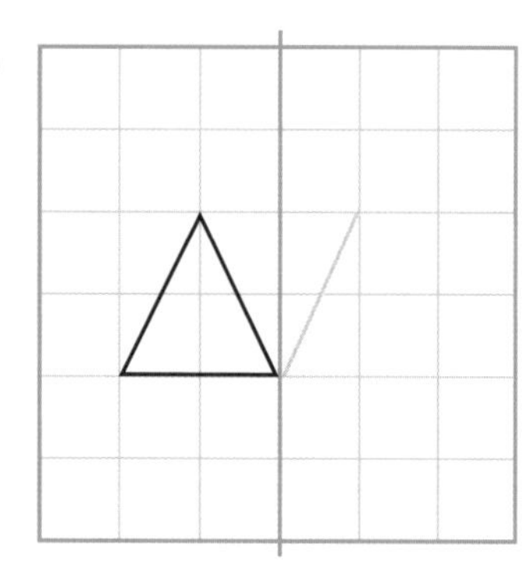

❷

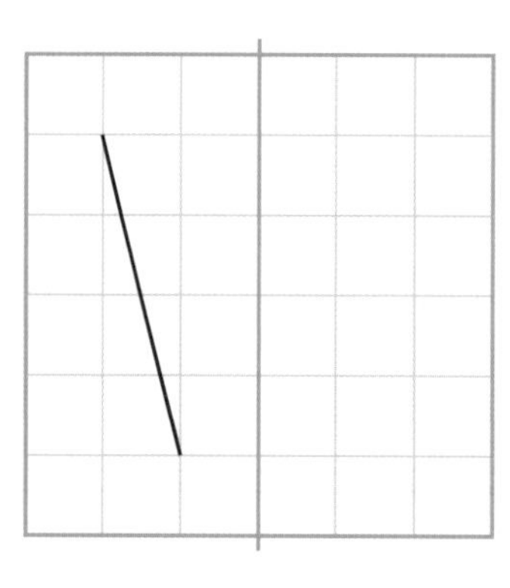

❸

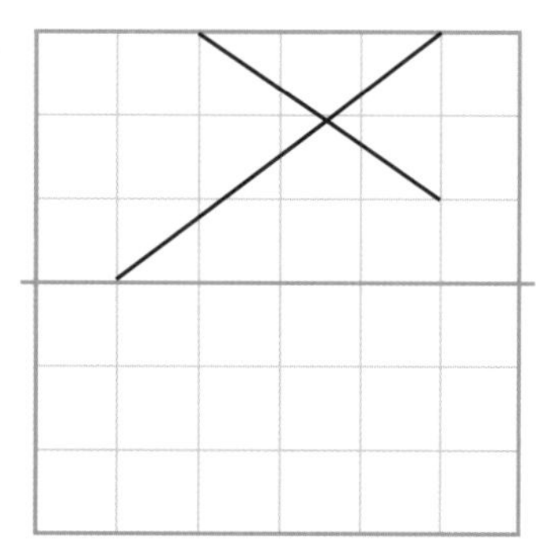

❹

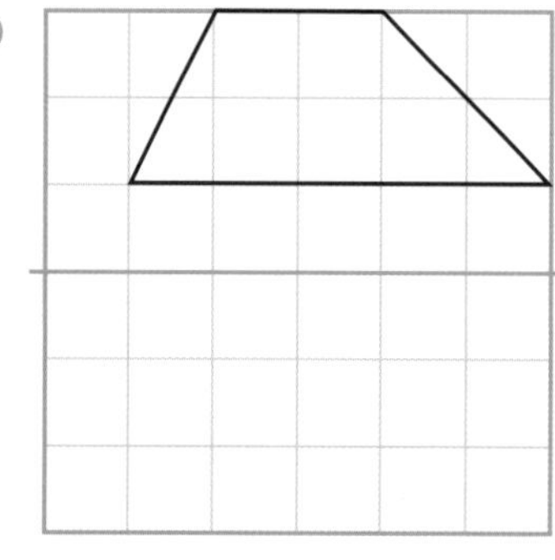

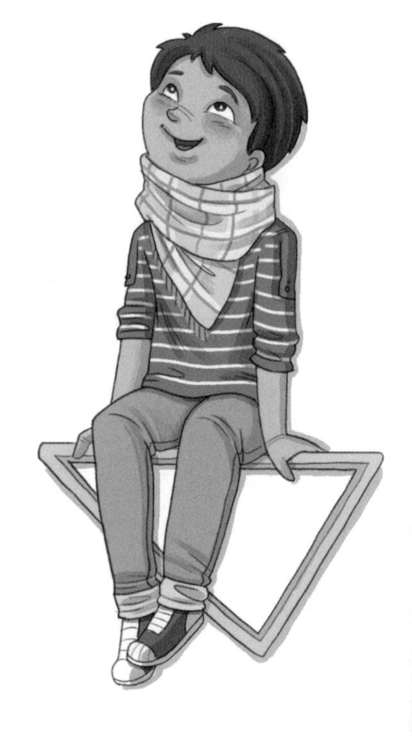

2. 아래 글을 읽고 좌표 평면에 나타내어 보세요.

❶ 점 (5, 2), (5, 6)을 지나는 직선 n을 그려 보세요.

❷ 점 (2, 2), (3, 7)에서 끝나는 선분을 그려 보세요.

❸ 직선 n을 기준으로 대칭인 선분을 그려 보세요.

대칭인 선분의 끝나는 점 순서쌍은 무엇일까요?

(_____, _____)와 (_____, _____)

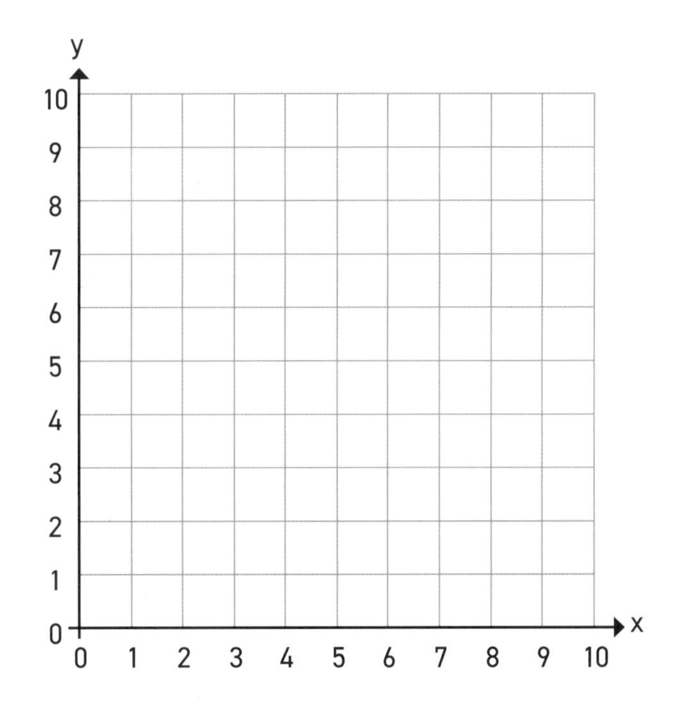

3. 아래 글을 읽고 좌표 평면에 나타내어 보세요.

❶ 점 (3, 5), (7, 5)를 지나는 직선 m을 그려 보세요.

❷ 점 (1, 1), (2, 5), (9, 3)을 꼭짓점으로 하는 삼각형을 그려 보세요.

❸ 직선 m을 기준으로 대칭인 삼각형의 꼭짓점의 순서쌍은 무엇일까요?

(_____, _____), (_____, _____),

(_____, _____)

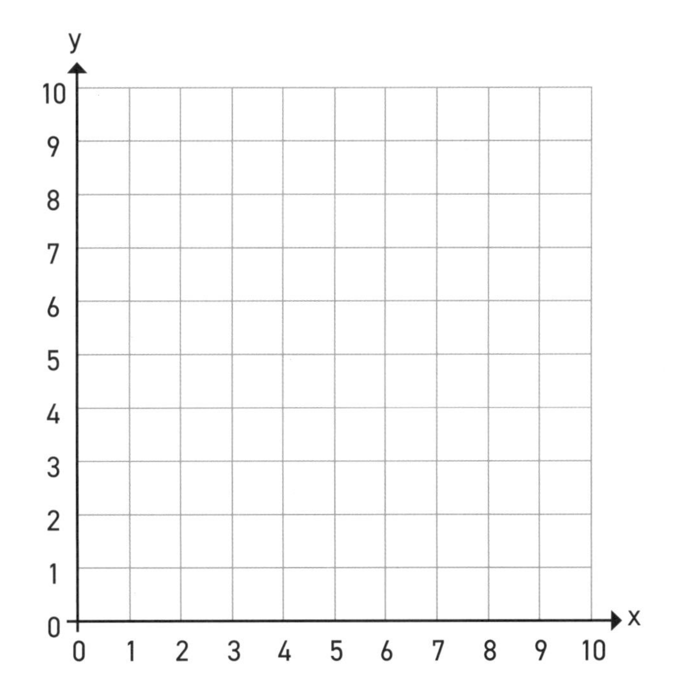

더 생각해 보아요!

점 (2, 2)는 직선 n을 기준으로 대칭이고, 대칭인 점의 순서쌍은 (10, 2)예요. 점 A는 직선 n 위에 있고, 점 A의 y축 좌표는 3이에요. 점 A의 x축 좌표는 무엇일까요?

____

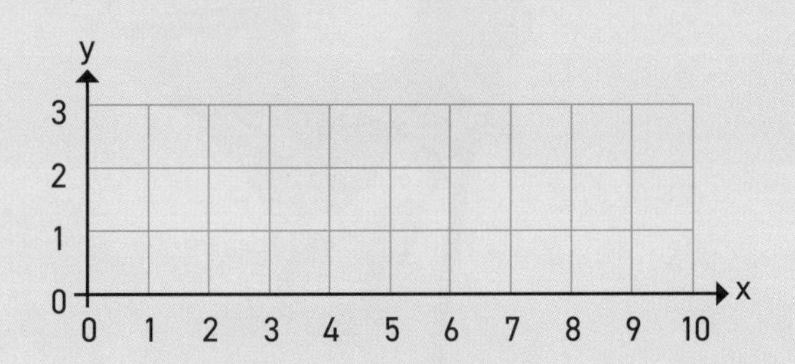

4. 아래 글을 읽고 좌표 평면에 나타내어 보세요. 파란색 골프공은 어떤 구멍에 떨어지게 될까요?

- 2칸 위로 움직이세요.
- 직선 m을 기준으로 대칭으로 움직이세요.
- 오른쪽으로 1칸, 위로 1칸 움직이세요.
- 직선 n을 기준으로 대칭으로 움직이세요.
- 아래쪽으로 4칸, 왼쪽으로 2칸 움직이세요.
- 직선 n을 기준으로 대칭으로 움직이세요.
- 위로 3칸, 왼쪽으로 1칸 움직이세요.
- 직선 m을 기준으로 대칭으로 움직이세요.

공은 ________ 구멍에 떨어져요.

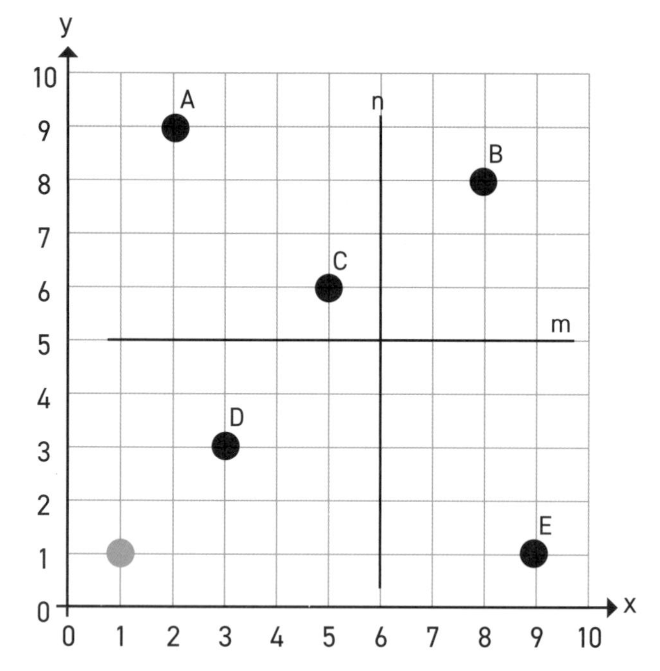

5. 직선 n과 m을 기준으로 도형이 대칭을 이루도록 색칠해 보세요.

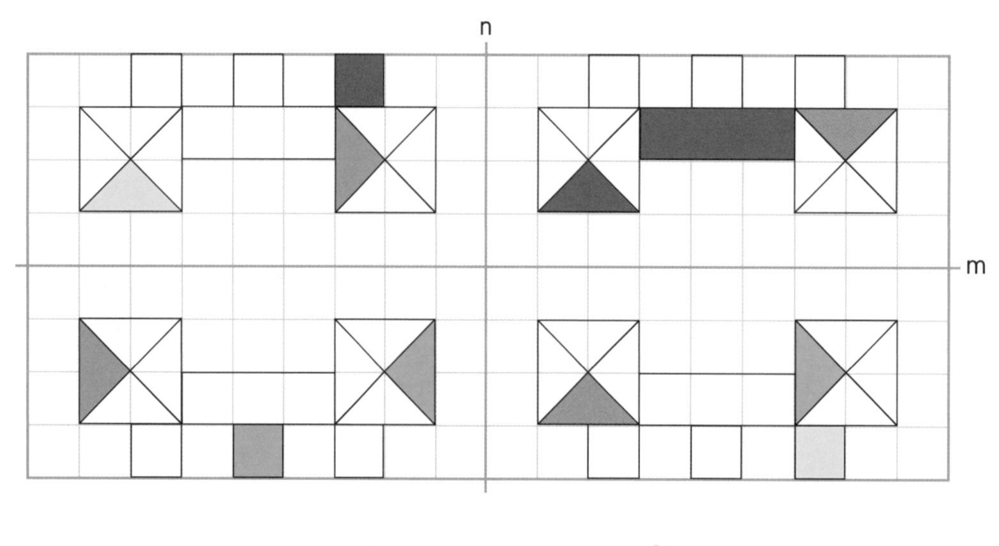

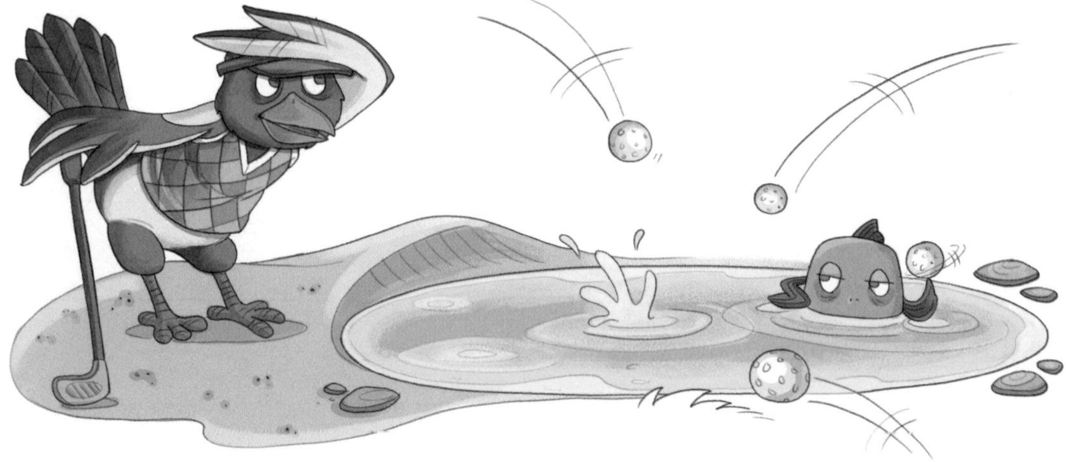

6. 대칭축과 대칭을 이루도록 노란색 영역을 색칠해 보세요. 어떤 글자가 나오나요?

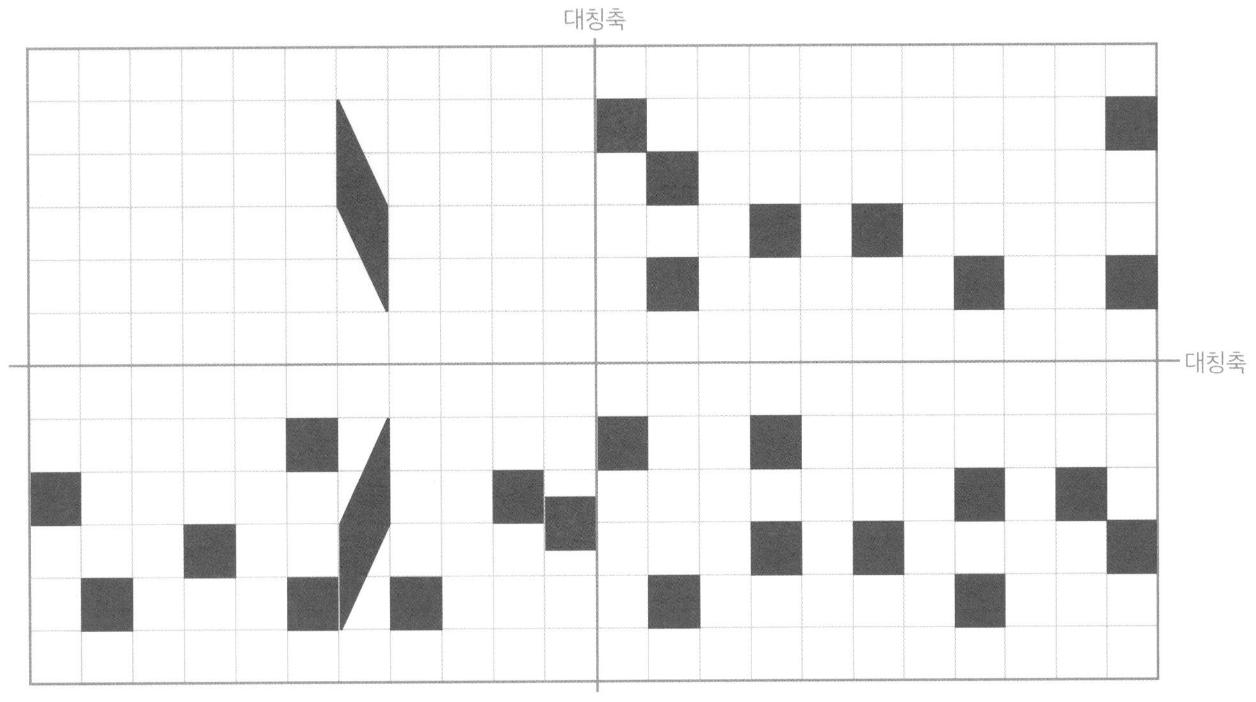

한 번 더 연습해요!

1. 직선을 기준으로 도형을 대칭으로 그려 보세요.

❶

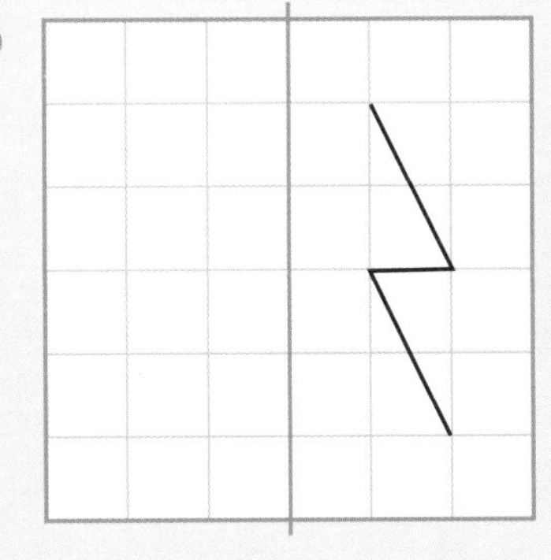

❷

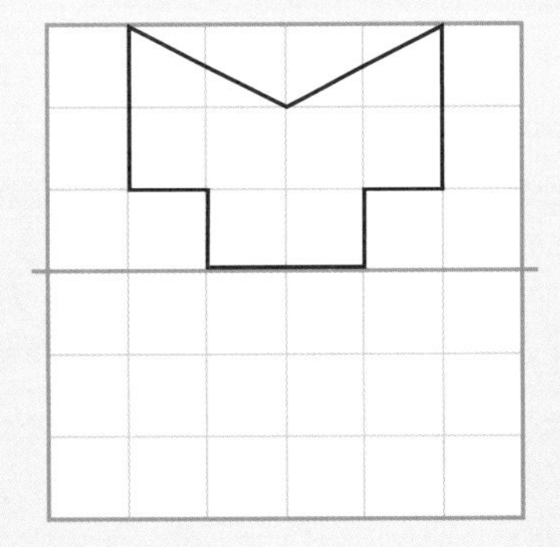

2. 오른쪽 좌표 평면에 점 (4, 0), (3, 3), (1, 2)를 꼭짓점으로 하는 삼각형을 그려 보세요. 그리고 직선 k를 기준으로 그 삼각형을 대칭으로 그려 보세요.

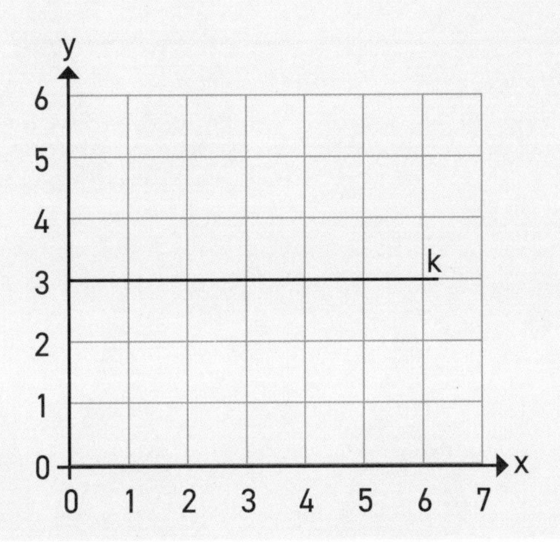

7. 아래 그림을 대칭으로 완성해 보세요.

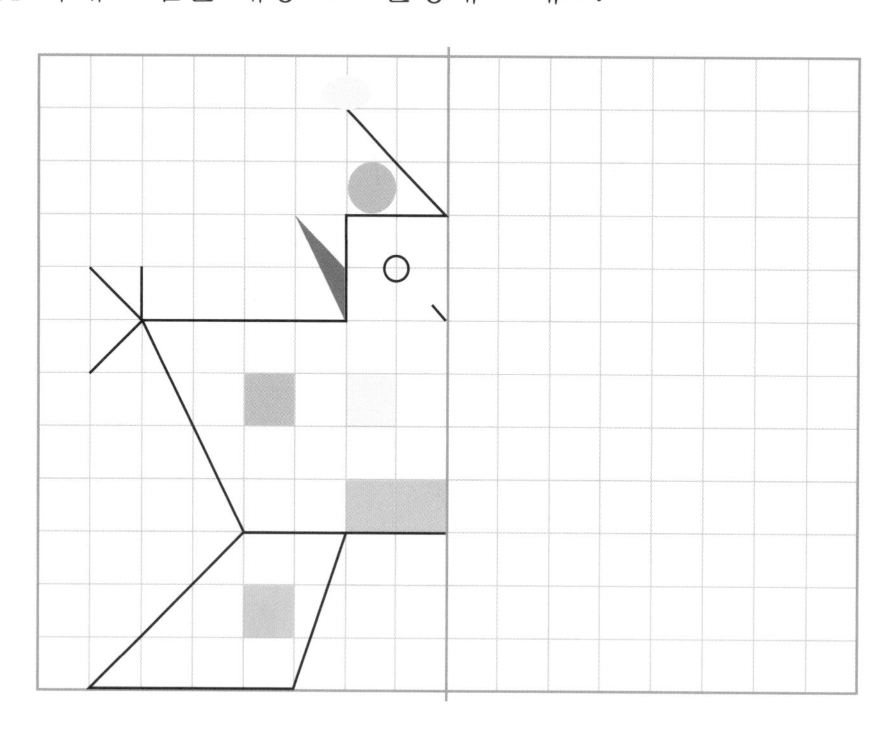

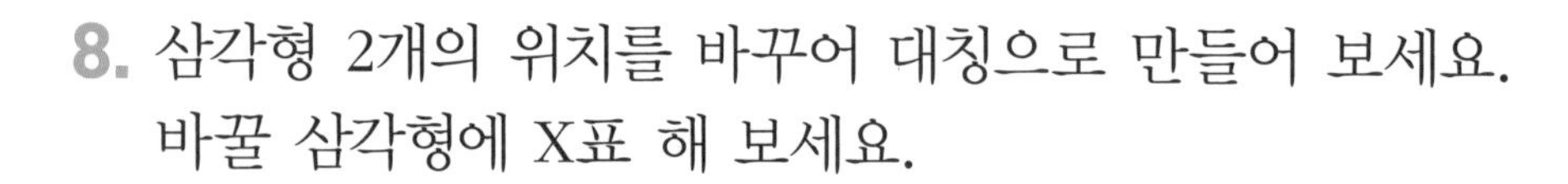

8. 삼각형 2개의 위치를 바꾸어 대칭으로 만들어 보세요.
바꿀 삼각형에 X표 해 보세요.

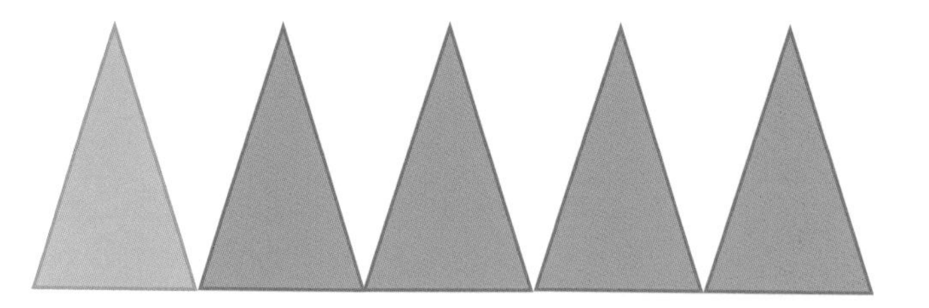

②

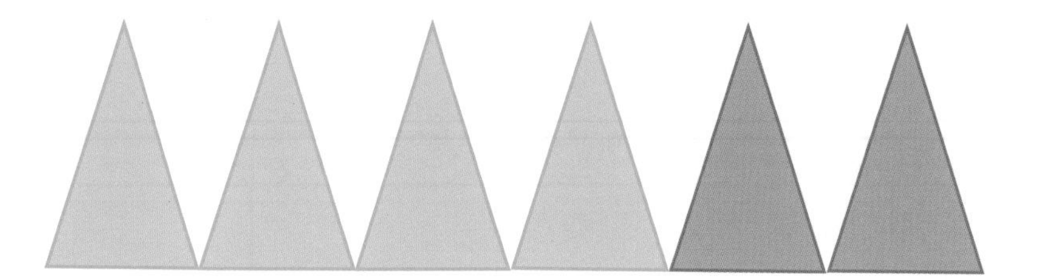

③

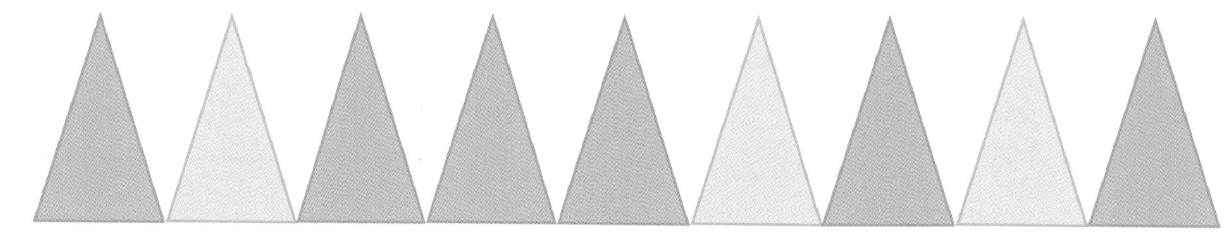

9. 주어진 모양을 거울에 비추었을 때 나타날 수 없는 모습은 어느 것일까요? A, B, C 가운데 골라 ○표 해 보세요.

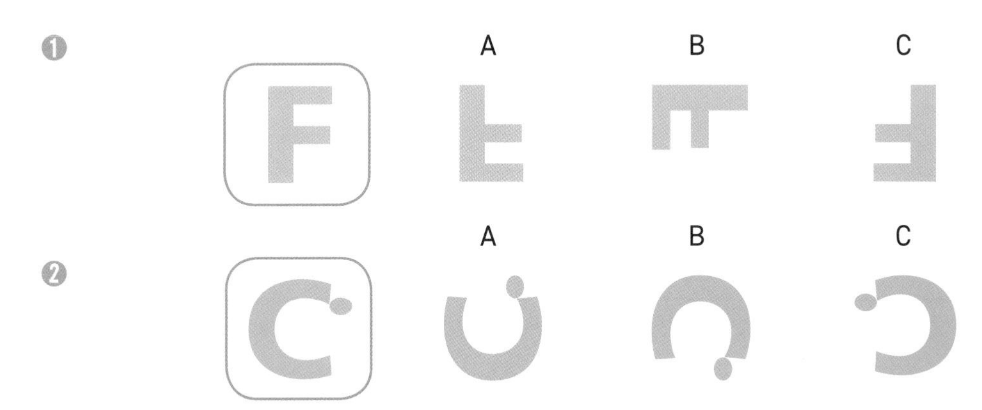

10. 아래 글을 읽고 좌표 평면에 나타내어 보세요.

❶ 좌표 평면에 점 (1, 4), (3, 4), (1, 7), (3, 7)을 꼭짓점으로 하는 직사각형을 그려 보세요.

❷ 좌표 평면에 점 (1, 1), (3, 3)을 지나는 직선 s를 그려 보세요.

❸ 직선 s를 기준으로 사각형을 대칭으로 그려 보세요.

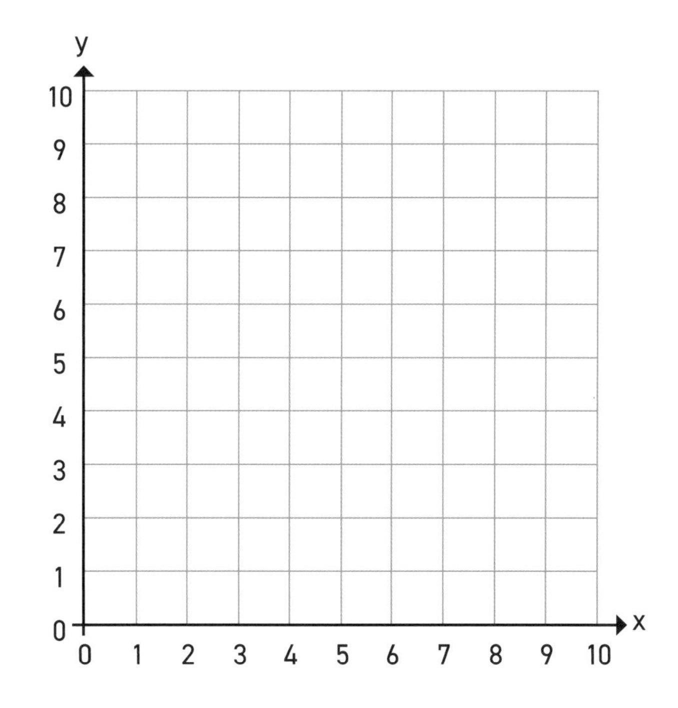

한 번 더 연습해요!

1. 직선을 기준으로 아래 도형을 대칭으로 그려 보세요.

❶

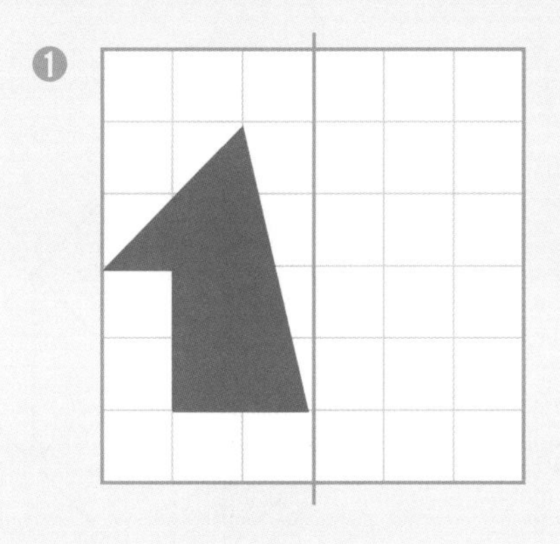

❷

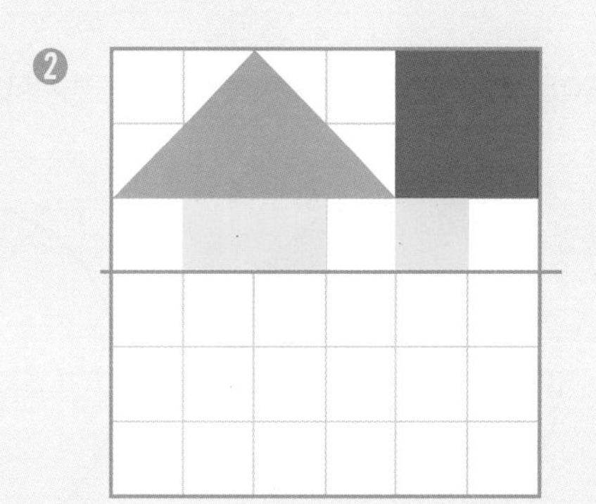

실력을 평가해 봐요!

_____ 월 _____ 일 _____ 요일

1. 조건에 맞게 그려 보세요.

❶ 점 A를 지나는 직선 n

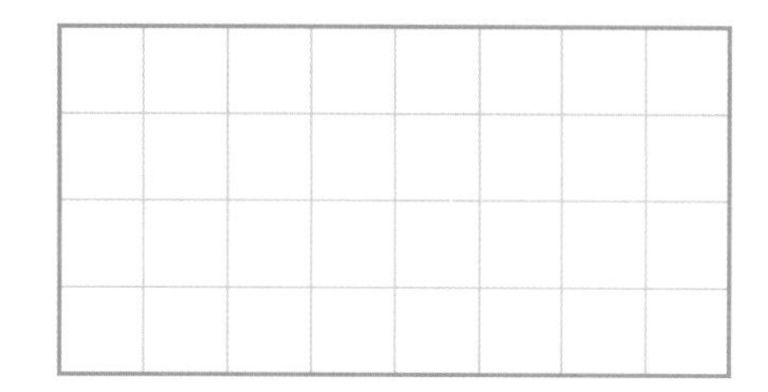

❷ 서로 평행한 직선 f, c, d

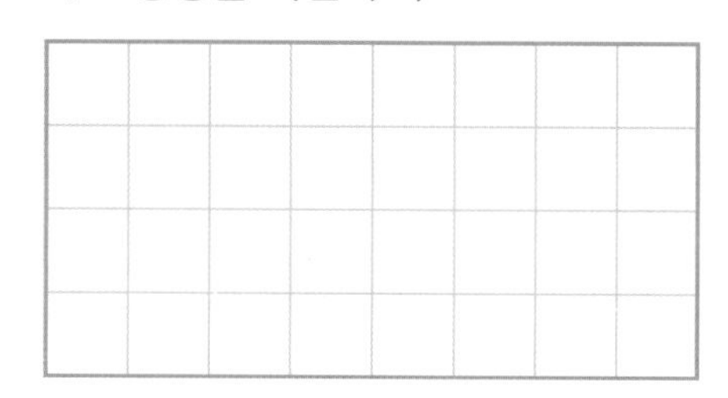

2. 아래 점의 좌표를 순서쌍으로 나타내어 보세요.

❶ 점 A (_______, _______)

❷ 점 B (_______, _______)

❸ 점 C (_______, _______)

❹ 점 D (_______, _______)

❺ 점 E (_______, _______)

❻ 점 F (_______, _______)

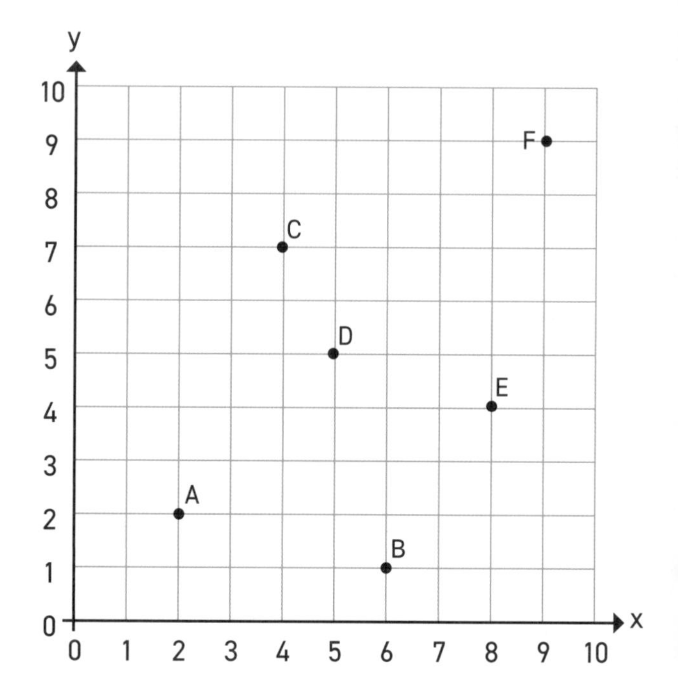

3. 아래 점을 좌표 평면에 나타내어 보세요.

❶ G (3, 0)
❷ H (4, 3)
❸ J (10, 6)
❹ K (0, 8)
❺ L (8, 1)
❻ M (9, 7)

4. 거울에 비친 모습을 색칠해 보세요.

❶

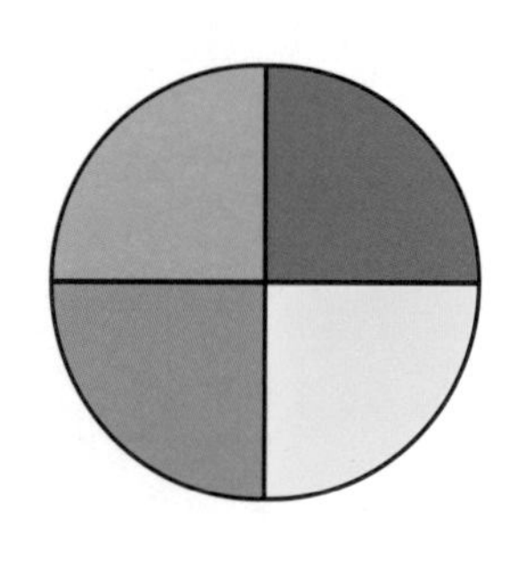

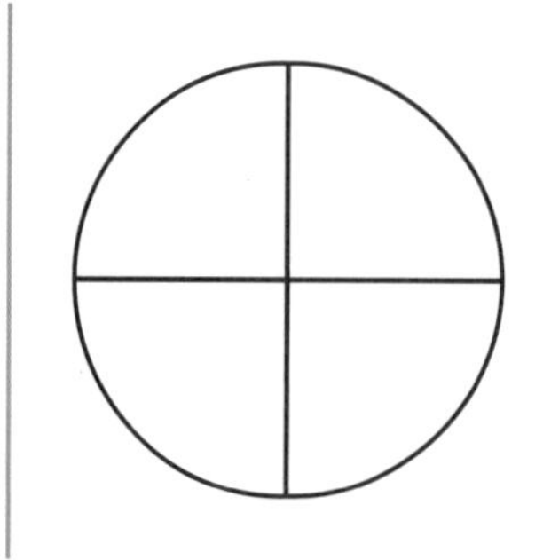

❷

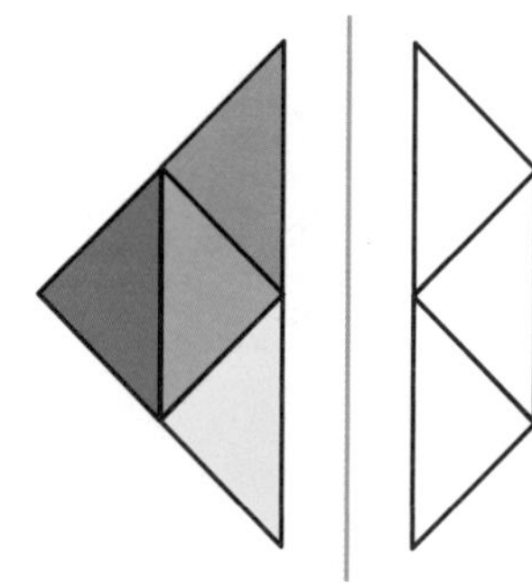

5. 대칭축을 그려 보세요.

6. 대칭으로 색칠해 보세요.

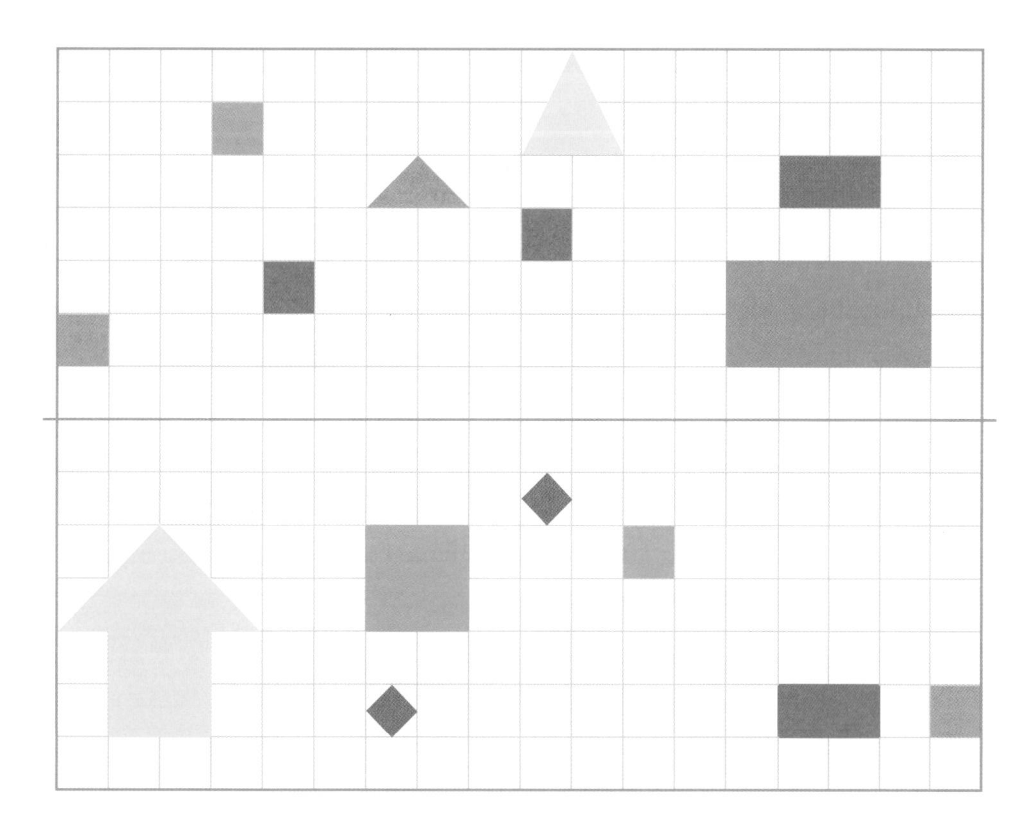

실력이 자란 만큼 별을 색칠하세요.

★★★ 정말 잘했어요.
★★☆ 꽤 잘했어요.
★☆☆ 앞으로 더 노력할게요.

단원 종합 문제

____월 ____일 ____요일

1. 조건에 맞게 그려 보세요.

❶ 점 C를 지나는 직선 n과 m

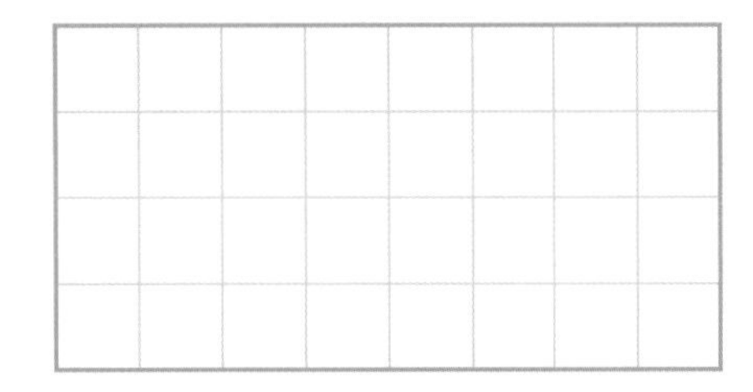

❷ 서로 수직인 직선 k와 s

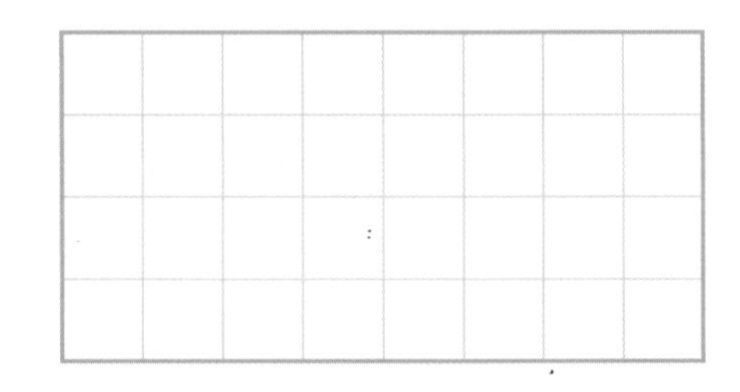

2. 아래 글을 읽고 질문에 답해 보세요.

❶ 아래 점의 좌표를 순서쌍으로 나타내어 보세요.

점 G (____, ____)　　점 J (____, ____)

점 H (____, ____)　　점 K (____, ____)

점 I (____, ____)　　점 L (____, ____)

❷ 아래 점을 좌표 평면에 나타내어 보세요.

A (2, 5)　　D (0, 3)

B (5, 0)　　E (5, 1)

C (4, 4)　　F (6, 7)

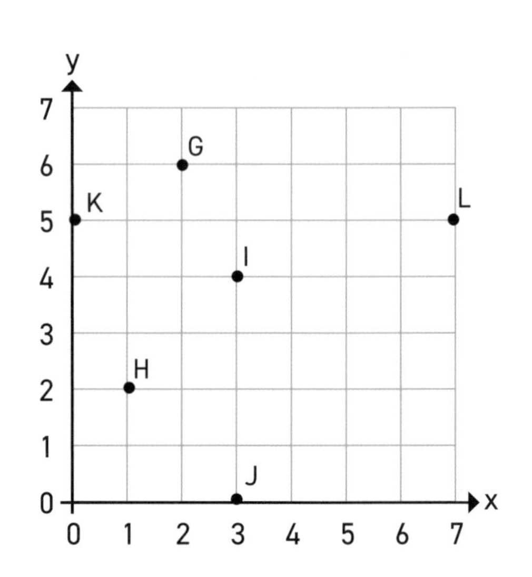

3. 거울에 비친 모습을 그리고 색칠해 보세요.

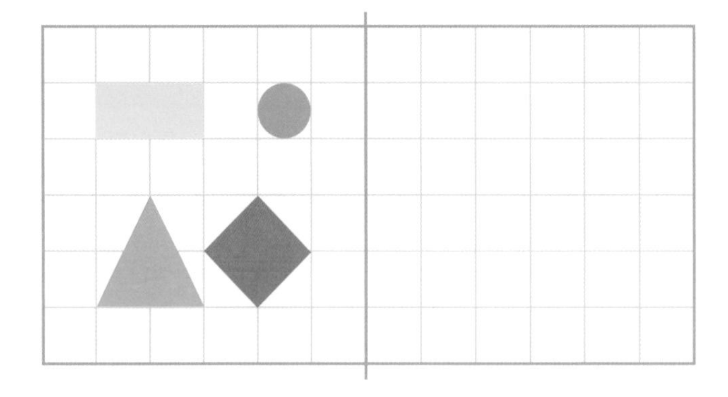

4. 아래 도형의 대칭축을 그려 보세요.

5. 아래 글을 읽고 좌표 평면에 나타내어 보세요.

❶ 점 (1, 1), (5, 2)를 지나는 직선 t

❷ 점 (6, 4), (6, 9)를 지나는 직선 s

❸ 직선 s에 수직인 직선 v

❹ 원점과 점 (2, 5)를 지나는 직선 j

❺ 점 (4, 10)은 직선 j 위에 있을까요? ______

❻ 점 (6, 3)은 직선 t 위에 있을까요? ______

❼ 점 (6, 3)은 직선 s 위에 있을까요? ______

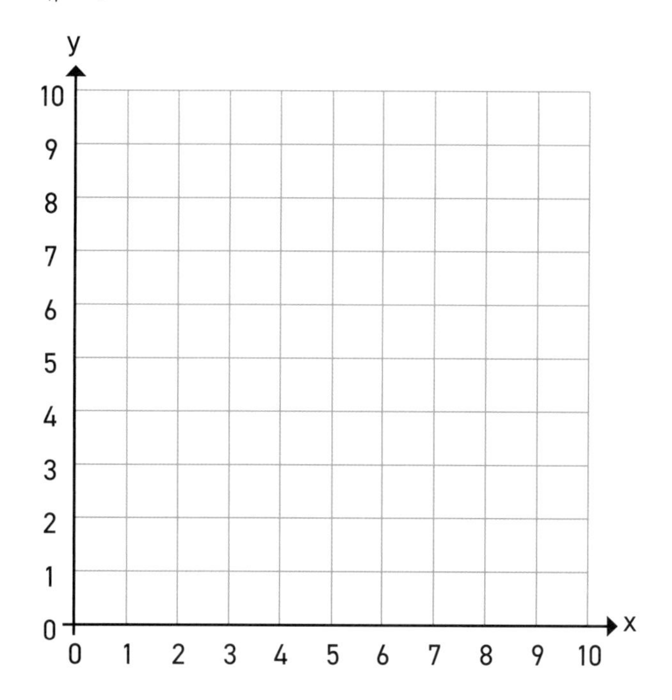

6. 직선 k를 기준으로 아래 도형과 대칭이 되는 도형을 그려 보세요.

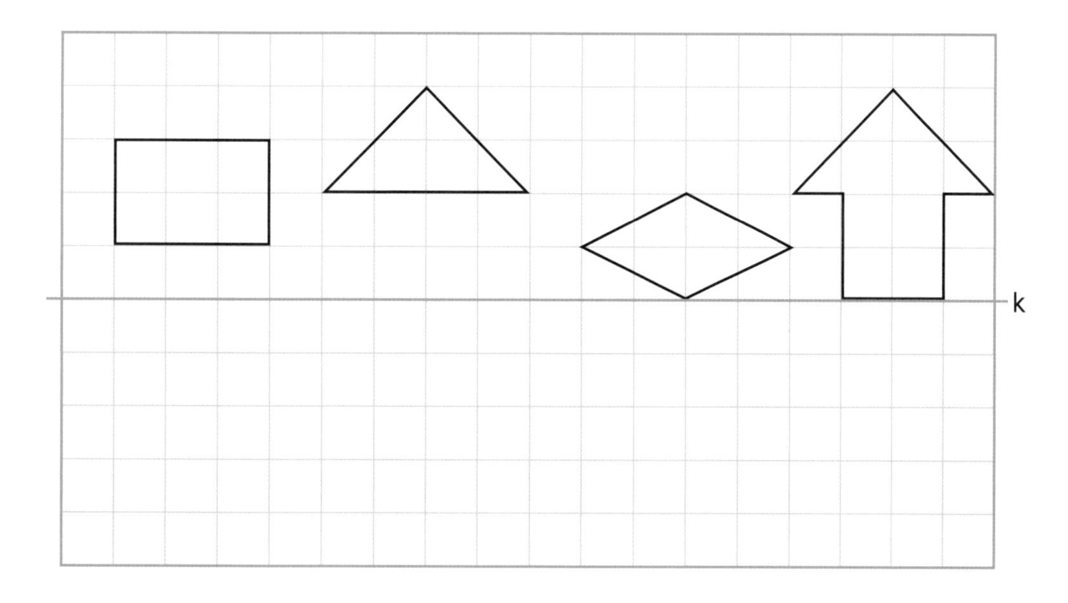

7. 아래 도형의 대칭축을 모두 그려 보세요.

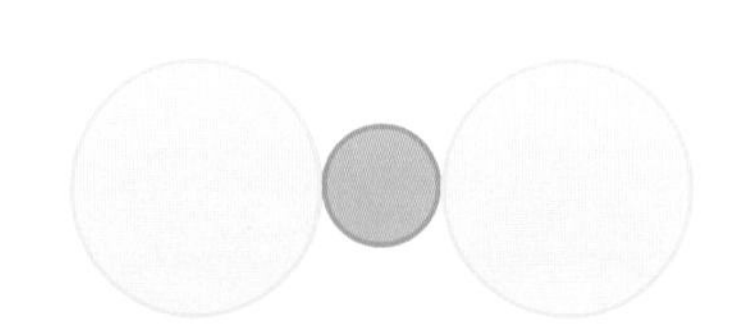

____ 월 ____ 일 ____ 요일

8. 좌표 평면에 나타내어 보세요.

❶ 점 (1, 1), (6, 6)을 지나는 직선 n

❷ 점 (2, 4)를 지나고 직선 n에 수직인 직선 t

❸ 점 (1, 7)을 지나고 직선 t에 평행인 직선 r

❹ 직선 n과 r이 만나는 점의 좌표

(____ , ____)

❺ 직선 n과 t가 만나는 점의 좌표

(____ , ____)

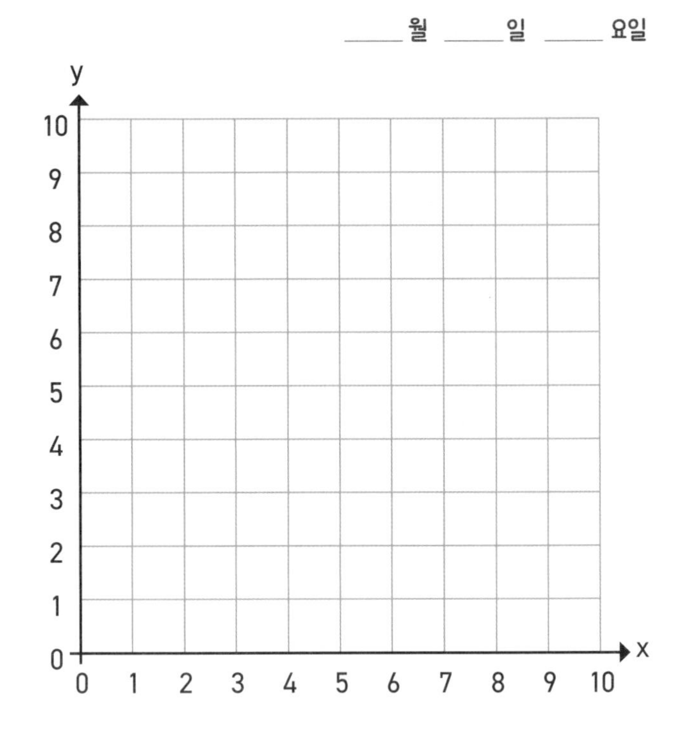

9. 아래 도형의 대칭축을 모두 그려 보세요.

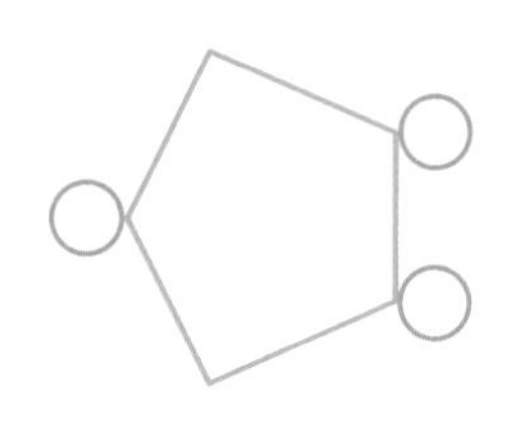

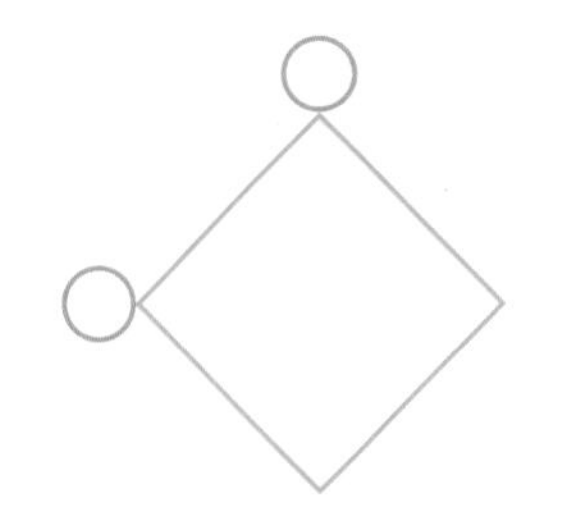

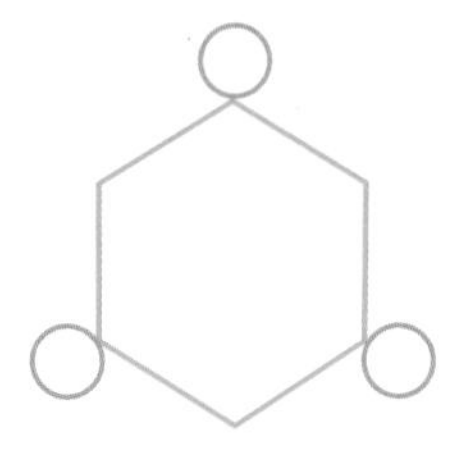

10. B는 A를 거울에 비춘 모습이에요. 도형 B를 완성해 보세요.

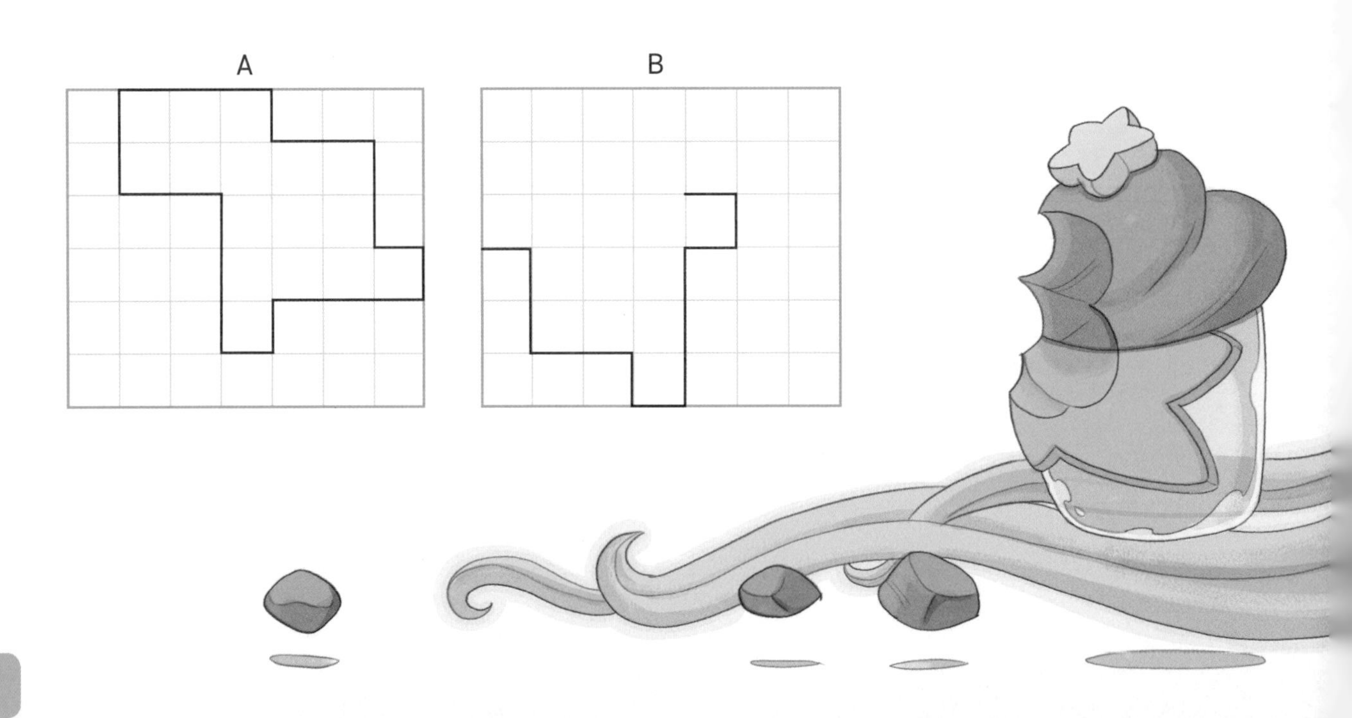

_____월 _____일 _____요일

★ 만나는 선과 평행인 선

직선 s와 k는 점 A에서 만나요.

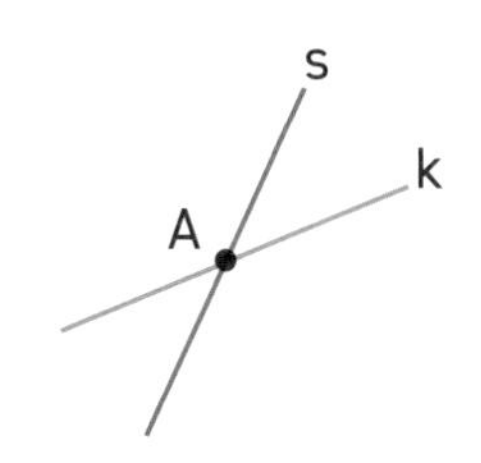

직선 t와 v는 서로 수직이에요.

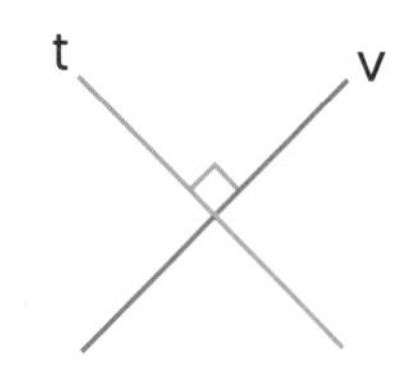

직선 n과 m은 서로 평행이에요.

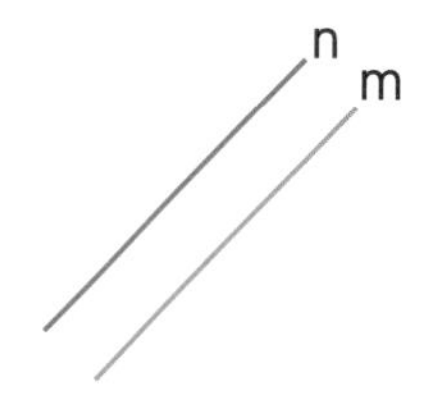

★ 점의 좌표

- 점 A의 좌표는 (3, 2)예요.
- 점 B의 좌표는 (5, 0)이에요.
- 원점의 좌표는 (0, 0)이에요.

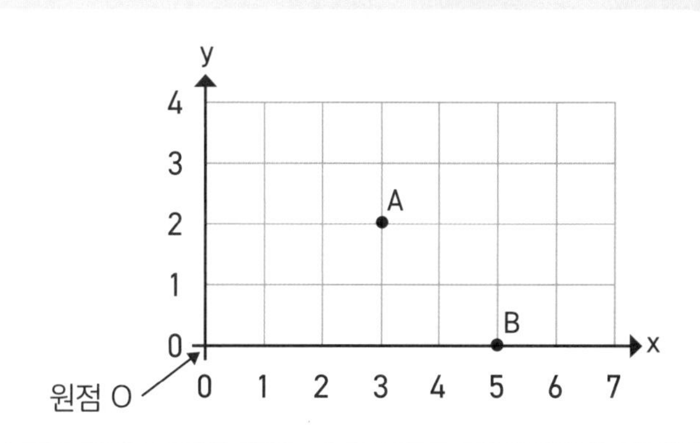

★ 거울에 비친 모습

B는 A가 거울에 비친 모습이에요.

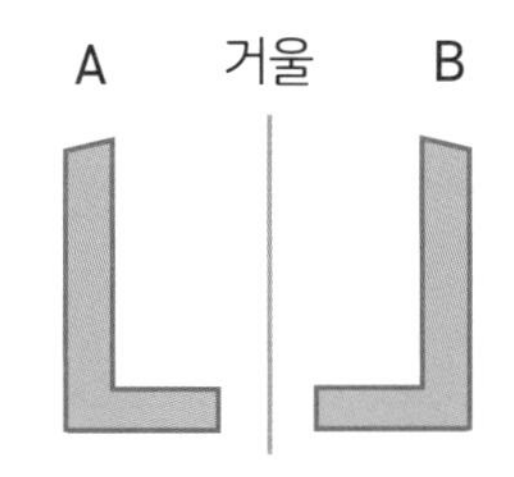

★ 대칭과 대칭축

아래 도형은 대칭이에요.

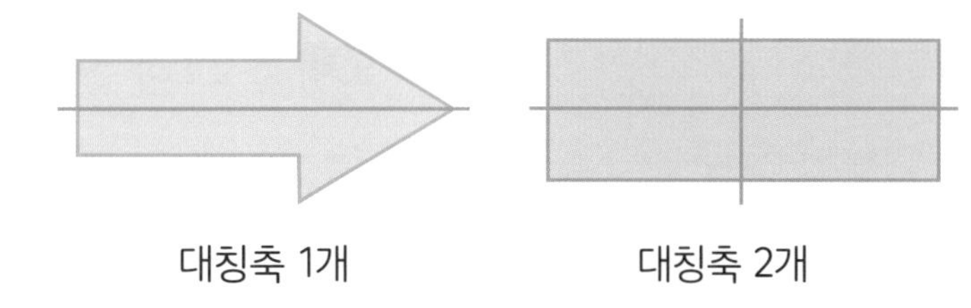

대칭축 1개

대칭축 2개

★ 선대칭

아래 삼각형은 직선 n을 기준으로 대칭이에요.

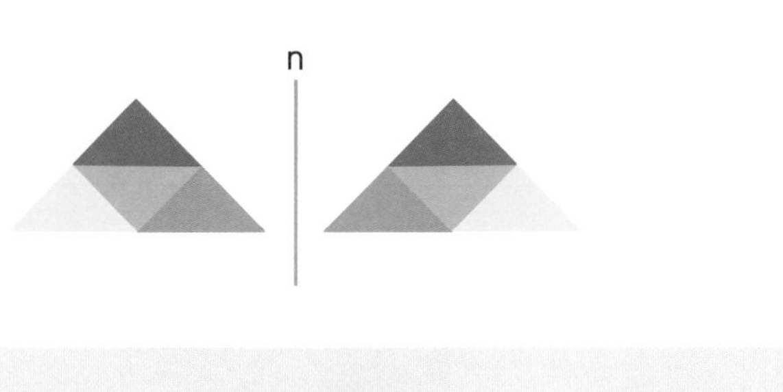

아래 사각형은 직선 m을 기준으로 대칭이에요.

도전! 심화 문제

1 캐시가 지나간 길을 순서쌍으로 나타내어 보세요.

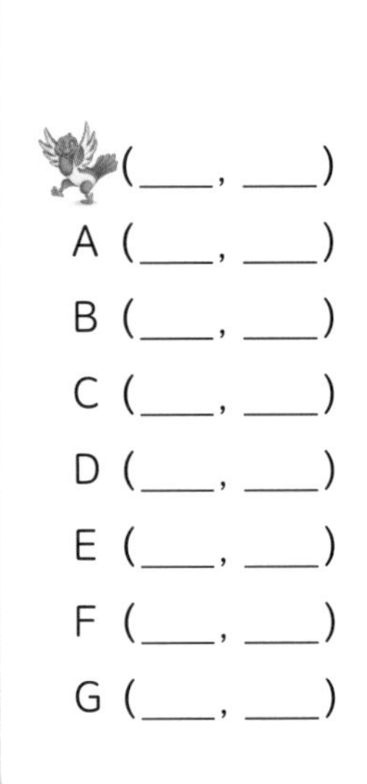

(___, ___)
A (___, ___)
B (___, ___)
C (___, ___)
D (___, ___)
E (___, ___)
F (___, ___)
G (___, ___)

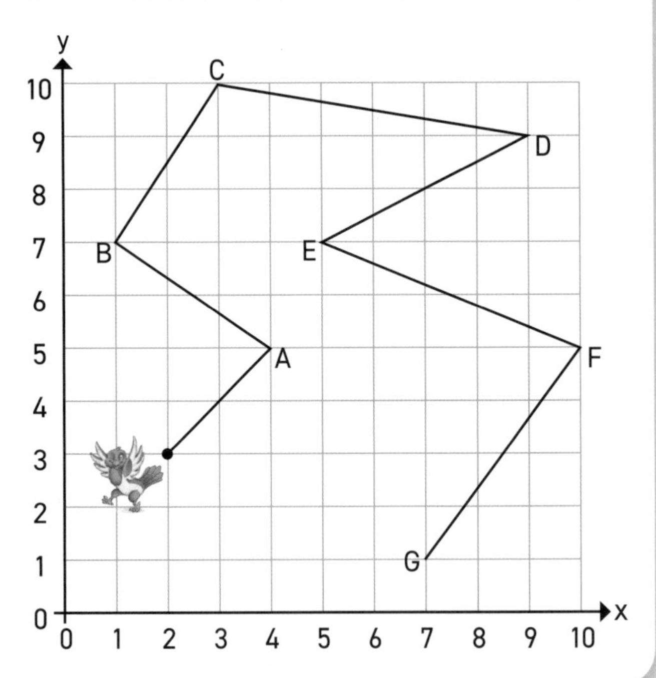

2 먼저 직선 n을 기준으로 대칭이 되도록 도형을 그려 보세요. 그다음 직선 m을 기준으로 대칭이 되도록 도형을 그려 보세요.

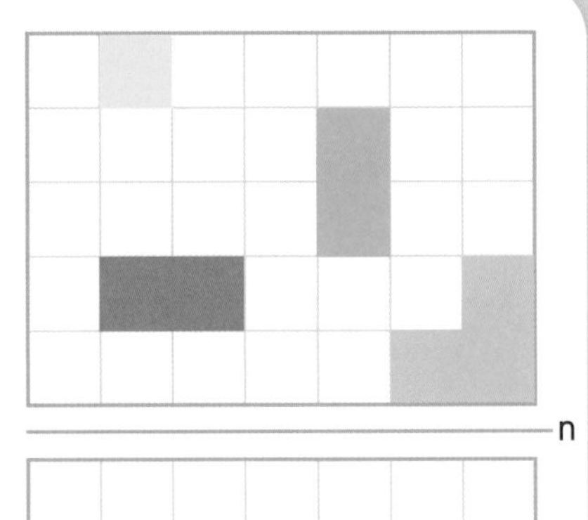

m
n

3 조건에 맞게 도형을 그려 보세요.

❶ 대칭축이 1개인 도형　　❷ 대칭축이 2개인 도형

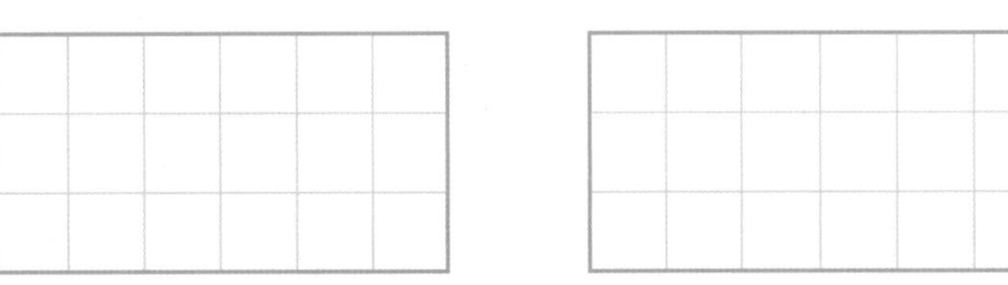

4 네모 틀 안에서 직선이 원에 닿지 않게 가능한 한 많은 직선을 그려 보세요.

5 대칭으로 색칠해 보세요.

나눗셈 복습

____월 ____일 ____요일

1. 계산한 후, 정답에 해당하는 알파벳을 애벌레에서 찾아 □ 안에 써넣어 보세요.

$\frac{66}{6}$ = ______ □

$\frac{48}{4}$ = ______ □

$\frac{27}{3}$ = ______ □

$\frac{36}{3}$ = ______ □

$\frac{14}{2}$ = ______ □

$\frac{24}{2}$ = ______ □

$\frac{50}{10}$ = ______ □

$\frac{32}{8}$ = ______ □

$\frac{16}{2}$ = ______ □

$\frac{15}{5}$ = ______ □

$\frac{70}{7}$ = ______ □

$\frac{39}{3}$ = ______ □

$\frac{18}{3}$ = ______ □

$\frac{84}{7}$ = ______ □

$\frac{40}{8}$ = ______ □

$\frac{24}{6}$ = ______ □

3	4	5	6	7	8	9	10	11	12	13
H	N	O	P	S	C	V	A	D	I	M

2. 계산한 후, 정답을 애벌레에서 찾아 ○표 해 보세요.

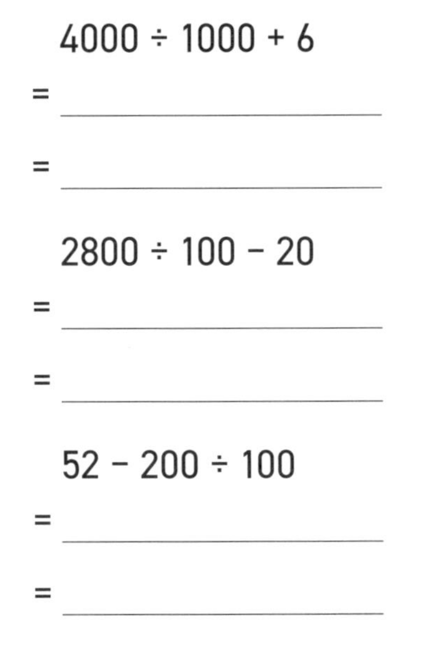

4000 ÷ 1000 + 6

= ____________

= ____________

2800 ÷ 100 − 20

= ____________

= ____________

52 − 200 ÷ 100

= ____________

= ____________

(7 + 143) ÷ 10

= ____________

= ____________

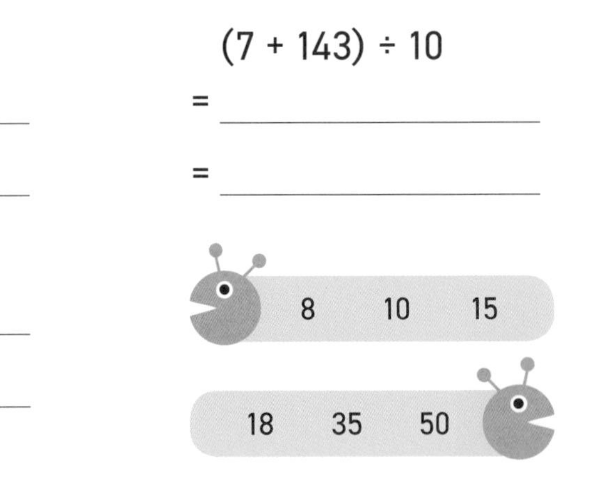

8 10 15

18 35 50

3. 아래 글을 읽고 알맞은 식을 세워 답을 구해 보세요.

동물원 입장료

어린이	4 €
성인	6 €
조랑말 타기	3 €(1회)

❶ 29유로로 어린이 입장권을 최대 몇 장 살 수 있을까요? 돈은 얼마가 남을까요?

식 : ______________________

정답 : ________장, ________유로가 남아요.

❷ 38유로로 성인 입장권을 최대 몇 장 살 수 있을까요? 돈은 얼마가 남을까요?

식 : ______________________

정답 : ________장, ________유로가 남아요.

❸ 17유로로 조랑말 타기 표를 최대 몇 장 살 수 있을까요? 돈은 얼마가 남을까요?

식 : ______________________

정답 : ________장, ________유로가 남아요.

4. 계산한 후, 정답을 애벌레에서 찾아 ○표 해 보세요.

$\frac{68}{4} = \frac{40}{4} + \frac{\quad}{4} =$ 10 + ______ = ______

$\frac{48}{3} = \frac{\quad}{3} + \frac{\quad}{3} =$ ______ + ______ = ______

$\frac{81}{3} = \frac{60}{3} + \frac{\quad}{3} =$ ______ + ______ = ______

$\frac{96}{4} = \frac{\quad}{4} + \frac{\quad}{4} =$ ______ + ______ = ______

$\frac{132}{2} = \frac{\quad}{2} + \frac{\quad}{2} =$ ______ + ______ = ______

$\frac{150}{6} = \frac{\quad}{6} + \frac{\quad}{6} =$ ______ + ______ = ______

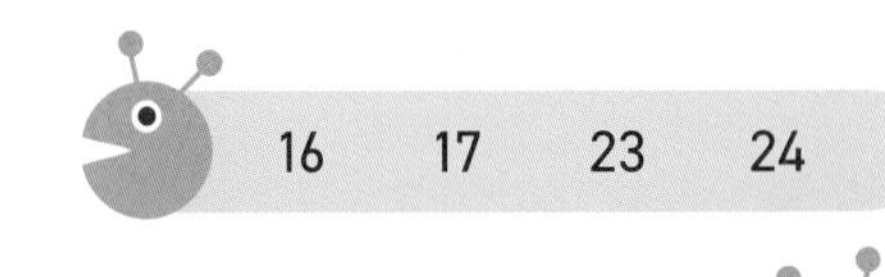

더 생각해 보아요!

각 영역의 수를 모두 더했을 때 같은 수가 되도록 직선 2개를 그어서 시계를 3영역으로 나누어 보세요.

5. 그림 퍼즐을 맞추어 해당하는 알파벳을 빈칸에 써넣어 보세요.

6. 아래 도형을 4영역으로 똑같이 나누고, 각각 다른 색깔로 색칠해 보세요. 도형을 다른 방향으로 회전할 수 있어요.

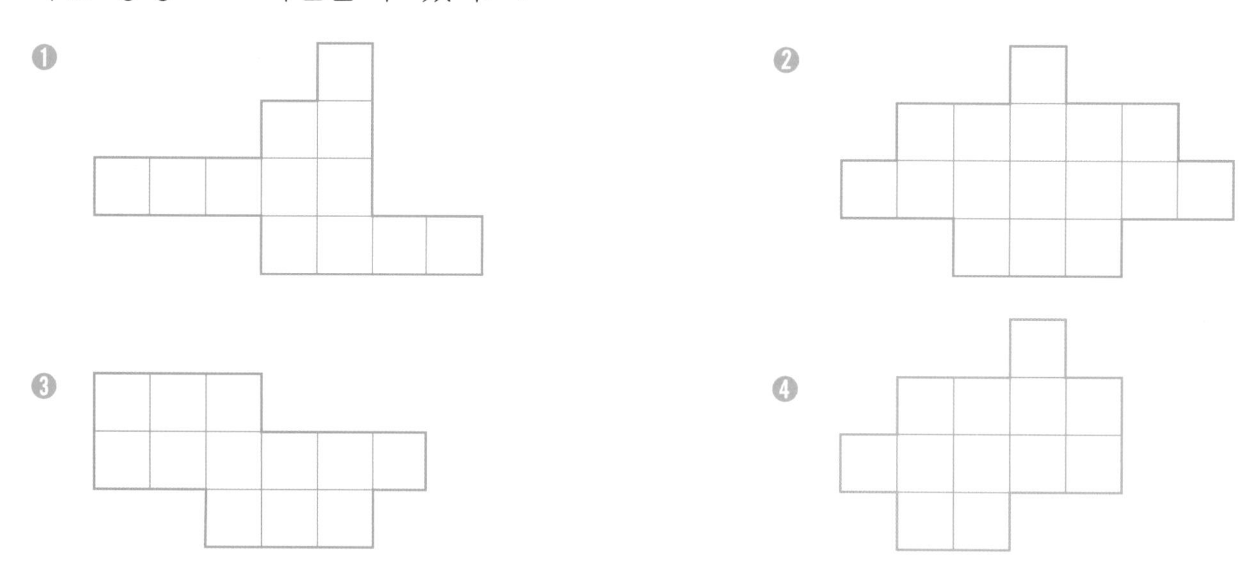

7. 그림이 들어간 식을 보고 그림의 값을 구해 보세요.

8. 아래 글을 읽고 외양간에 동물이 몇 마리 있는지 알아맞혀 보세요.

- 말, 고양이, 개, 까치가 있어요.
- 개보다 고양이가 1마리 더 많아요.
- 개와 고양이를 합한 수만큼 말이 있어요.
- 까치의 다리 수를 모두 더한 값이 개의 다리 수를 모두 더한 값과 같아요.
- 말의 다리는 모두 36개예요.

말 ________ 고양이 ________ 개 ________ 까치 ________

9. 부분으로 나누어서 나눗셈이 나누어떨어지는지 알아보세요.
나눗셈이 나누어떨어지지 않고 나머지가 생기면 빈칸에 V표 해 보세요.

$\frac{427}{6}$ = ________________________________ ☐

$\frac{492}{6}$ = ________________________________ ☐

$\frac{819}{7}$ = ________________________________ ☐

$\frac{689}{7}$ = ________________________________ ☐

한 번 더 연습해요!

1. 계산해 보세요.

$\frac{39}{3}$ = ________

$\frac{57}{3} = \frac{\quad}{3} + \frac{\quad}{3}$ = ________ + ________ = ________

$\frac{58}{2} = \frac{\quad}{2} + \frac{\quad}{2}$ = ________ + ________ = ________

2. 아래 글을 읽고 알맞은 식을 세워 답을 구해 보세요. 입장권 가격은 89쪽 3번 문제와 같아요.

❶ 37유로로 어린이 입장권을 최대 몇 장 살 수 있을까요? 돈은 얼마가 남을까요?

식 : ________________________

정답 : ______장, ______유로가 남아요.

❷ 45유로로 성인 입장권을 최대 몇 장 살 수 있을까요? 돈은 얼마가 남을까요?

식 : ________________________

정답 : ______장, ______유로가 남아요.

____ 월 ____ 일 ____ 요일

1. 아래 점을 순서쌍으로 나타내어 보세요.

❶ 점 A (______, ______)

❷ 점 B (______, ______)

❸ 점 C (______, ______)

❹ 점 D (______, ______)

❺ 점 E (______, ______)

❻ 점 F (______, ______)

❼ 점 G (______, ______)

❽ 점 H (______, ______)

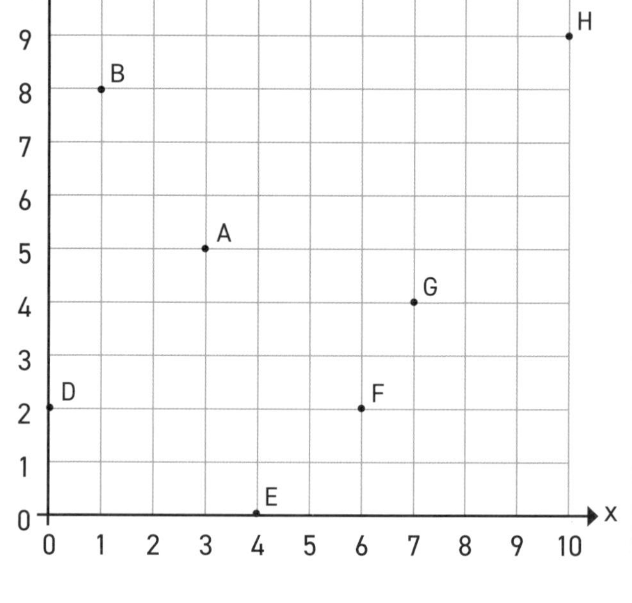

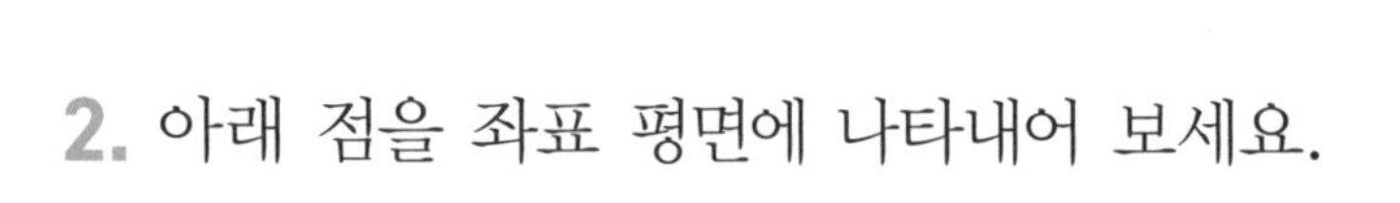

2. 아래 점을 좌표 평면에 나타내어 보세요.

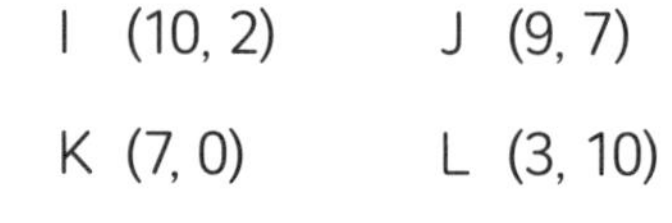

I (10, 2) J (9, 7)

K (7, 0) L (3, 10)

M (0, 0) N (6, 7)

3. 아래 글을 읽고 좌표 평면에 나타내어 보세요.

❶ 점 (1, 3), (5, 7)을 지나는 직선 a

❷ 점 (1, 5), (5, 1)을 지나는 직선 b

❸ 직선 a와 b가 만나는 점의 좌표

(_____, _____)

❹ 점 (2, 6), (6, 6)을 지나는 직선 m

❺ 점 (7, 7)을 지나고 직선 m에 평행한 직선 k

❻ 점 (1, 1)을 지나고 직선 m에 수직인 직선 n

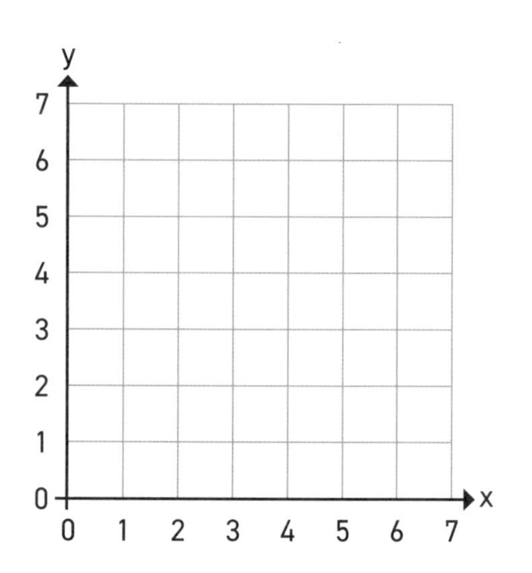

4. 대칭으로 색칠해 보세요.

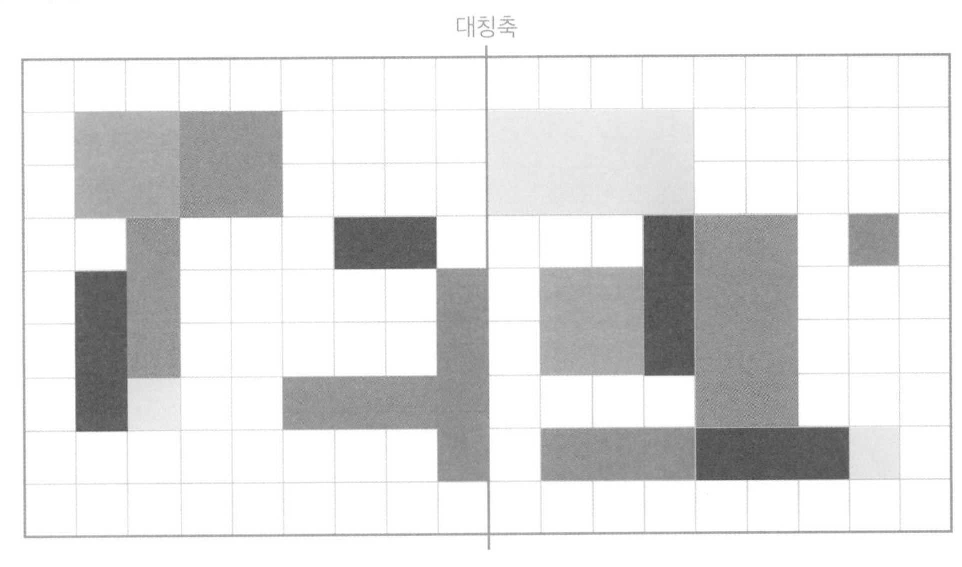

5. 직선을 기준으로 도형을 대칭으로 그려 보세요.

❶

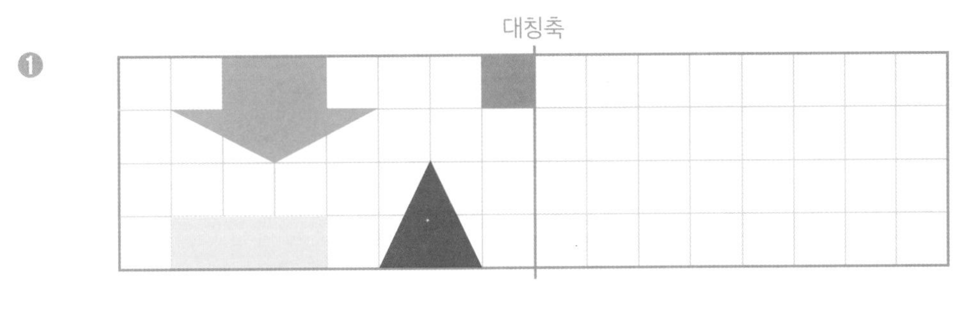

❷

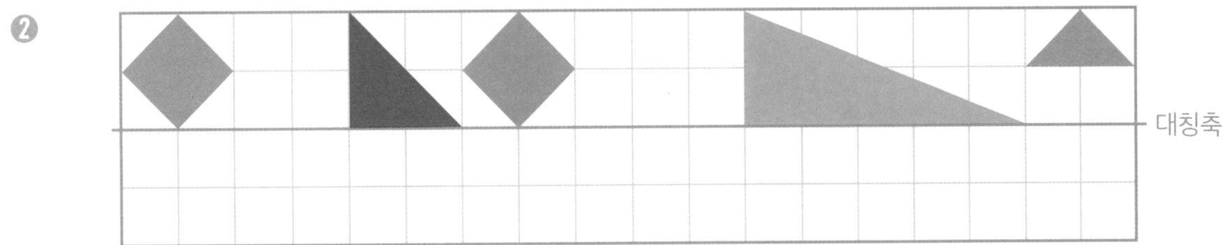

더 생각해 보아요!

아래 메시지를 읽어 보세요.

MEET YOU IN MATHS CLASS

____

6. 아래 도형에 대칭축을 그려 보세요.

7. 아래 글을 읽고 질문에 답해 보세요.

- 가능한 한 적게 방향을 돌려 차의 경로를 그려 보세요.
- 모든 선은 직선이어야 하며 파란 길을 벗어나면 안 돼요.
- 방향이 바뀌는 지점의 좌표 순서쌍을 아래 빈칸에 순서대로 써 보세요.

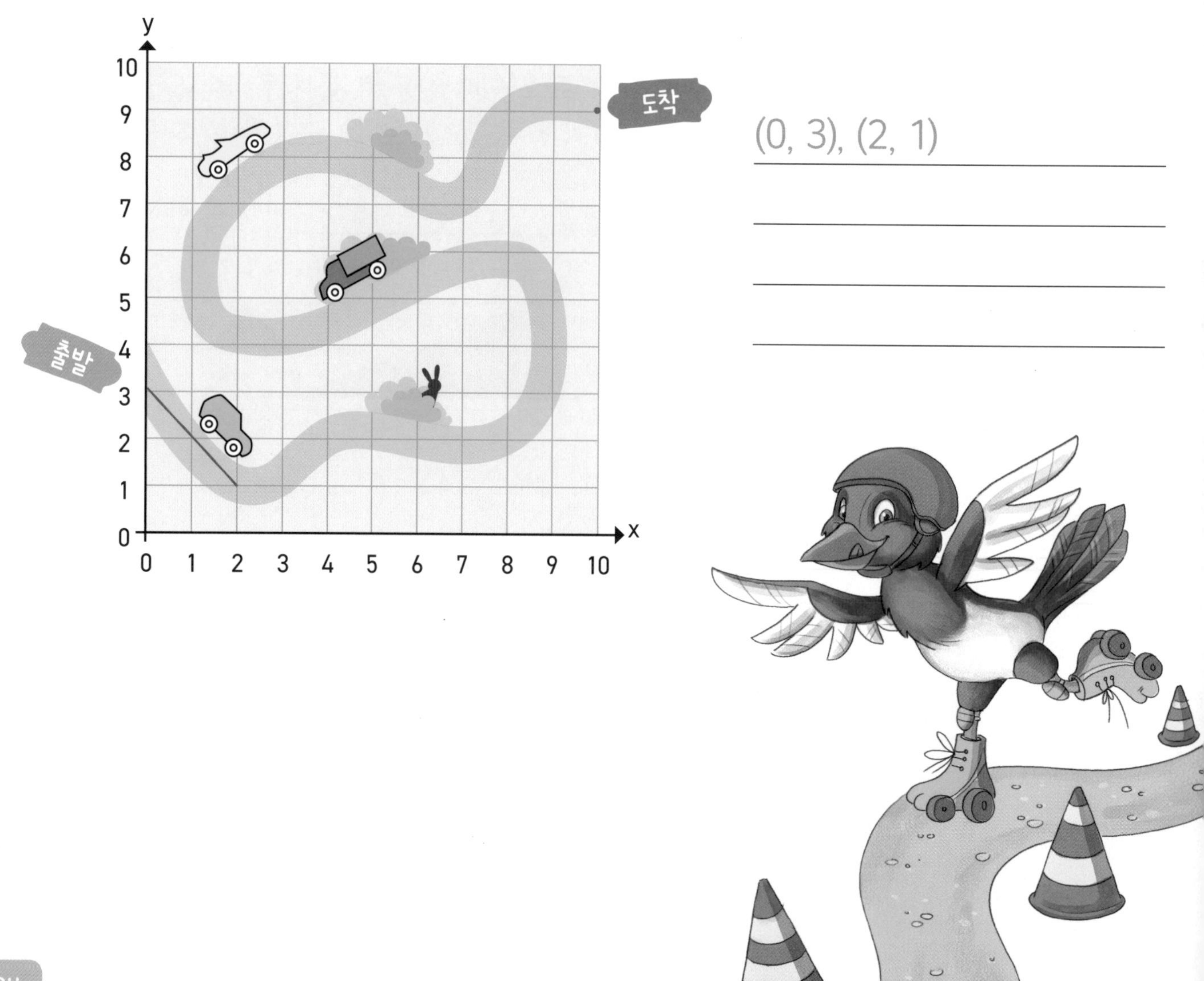

8. 〈보기〉의 도형과 같은 모양의 도형은 빨간색으로, 〈보기〉의 도형과 대칭인 도형은 파란색으로 색칠해 보세요.

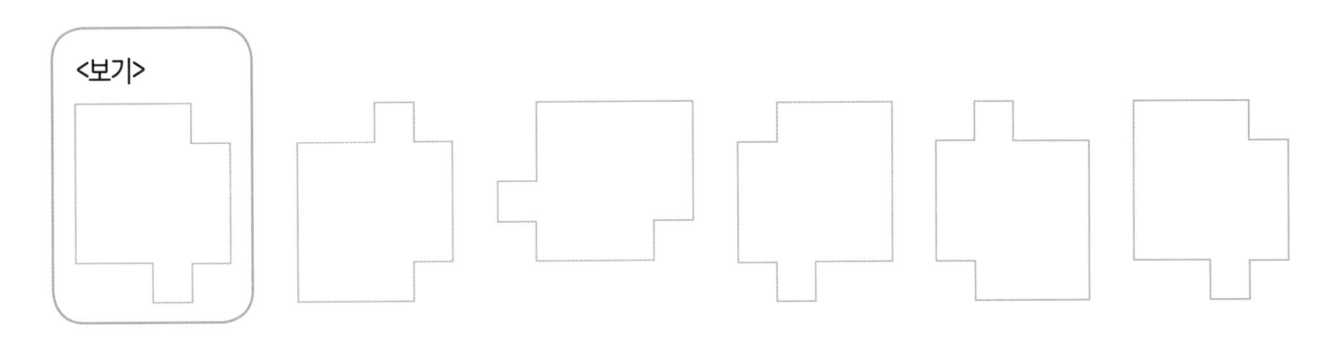

9. 아래 글을 읽고 좌표 평면에 나타내어 보세요.

❶ 좌표 평면에 점 (1, 1), (3, 1), (3, 3), (1, 4)를 꼭짓점으로 하는 사각형을 그려 보세요.

❷ 직선 m을 기준으로 대칭인 사각형을 그려 보세요.

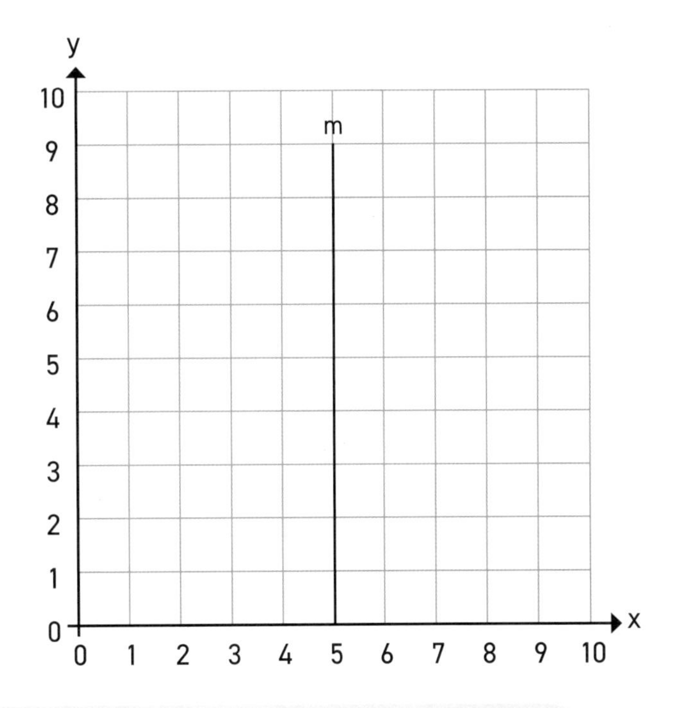

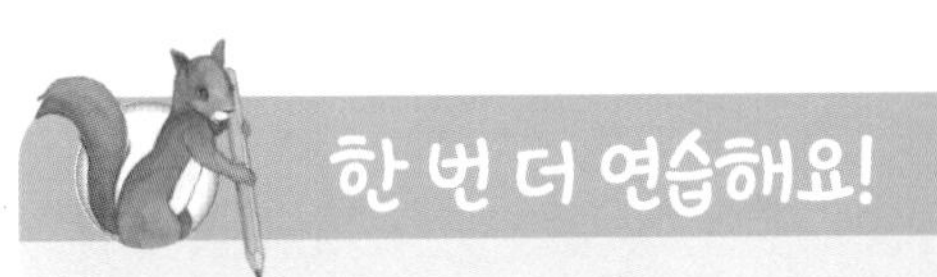

1. 직선 k를 기준으로 대칭인 도형을 그려 보세요.

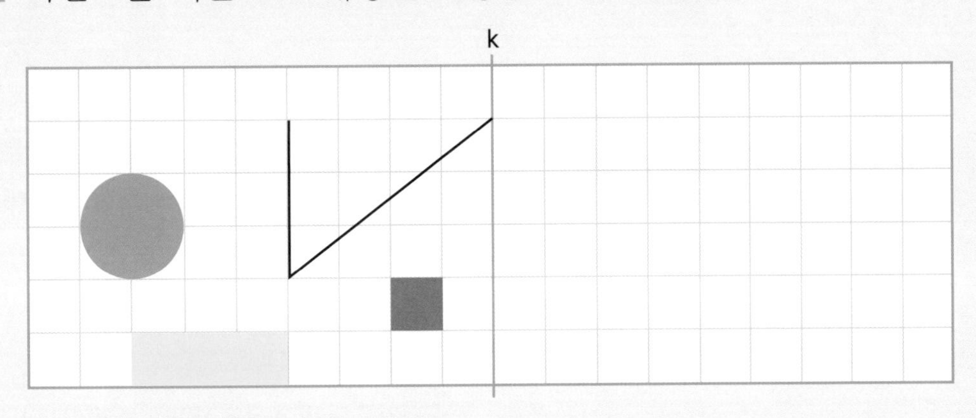

놀이 수학

나눗셈 낚시

인원 : 2명　준비물 : 주사위 1개, 놀이 말

출발 → 4, 2, 3, 3, 8, 7, 9, 5, 6, 2, 9, 7, 5, 9, 7, 6, 8, 7, 3, 9, 8 → 도착

물고기: 45, 12, 14, 18, 35, 30, 42, 54, 49, 90, 48, 36, 64, 24, 56, 27, 16, 72, 21, 70, 15

놀이 방법

1. 순서를 정해 주사위를 굴려요. 주사위 눈의 수만큼 말을 움직이세요.
2. 도착한 곳의 수로 나누어떨어지는 물고기가 있다면 그 물고기를 잡아요. 물고기는 1회에 1마리만 잡을 수 있어요.
3. 잡은 물고기를 자신만의 기호로 표시하세요. (예 : O, X)
4. 나누어떨어지는 수가 없다면 순서가 다음 사람에게 돌아가요.
5. 물고기를 더 많이 잡은 사람이 놀이에서 이겨요.

주사위 2개로 하는 나눗셈

인원 : 2명　준비물 : 주사위 2개, 103쪽 활동지

1회 ______ ______ ÷ ______ = ______

2회 ______ ______ ÷ ______ = ______

3회 ______ ______ ÷ ______ = ______

4회 ______ ______ ÷ ______ = ______

5회 ______ ______ ÷ ______ = ______

점수	
1회	
2회	
3회	
4회	
5회	

- 나누어떨어지면 1점을 얻고, 나누어떨어지지 않으면 득점을 못 해요.

놀이 방법

1. 한 사람은 교재를, 다른 한 사람은 활동지를 이용하세요.
2. 순서를 정해 주사위 1개를 굴려요. 나온 주사위 눈이 나누는 수가 돼요.
3. 이번에는 주사위 2개를 1개씩 굴려요. 나온 주사위 눈이 나누어지는 수가 돼요. 나온 눈 중 어떤 수를 십의 자리 수로 정할지 본인이 선택할 수 있어요.
4. 나눗셈을 계산하고 해당하는 점수를 표에 기록하세요.
5. 5회까지 해서 점수가 더 높은 사람이 놀이에서 이겨요.

주사위 3개로 하는 나눗셈

인원 : 2명　준비물 : 주사위 3개, 103쪽 활동지

1회 ______ ______ ______ ÷ ______ = ______

2회 ______ ______ ______ ÷ ______ = ______

3회 ______ ______ ______ ÷ ______ = ______

4회 ______ ______ ______ ÷ ______ = ______

5회 ______ ______ ______ ÷ ______ = ______

점수	
1회	
2회	
3회	
4회	
5회	

놀이 방법

1. 한 사람은 교재를, 다른 한 사람은 활동지를 이용하세요.
2. 순서를 정해 주사위 1개를 굴려요. 나온 주사위 눈이 나누는 수가 돼요.
3. 이번에는 주사위 3개를 1개씩 굴려요. 나온 주사위 눈이 나누어지는 수가 돼요. 나온 눈 중 어떤 수를 백의 자리, 십의 자리 수로 정할지 본인이 선택할 수 있어요.
4. 나눗셈을 계산하고 해당하는 점수를 표에 기록하세요.
5. 5회까지 해서 점수가 더 높은 사람이 놀이에서 이겨요.

좌표를 찍어라

인원 : 2명　준비물 : 서로 다른 색깔 주사위 2개

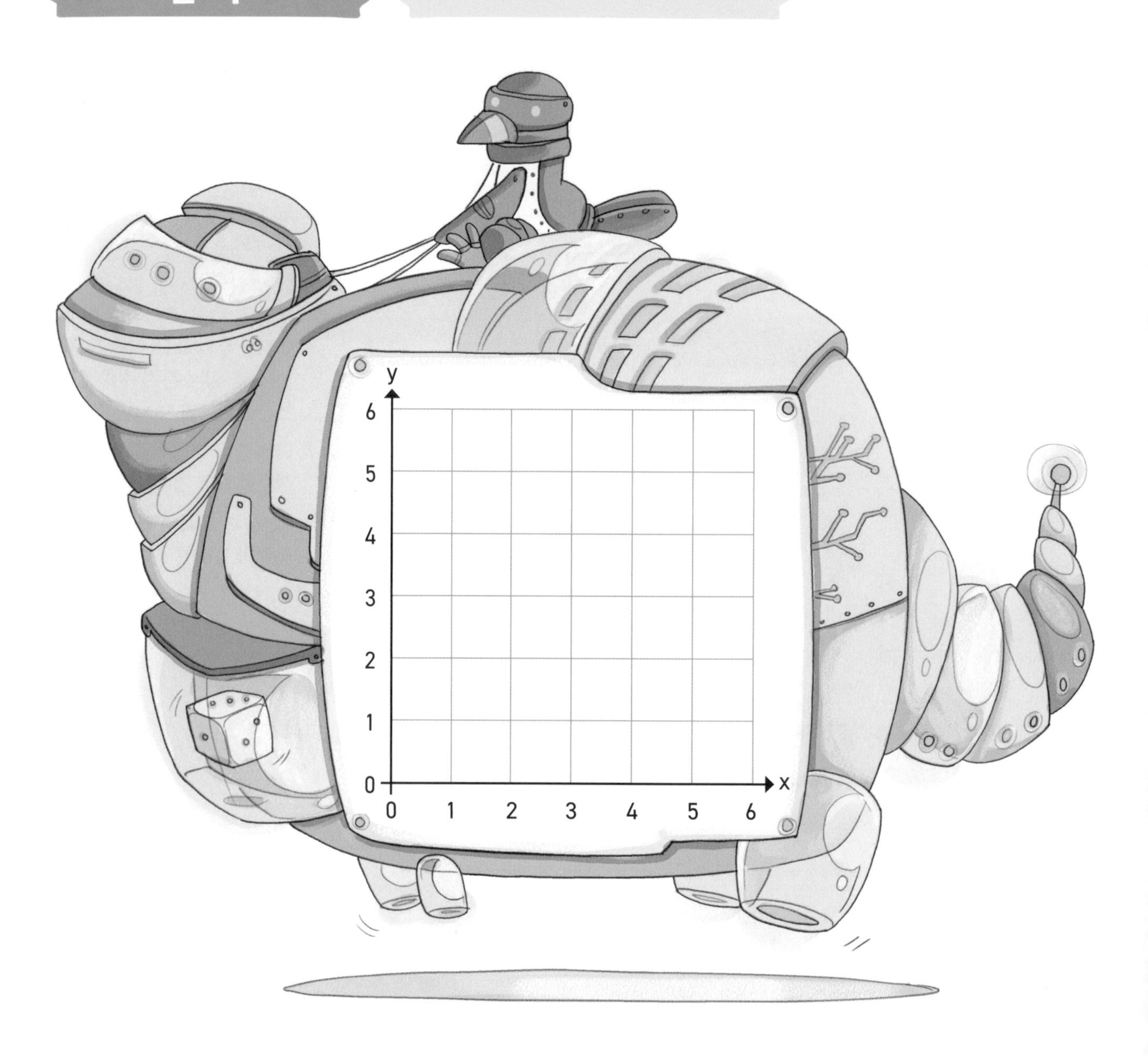

놀이 방법

1. 서로 다른 색, 예를 들어 빨간색과 파란색의 주사위 2개를 이용하세요. 파란색 주사위는 점의 x좌표, 빨간색 주사위는 점의 y좌표를 나타내요.
2. 첫 번째 사람이 주사위 2개를 굴려서 좌표 평면에 점을 찍어요. 두 번째 사람도 같은 방식으로 주사위를 던져 좌표 평면에 점을 찍어요. 이제 점 2개를 잇는 직선을 그으면 좌표 평면은 영역이 2개로 나누어져요.
3. 주사위를 다시 굴려서 더 큰 수를 던진 사람이 영역을 먼저 선택해요. 더 작은 수를 던진 사람이 놀이를 시작해요.
4. 순서에 따라 돌아가면서 주사위 2개를 굴려요. 주사위 눈이 나타내는 점이 자신의 영역에 있으면 좌표 평면에 그 점을 나타내요. 점이 상대의 영역에 있으면 표시할 수 없어요.
5. 먼저 점 8개를 표시하는 사람이 놀이에서 이겨요.

대칭축은 몇 개일까?

인원 : 2명 준비물 : 주사위 1개, 놀이 말 2개

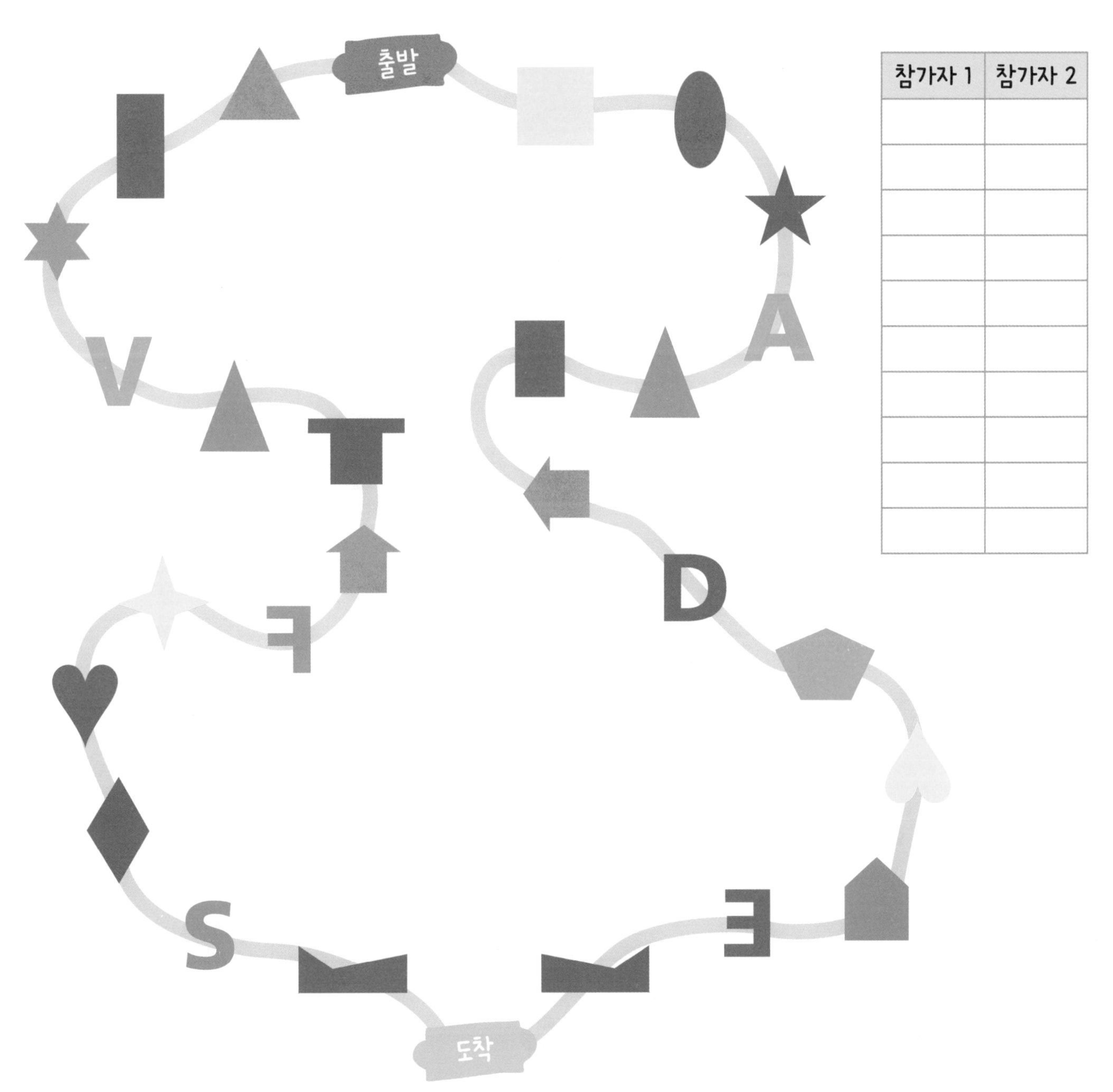

참가자 1	참가자 2

놀이 방법

1. 순서를 정해 주사위를 굴려요. 나온 눈이 홀수이면 1칸을 움직이고, 짝수이면 2칸을 움직이세요.
2. 도착한 도형에 대칭축이 몇 개 있는지 알아맞혀 보세요.
3. 답이 정답이고, 상대방이 정답임을 인정하면 그 도형의 대칭축 개수만큼 점수를 얻어요. 답이 아니면 점수를 1점 잃어요.
4. 점수를 표에 차근차근 기록하세요.
5. 2명 모두 도착점에 오면 놀이가 끝나고, 더 많은 점수를 얻은 사람이 놀이에서 이겨요.

___월 ___일 ___요일

놀이를 만들어 봐요!

준비물 : 주사위 1개, 놀이 말

스스로 놀이를 만들고 놀이 제목을 지어 보세요. 규칙을 만들어 부모님 또는 친구와 함께 놀이해 보세요.

놀이 제목

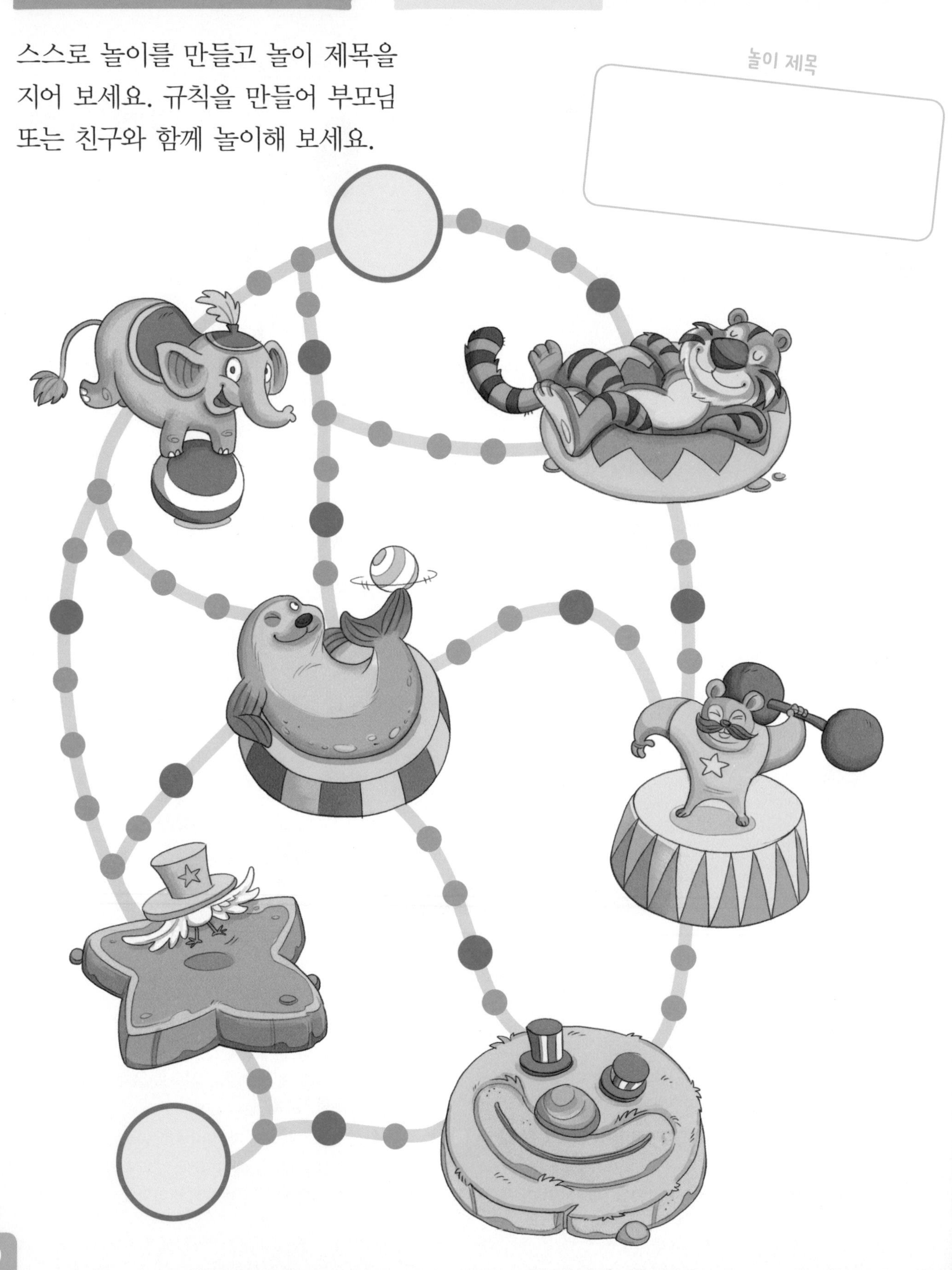

리모컨 놀이

준비물 : 놀이카드에 있는 리모컨

1. 로봇을 작동시키는 리모컨이 있어요. 4가지 색깔의 버튼이 어떻게 로봇을 작동시키는지 써 보세요.

2. 리모컨을 이용하여 부모님 또는 친구와 함께 로봇 놀이를 해 보세요. 어떤 단추를 눌렀는지 이야기해 주면 상대방은 그에 따라 움직여요.

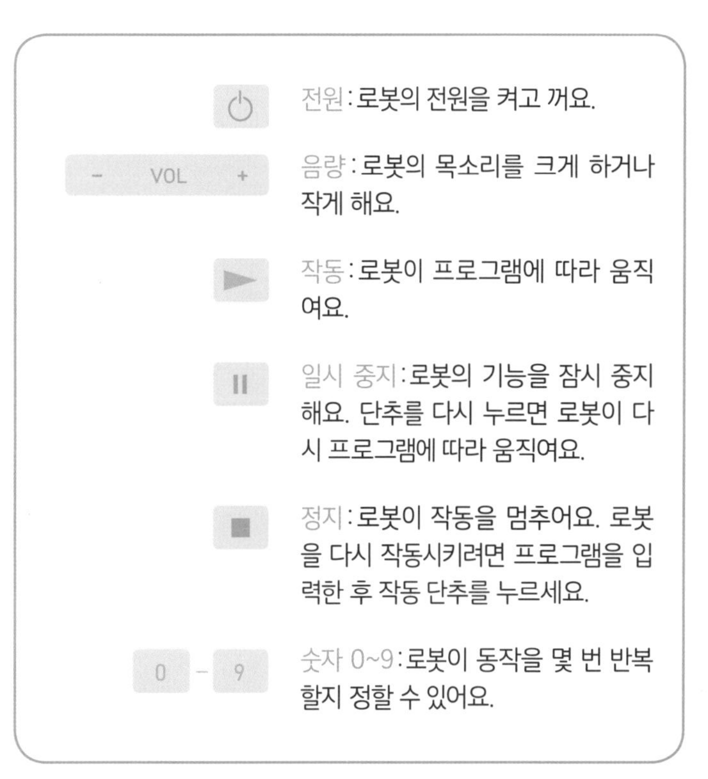

전원 : 로봇의 전원을 켜고 꺼요.

음량 : 로봇의 목소리를 크게 하거나 작게 해요.

작동 : 로봇이 프로그램에 따라 움직여요.

일시 중지 : 로봇의 기능을 잠시 중지해요. 단추를 다시 누르면 로봇이 다시 프로그램에 따라 움직여요.

정지 : 로봇이 작동을 멈추어요. 로봇을 다시 작동시키려면 프로그램을 입력한 후 작동 단추를 누르세요.

숫자 0~9 : 로봇이 동작을 몇 번 반복할지 정할 수 있어요.

97쪽 놀이 수학 <주사위 2개로 하는 나눗셈>에 활용하세요.

1회 ______ ______ ÷ ______ = ______

2회 ______ ______ ÷ ______ = ______

3회 ______ ______ ÷ ______ = ______

4회 ______ ______ ÷ ______ = ______

5회 ______ ______ ÷ ______ = ______

1회 ______ ______ ÷ ______ = ______

2회 ______ ______ ÷ ______ = ______

3회 ______ ______ ÷ ______ = ______

4회 ______ ______ ÷ ______ = ______

5회 ______ ______ ÷ ______ = ______

점수	
1회	
2회	
3회	
4회	
5회	

점수	
1회	
2회	
3회	
4회	
5회	

97쪽 놀이 수학 <주사위 3개로 하는 나눗셈>에 활용하세요.

1회 ______ ______ ______ ÷ ______ = ______

2회 ______ ______ ______ ÷ ______ = ______

3회 ______ ______ ______ ÷ ______ = ______

4회 ______ ______ ______ ÷ ______ = ______

5회 ______ ______ ______ ÷ ______ = ______

1회 ______ ______ ______ ÷ ______ = ______

2회 ______ ______ ______ ÷ ______ = ______

3회 ______ ______ ______ ÷ ______ = ______

4회 ______ ______ ______ ÷ ______ = ______

5회 ______ ______ ______ ÷ ______ = ______

점수	
1회	
2회	
3회	
4회	
5회	

점수	
1회	
2회	
3회	
4회	
5회	

놀이 카드는 반복해서
사용할 준비물이니 잃어버리지
않도록 잘 보관해 주세요.

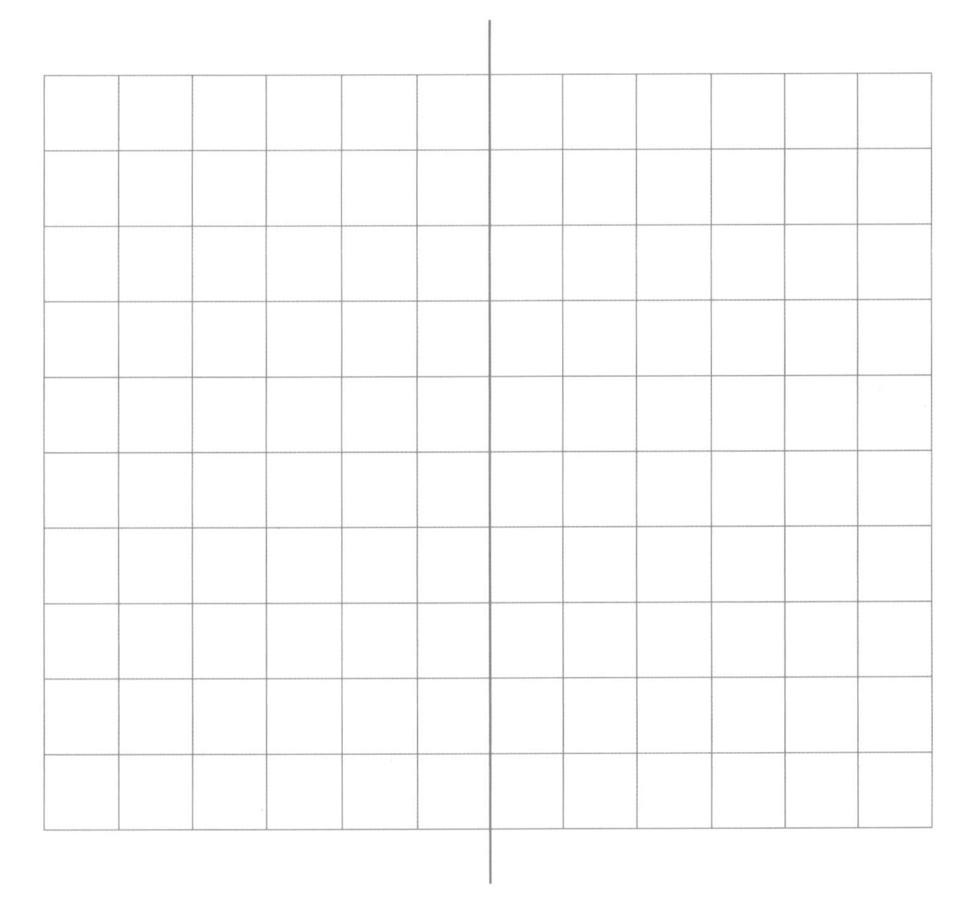

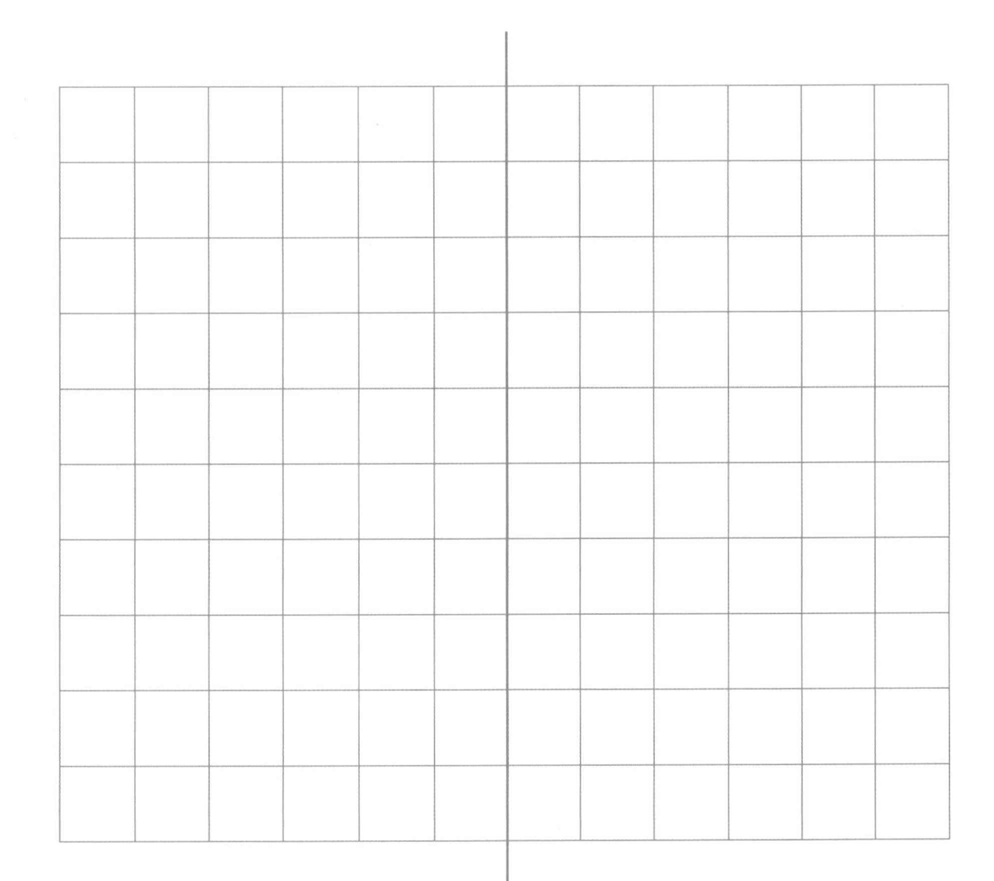

핀란드에서 가장 많이 보는 1등 수학 교과서!
핀란드 초등학교 수학 교육 최고 전문가들이 만든
혼공 시대에 꼭 필요한 자기주도 수학 교과서를 만나요!

1 2 3
4 5 6
7 8 9

핀란드 수학 교과서, 왜 특별할까?

수학적 구조를 발견하고 이해하게 하여 수학 공식을 암기할 필요가 없어요.

수학적 이야기가 풍부한 그림으로 수학 학습에 영감을 불어넣어요.

교구를 활용한 놀이를 통해 수학 개념을 이해시켜요.

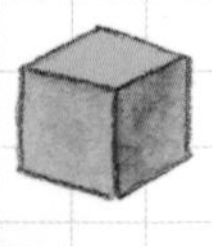

수학과 연계하여 컴퓨팅 사고와 문제 해결력을 키워 줘요.

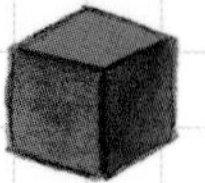

연산, 서술형, 응용과 심화, 사고력 문제가 한 권에 모두 들어 있어요.

어떤 문제를 푸느냐에
따라 수학 사고력은
달라집니다!

개별가 없음(세트로만 판매)

64410
9 791192 183053

ISBN 979-11-92183-05-3
979-11-92183-03-9 (세트)

무형광 종이 인쇄로 아이들 눈을 지켜 줘요.

핀란드 4학년 수학 교과서

정답과 해설

마음이음

핀란드 4학년 수학 교과서 4-1

정답과 해설

1권

12-13쪽

___월 ___일 ___요일

1 합과 차

합 합 → 9 + 7 = 16 ← 더하는 수

덧셈의 결과를 합이라고 해요.

차 차 → 16 - 9 = 7 ← 빼어지는 수 빼는 수

뺄셈의 결과를 차라고 해요.

1. 덧셈을 계산해 보세요.

6 + 2 = 8 8 + 2 = 10 7 + 5 = 12
16 + 2 = 18 18 + 2 = 20 17 + 5 = 22

2. 뺄셈을 계산해 보세요.

8 - 5 = 3 17 - 7 = 10 13 - 6 = 7
18 - 5 = 13 27 - 7 = 20 23 - 6 = 17

3. 계산한 후, 정답을 애벌레에서 찾아 ○표 해 보세요.

5 + 5 = 10 8 + 4 = 12 10 - 3 = 7 14 - 8 = 6
25 + 5 = 30 48 + 4 = 52 50 - 3 = 47 34 - 8 = 26
45 + 5 = 50 88 + 4 = 92 90 - 3 = 87 54 - 8 = 46

⑥ ⑦ ⑩ ⑫ ㉖ ㉚ 40 ㊻ ㊼ ㊿ 52 77 87 92

12

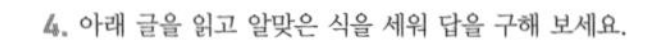

4. 아래 글을 읽고 알맞은 식을 세워 답을 구해 보세요.

❶ 더하는 수는 9와 5예요.
식 : 9 + 5 = 14
정답 : 14

❷ 빼어지는 수는 15이고, 빼는 수는 6이에요.
식 : 15 - 6 = 9
정답 : 9

❸ 8과 13의 합은 얼마일까요?
식 : 8 + 13 = 21
정답 : 21

❹ 12와 5의 차는 얼마일까요?
식 : 12 - 5 = 7
정답 : 7

5. 아래 글을 읽고 알맞은 식을 세워 답을 구해 보세요.

❶ 알렉은 화요일에 6km를 달렸고, 목요일에는 7km를 달렸어요. 알렉은 모두 몇 km를 달렸을까요?
식 : 6 km + 7 km = 13 km
정답 : 13 km

❷ 엄마는 아침에 자전거를 12km 탔고, 오후에는 9km를 탔어요. 엄마는 자전거를 모두 몇 km 탔을까요?
식 : 12 km + 9 km = 21 km
정답 : 21 km

❸ 알렉의 엄마는 처음에 26km를 운전하고 이후에 35km를 더 운전했어요. 알렉의 엄마는 모두 몇 km를 운전했을까요?
식 : 26 km + 35 km = 61 km
정답 : 61 km

❹ 도로 길이가 총 76km인데 그중 29km를 포장했어요. 포장하지 않은 도로는 몇 km일까요?
식 : 76 km - 29 km = 47 km
정답 : 47 km

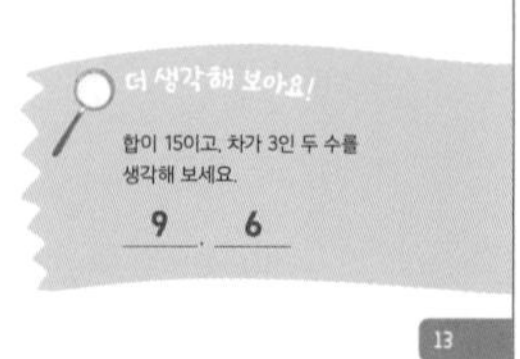

더 생각해 보아요!
합이 15이고, 차가 3인 두 수를 생각해 보세요.
9, 6

13

부모님 가이드 | 12쪽

9 + 7 = 16
부분 + 부분 = 전체

덧셈에서 부분과 부분을 더하면 전체가 된다는 개념은 아주 중요해요.
왜냐하면 뺄셈은 전체에서 없어진 부분을 구하는 것과 같고, 없어진 부분이 전체와의 차이기 때문이에요. 그래서 전체와 부분의 관계는 덧셈과 뺄셈에서 아주 중요하답니다.

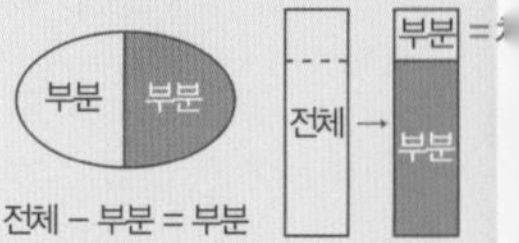

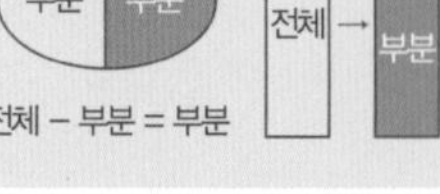

더 생각해 보아요! | 13쪽

합이 15이고, 차가 3인 두 수를 알아볼 때 전체와 부분의 관계를 이용하면 쉽게 구할 수 있어요.

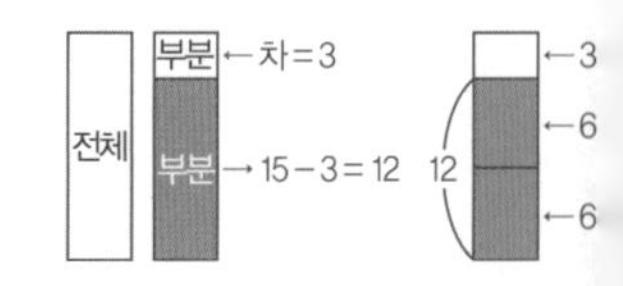

두 수의 차가 3이므로 15-3=12예요. 12를 2로 나누면 6이므로, 한 수는 6이고 다른 수는 6에 3을 더한 수 9예요.

14-15쪽

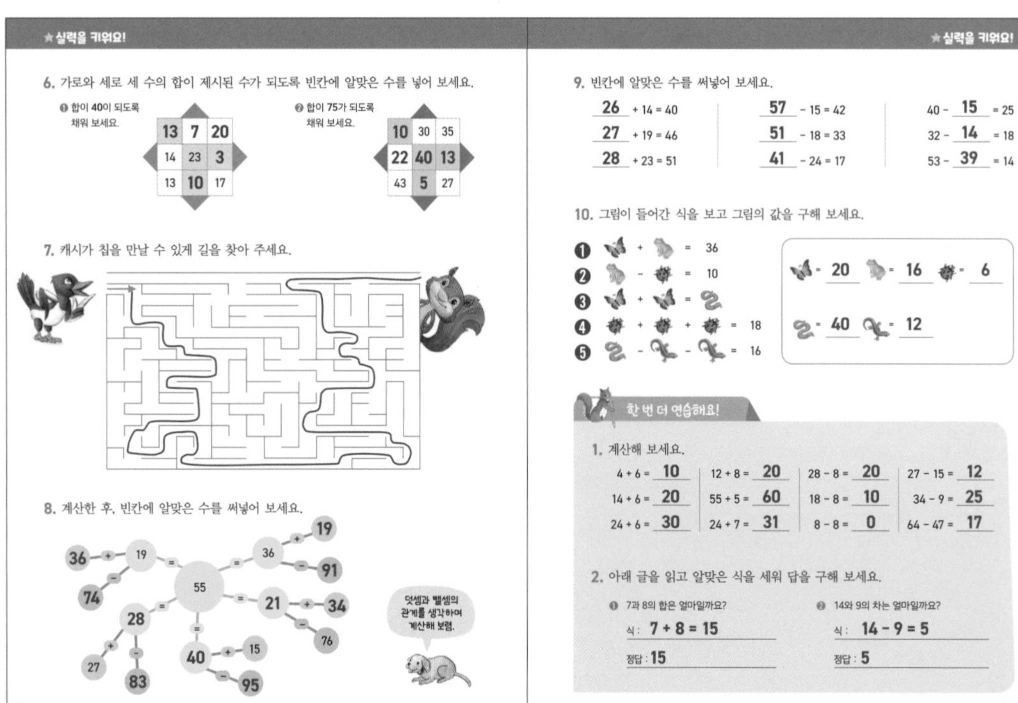

★실력을 키워요!

6. 가로와 세로 세 수의 합이 제시된 수가 되도록 빈칸에 알맞은 수를 넣어 보세요.

❶ 합이 40이 되도록 채워 보세요.

13	7	20
14	23	3
13	10	17

❷ 합이 75가 되도록 채워 보세요.

10	30	35
22	40	13
43	5	27

7. 캐시가 칩을 만날 수 있게 길을 찾아 주세요.

8. 계산한 후, 빈칸에 알맞은 수를 써넣어 보세요.

36, 19, 74, 28, 27, 83, 55, 40, 15, 95, 36, 19, 91, 21, 34, 76

덧셈과 뺄셈의 관계를 생각하며 계산해 보렴.

14

★실력을 키워요!

9. 빈칸에 알맞은 수를 써넣어 보세요.

26 + 14 = 40 57 - 15 = 42 40 - 15 = 25
27 + 19 = 46 51 - 18 = 33 32 - 14 = 18
28 + 23 = 51 41 - 24 = 17 53 - 39 = 14

10. 그림이 들어간 식을 보고 그림의 값을 구해 보세요.

❶ 🦋 + 🐸 = 36
❷ 🐸 - 🐞 = 10
❸ 🦋 + 🦋 = 🐍
❹ 🐞 + 🐞 + 🐞 = 18
❺ 🐍 - 🦎 - 🦎 = 16

🦋 = 20 🐸 = 16 🐞 = 6
🐍 = 40 🦎 = 12

한 번 더 연습해요!

1. 계산해 보세요.

4 + 6 = 10 12 + 8 = 20 28 - 8 = 20 27 - 15 = 12
14 + 6 = 20 55 + 5 = 60 18 - 8 = 10 34 - 9 = 25
24 + 6 = 30 24 + 7 = 31 8 - 8 = 0 64 - 47 = 17

2. 아래 글을 읽고 알맞은 식을 세워 답을 구해 보세요.

❶ 7과 8의 합은 얼마일까요?
식 : 7 + 8 = 15
정답 : 15

❷ 14와 9의 차는 얼마일까요?
식 : 14 - 9 = 5
정답 : 5

15

14쪽 6번

빈칸이 1칸 있는 곳부터 답을 구하면 2칸이 있는 곳의 답도 쉽게 찾을 수 있어요.

16-17쪽

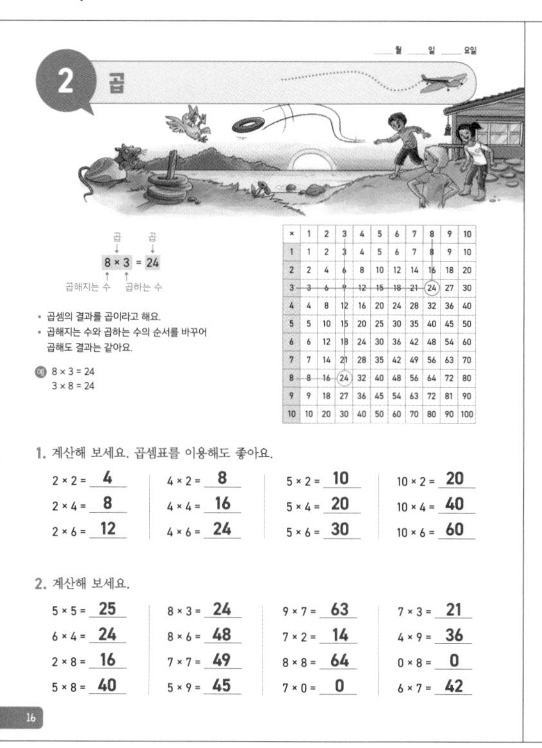

___월 ___일 ___요일

2 곱

곱 곱
8 × 3 = 24
곱해지는 수 곱하는 수

- 곱셈의 결과를 곱이라고 해요.
- 곱해지는 수와 곱하는 수의 순서를 바꾸어 곱해도 결과는 같아요.

예 8 × 3 = 24
3 × 8 = 24

×	1	2	3	4	5	6	7	8	9	10
1	1	2	3	4	5	6	7	8	9	10
2	2	4	6	8	10	12	14	16	18	20
3	3	6	9	12	15	18	21	24	27	30
4	4	8	12	16	20	24	28	32	36	40
5	5	10	15	20	25	30	35	40	45	50
6	6	12	18	24	30	36	42	48	54	60
7	7	14	21	28	35	42	49	56	63	70
8	8	16	24	32	40	48	56	64	72	80
9	9	18	27	36	45	54	63	72	81	90
10	10	20	30	40	50	60	70	80	90	100

1. 계산해 보세요. 곱셈표를 이용해도 좋아요.

2 × 2 = 4　　4 × 2 = 8　　5 × 2 = 10　　10 × 2 = 20
2 × 4 = 8　　4 × 4 = 16　　5 × 4 = 20　　10 × 4 = 40
2 × 6 = 12　　4 × 6 = 24　　5 × 6 = 30　　10 × 6 = 60

2. 계산해 보세요.

5 × 5 = 25　　8 × 3 = 24　　9 × 7 = 63　　7 × 3 = 21
6 × 4 = 24　　8 × 6 = 48　　7 × 2 = 14　　4 × 9 = 36
2 × 8 = 16　　7 × 7 = 49　　8 × 8 = 64　　0 × 8 = 0
5 × 8 = 40　　5 × 9 = 45　　7 × 0 = 0　　6 × 7 = 42

16

3. 아래 글을 읽고 알맞은 식을 세워 답을 구해 보세요.

❶ 8과 5의 곱을 구해 보세요.
식 : 8 × 5 = 40
정답 : 40

❷ 곱해지는 수는 6이고 곱하는 수는 8이에요.
식 : 6 × 8 = 48
정답 : 48

4. 아래 글을 읽고 알맞은 식을 세워 답을 구한 후, 정답을 애벌레에서 찾아 ○표 해 보세요.

❶ 파벨은 공을 5번 쳤어요. 1번 칠 때마다 4점을 얻어요. 파벨은 모두 몇 점을 얻었을까요?
식 : 4 × 5 = 20
정답 : 20점

❷ 샌포드는 공을 7번 쳤어요. 1번 칠 때마다 6점을 얻어요. 샌포드는 모두 몇 점을 얻었을까요?
식 : 6 × 7 = 42
정답 : 42점

❸ 비올라는 공을 4번 쳤어요. 1번 칠 때마다 9점을 얻어요. 비올라는 모두 몇 점을 얻었을까요?
식 : 9 × 4 = 36
정답 : 36점

❹ 페트라는 공을 8번 쳤어요. 1번 칠 때마다 6점을 얻어요. 페트라는 모두 몇 점을 얻었을까요?
식 : 6 × 8 = 48
정답 : 48점

❺ 존은 공을 7번 쳤어요. 1번 칠 때마다 8점을 얻어요. 존은 모두 몇 점을 얻었을까요?
식 : 8 × 7 = 56
정답 : 56점

❻ 퍽은 공을 10번 쳤어요. 1번 칠 때마다 8점을 얻어요. 퍽은 모두 몇 점을 얻었을까요?
식 : 8 × 10 = 80
정답 : 80점

(20) 28 (36) (42) (48) 54 (56) (80)

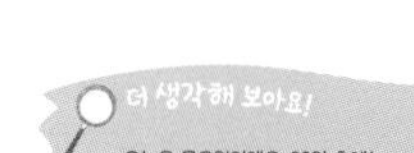

더 생각해 보아요!

오늘은 목요일이에요. 20일 후에는 무슨 요일일까요?

수요일

부모님 가이드 | 16쪽

3과 8의 곱으로 된 가로 블록을 세로로 세워도 개수는 변하지 않아요. 곱셈에서는 앞의 수와 뒤의 수를 바꾸어도 결과값은 변하지 않고 같다는 걸 꼭 기억하세요.

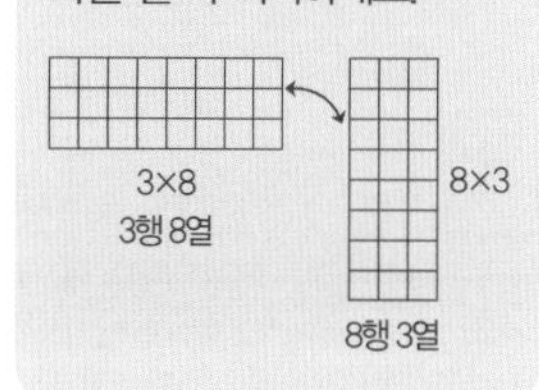

부모님 가이드 | 17쪽

1618년 영국의 수학자 에드워드 라이트가 처음으로 ×를 곱셈 기호로 썼는데 스코틀랜드 국기의 십자 모양에서 나왔다고 해요. 영국의 수학자 오트레드도 1631년 『수학의 열쇠』라는 책에서 ×를 곱셈 기호로 썼는데 교회의 십자가를 보고 따왔다고 해요. 하지만 독일의 수학자 라이프니츠는 곱셈 기호 ×가 문자 x와 혼동될 수 있다고 하여 대신 ·을 썼답니다. 그래서 핀란드나 독일에서는 × 대신 ·을 곱셈 기호로 쓰고 있어요.

더 생각해 보아요! | 17쪽

일주일은 7일이에요. 21일은 목요일이므로 하루 전인 20일은 수요일이에요.

MEMO

14쪽 8번

덧셈은 부분+부분=전체의 값을 구하는 것과 같고, 뺄셈은 전체에서 없어진 부분의 값을 구하는 것과 같아요.
또한 부분+부분에서 더하는 순서를 바꾸어도 전체 값은 변하지 않아요. 그래서 36+19=19+36=55와 같아요. 그러나 뺄셈에서는 전체에서 부분을 빼므로 순서를 바꾸면 그 차가 달라지기 때문에 (예:76-21=55, 76-55=21) 안 돼요.

15쪽 10번

❹ 🐞+🐞+🐞=18, 3×🐞=18, 🐞=6

❷ 🐸-🐞=10에 🐞=6을 넣으면
🐸-6=10, 🐸=16

❶ 🦋+🐸=36에 🐸=16을 넣으면
🦋+16=36, 🦋=20

❸ 🦋+🦋=🐍에 🦋=20을 넣으면
20+20=40, 🐍=40

❺ 🐍-🦎-🦎=16에 🐍=40을 넣으면
40-🦎-🦎=16, 2🦎=40-16,
2🦎=24, 🦎=12

18-19쪽

GET OVER TWO AND YOU WIN. (2를 넘으면 당신이 이겨요.)

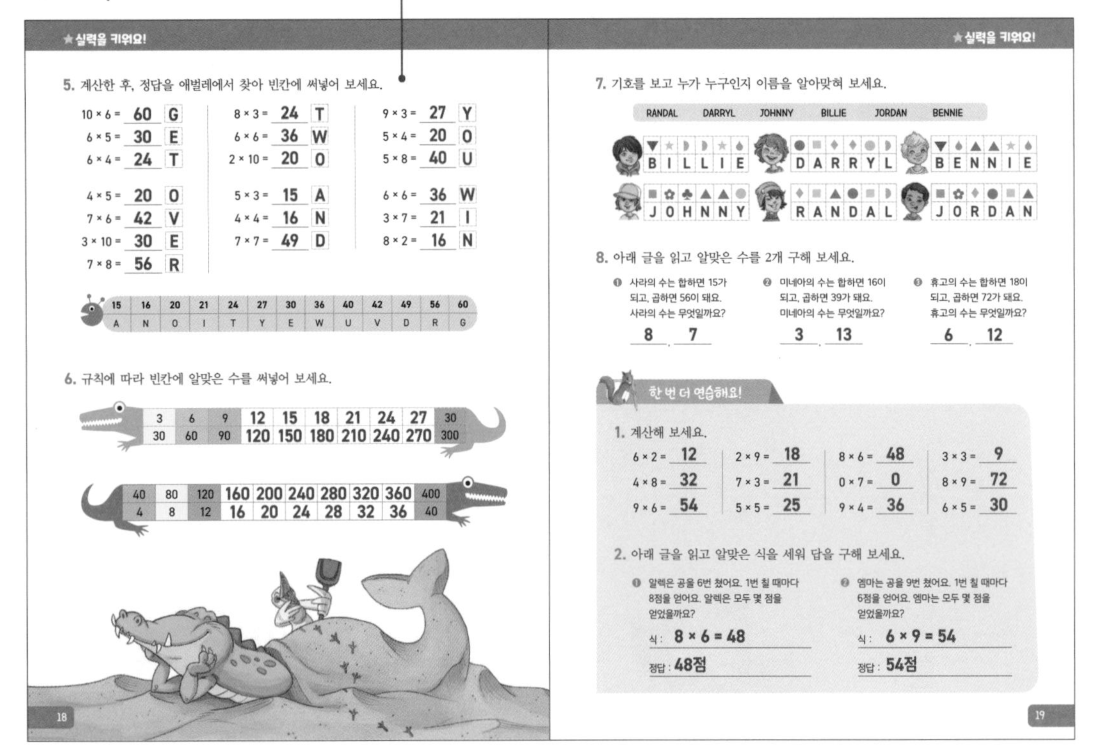

★실력을 키워요!

5. 계산한 후, 정답을 애벌레에서 찾아 빈칸에 써넣어 보세요.

10 × 6 = 60 G, 6 × 5 = 30 E, 6 × 4 = 24 T
8 × 3 = 24 T, 6 × 6 = 36 W, 2 × 10 = 20 O
9 × 3 = 27 Y, 5 × 4 = 20 O, 5 × 8 = 40 U
4 × 5 = 20 O, 7 × 6 = 42 V, 3 × 10 = 30 E, 7 × 8 = 56 R
5 × 3 = 15 A, 4 × 4 = 16 N, 7 × 7 = 49 D
6 × 6 = 36 W, 3 × 7 = 21 I, 8 × 2 = 16 N

15	16	20	21	24	27	30	36	40	42	49	56	60
A	N	O	I	T	Y	E	W	U	V	D	R	G

6. 규칙에 따라 빈칸에 알맞은 수를 써넣어 보세요.

3	6	9	12	15	18	21	24	27	30
30	60	90	120	150	180	210	240	270	300

40	80	120	160	200	240	280	320	360	400
4	8	12	16	20	24	28	32	36	40

18

★실력을 키워요!

7. 기호를 보고 누가 누구인지 이름을 알아맞혀 보세요.

RANDAL DARRYL JOHNNY BILLIE JORDAN BENNIE

BILLIE DARRYL BENNIE
JOHNNY RANDAL JORDAN

8. 아래 글을 읽고 알맞은 수를 2개 구해 보세요.

❶ 사라의 수는 합하면 15가 되고, 곱하면 56이 돼요. 사라의 수는 무엇일까요? 8, 7

❷ 미네아의 수는 합하면 16이 되고, 곱하면 39가 돼요. 미네아의 수는 무엇일까요? 3, 13

❸ 휴고의 수는 합하면 18이 되고, 곱하면 72가 돼요. 휴고의 수는 무엇일까요? 6, 12

한 번 더 연습해요!

1. 계산해 보세요.

6 × 2 = 12, 4 × 8 = 32, 9 × 6 = 54
2 × 9 = 18, 7 × 3 = 21, 5 × 5 = 25
8 × 6 = 48, 0 × 7 = 0, 9 × 4 = 36
3 × 3 = 9, 8 × 9 = 72, 6 × 5 = 30

2. 아래 글을 읽고 알맞은 식을 세워 답을 구해 보세요.

❶ 알렉은 공을 6번 쳤어요. 1번 칠 때마다 8점을 얻어요. 알렉은 모두 몇 점을 얻었을까요?
식: 8 × 6 = 48
정답: 48점

❷ 엠마는 공을 9번 쳤어요. 1번 칠 때마다 6점을 얻어요. 엠마는 모두 몇 점을 얻었을까요?
식: 6 × 9 = 54
정답: 54점

19

19쪽 7번

이름이 B와 J로 시작하는 아이가 2명씩 있고, 기호가 ▼와 ■로 시작하는 것도 2개씩 있어요. 이름이 E와 L로 끝나는 아이가 2명씩 있고, 기호가 💧와 ◗로 끝나는 것도 2개씩 있어요. 위 정보를 가지고 같은 기호는 같은 글자임을 적용해 이름을 알아맞혀 보세요.

20-21쪽

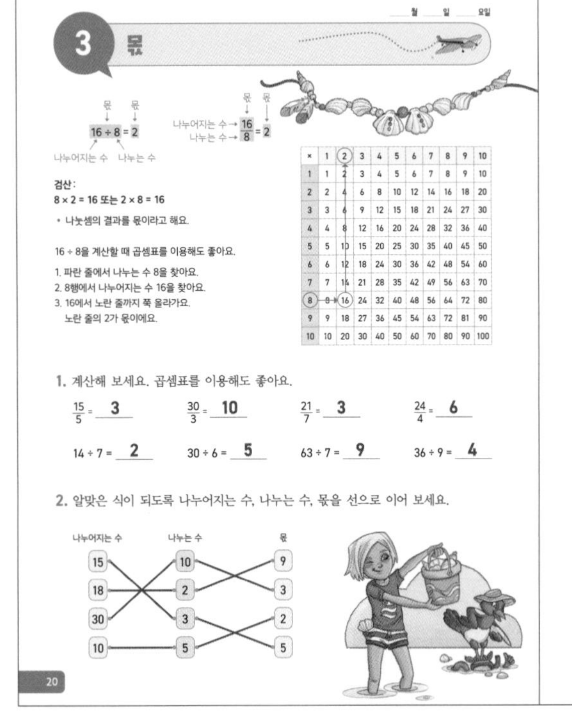

월 일 요일

3 몫

16 ÷ 8 = 2 (몫, 나누어지는 수, 나누는 수)

나누어지는 수 → 16 / 나누는 수 → 8 = 2

검산:
8 × 2 = 16 또는 2 × 8 = 16
• 나눗셈의 결과를 몫이라고 해요.

16 ÷ 8을 계산할 때 곱셈표를 이용해도 좋아요.
1. 파란 줄에서 나누는 수 8을 찾아요.
2. 8행에서 나누어지는 수 16을 찾아요.
3. 16에서 노란 줄까지 쭉 올라가요.
노란 줄의 2가 몫이에요.

×	1	2	3	4	5	6	7	8	9	10
1	1	2	3	4	5	6	7	8	9	10
2	2	4	6	8	10	12	14	16	18	20
3	3	6	9	12	15	18	21	24	27	30
4	4	8	12	16	20	24	28	32	36	40
5	5	10	15	20	25	30	35	40	45	50
6	6	12	18	24	30	36	42	48	54	60
7	7	14	21	28	35	42	49	56	63	70
8	8	16	24	32	40	48	56	64	72	80
9	9	18	27	36	45	54	63	72	81	90
10	10	20	30	40	50	60	70	80	90	100

1. 계산해 보세요. 곱셈표를 이용해도 좋아요.

15/5 = 3, 30/3 = 10, 21/7 = 3, 24/4 = 6

14 ÷ 7 = 2, 30 ÷ 6 = 5, 63 ÷ 7 = 9, 36 ÷ 9 = 4

2. 알맞은 식이 되도록 나누어지는 수, 나누는 수, 몫을 선으로 이어 보세요.

나누어지는 수	나누는 수	몫
15	10	9
18	2	3
30	3	2
10	5	5

20

3. 아래 글을 읽고 알맞은 식을 세워 답을 구한 후, 정답을 애벌레에서 찾아 ○표 해 보세요.

❶ 나누어지는 수는 12이고 나누는 수는 4예요.
식: 12 ÷ 4 = 3
정답: 3

❷ 나누어지는 수는 20이고 나누는 수는 4예요.
식: 20 ÷ 4 = 5
정답: 5

❸ 나누어지는 수는 32이고 나누는 수는 8이에요.
식: 32 ÷ 8 = 4
정답: 4

❹ 나누어지는 수는 27이고 나누는 수는 3이에요.
식: 27 ÷ 3 = 9
정답: 9

4. 아래 글을 읽고 알맞은 식을 세워 답을 구한 후, 정답을 애벌레에서 찾아 ○표 해 보세요.

❶ 엠마는 바닷가에서 조개껍데기 24개를 주워 친구 6명에게 똑같이 나누어 주었어요. 친구 1명이 조개껍데기를 몇 개씩 받았을까요?
식: 24 ÷ 6 = 4
정답: 4개

❷ 메이는 바닷가에서 조개껍데기 40개를 주워 상자에 담았어요. 한 상자에 조개껍데기가 8개씩 들어가요. 메이는 상자가 몇 개 필요할까요?
식: 40 ÷ 8 = 5
정답: 5개

❸ 티샤는 조개껍데기 18개를 가지고 장신구를 만들어요. 장신구 1개를 만드는 데 조개껍데기 3개가 필요해요. 티샤는 몇 개의 장신구를 만들 수 있을까요?
식: 18 ÷ 3 = 6
정답: 6개

❹ 엘리, 수잔, 조세핀 그리고 캐서린은 조개껍데기 32개를 똑같이 나누어 가졌어요. 한 사람이 몇 개씩 가졌을까요?
식: 32 ÷ 4 = 8
정답: 8개

2 ③④④⑤⑤⑥ 7 ⑧⑨

더 생각해 보아요!

공원에 아이들이 17명 있어요. 남자아이들이 여자아이들보다 5명 더 많아요. 공원에는 여자아이들이 몇 명 있을까요?

6명

부모님 가이드 | 20쪽

÷ 기호는 1659년 스위스의 수학자 란이 쓴 책 『대수학』에서 처음 등장했어요. 나눗셈을 분수로 나타낼 때의 모양을 보고 만들었다고 해요. ÷ 기호를 사용하는 나라는 우리나라, 일본, 미국, 영국 정도에 불과하고, 다른 많은 나라에서는 분수로 나타내거나 : 기호를 사용한답니다.

더 생각해 보아요! | 21쪽

- 두 수의 차가 5이므로 17에서 5를 빼면 12가 나와요. (17-5=12)
- 차이가 없는 두 수를 구하려면 12를 2로 나누면 돼요. (12÷2=6)
- 6에 두 수의 차인 5를 더하면 11이 나와요. (6+5=11)
- 남자아이가 여자아이보다 5명 더 많으므로 남자아이는 11명 여자아이는 6명이 돼요.

22-23쪽

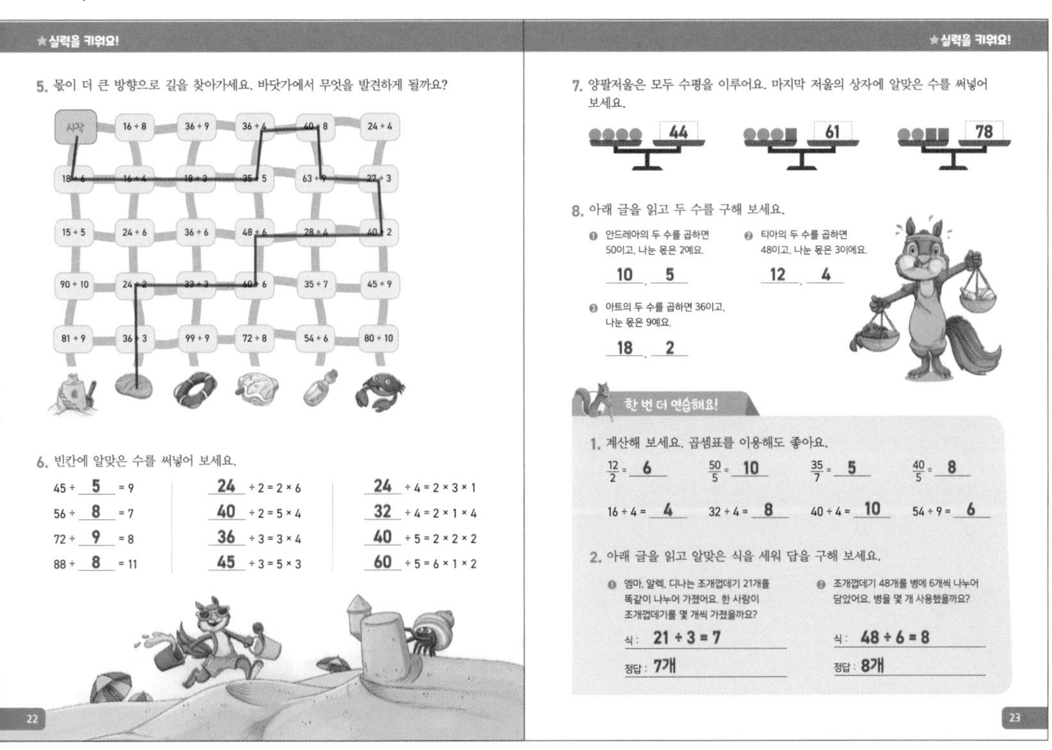
★실력을 키워요!

5. 몫이 더 큰 방향으로 길을 찾아가세요. 바닷가에서 무엇을 발견하게 될까요?

시작	16 ÷ 8	36 ÷ 9	36 ÷ 6	40 ÷ 8	24 ÷ 4
18 ÷ 6	16 ÷ 4	18 ÷ 3	35 ÷ 5	63 ÷ 9	27 ÷ 3
15 ÷ 5	24 ÷ 6	36 ÷ 6	48 ÷ 6	28 ÷ 4	40 ÷ 2
90 ÷ 10	24 ÷ 2	33 ÷ 3	60 ÷ 6	35 ÷ 7	45 ÷ 9
81 ÷ 9	36 ÷ 3	99 ÷ 9	72 ÷ 8	54 ÷ 6	80 ÷ 10

6. 빈칸에 알맞은 수를 써넣어 보세요.

45 ÷ 5 = 9　　24 ÷ 2 = 2 × 6　　24 ÷ 4 = 2 × 3 × 1
56 ÷ 8 = 7　　40 ÷ 2 = 5 × 4　　32 ÷ 4 = 2 × 1 × 4
72 ÷ 9 = 8　　36 ÷ 3 = 3 × 4　　40 ÷ 5 = 2 × 2 × 2
88 ÷ 8 = 11　　45 ÷ 3 = 5 × 3　　60 ÷ 5 = 6 × 1 × 2

22

★실력을 키워요!

7. 양팔저울은 모두 수평을 이루어요. 마지막 저울의 상자에 알맞은 수를 써넣어 보세요.

44　　61　　78

8. 아래 글을 읽고 두 수를 구해 보세요.

❶ 안드레아의 두 수를 곱하면 50이고, 나눈 몫은 2예요. 10, 5
❷ 티아의 두 수를 곱하면 48이고, 나눈 몫은 3이에요. 12, 4
❸ 아트의 두 수를 곱하면 36이고, 나눈 몫은 9예요. 18, 2

한 번 더 연습해요!

1. 계산해 보세요. 곱셈표를 이용해도 좋아요.

$\frac{12}{2}$ = 6　$\frac{50}{5}$ = 10　$\frac{35}{7}$ = 5　$\frac{40}{5}$ = 8
16 ÷ 4 = 4　32 ÷ 4 = 8　40 ÷ 4 = 10　54 ÷ 9 = 6

2. 아래 글을 읽고 알맞은 식을 세워 답을 구해 보세요.

❶ 엠마, 알렉, 디나는 조개껍데기 21개를 똑같이 나누어 가졌어요. 한 사람이 조개껍데기를 몇 개씩 가졌을까요?
식: 21 ÷ 3 = 7
정답: 7개

❷ 조개껍데기 48개를 병에 6개씩 나누어 담았어요. 병을 몇 개 사용했을까요?
식: 48 ÷ 6 = 8
정답: 8개

23

22쪽 6번

나눗셈을 검산할 때 곱셈을 이용하기 때문에 검산할 때의 곱셈으로 문제를 해결할 수 있어요.

23쪽 7번

❶ 44÷4=11, ●=11
❷ 11×3+■=61, 33+■=61, ■=61−33, ■=28
❸ 11×2+28×2=22+56=78

23쪽 8번

❶ 곱해서 50이 되는 두 수는 (1, 50), (2, 25), (5, 10)이에요. 이 가운데 나눈 몫이 2가 되는 수는 10과 5예요.
❷ 곱해서 48이 되는 두 수는 (1, 48), (2, 24), (3, 16), (4, 12), (6, 8)이에요. 이 가운데 나눈 몫이 3이 되는 수는 12와 4예요.
❸ 곱해서 36이 되는 두 수는 (1, 36), (2, 18), (3, 12), (4, 9)예요. 이 가운데 나눈 몫이 9가 되는 수는 18과 2예요.

24-25쪽

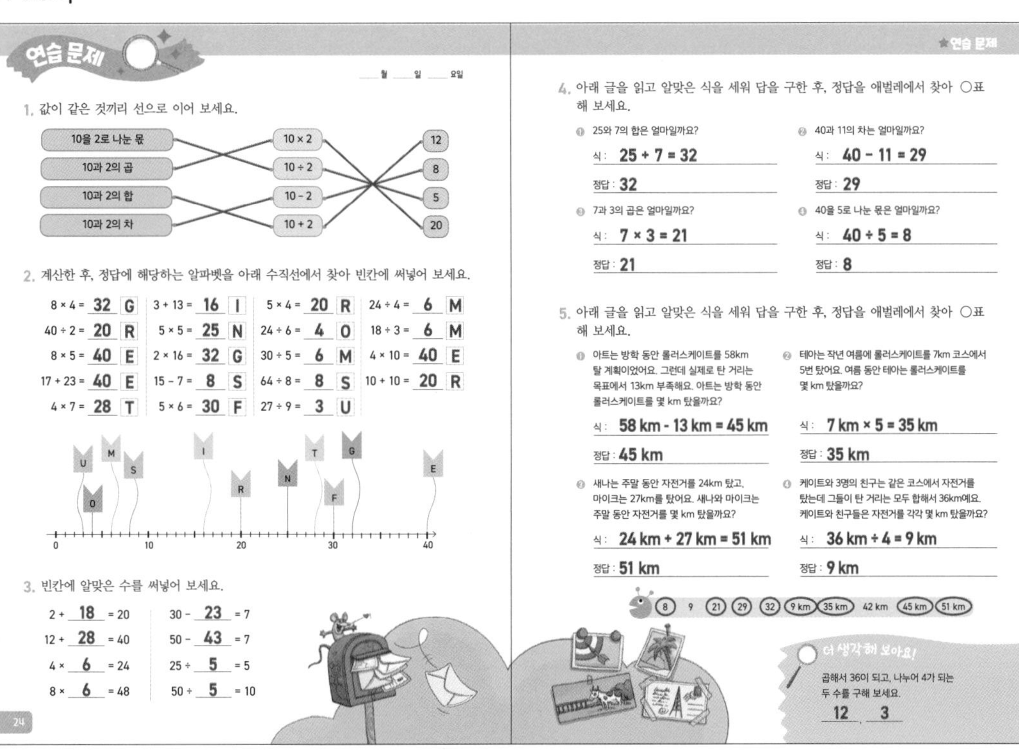
연습 문제

___월 ___일 ___요일

1. 값이 같은 것끼리 선으로 이어 보세요.

10을 2로 나눈 몫　　10 × 2　　12
10과 2의 곱　　10 ÷ 2　　8
10과 2의 합　　10 − 2　　5
10과 2의 차　　10 + 2　　20

2. 계산한 후, 정답에 해당하는 알파벳을 아래 수직선에서 찾아 빈칸에 써넣어 보세요.

8 × 4 = 32 G　3 + 13 = 16 I　5 × 4 = 20 R　24 ÷ 4 = 6 M
40 ÷ 2 = 20 R　5 × 5 = 25 N　24 ÷ 6 = 4 O　18 ÷ 3 = 6 M
8 × 5 = 40 E　2 × 16 = 32 G　30 ÷ 5 = 6 M　4 × 10 = 40 E
17 + 23 = 40 E　15 − 7 = 8 S　64 ÷ 8 = 8 S　10 + 10 = 20 R
4 × 7 = 28 T　5 × 6 = 30 F　27 ÷ 9 = 3 U

3. 빈칸에 알맞은 수를 써넣어 보세요.

2 + 18 = 20　　30 − 23 = 7
12 + 28 = 40　　50 − 43 = 7
4 × 6 = 24　　25 ÷ 5 = 5
8 × 6 = 48　　50 ÷ 5 = 10

24

★연습 문제

4. 아래 글을 읽고 알맞은 식을 세워 답을 구한 후, 정답을 애벌레에서 찾아 ○표 해 보세요.

❶ 25와 7의 합은 얼마일까요?
식: 25 + 7 = 32
정답: 32

❷ 40과 11의 차는 얼마일까요?
식: 40 − 11 = 29
정답: 29

❸ 7과 3의 곱은 얼마일까요?
식: 7 × 3 = 21
정답: 21

❹ 40을 5로 나눈 몫은 얼마일까요?
식: 40 ÷ 5 = 8
정답: 8

5. 아래 글을 읽고 알맞은 식을 세워 답을 구한 후, 정답을 애벌레에서 찾아 ○표 해 보세요.

❶ 아트는 방학 동안 롤러스케이트를 58km 탈 계획이었어요. 그런데 실제로 탄 거리는 목표에서 13km 부족해요. 아트는 방학 동안 롤러스케이트를 몇 km 탔을까요?
식: 58 km − 13 km = 45 km
정답: 45 km

❷ 테아는 작년 여름에 롤러스케이트를 7km 코스에서 5번 탔어요. 여름 동안 테아는 롤러스케이트를 몇 km 탔을까요?
식: 7 km × 5 = 35 km
정답: 35 km

❸ 새나는 주말 동안 자전거를 24km 탔고, 마이크는 27km를 탔어요. 새나와 마이크는 주말 동안 자전거를 몇 km 탔을까요?
식: 24 km + 27 km = 51 km
정답: 51 km

❹ 케이트와 3명의 친구는 같은 코스에서 자전거를 탔는데 그들이 탄 거리는 모두 합해서 36km예요. 케이트와 친구들은 자전거를 각각 몇 km 탔을까요?
식: 36 km ÷ 4 = 9 km
정답: 9 km

더 생각해 보아요!

곱해서 36이 되고, 나누어 4가 되는 두 수를 구해 보세요.
12, 3

24쪽 2번

GREETINGS FROM SUMMER (여름 인사)

더 생각해 보아요! | 25쪽

곱해서 36이 되는 두 수는 (1, 36), (2, 18), (3, 12), (4, 9)예요. 이 가운데 나눈 몫이 4가 되는 수는 12와 3이에요.

26-27쪽

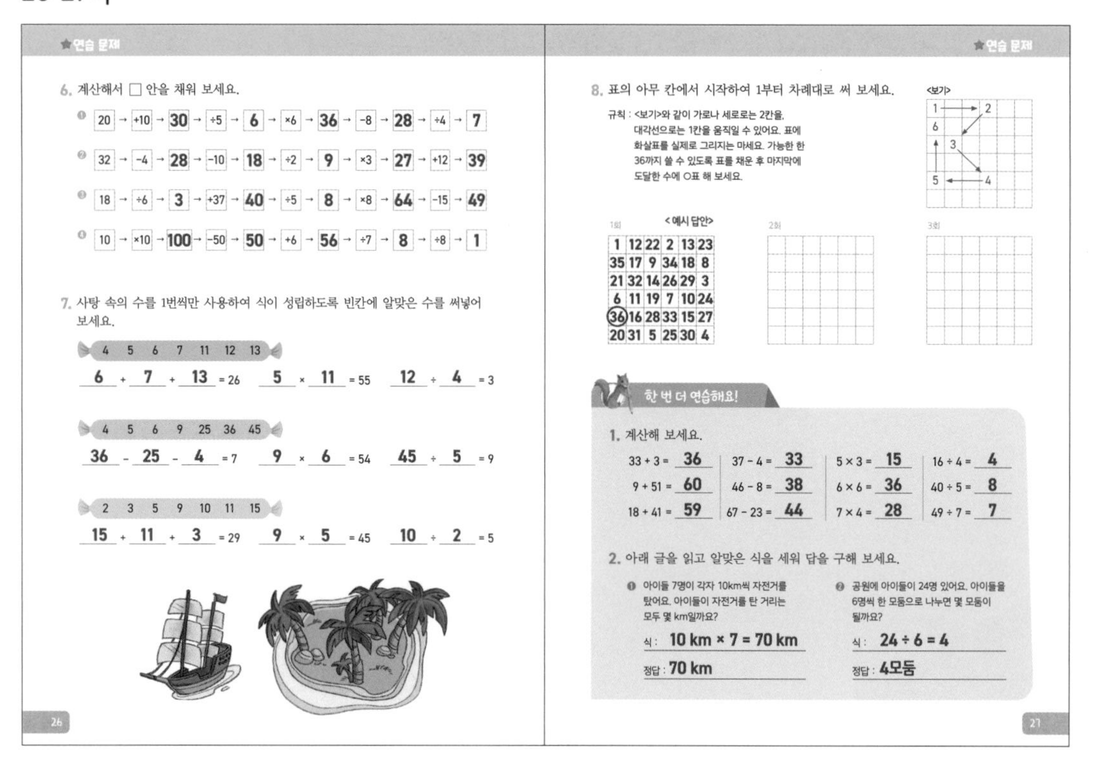

★연습 문제

6. 계산해서 □ 안을 채워 보세요.

❶ 20 → +10 → **30** → ÷5 → **6** → ×6 → **36** → -8 → **28** → ÷4 → **7**

❷ 32 → -4 → **28** → -10 → **18** → ÷2 → **9** → ×3 → **27** → +12 → **39**

❸ 18 → ÷6 → **3** → +37 → **40** → ÷5 → **8** → ×8 → **64** → -15 → **49**

❹ 10 → ×10 → **100** → -50 → **50** → +6 → **56** → ÷7 → **8** → ÷8 → **1**

7. 사탕 속의 수를 1번씩만 사용하여 식이 성립하도록 빈칸에 알맞은 수를 써넣어 보세요.

4 5 6 7 11 12 13

6 + **7** + **13** = 26　**5** × **11** = 55　**12** ÷ **4** = 3

4 5 6 9 25 36 45

36 - **25** - **4** = 7　**9** × **6** = 54　**45** ÷ **5** = 9

2 3 5 9 10 11 15

15 + **11** + **3** = 29　**9** × **5** = 45　**10** ÷ **2** = 5

26

★연습 문제

8. 표의 아무 칸에서 시작하여 1부터 차례대로 써 보세요.

규칙 : <보기>와 같이 가로나 세로로는 2칸을, 대각선으로는 1칸을 움직일 수 있어요. 표에 화살표를 실제로 그리지는 마세요. 가능한 한 36까지 쓸 수 있도록 표를 채운 후 마지막에 도달한 수에 O표 해 보세요.

<보기>

1회 <예시 답안>

1	12	22	2	13	23
35	17	9	34	18	8
21	32	14	26	29	3
6	11	19	7	10	24
(36)	16	28	33	15	27
20	31	5	25	30	4

2회　3회

한 번 더 연습해요!

1. 계산해 보세요.

33 + 3 = **36**	37 - 4 = **33**	5 × 3 = **15**	16 ÷ 4 = **4**
9 + 51 = **60**	46 - 8 = **38**	6 × 6 = **36**	40 ÷ 5 = **8**
18 + 41 = **59**	67 - 23 = **44**	7 × 4 = **28**	49 ÷ 7 = **7**

2. 아래 글을 읽고 알맞은 식을 세워 답을 구해 보세요.

❶ 아이들 7명이 각자 10km씩 자전거를 탔어요. 아이들이 자전거를 탄 거리는 모두 몇 km일까요?

식 : **10 km × 7 = 70 km**

정답 : **70 km**

❷ 공원에 아이들이 24명 있어요. 아이들을 6명씩 한 모둠으로 나누면 몇 모둠이 될까요?

식 : **24 ÷ 6 = 4**

정답 : **4모둠**

27

26쪽 7번

곱셈과 나눗셈의 값을 먼저 찾은 후, 남은 수를 이용하여 덧셈식과 뺄셈식의 답이 나오도록 고르면 됩니다. 덧셈식에서는 전체에 해당하는 합의 결과값보다 작은 수를 고르고, 뺄셈식에서는 처음에 오는 수로 가장 큰 수를 골라야겠죠?

27쪽 8번

36까지 성공했나요? 규칙에 맞게 숫자를 채워 성공할 때까지 여러 번 시도해 보세요.

28-29쪽

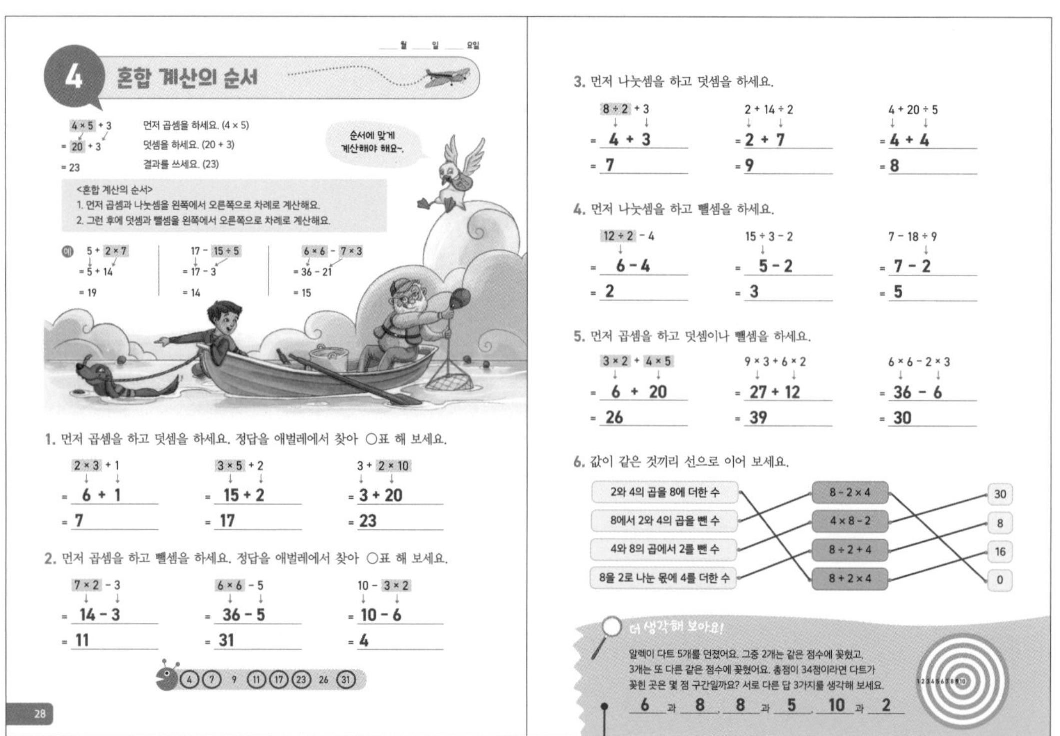

월 일 요일

4 혼합 계산의 순서

4 × 5 + 3　먼저 곱셈을 하세요. (4 × 5)
= 20 + 3　덧셈을 하세요. (20 + 3)
= 23　결과를 쓰세요. (23)

순서에 맞게 계산해야 해요~.

<혼합 계산의 순서>
1. 먼저 곱셈과 나눗셈을 왼쪽에서 오른쪽으로 차례로 계산해요.
2. 그런 후에 덧셈과 뺄셈을 왼쪽에서 오른쪽으로 차례로 계산해요.

예 5 + 2 × 7 = 5 + 14 = 19　17 - 15 ÷ 5 = 17 - 3 = 14　6 × 6 - 7 × 3 = 36 - 21 = 15

1. 먼저 곱셈을 하고 덧셈을 하세요. 정답을 애벌레에서 찾아 ○표 해 보세요.

2 × 3 + 1 = **6 + 1** = **7**　3 × 5 + 2 = **15 + 2** = **17**　3 + 2 × 10 = **3 + 20** = **23**

2. 먼저 곱셈을 하고 뺄셈을 하세요. 정답을 애벌레에서 찾아 ○표 해 보세요.

7 × 2 - 3 = **14 - 3** = **11**　6 × 6 - 5 = **36 - 5** = **31**　10 - 3 × 2 = **10 - 6** = **4**

(4) (7) 9 (11) (17) (23) 26 (31)

28

3. 먼저 나눗셈을 하고 덧셈을 하세요.

8 ÷ 2 + 3 = **4 + 3** = **7**　2 + 14 ÷ 2 = **2 + 7** = **9**　4 + 20 ÷ 5 = **4 + 4** = **8**

4. 먼저 나눗셈을 하고 뺄셈을 하세요.

12 ÷ 2 - 4 = **6 - 4** = **2**　15 ÷ 3 - 2 = **5 - 2** = **3**　7 - 18 ÷ 9 = **7 - 2** = **5**

5. 먼저 곱셈을 하고 덧셈이나 뺄셈을 하세요.

3 × 2 + 4 × 5 = **6 + 20** = **26**　9 × 3 + 6 × 2 = **27 + 12** = **39**　6 × 6 - 2 × 3 = **36 - 6** = **30**

6. 값이 같은 것끼리 선으로 이어 보세요.

2와 4의 곱을 8에 더한 수 — 8 + 2 × 4 — 16
8에서 2와 4의 곱을 뺀 수 — 8 - 2 × 4 — 0
4와 8의 곱에서 2를 뺀 수 — 4 × 8 - 2 — 30
8을 2로 나눈 몫에 4를 더한 수 — 8 ÷ 2 + 4 — 8

더 생각해 보아요!

알렉이 다트 5개를 던졌어요. 그중 2개는 같은 점수에 꽂혔고, 3개는 또 다른 같은 점수에 꽂혔어요. 총점이 34점이라면 다트가 꽂힌 곳은 몇 점 구간일까요? 서로 다른 답 3가지를 생각해 보세요.

6 과 **8**, **8** 과 **5**, **10** 과 **2**

6과 8 (6×3+8×2=18+16=34)
8과 5 (8×3+5×2=24+10=34)
10과 2 (10×3+2×2=30+4=34)

부모님 가이드 | 28쪽

사칙연산 중 왜 곱셈을 먼저 할까요? 어떤 논리적인 이유가 있었던 건 아니고 오랜 경험과 역사적인 결과로 자연스럽게 정해졌다고 해요. 현재와 비슷한 연산 기호가 사용되기 시작한 16세기 문헌에서 이미 덧셈보다 곱셈을 먼저 하는 규칙이 발견되었다고 해요.

특히 2개 이상의 식이 결합된 다항식을 쓸 때 곱셈의 괄호를 생략하는 쪽이 편리하게 여겨지면서 약 100년 전에 지금과 같은 혼합 계산 순서 규칙이 정해졌어요.

19세기까지만 해도 곱셈과 나눗셈이 섞여 있는 경우에는 괄호를 쓰는 것이 권장되었어요. 알고 보면 지금과 같은 규칙이 최종적으로 확립된 것은 기껏해야 100년 정도밖에 되지 않았네요.

30-31쪽

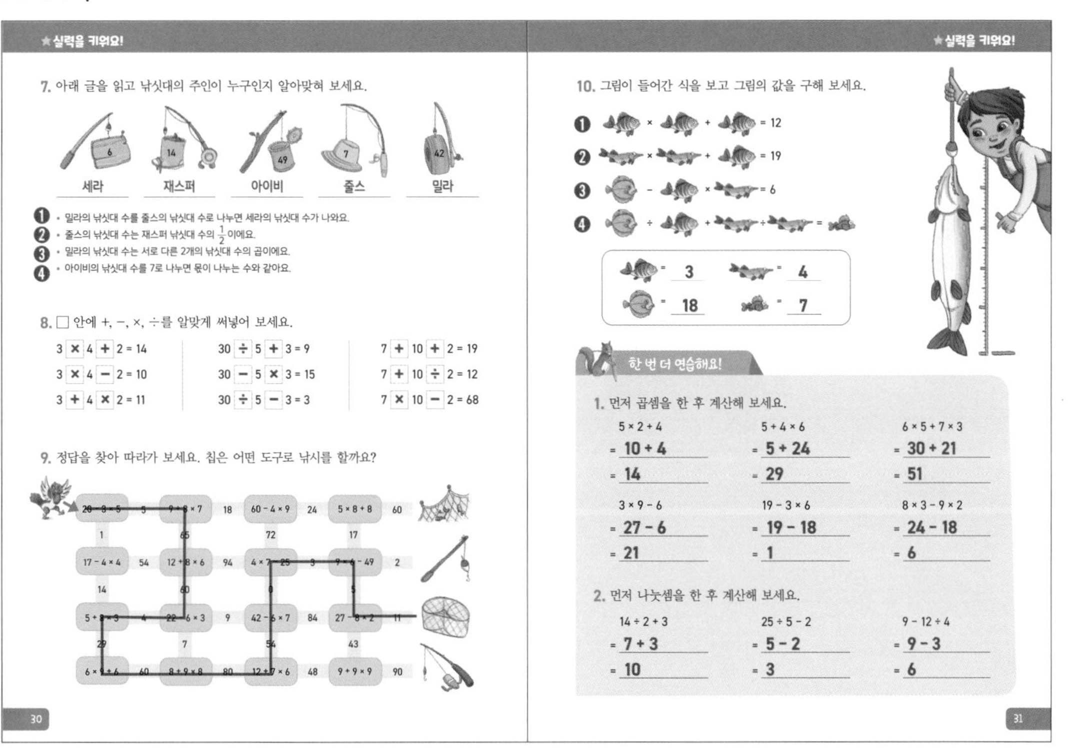

30쪽 7번

❹ 아이비의 수를 7로 나누면 몫이 나누는 수와 같아요. 49=7×7이므로 아이비=49
❶ 밀라의 낚싯대 수를 줄스의 낚싯대 수로 나누면 세라의 낚싯대 수가 나와요.
❸ 밀라의 낚싯대 수는 서로 다른 2개의 낚싯대 수의 곱이에요.
❶, ❸과 관련된 수는 6, 7, 42예요. 이 가운데 밀라의 수가 가장 크므로 밀라=42
❷ 줄스의 낚싯대 수는 재스퍼 낚싯대 수의 $\frac{1}{2}$이에요. 14의 절반은 7이므로 줄스=7, 재스퍼=14. 줄스가 7이므로 세라=6

31쪽 10번

❶ (그림)×(그림)+(그림)=12, (그림)=3

❷ (그림)×(그림)+(그림)=19에 (그림)=3을 넣으면 (그림)×(그림)+3=19, (그림)×(그림)=16, (그림)=4

❸ (그림)-(그림)×(그림)=6에 (그림)=3, (그림)=4를 넣으면 (그림)-3×4=6, (그림)=18

❹ (그림)÷(그림)+(그림)÷(그림)=(그림)
(그림)=3, (그림)=4, (그림)=18을 넣으면
18÷3+4÷4=(그림), 6+1=7, (그림)=7

32-33쪽

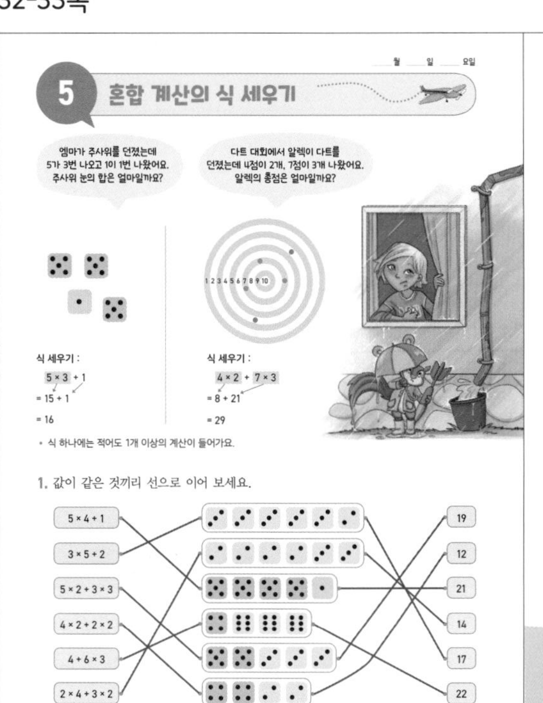

2. 주사위 눈을 보고 알맞은 식을 세워 답을 구해 보세요.

2 × 3 + 1 = 6 + 1 = 7	5 × 2 + 3 × 2 = 10 + 6 = 16
4 + 2 × 3 = 4 + 6 = 10	5 × 3 + 6 × 2 = 15 + 12 = 27

3. 엠마는 다트를 5번 던졌어요. 엠마의 총점은 각각 얼마일까요? 정답을 애벌레에서 찾아 ○표 해 보세요.

❶ 5점 2개와 4점 3개
5 × 2 + 4 × 3
= 10 + 12
= 22

❷ 8점 4개와 6점 1개
8 × 4 + 6
= 32 + 6
= 38

❸ 7점씩 5개
7 × 5
= 35

❹ 10점 1개와 9점 4개
10 + 9 × 4
= 10 + 36
= 46

더 생각해 보아요!
나는 어떤 수일까요?
이 수에 4를 곱한 후 5를 빼면 19가 나와요.
6

□×4-5=19,
□×4=19+5,
□×4=24,
□=6

부모님 가이드 | 32쪽

좌) 5×3+1에서 곱셈을 먼저 구해야 하므로 5×3의 결과인 15를 먼저 쓰고 1을 더하면 15+1이 돼요.
우) 4×2+7×3에서 곱셈을 먼저 구해야 하므로 4×2=8, 7×3=21의 값을 각각 쓰면 8+21이 돼요.

34-35쪽

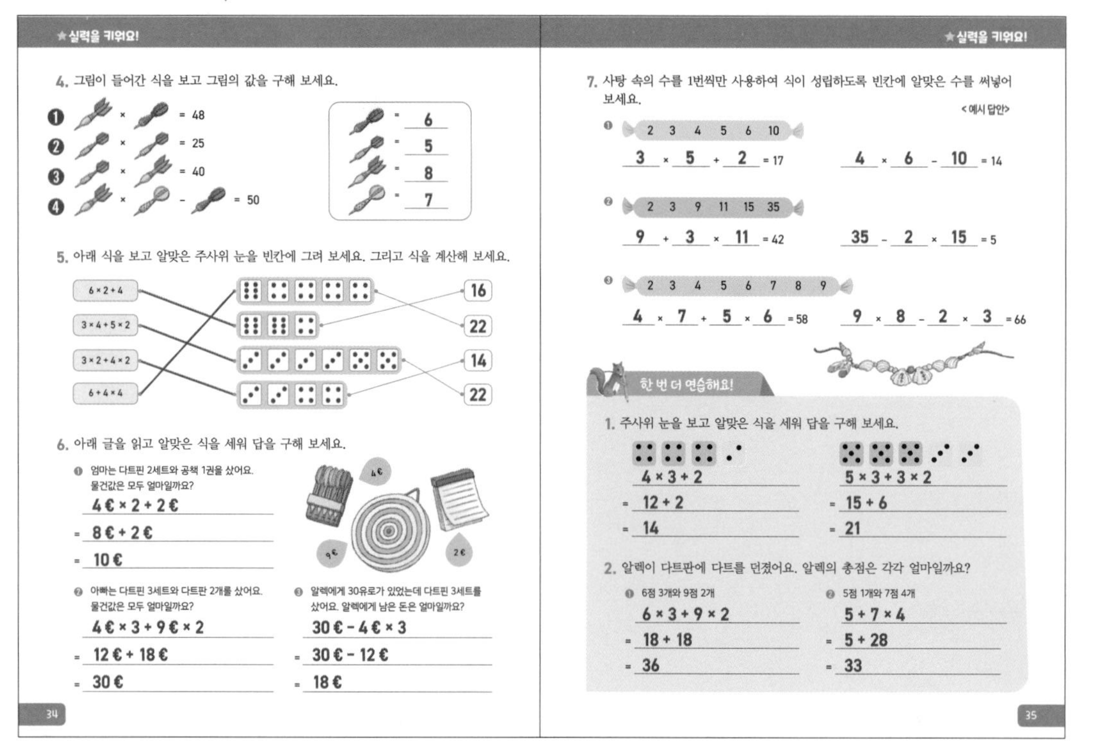

★실력을 키워요!

4. 그림이 들어간 식을 보고 그림의 값을 구해 보세요.

❶ [그림] × [그림] = 48
❷ [그림] × [그림] = 25
❸ [그림] × [그림] = 40
❹ [그림] × [그림] - [그림] = 50

[그림] = 6, [그림] = 5, [그림] = 8, [그림] = 7

5. 아래 식을 보고 알맞은 주사위 눈을 빈칸에 그려 보세요. 그리고 식을 계산해 보세요.

6×2+4 → 16
3×4+5×2 → 22
3×2+4×2 → 14
6+4×4 → 22

6. 아래 글을 읽고 알맞은 식을 세워 답을 구해 보세요.

❶ 엄마는 다트핀 2세트와 공책 1권을 샀어요. 물건값은 모두 얼마일까요?
4€×2+2€
= 8€+2€
= 10€

❷ 아빠는 다트핀 3세트와 다트판 2개를 샀어요. 물건값은 모두 얼마일까요?
4€×3+9€×2
= 12€+18€
= 30€

❸ 알렉에게 30유로가 있었는데 다트핀 3세트를 샀어요. 알렉에게 남은 돈은 얼마일까요?
30€-4€×3
= 30€-12€
= 18€

34

★실력을 키워요!

7. 사탕 속의 수를 1번씩만 사용하여 식이 성립하도록 빈칸에 알맞은 수를 써넣어 보세요.
<예시 답안>

❶ 2 3 4 5 6 10
3 × 5 + 2 = 17 　 4 × 6 - 10 = 14

❷ 2 3 9 11 15 35
9 + 3 × 11 = 42 　 35 - 2 × 15 = 5

❸ 2 3 4 5 6 7 8 9
4 × 7 + 5 × 6 = 58 　 9 × 8 - 2 × 3 = 66

한 번 더 연습해요!

1. 주사위 눈을 보고 알맞은 식을 세워 답을 구해 보세요.
4×3+2
= 12+2
= 14

5×3+3×2
= 15+6
= 21

2. 알렉이 다트판에 다트를 던졌어요. 알렉의 총점은 각각 얼마일까요?

❶ 6점 3개와 9점 2개
6×3+9×2
= 18+18
= 36

❷ 5점 1개와 7점 4개
5+7×4
= 5+28
= 33

35

34쪽 4번

❷ [그림]×[그림]=25, [그림]=5

❸ [그림]×[그림]=40, [그림]=5를 넣으면 5×[그림]=40, [그림]=8

❶ [그림]×[그림]=48, [그림]=8을 넣으면 8×[그림]=48, [그림]=6

❹ [그림]×[그림]-[그림]=50, [그림]=8, [그림]=6을 넣으면 8×[그림]-6=50, 8×[그림]=56, [그림]=7

35쪽 7번

❶ 17을 만들기 위한 수의 곱부터 찾으면
2×6+5=17, 남은 수로 14 만들기 실패
3×4+5=17, 남은 수로 14 만들기 실패
3×5+2=17, 4×6-10=14 성공

❷ 42를 만들기 위한 수의 곱부터 찾으면
2와 다른 수의 곱을 해 보고 남은 수를 더해 42 만들기 실패.
3과 다른 수의 곱을 해 보고 남은 수를 더하면
3×2+35=41 실패, 3×9+15=42 성공, 뺄셈에서는 가장 큰 수인 35에서 남은 두 수의 곱을 빼야 하는데 35-2×11=13 실패
3×11+9=42 성공, 35-2×15=5 성공

❸ 뒤의 뺄셈식 답이 66이기 때문에 앞의 수를 가장 크게 하는 곱셈식을 찾아요.
9×8-2×3=66 성공
남은 수로 58을 만들려면 4×5+6×7=62 실패, 4×6+5×7=59 실패, 4×7+5×6=58 성공

36-37쪽

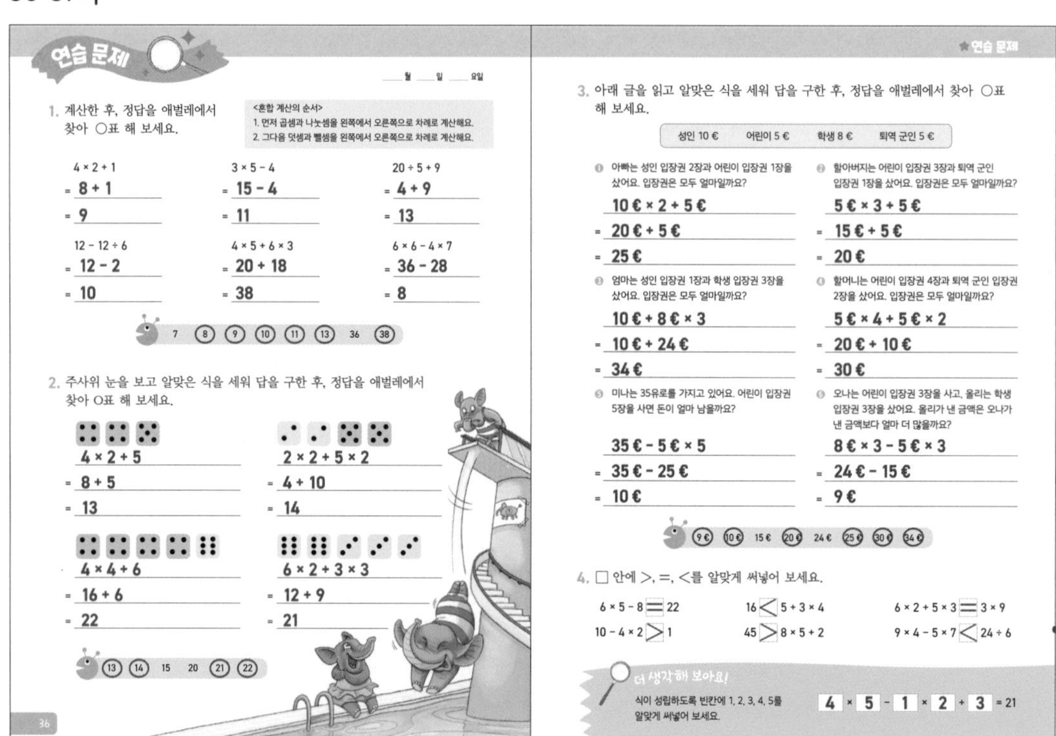

연습 문제

___월 ___일 ___요일

1. 계산한 후, 정답을 애벌레에서 찾아 ○표 해 보세요.

<혼합 계산의 순서>
1. 먼저 곱셈과 나눗셈을 왼쪽에서 오른쪽으로 차례로 계산해요.
2. 그다음 덧셈과 뺄셈을 왼쪽에서 오른쪽으로 차례로 계산해요.

4×2+1 = 8+1 = 9
3×5-4 = 15-4 = 11
20÷5+9 = 4+9 = 13
12-12÷6 = 12-2 = 10
4×5+6×3 = 20+18 = 38
6×6-4×7 = 36-28 = 8

7 ⑧ ⑨ ⑩ ⑪ ⑬ 36 ㊳

2. 주사위 눈을 보고 알맞은 식을 세워 답을 구한 후, 정답을 애벌레에서 찾아 O표 해 보세요.

4×2+5 = 8+5 = 13
2×2+5×2 = 4+10 = 14
4×4+6 = 16+6 = 22
6×2+3×3 = 12+9 = 21

⑬ ⑭ 15 20 ㉑ ㉒

36

★연습 문제

3. 아래 글을 읽고 알맞은 식을 세워 답을 구한 후, 정답을 애벌레에서 찾아 ○표 해 보세요.

성인 10€ 　 어린이 5€ 　 학생 8€ 　 퇴역 군인 5€

❶ 아빠는 성인 입장권 2장과 어린이 입장권 1장을 샀어요. 입장권은 모두 얼마일까요?
10€×2+5€
= 20€+5€
= 25€

❷ 할아버지는 어린이 입장권 3장과 퇴역 군인 입장권 1장을 샀어요. 입장권은 모두 얼마일까요?
5€×3+5€
= 15€+5€
= 20€

❸ 엄마는 성인 입장권 1장과 학생 입장권 3장을 샀어요. 입장권은 모두 얼마일까요?
10€+8€×3
= 10€+24€
= 34€

❹ 할머니는 어린이 입장권 4장과 퇴역 군인 입장권 2장을 샀어요. 입장권은 모두 얼마일까요?
5€×4+5€×2
= 20€+10€
= 30€

❺ 미나는 35유로를 가지고 있어요. 어린이 입장권 5장을 사면 돈이 얼마 남을까요?
35€-5€×5
= 35€-25€
= 10€

❻ 오나는 어린이 입장권 3장을 사고, 올리는 학생 입장권 3장을 샀어요. 올리가 낸 금액은 오나가 낸 금액보다 얼마 더 많을까요?
8€×3-5€×3
= 24€-15€
= 9€

⑨€ ⑩€ 15€ ⑳€ 24€ ㉕€ ㉚€ ㉞€

4. □ 안에 >, =, <를 알맞게 써넣어 보세요.

6×5-8 = 22 　 16 < 5+3×4 　 6×2+5×3 = 3×9
10-4×2 > 1 　 45 > 8×5+2 　 9×4-5×7 < 24÷6

더 생각해 보아요!
식이 성립하도록 빈칸에 1, 2, 3, 4, 5를 알맞게 써넣어 보세요.
4 × 5 - 1 × 2 + 3 = 21

38-39쪽

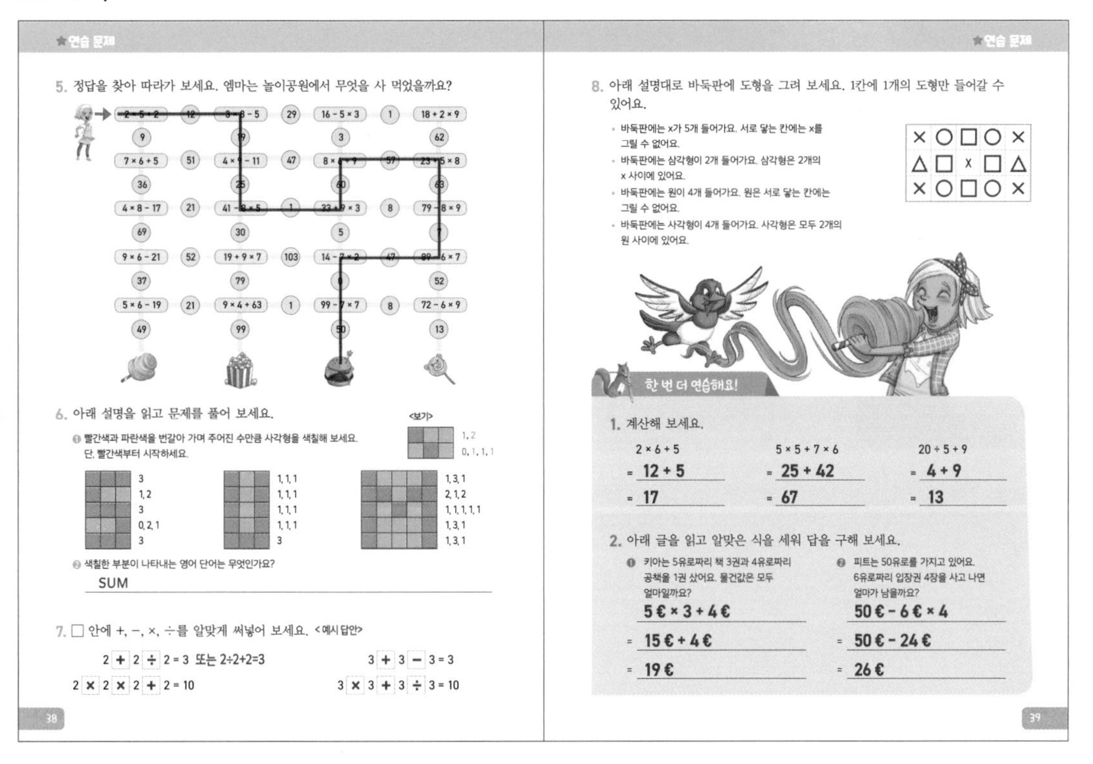

연습 문제

5. 정답을 찾아 따라가 보세요. 엠마는 놀이공원에서 무엇을 사 먹었을까요?

6. 아래 설명을 읽고 문제를 풀어 보세요.

① 빨간색과 파란색을 번갈아 가며 주어진 수만큼 사각형을 색칠해 보세요. 단, 빨간색부터 시작하세요.

② 색칠한 부분이 나타내는 영어 단어는 무엇인가요?

SUM

7. □ 안에 +, −, ×, ÷를 알맞게 써넣어 보세요. <예시 답안>

2 + 2 ÷ 2 = 3 또는 2÷2+2=3　　3 + 3 − 3 = 3

2 × 2 × 2 + 2 = 10　　3 × 3 + 3 ÷ 3 = 10

38

연습 문제

8. 아래 설명대로 바둑판에 도형을 그려 보세요. 1칸에 1개의 도형만 들어갈 수 있어요.

- 바둑판에는 x가 5개 들어가요. 서로 닿는 칸에는 x를 그릴 수 없어요.
- 바둑판에는 삼각형이 2개 들어가요. 삼각형은 2개의 x 사이에 있어요.
- 바둑판에는 원이 4개 들어가요. 원은 서로 닿는 칸에는 그릴 수 없어요.
- 바둑판에는 사각형이 4개 들어가요. 사각형은 모두 2개의 원 사이에 있어요.

×	○	□	○	×
△	□	x	□	△
×	○	□	○	×

한 번 더 연습해요!

1. 계산해 보세요.

$2 \times 6 + 5 = 12 + 5 = 17$

$5 \times 5 + 7 \times 6 = 25 + 42 = 67$

$20 \div 5 + 9 = 4 + 9 = 13$

2. 아래 글을 읽고 알맞은 식을 세워 답을 구해 보세요.

① 키아는 5유로짜리 책 3권과 4유로짜리 공책을 1권 샀어요. 물건값은 모두 얼마일까요?

5 € × 3 + 4 € = 15 € + 4 € = 19 €

② 피트는 50유로를 가지고 있어요. 6유로짜리 입장권 4장을 사고 나면 얼마가 남을까요?

50 € − 6 € × 4 = 50 € − 24 € = 26 €

39

38쪽 6번

❶ 조건이 빨간색부터 시작하는 것이므로 파란색이 먼저 나오면 빨간색은 0으로 표시해요. 따라서 0, 2, 1은 빨간색이 0이므로 색칠하지 않고 파란색 2칸, 빨간색 1칸을 색칠하면 되겠죠?

❷ SUM (합)

39쪽 8번

바둑판에는 x가 5개 들어가요. 서로 닿는 칸에는 x를 그릴 수 없어요.→x를 양 끝에 넣고 남은 1개는 한가운데에 넣어요.

x				x
		x		
x				x

삼각형 2개가 x 사이에 있어요.

x				x
△		x		△
x				x

사각형 4개가 2개의 ○ 사이에 있어요.→사각형은 모두 2개의 원 사이에 있어야 하므로 남은 칸에서 바깥쪽에 원을 먼저 넣고 남은 칸에 □를 넣어요.

x	○		○	x
△		x		△
x	○		○	x

x	○	□	○	x
△	□	x	□	△
x	○	□	○	x

MEMO

36쪽 1번

혼합 계산을 할 때 가장 먼저 어떤 식을 계산해야 할지 순서를 표시한 후 그 순서에 따라 계산하면 실수를 줄일 수 있어요.

예시)

$4 \times 2 + 1$: ① 4×2, ② $+ 1$

$6 \times 6 - 4 \times 7$: ① 6×6, ② 4×7, ③ ① − ②

더 생각해 보아요! | 37쪽

□ × □ − □ × □ + □ = 21

(① 첫 번째 곱셈, ② 두 번째 곱셈, ③ ① − ②, ④ ③ + □)

❶ 계산 순서를 먼저 생각해요.

❷ 곱셈을 순서대로 한 후 앞의 수에서 뒤의 수를 빼야 하므로 ①번 곱셈에 들어가는 수를 가장 크게 만들어야 해요. 5×4=20

❸ ①의 곱이 20이 나오므로 ②의 값은 작게 만들어야 해요. ②번 곱셈에 1과 2를 넣고 남은 수 3을 더하면 5×4−1×2+3=21

40-41쪽

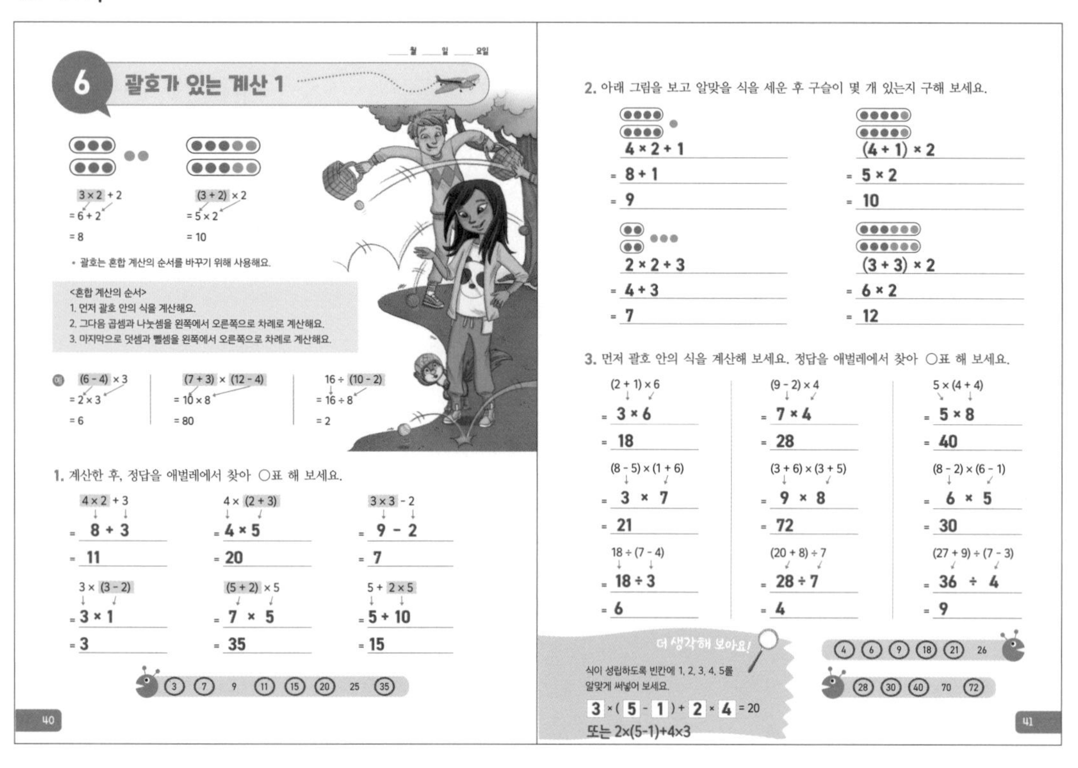

6 괄호가 있는 계산 1

___월 ___일 ___요일

3×2+2
=6+2
=8

(3+2)×2
=5×2
=10

• 괄호는 혼합 계산의 순서를 바꾸기 위해 사용해요.

<혼합 계산의 순서>
1. 먼저 괄호 안의 식을 계산해요.
2. 그다음 곱셈과 나눗셈을 왼쪽에서 오른쪽으로 차례로 계산해요.
3. 마지막으로 덧셈과 뺄셈을 왼쪽에서 오른쪽으로 차례로 계산해요.

예 (6-4)×3 = 2×3 = 6 | (7+3)×(12-4) = 10×8 = 80 | 16÷(10-2) = 16÷8 = 2

1. 계산한 후, 정답을 애벌레에서 찾아 ○표 해 보세요.

4×2+3 = 8+3 = 11 | 4×(2+3) = 4×5 = 20 | 3×3-2 = 9-2 = 7

3×(3-2) = 3×1 = 3 | (5+2)×5 = 7×5 = 35 | 5+2×5 = 5+10 = 15

③ ⑦ 9 ⑪ ⑮ ⑳ 25 ㉟

40

2. 아래 그림을 보고 알맞을 식을 세운 후 구슬이 몇 개 있는지 구해 보세요.

4×2+1 = 8+1 = 9 | (4+1)×2 = 5×2 = 10

2×2+3 = 4+3 = 7 | (3+3)×2 = 6×2 = 12

3. 먼저 괄호 안의 식을 계산해 보세요. 정답을 애벌레에서 찾아 ○표 해 보세요.

(2+1)×6 = 3×6 = 18 | (9-2)×4 = 7×4 = 28 | 5×(4+4) = 5×8 = 40

(8-5)×(1+6) = 3×7 = 21 | (3+6)×(3+5) = 9×8 = 72 | (8-2)×(6-1) = 6×5 = 30

18÷(7-4) = 18÷3 = 6 | (20+8)÷7 = 28÷7 = 4 | (27+9)÷(7-3) = 36÷4 = 9

④ ⑥ ⑨ ⑱ ㉑ 26

㉘ ㉚ ㊵ 70 ㊼

더 생각해 보아요!

식이 성립하도록 빈칸에 1, 2, 3, 4, 5를 알맞게 써넣어 보세요.

3×(5-1)+2×4=20
또는 2×(5-1)+4×3

41

더 생각해 보아요! | 41쪽

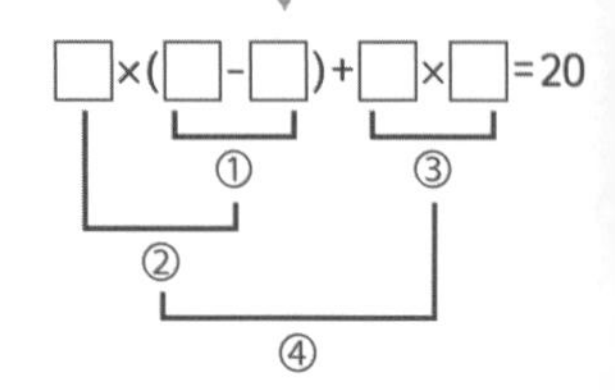

❶ 계산 순서를 정해요.

❷ ③번 식의 답을 구한 후 20을 만족하는 남은 세 수를 구하는 것이 유리해요.
5×4일 경우 남은 세 수를 넣었을 때 20이 나올 수 없으므로 실패, 5×3, 5×2, 5×1일 경우에도 남은 세 수를 넣었을 때 식이 성립하지 않으므로 모두 실패

❸ 4×2의 경우, 남은 수의 혼합 계산이 12가 되어야 하는데, 남은 수 1, 3, 5 중 곱해서 12가 되는 수를 찾아보면 3×4예요. 그러므로 3×(5-1)이 되어야겠죠? 따라서 3×(5-1)+4×2가 정답이랍니다.

42-43쪽

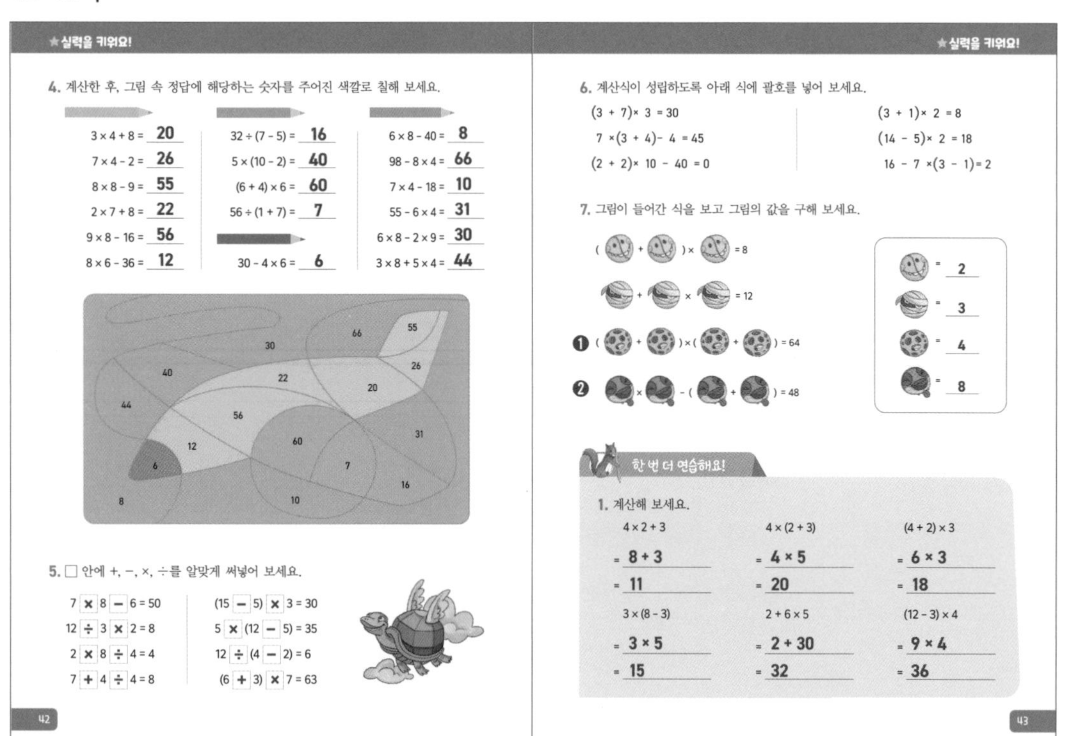

★실력을 키워요!

4. 계산한 후, 그림 속 정답에 해당하는 숫자를 주어진 색깔로 칠해 보세요.

3×4+8 = 20
7×4-2 = 26
8×8-9 = 55
2×7+8 = 22
9×8-16 = 56
8×6-36 = 12

32÷(7-5) = 16
5×(10-2) = 40
(6+4)×6 = 60
56÷(1+7) = 7
30-4×6 = 6

6×8-40 = 8
98-8×4 = 66
7×4-18 = 10
55-6×4 = 31
6×8-2×9 = 30
3×8+5×4 = 44

5. □ 안에 +, −, ×, ÷를 알맞게 써넣어 보세요.

7 × 8 − 6 = 50 | (15 − 5) × 3 = 30
12 ÷ 3 × 2 = 8 | 5 × (12 − 5) = 35
2 × 8 ÷ 4 = 4 | 12 ÷ (4 − 2) = 6
7 + 4 ÷ 4 = 8 | (6 + 3) × 7 = 63

42

6. 계산식이 성립하도록 아래 식에 괄호를 넣어 보세요.

(3+7)×3 = 30 | (3+1)×2 = 8
7×(3+4)-4 = 45 | (14-5)×2 = 18
(2+2)×10-40 = 0 | 16-7×(3-1) = 2

7. 그림이 들어간 식을 보고 그림의 값을 구해 보세요.

= 2, = 3, = 4, = 8

한 번 더 연습해요!

1. 계산해 보세요.

4×2+3 = 8+3 = 11 | 4×(2+3) = 4×5 = 20 | (4+2)×3 = 6×3 = 18
3×(8-3) = 3×5 = 15 | 2+6×5 = 2+30 = 32 | (12-3)×4 = 9×4 = 36

43

42쪽 5번

- 12□3□2=8에서 답이 8이 나오려면 곱셈보다는 나눗셈을 하는 게 유리해요. 12÷3=4, 4에 2를 곱하면 8이 나오네요.
- 7□4□4=8에서 7에 어떤 수를 빼거나 나누거나 곱해도 8이 나오지 않으므로 더하기만 들어가요. 7에 어떤 수를 더해 8이 나오려면 1을 더해야 해요. 그러므로 4÷4를 하여 1을 만들어야 해요.

43쪽 7번

❶ (●+●)×(●+●)=64에서 8×8=64이므로 괄호 안은 8이 되어야 해요. 따라서 ●는 8의 반인 4

❷ ●×●-(●+●)=48에서 답이 짝수이므로 짝수 가운데 계산했을 때 48에 가까운 수를 찾아봐요. 6, 8, 10 가운데 계산에 맞는 수는 8

44-45쪽

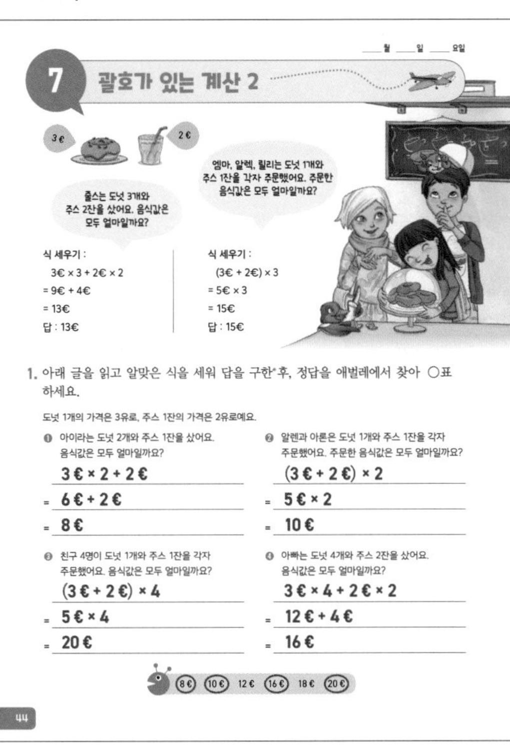

월 일 요일

7 괄호가 있는 계산 2

3€ 2€

엠마, 알렉, 릴리는 도넛 1개와 주스 1잔을 각자 주문했어요. 주문한 음식값은 모두 얼마일까요?

줄스는 도넛 3개와 주스 2잔을 샀어요. 음식값은 모두 얼마일까요?

식 세우기 :
3€ × 3 + 2€ × 2
= 9€ + 4€
= 13€
답 : 13€

식 세우기 :
(3€ + 2€) × 3
= 5€ × 3
= 15€
답 : 15€

1. 아래 글을 읽고 알맞은 식을 세워 답을 구한 후, 정답을 애벌레에서 찾아 ○표 하세요.

도넛 1개의 가격은 3유로, 주스 1잔의 가격은 2유로예요.

❶ 아이라는 도넛 2개와 주스 1잔을 샀어요. 음식값은 모두 얼마일까요?
3€ × 2 + 2€
= 6€ + 2€
= 8€

❷ 알렌과 아론은 도넛 1개와 주스 1잔을 각자 주문했어요. 주문한 음식값은 모두 얼마일까요?
(3€ + 2€) × 2
= 5€ × 2
= 10€

❸ 친구 4명이 도넛 1개와 주스 1잔을 각자 주문했어요. 음식값은 모두 얼마일까요?
(3€ + 2€) × 4
= 5€ × 4
= 20€

❹ 아빠는 도넛 4개와 주스 2잔을 샀어요. 음식값은 모두 얼마일까요?
3€ × 4 + 2€ × 2
= 12€ + 4€
= 16€

(8€) (10€) 12€ (16€) 18€ (20€)

44

2. 아래 글을 읽고 알맞은 식을 세워 답을 구한 후, 정답을 애벌레에서 찾아 ○표 해 보세요.

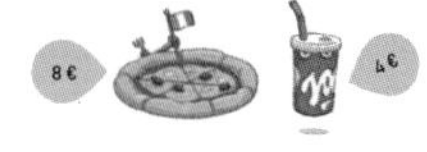

❶ 애니는 피자 1판, 음료수 1잔, 아이스크림 1개를 샀어요. 음식값은 모두 얼마일까요?
8€ + 4€ + 3€
= 15€
=

❷ 리아는 피자 1판과 음료수 2잔을 샀어요. 음식값은 모두 얼마일까요?
8€ + 4€ × 2
= 8€ + 8€
= 16€

❸ 닉과 베라는 음료수 1잔과 아이스크림 1개를 각자 샀어요. 음식값은 모두 얼마일까요?
(4€ + 3€) × 2
= 7€ × 2
= 14€

❹ 오시안, 엘라, 레니는 아이스크림 1개, 음료수 1잔, 피자 1판을 각자 주문했어요. 주문한 음식값은 모두 얼마일까요?
(3€ + 4€ + 8€) × 3
= 15€ × 3
= 45€

12€ (14€) (15€) (16€) (45€) 48€

더 생각해 보아요!

엠마는 5유로 80센트를 가지고 있어요. 가진 돈은 모두 50센트와 20센트짜리 동전이며, 개수는 총 17개예요. 엠마는 20센트짜리 동전을 몇 개 가지고 있을까요?

9개

* 100센트는 1유로와 같아요.

45

부모님 가이드 | 44쪽

엄마, 알렉, 릴리 모두 도넛 1개와 주스 1잔씩 같은 것을 각자 주문했으므로 식으로 나타내면 (3€+2€)+(3€+2€)+(3€+2€)가 돼요.
이는 (3€+2€)를 3개 더한 값이므로 (3€+2€)×3으로 나타낼 수 있어요.

MEMO

더 생각해 보아요! | 45쪽

엠마가 가진 총 금액 5유로 80센트에서 50센트와 20센트의 개수를 표로 만들어 살펴보면 답을 쉽게 구할 수 있어요.

50센트	2개일 경우 (1€)	4개일 경우 (2€)	6개일 경우 (3€)	8개일 경우 (4€)
20센트	24개 (4€ 80c)	19개 (3€ 80c)	14개 (2€ 80c)	9개 (1€ 80c)
동전 개수	26개	23개	20개	17개

46-47쪽

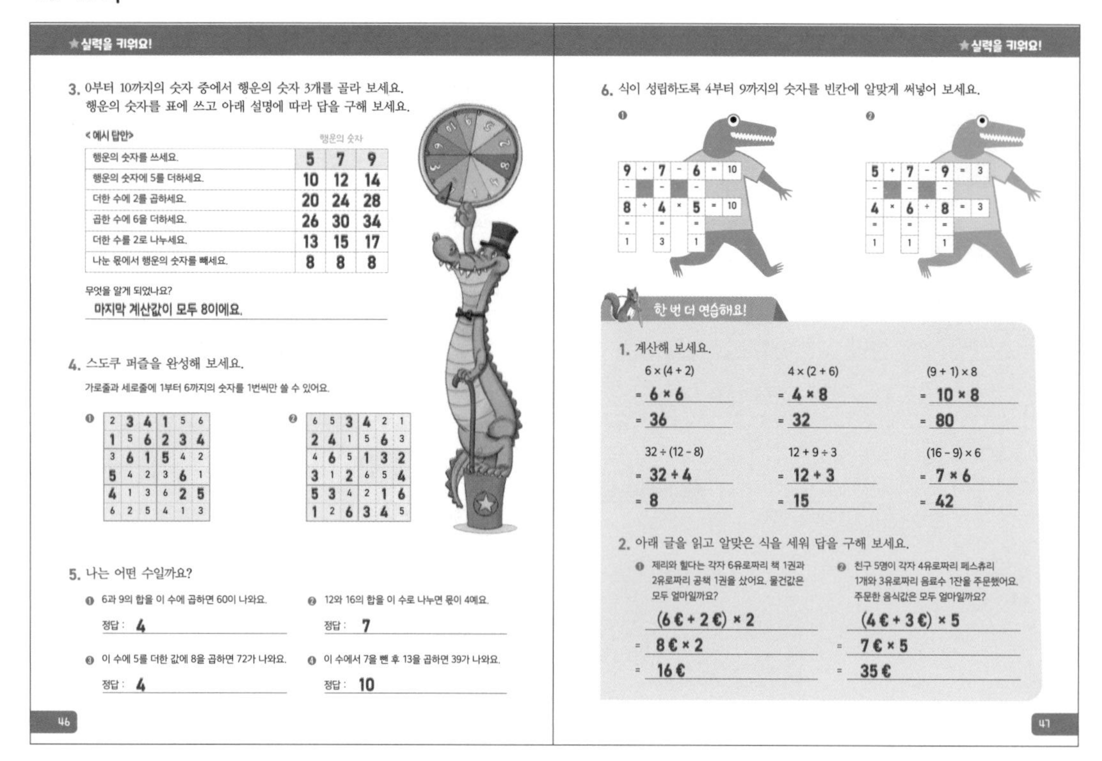

★실력을 키워요!

3. 0부터 10까지의 숫자 중에서 행운의 숫자 3개를 골라 보세요.
행운의 숫자를 표에 쓰고 아래 설명에 따라 답을 구해 보세요.

<예시 답안>

	행운의 숫자		
행운의 숫자를 쓰세요.	5	7	9
행운의 숫자에 5를 더하세요.	10	12	14
더한 수에 2를 곱하세요.	20	24	28
곱한 수에 6을 더하세요.	26	30	34
더한 수를 2로 나누세요.	13	15	17
나눈 몫에서 행운의 숫자를 빼세요.	8	8	8

무엇을 알게 되었나요?
마지막 계산값이 모두 8이에요.

4. 스도쿠 퍼즐을 완성해 보세요.
가로줄과 세로줄에 1부터 6까지의 숫자를 1번씩만 쓸 수 있어요.

❶

2	3	4	1	5	6
1	5	6	2	3	4
3	6	1	5	4	2
5	4	2	3	6	1
4	1	3	6	2	5
6	2	5	4	1	3

❷

6	5	3	4	2	1
2	4	1	5	6	3
4	6	5	1	3	2
3	1	2	6	5	4
5	3	4	2	1	6
1	2	6	3	4	5

5. 나는 어떤 수일까요?

❶ 6과 9의 합을 이 수에 곱하면 60이 나와요.
정답 : 4

❷ 12와 16의 합을 이 수로 나누면 몫이 4예요.
정답 : 7

❸ 이 수에 5를 더한 값에 8을 곱하면 72가 나와요.
정답 : 4

❹ 이 수에서 7을 뺀 후 13을 곱하면 39가 나와요.
정답 : 10

46

★실력을 키워요!

6. 식이 성립하도록 4부터 9까지의 숫자를 빈칸에 알맞게 써넣어 보세요.

❶

9	+	7	-	6	=	10
-		-		-		
8	÷	4	×	5	=	10
=		=		=		
1		3		1		

❷

5	+	7	-	9	=	3
-		-		-		
4	×	6	÷	8	=	3
=		=		=		
1		1		1		

한 번 더 연습해요!

1. 계산해 보세요.

$6 \times (4+2)$
$= 6 \times 6$
$= 36$

$4 \times (2+6)$
$= 4 \times 8$
$= 32$

$(9+1) \times 8$
$= 10 \times 8$
$= 80$

$32 \div (12-8)$
$= 32 \div 4$
$= 8$

$12 + 9 \div 3$
$= 12 + 3$
$= 15$

$(16-9) \times 6$
$= 7 \times 6$
$= 42$

2. 아래 글을 읽고 알맞은 식을 세워 답을 구해 보세요.

❶ 제리와 힐다는 각자 6유로짜리 책 1권과 2유로짜리 공책 1권을 샀어요. 물건값은 모두 얼마일까요?

(6 € + 2 €) × 2
= 8 € × 2
= 16 €

❷ 친구 5명이 각자 4유로짜리 페스츄리 1개와 3유로짜리 음료수 1잔을 주문했어요. 주문한 음식값은 모두 얼마일까요?

(4 € + 3 €) × 5
= 7 € × 5
= 35 €

47

MEMO

행운의 숫자를 □라고 놓고 식을 만들면

[{(□+5)×2}+6]÷2-□=8

$\frac{(□+5)\times 2}{2} + \frac{6}{2} - □ = 8$

□+5+3-□=8

5+3=8

따라서 행운의 수가 어떤 수이든 상관없이 답은 항상 8이 나오게 됩니다.

{ }는 중괄호, [ ]는 대괄호라고 해요. 여러 종류의 괄호가 함께 나오는 계산식에서는 소괄호 ( ), 중괄호 { }, 대괄호 [ ] 순서로 계산해요.

47쪽 6번

❶ 우선 세로 식을 봤을 때, 4~9까지의 수 가운데 두 수의 차가 1이 나오는 식이 2가지, 차가 3이 나오는 식이 1가지가 있어요.
가로 식을 봤을 때, 앞의 수는 뒤의 수보다 커야 하므로 첫 번째 세로 식에 9와 8을 넣어요. 마지막 세로 식에 5와 4를 넣으려고 하는데 가운데 세로 식에서 차가 3이어야 하므로 9와 8을 뺀 남은 수 4, 5, 6, 7 중 7과 4를 넣어요. 마지막 세로 식에는 남은 수인 6과 5를 넣어요.

❷ 세로 식을 봤을 때, 4부터 9까지의 수 가운데 두 수의 차가 1이 나오는 식이 3가지예요. 1씩 차이 나는 수는 4와 5, 6과 7, 8과 9예요. 뺄셈에서는 큰 수가 앞에 나와야 하므로, 5, 7, 9가 첫 번째 가로 식에 들어가요. 가로 식에 5, 7, 9를 넣고 두 수를 더한 후 나머지 한 수를 뺐을 때 3이 되려면 5+7-9를 해야 해요. 두 번째 가로 식에는 5, 7, 9의 짝인 4, 6, 8을 넣어요.

48-49쪽

괄호가 있으면 최우선으로 계산해야 해요. 혼합 계산을 할 때 실수가 잦으면 계산 순서를 써 놓은 후 계산하면 실수를 줄일 수 있어요.
JOHN BUILT A TREE HOUSE (존은 나무 집을 지었어요.)

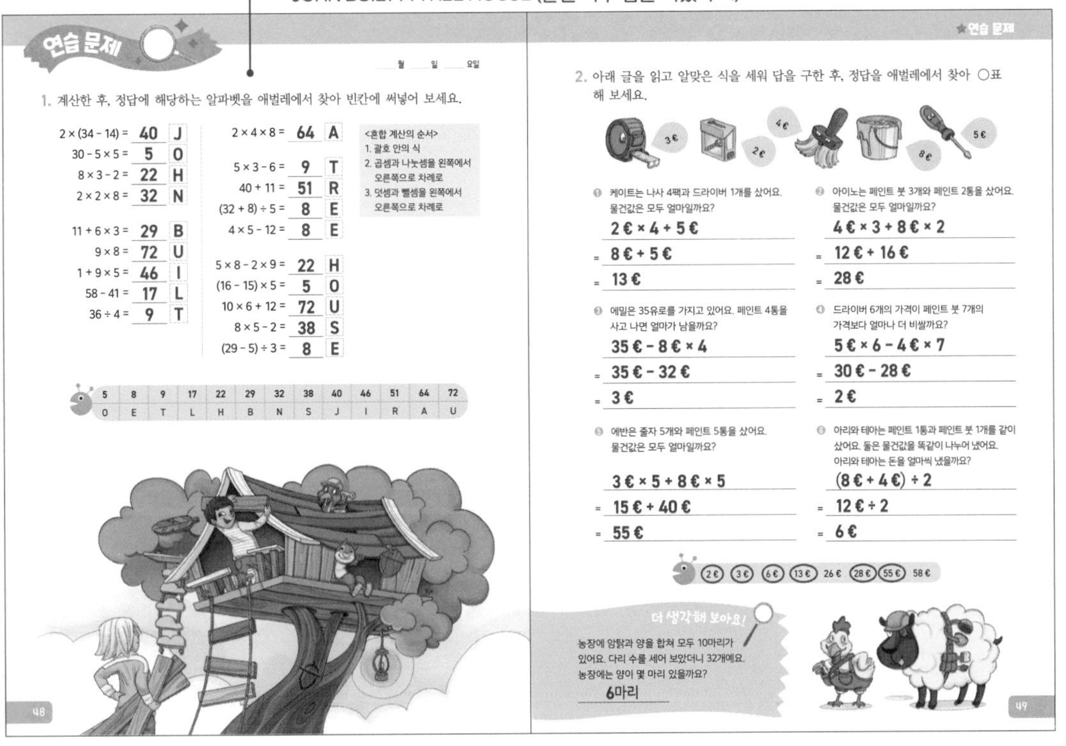

연습 문제

월 일 요일

1. 계산한 후, 정답에 해당하는 알파벳을 애벌레에서 찾아 빈칸에 써넣어 보세요.

2 × (34 - 14) = 40 J
30 - 5 × 5 = 5 O
8 × 3 - 2 = 22 H
2 × 2 × 8 = 32 N

11 + 6 × 3 = 29 B
9 × 8 = 72 U
1 + 9 × 5 = 46 I
58 - 41 = 17 L
36 ÷ 4 = 9 T

2 × 4 × 8 = 64 A

5 × 3 - 6 = 9 T
40 + 11 = 51 R
(32 + 8) ÷ 5 = 8 E
4 × 5 - 12 = 8 E

5 × 8 - 2 × 9 = 22 H
(16 - 15) × 5 = 5 O
10 × 6 + 12 = 72 U
8 × 5 - 2 = 38 S
(29 - 5) ÷ 3 = 8 E

<혼합 계산의 순서>
1. 괄호 안의 식
2. 곱셈과 나눗셈을 왼쪽에서 오른쪽으로 차례로
3. 덧셈과 뺄셈을 왼쪽에서 오른쪽으로 차례로

5	8	9	17	22	29	32	38	40	46	51	64	72
O	E	T	L	H	B	N	S	J	I	R	A	U

48

연습 문제

2. 아래 글을 읽고 알맞은 식을 세워 답을 구한 후, 정답을 애벌레에서 찾아 ○표 해 보세요.

3€ 2€ 4€ 8€ 5€

❶ 케이트는 나사 4팩과 드라이버 1개를 샀어요. 물건값은 모두 얼마일까요?
2€ × 4 + 5€
= 8€ + 5€
= 13€

❷ 아이노는 페인트 붓 3개와 페인트 2통을 샀어요. 물건값은 모두 얼마일까요?
4€ × 3 + 8€ × 2
= 12€ + 16€
= 28€

❸ 에밀은 35유로를 가지고 있어요. 페인트 4통을 사고 나면 얼마가 남을까요?
35€ - 8€ × 4
= 35€ - 32€
= 3€

❹ 드라이버 6개의 가격이 페인트 붓 7개의 가격보다 얼마나 더 비쌀까요?
5€ × 6 - 4€ × 7
= 30€ - 28€
= 2€

❺ 에반은 줄자 5개와 페인트 5통을 샀어요. 물건값은 모두 얼마일까요?
3€ × 5 + 8€ × 5
= 15€ + 40€
= 55€

❻ 아리와 테아는 페인트 1통과 페인트 붓 1개를 같이 샀어요. 둘은 물건값을 똑같이 나누어 냈어요. 아리와 테아는 돈을 얼마씩 냈을까요?
(8€ + 4€) ÷ 2
= 12€ ÷ 2
= 6€

2€ 3€ 6€ 13€ 26€ 28€ 55€ 58€

더 생각해 보아요!
농장에 암탉과 양을 합쳐 모두 10마리가 있어요. 다리 수를 세어 보았더니 32개예요. 농장에는 양이 몇 마리 있을까요?
6마리

49

더 생각해 보아요! | 49쪽

암탉은 1마리당 다리 수가 2개, 양은 1마리당 다리 수가 4개예요.
❶ 마리 수: 암탉+양=10마리
❷ 다리 수: 암탉×2+양×4=32개

❶ 암탉+양=10이 되는 경우는 (1, 9), (2, 8), (3, 7), (4, 6), (5, 5), (6, 4), (7, 3), (8, 2), (9, 1)
❷ 식에 ①에서 나온 경우의 수를 넣어 보면 4×2+6×4=32이므로 암탉은 4마리, 양은 6마리가 정답이에요.

50쪽 5번

❶ 1+8=9이고 2에서 1과 1을 빼면 0이 되어 식을 만족하므로

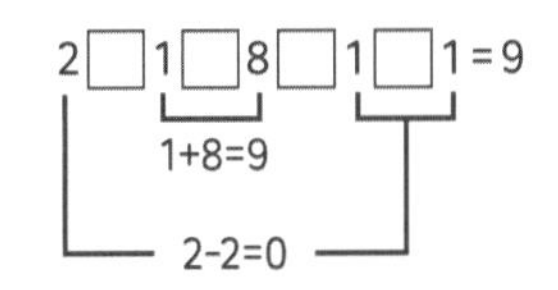

답은 2+1+8-1-1=9
아래 문제도 같은 식으로 생각해서 풀어 보세요.

❷ 6+2=8이고 4에서 2를 2번 빼면 0이 되어 식을 만족하므로

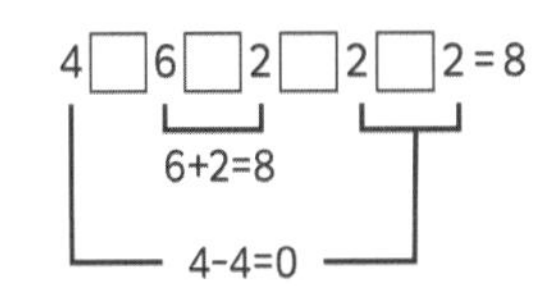

답은 4+6+2-2-2=8
아래 문제도 같은 식으로 생각해서 풀어 보세요.

51쪽 6번

❶ (5€+8€)×□=65,
13€×□=65, □=5
농구공과 축구공을 각각 5개씩 샀으므로 공은 모두 10개예요.
❷ (2€+5€+8€)×□=90,
15€×□=90, □=6
탱탱볼, 축구공, 농구공을 각각 6개씩 샀으므로 공은 모두 18개예요.

50-51쪽

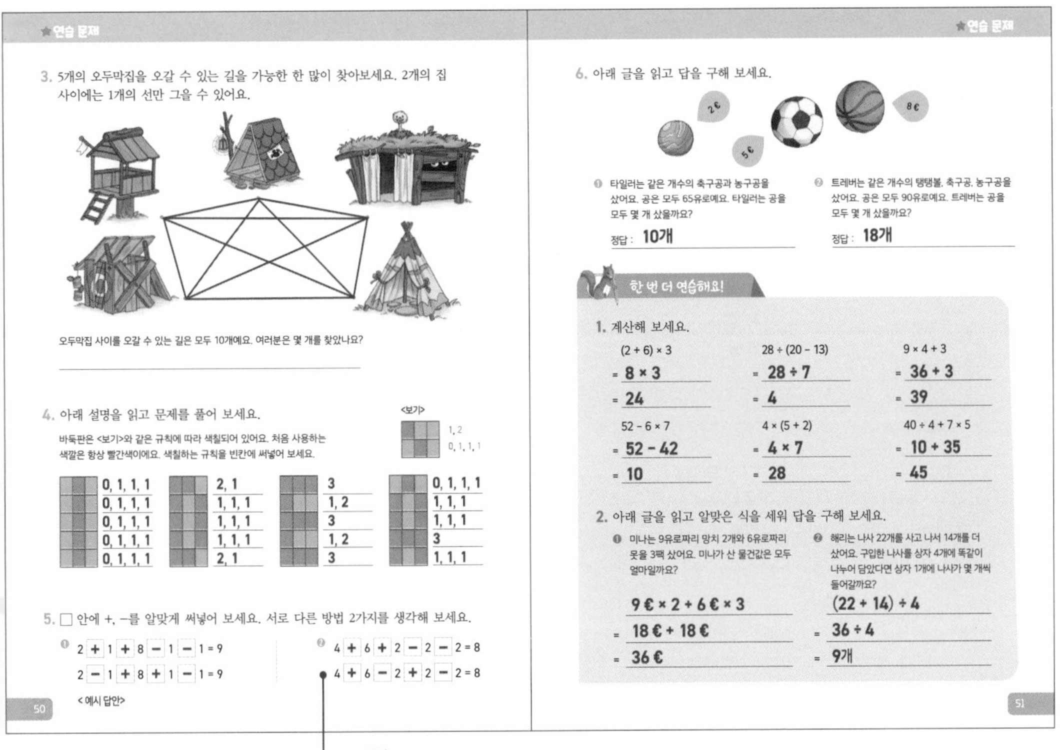

연습 문제

3. 5개의 오두막집을 오갈 수 있는 길을 가능한 한 많이 찾아보세요. 2개의 집 사이에는 1개의 선만 그을 수 있어요.

오두막집 사이를 오갈 수 있는 길은 모두 10개예요. 여러분은 몇 개를 찾았나요?

4. 아래 설명을 읽고 문제를 풀어 보세요.
바둑판은 <보기>와 같은 규칙에 따라 색칠되어 있어요. 처음 사용하는 색깔은 항상 빨간색이에요. 색칠하는 규칙을 빈칸에 써넣어 보세요.

<보기> 1, 2 / 0, 1, 1, 1

0, 1, 1, 1 / 0, 1, 1, 1 / 0, 1, 1, 1 / 0, 1, 1, 1 / 0, 1, 1, 1
2, 1 / 1, 1, 1 / 1, 1, 1 / 1, 1, 1 / 2, 1
3 / 1, 2 / 3 / 1, 2 / 3
0, 1, 1, 1 / 1, 1, 1 / 1, 1, 1 / 3 / 1, 1, 1

5. □ 안에 +, -를 알맞게 써넣어 보세요. 서로 다른 방법 2가지를 생각해 보세요.
❶ 2 + 1 + 8 - 1 - 1 = 9
2 - 1 + 8 + 1 - 1 = 9
❷ 4 + 6 + 2 - 2 - 2 = 8
4 + 6 - 2 + 2 - 2 = 8
<예시 답안>

50

연습 문제

6. 아래 글을 읽고 답을 구해 보세요.

2€ 5€ 8€

❶ 타일러는 같은 개수의 축구공과 농구공을 샀어요. 공은 모두 65유로예요. 타일러는 공을 모두 몇 개 샀을까요?
정답: 10개

❷ 트레버는 같은 개수의 탱탱볼, 축구공, 농구공을 샀어요. 공은 모두 90유로예요. 트레버는 공을 모두 몇 개 샀을까요?
정답: 18개

한 번 더 연습해요!

1. 계산해 보세요.

(2 + 6) × 3
= 8 × 3
= 24

28 ÷ (20 - 13)
= 28 ÷ 7
= 4

9 × 4 + 3
= 36 + 3
= 39

52 - 6 × 7
= 52 - 42
= 10

4 × (5 + 2)
= 4 × 7
= 28

40 ÷ 4 + 7 × 5
= 10 + 35
= 45

2. 아래 글을 읽고 알맞은 식을 세워 답을 구해 보세요.

❶ 미나는 9유로짜리 망치 2개와 6유로짜리 못을 3팩 샀어요. 미나가 산 물건값은 모두 얼마일까요?
9€ × 2 + 6€ × 3
= 18€ + 18€
= 36€

❷ 해리는 나사 22개를 사고 나서 14개를 더 샀어요. 구입한 나사를 상자 4개에 똑같이 나누어 담았다면 상자 1개에 나사가 몇 개씩 들어갈까요?
(22 + 14) ÷ 4
= 36 ÷ 4
= 9개

51

또는
4+6-2+2-2=8
4+6+2-2-2=8

52-53쪽

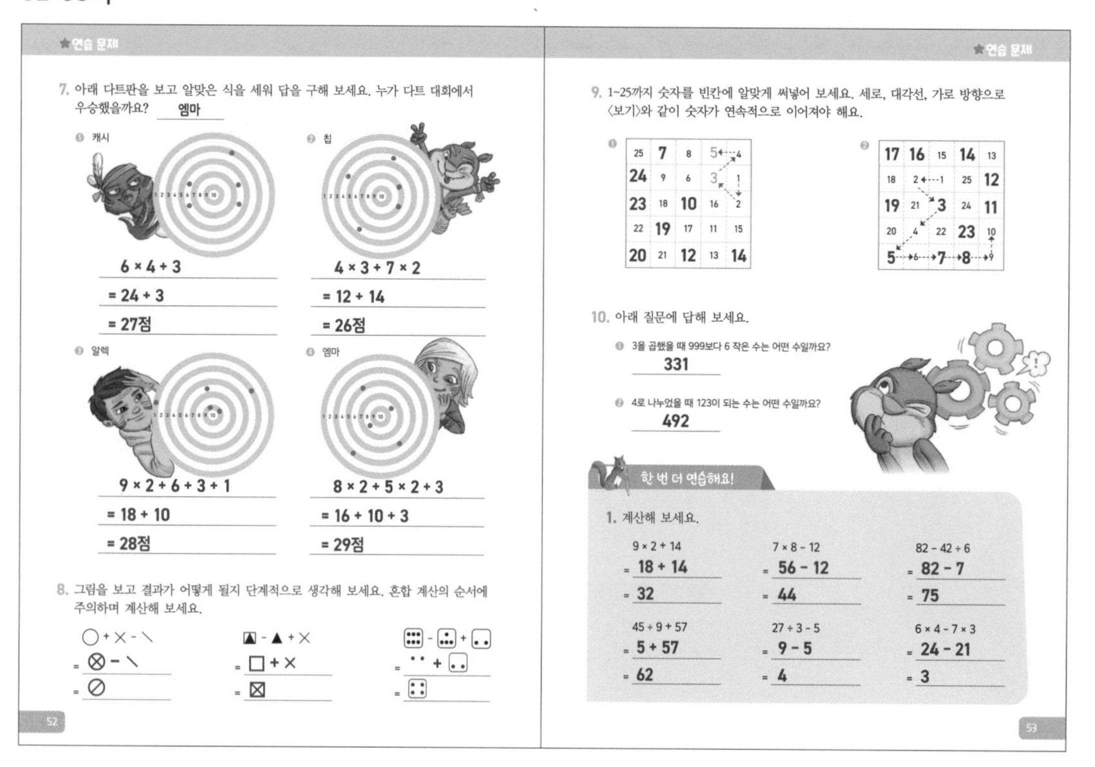

연습 문제

7. 아래 다트판을 보고 알맞은 식을 세워 답을 구해 보세요. 누가 다트 대회에서 우승했을까요? 엠마

❶ 캐시
6 × 4 + 3
= 24 + 3
= 27점

❷ 칩
4 × 3 + 7 × 2
= 12 + 14
= 26점

❸ 알렉
9 × 2 + 6 + 3 + 1
= 18 + 10
= 28점

❹ 엠마
8 × 2 + 5 × 2 + 3
= 16 + 10 + 3
= 29점

8. 그림을 보고 결과가 어떻게 될지 단계적으로 생각해 보세요. 혼합 계산의 순서에 주의하며 계산해 보세요.

9. 1~25까지 숫자를 빈칸에 알맞게 써넣어 보세요. 세로, 대각선, 가로 방향으로 〈보기〉와 같이 숫자가 연속적으로 이어져야 해요.

❶

25	7	8	5	4
24	9	6	3	1
23	18	10	16	2
22	19	17	11	15
20	21	12	13	14

❷

17	16	15	14	13
18	2	1	25	12
19	21	3	24	11
20	4	22	23	10
5	6	7	8	9

10. 아래 질문에 답해 보세요.

❶ 3을 곱했을 때 999보다 6 작은 수는 어떤 수일까요?
331

❷ 4로 나누었을 때 123이 되는 수는 어떤 수일까요?
492

한 번 더 연습해요!

1. 계산해 보세요.

9 × 2 + 14
= 18 + 14
= 32

7 × 8 - 12
= 56 - 12
= 44

82 - 42 ÷ 6
= 82 - 7
= 75

45 ÷ 9 + 57
= 5 + 57
= 62

27 ÷ 3 - 5
= 9 - 5
= 4

6 × 4 - 7 × 3
= 24 - 21
= 3

52 53

53쪽 9번

규칙을 보니 가로나 세로, 대각선 모두 1칸씩 이동하며 1 큰 수를 차례대로 쓰면 되겠네요. 나올 수 있는 답의 경우가 아주 많겠지요?

53쪽 10번

❶ □×3=999-6
□×3=993
□=331

❷ □÷4=123
□=492

54-55쪽

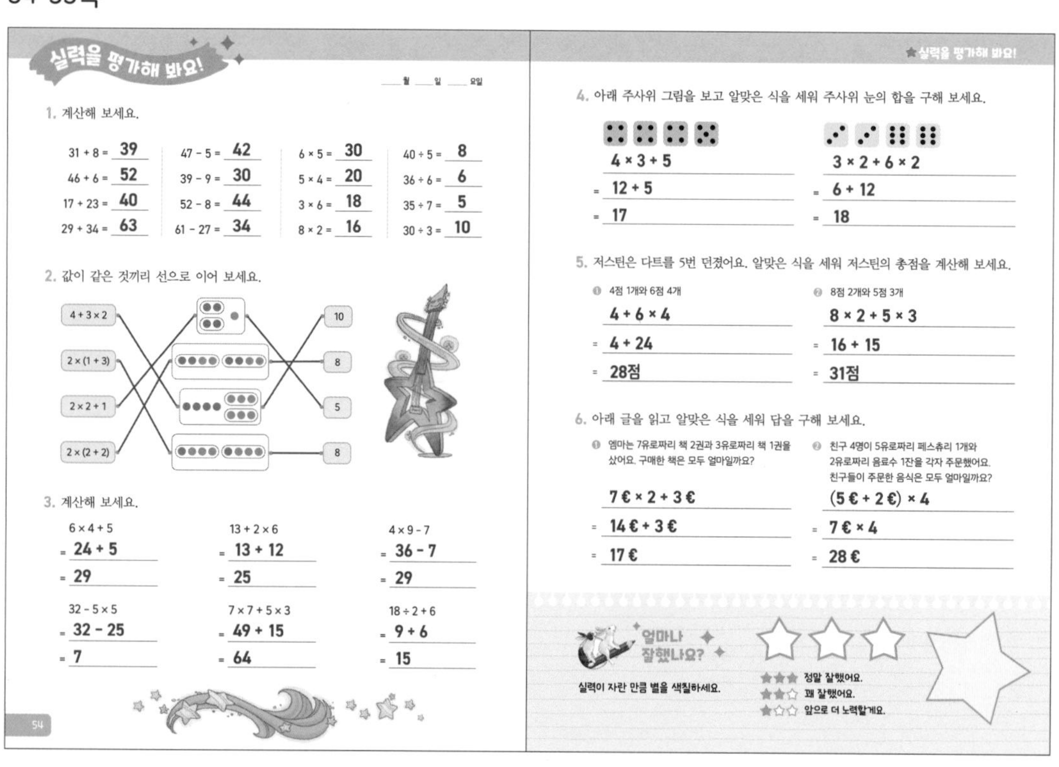

실력을 평가해 봐요!

___월 ___일 ___요일

1. 계산해 보세요.

31 + 8 = 39
46 + 6 = 52
17 + 23 = 40
29 + 34 = 63

47 - 5 = 42
39 - 9 = 30
52 - 8 = 44
61 - 27 = 34

6 × 5 = 30
5 × 4 = 20
3 × 6 = 18
8 × 2 = 16

40 ÷ 5 = 8
36 ÷ 6 = 6
35 ÷ 7 = 5
30 ÷ 3 = 10

2. 값이 같은 것끼리 선으로 이어 보세요.

4 + 3 × 2
2 × (1 + 3)
2 × 2 + 1
2 × (2 + 2)

10
8
5
8

3. 계산해 보세요.

6 × 4 + 5
= 24 + 5
= 29

13 + 2 × 6
= 13 + 12
= 25

4 × 9 - 7
= 36 - 7
= 29

32 - 5 × 5
= 32 - 25
= 7

7 × 7 + 5 × 3
= 49 + 15
= 64

18 ÷ 2 + 6
= 9 + 6
= 15

4. 아래 주사위 그림을 보고 알맞은 식을 세워 주사위 눈의 합을 구해 보세요.

4 × 3 + 5
= 12 + 5
= 17

3 × 2 + 6 × 2
= 6 + 12
= 18

5. 저스틴은 다트를 5번 던졌어요. 알맞은 식을 세워 저스틴의 총점을 계산해 보세요.

❶ 4점 1개와 6점 4개
4 + 6 × 4
= 4 + 24
= 28점

❷ 8점 2개와 5점 3개
8 × 2 + 5 × 3
= 16 + 15
= 31점

6. 아래 글을 읽고 알맞은 식을 세워 답을 구해 보세요.

❶ 엠마는 7유로짜리 책 2권과 3유로짜리 책 1권을 샀어요. 구매한 책은 모두 얼마일까요?
7 € × 2 + 3 €
= 14 € + 3 €
= 17 €

❷ 친구 4명이 5유로짜리 페스츄리 1개와 2유로짜리 음료수 1잔을 각자 주문했어요. 친구들이 주문한 음식은 모두 얼마일까요?
(5 € + 2 €) × 4
= 7 € × 4
= 28 €

얼마나 잘했나요?
실력이 자란 만큼 별을 색칠하세요.
★★★ 정말 잘했어요.
★★☆ 꽤 잘했어요.
★☆☆ 앞으로 더 노력할게요.

54

56-57쪽

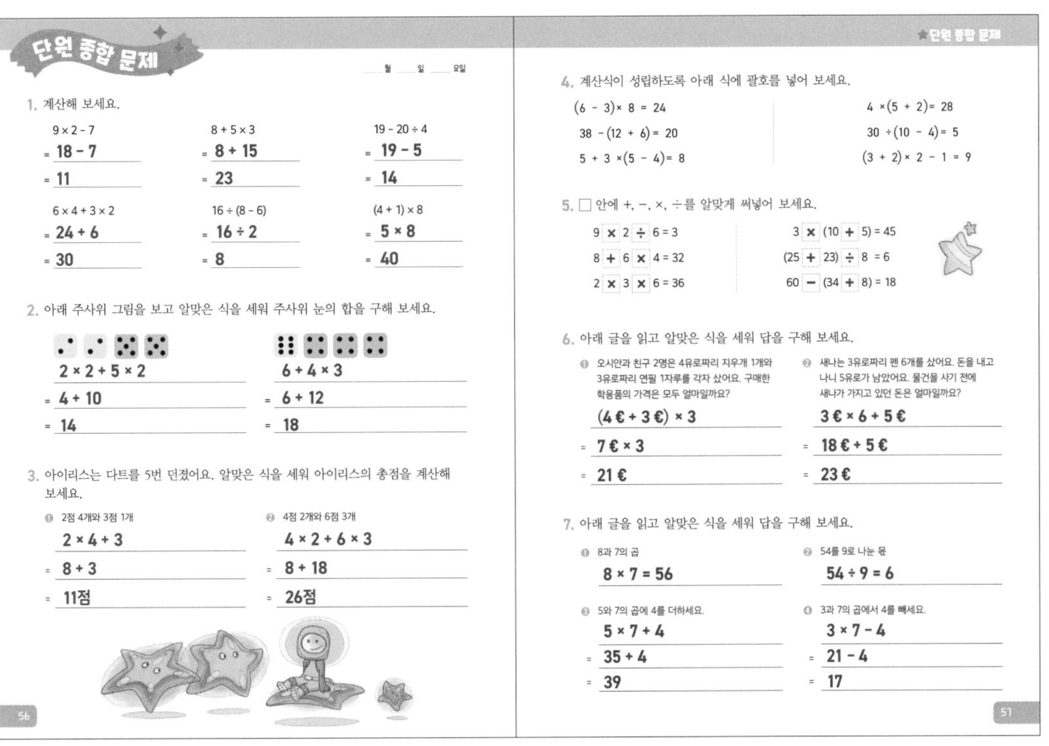

단원 종합 문제 ___월 ___일 ___요일

1. 계산해 보세요.

9 × 2 - 7	8 + 5 × 3	19 - 20 ÷ 4
= 18 - 7	= 8 + 15	= 19 - 5
= 11	= 23	= 14

6 × 4 + 3 × 2	16 ÷ (8 - 6)	(4 + 1) × 8
= 24 + 6	= 16 ÷ 2	= 5 × 8
= 30	= 8	= 40

2. 아래 주사위 그림을 보고 알맞은 식을 세워 주사위 눈의 합을 구해 보세요.

2 × 2 + 5 × 2
= 4 + 10
= 14

6 + 4 × 3
= 6 + 12
= 18

3. 아이리스는 다트를 5번 던졌어요. 알맞은 식을 세워 아이리스의 총점을 계산해 보세요.

① 2점 4개와 3점 1개
2 × 4 + 3
= 8 + 3
= 11점

② 4점 2개와 6점 3개
4 × 2 + 6 × 3
= 8 + 18
= 26점

56

단원 종합 문제

4. 계산식이 성립하도록 아래 식에 괄호를 넣어 보세요.

(6 - 3) × 8 = 24
38 - (12 + 6) = 20
5 + 3 × (5 - 4) = 8
4 × (5 + 2) = 28
30 ÷ (10 - 4) = 5
(3 + 2) × 2 - 1 = 9

5. □ 안에 +, −, ×, ÷를 알맞게 써넣어 보세요.

9 × 2 ÷ 6 = 3
8 + 6 × 4 = 32
2 × 3 × 6 = 36
3 × (10 + 5) = 45
(25 + 23) ÷ 8 = 6
60 − (34 + 8) = 18

6. 아래 글을 읽고 알맞은 식을 세워 답을 구해 보세요.

① 오시안과 친구 2명은 4유로짜리 지우개 1개와 3유로짜리 연필 1자루를 각자 샀어요. 구매한 학용품의 가격은 모두 얼마일까요?
(4 € + 3 €) × 3
= 7 € × 3
= 21 €

② 새나는 3유로짜리 펜 6개를 샀어요. 돈을 내고 나니 5유로가 남았어요. 물건을 사기 전에 새나가 가지고 있던 돈은 얼마일까요?
3 € × 6 + 5 €
= 18 € + 5 €
= 23 €

7. 아래 글을 읽고 알맞은 식을 세워 답을 구해 보세요.

① 8과 7의 곱
8 × 7 = 56

② 54를 9로 나눈 몫
54 ÷ 9 = 6

③ 5와 7의 곱에 4를 더하세요.
5 × 7 + 4
= 35 + 4
= 39

④ 3과 7의 곱에서 4를 빼세요.
3 × 7 - 4
= 21 - 4
= 17

57

57쪽 4번

- 8의 배수이고 곱해서 24가 되려면 6-3=3이 되어야 하므로 괄호를 써요.
- 4의 배수이고 곱해서 28이 되려면 5+2=7이 되어야 하므로 괄호를 써요.
- 뺄셈과 덧셈에서는 괄호가 없으면 순서대로 계산해야 해요. 12+6에 괄호를 넣어 먼저 계산하면 식을 만족해요.
- 30을 6으로 나누면 5가 나오므로 10-4에 괄호를 써요.
- 5+3에 1을 곱하면 8이 되므로 5-4에 괄호를 써요.
- 덧셈이 앞에 있어도 먼저 계산하려면 괄호를 써야 해요. 3+2=5에 2를 곱하여 1을 빼면 식을 만족하므로 3+2에 괄호를 써요.

58쪽 9번

두 수의 합이 12가 되는 수는 5~10까지의 수 가운데 5와 7만 해당해요. 남은 수 6, 8, 9, 10 중에 차가 4인 수는 6과 10이며, 차가 1인 수는 9와 8이에요. 5와 7은 덧셈이라 순서를 바꿔도 되지만 가로셈을 만족하려면 5가 위에 7이 아래에 와야 해요.

58-59쪽

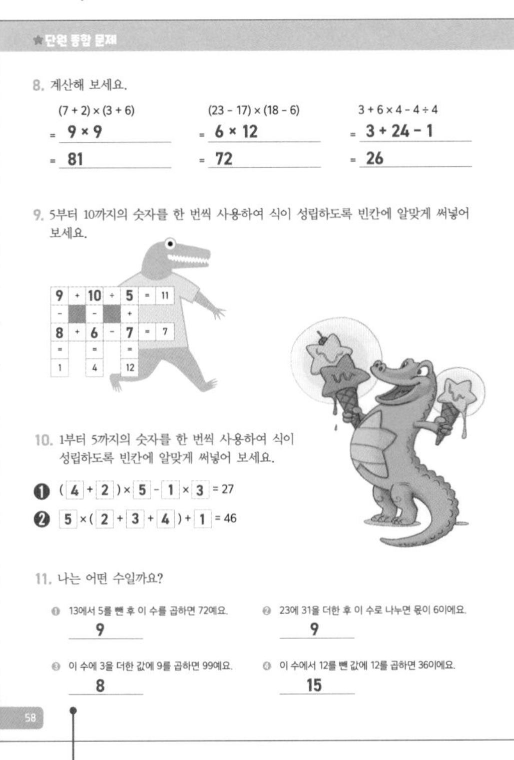

단원 종합 문제

8. 계산해 보세요.

(7 + 2) × (3 + 6)	(23 - 17) × (18 - 6)	3 + 6 × 4 - 4 ÷ 4
= 9 × 9	= 6 × 12	= 3 + 24 - 1
= 81	= 72	= 26

9. 5부터 10까지의 숫자를 한 번씩 사용하여 식이 성립하도록 빈칸에 알맞게 써넣어 보세요.

9	+	10	÷	5	=	11
-		-		+		
8	+	6	-	7	=	7
=		=		=		
1		4		12		

10. 1부터 5까지의 숫자를 한 번씩 사용하여 식이 성립하도록 빈칸에 알맞게 써넣어 보세요.

① (4 + 2) × 5 - 1 × 3 = 27
② 5 × (2 + 3 + 4) + 1 = 46

11. 나는 어떤 수일까요?

① 13에서 5를 뺀 후 이 수를 곱하면 72예요.
9

② 23에 31을 더한 후 이 수로 나누면 몫이 6이에요.
9

③ 이 수에 3을 더한 값에 9를 곱하면 99예요.
8

④ 이 수에서 12를 뺀 값에 12를 곱하면 36이에요.
15

58

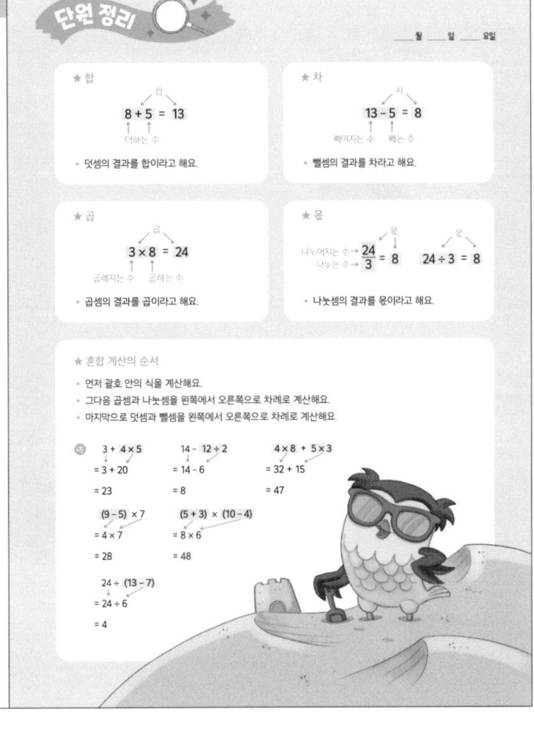

단원 정리 ___월 ___일 ___요일

★ 합
8 + 5 = 13 (더하는 수, 합)
• 덧셈의 결과를 합이라고 해요.

★ 차
13 - 5 = 8 (빼어지는 수, 빼는 수, 차)
• 뺄셈의 결과를 차라고 해요.

★ 곱
3 × 8 = 24 (곱해지는 수, 곱하는 수, 곱)
• 곱셈의 결과를 곱이라고 해요.

★ 몫
나누어지는 수 → 24 / 나누는 수 → 3 = 8, 24 ÷ 3 = 8
• 나눗셈의 결과를 몫이라고 해요.

★ 혼합 계산의 순서
• 먼저 괄호 안의 식을 계산해요.
• 그다음 곱셈과 나눗셈을 왼쪽에서 오른쪽으로 차례로 계산해요.
• 마지막으로 덧셈과 뺄셈을 왼쪽에서 오른쪽으로 차례로 계산해요.

3 + 4 × 5 = 3 + 20 = 23
14 - 12 ÷ 2 = 14 - 6 = 8
4 × 8 + 5 × 3 = 32 + 15 = 47
(9 - 5) × 7 = 4 × 7 = 28
(5 + 3) × (10 - 4) = 8 × 6 = 48
24 ÷ (13 - 7) = 24 ÷ 6 = 4

① (13-5)×□=72, 8×□=72, □=9
② (23+31)÷□=6, 54÷□=6, □=9
③ (□+3)×9=99, □+3=11, □=8
④ (□-12)×12=36, □-12=3, □=15

58쪽 10번

① ①번 식의 값이 27보다 커야 하므로 1~5 가운데 가장 큰 수인 5를 곱하는 수에 넣어야 해요. 남은 두 수를 괄호 안에 넣어 27보다 크게 만들면 (3+4)×5와 (2+4)×5가 적합해요. ②번 식에 1과 3을 넣으면 식을 만족하네요.

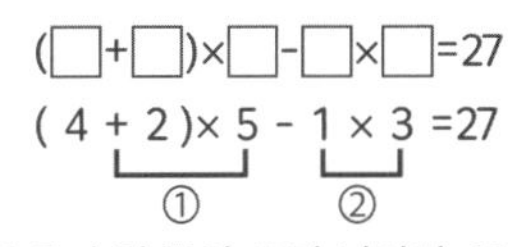

② 두 수의 곱이 45가 나와야 46에 근접하므로 맨 앞의 수는 5가 돼요. 남은 세 수의 합이 9가 되려면 괄호 안의 수는 2, 3, 4가 되며, 남은 수는 1이에요.

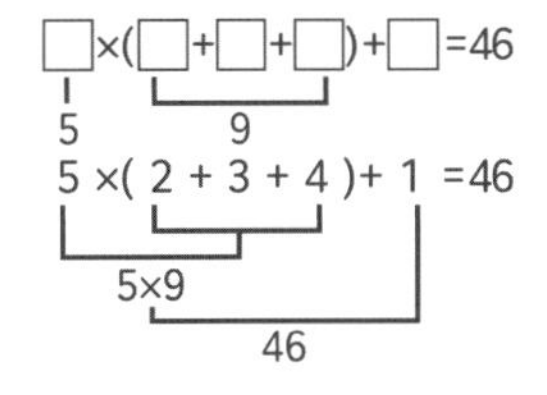

60-61쪽

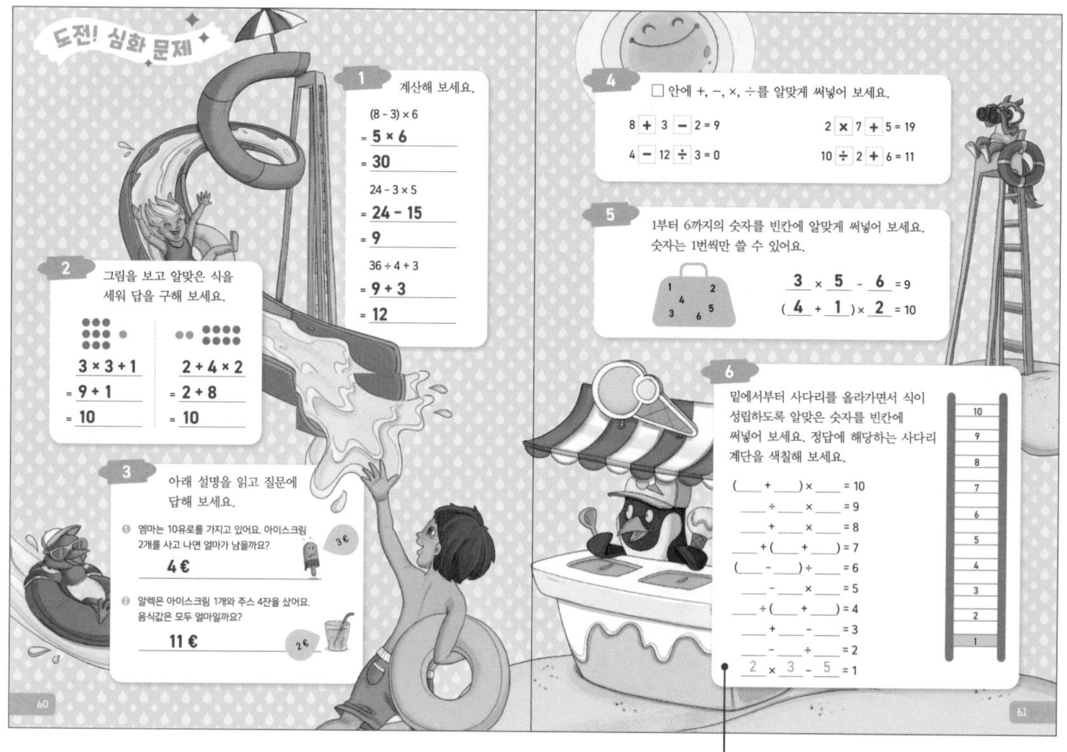

각자 숫자를 넣어 가며 계산해 보세요.

60쪽 3번

❶ 10€-(3€×2)=4€
❷ 3€+2€×4=11€

부모님 가이드 | 62쪽

십진 기수법에서는 각 자릿값의 의미를 아는 것이 가장 중요해요.

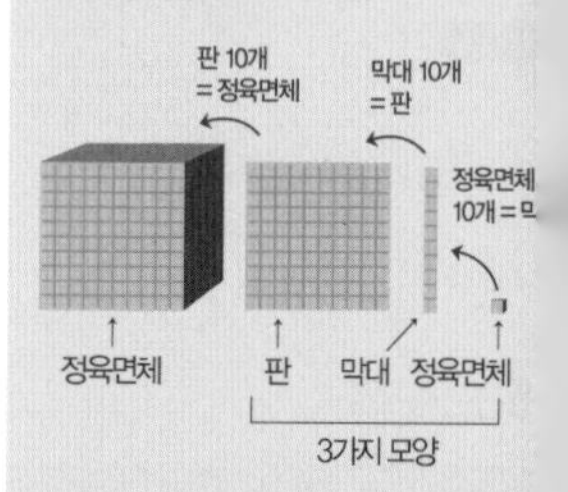

10개씩 묶음이 되면 다음 자리로 이동하면서 10배씩 커져요.
십진 기수법에서 두 수의 크기를 비교할 때는 가장 큰 자리 수부터 비교하면 수의 크기를 가장 빠르게 비교할 수 있어요. 가장 큰 자리 수가 같다면 그다음 자리의 수를 비교하면 되겠죠?

62-63쪽

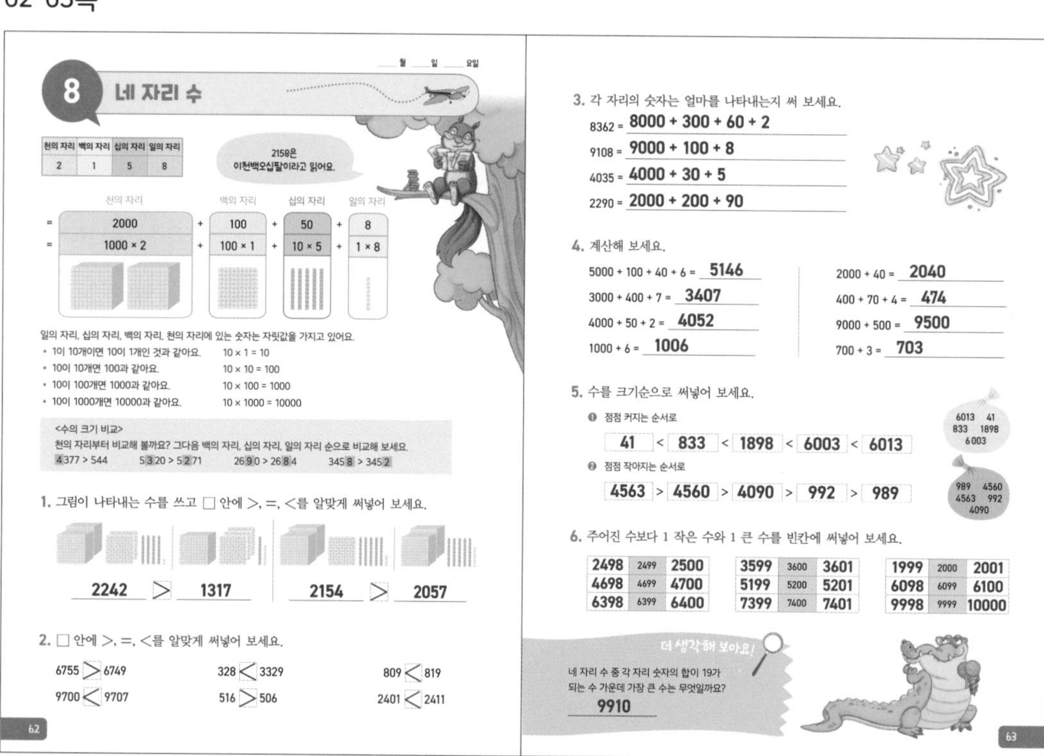

더 생각해 보아요! | 63쪽

네 자리 수 중 가장 큰 수는 9999인데, 각 자리 숫자의 합이 36이에요. 세 자리 수 모두 9가 되면 27이 되어 19보다 크므로 앞의 두 자리만 9가 되어야 해요. 9+9는 18이 되므로 1만 더 하면 되겠네요. 9910과 9901 중 더 큰 수는 9910이므로 9910이 정답이에요.

64-65쪽

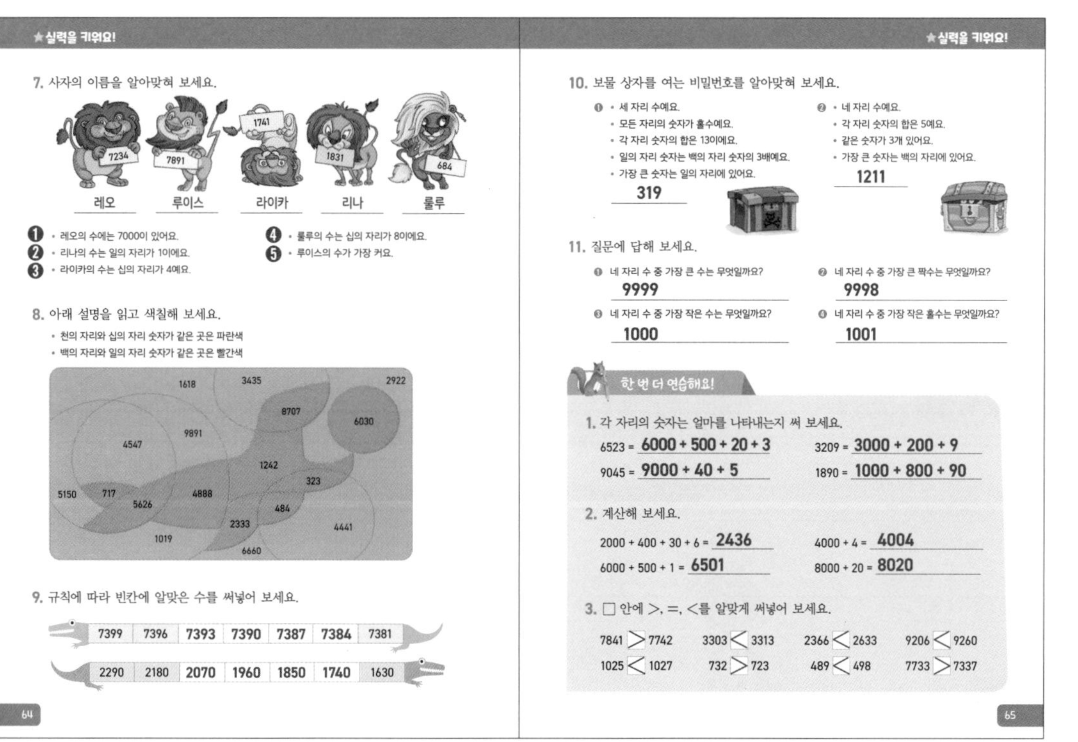

★실력을 키워요!

7. 사자의 이름을 알아맞혀 보세요.

레오 루이스 라이카 리나 룰루

❶ • 레오의 수에는 7000이 있어요.
❷ • 리나의 수는 일의 자리가 1이에요.
❸ • 라이카의 수는 십의 자리가 4예요.
❹ • 룰루의 수는 십의 자리가 8이에요.
❺ • 루이스의 수가 가장 커요.

8. 아래 설명을 읽고 색칠해 보세요.
• 천의 자리와 십의 자리 숫자가 같은 곳은 파란색
• 백의 자리와 일의 자리 숫자가 같은 곳은 빨간색

9. 규칙에 따라 빈칸에 알맞은 수를 써넣어 보세요.

7399	7396	7393	7390	7387	7384	7381

2290	2180	2070	1960	1850	1740	1630

64

★실력을 키워요!

10. 보물 상자를 여는 비밀번호를 알아맞혀 보세요.

❶ • 세 자리 수예요.
• 모든 자리의 숫자가 홀수예요.
• 각 자리 숫자의 합은 13이에요.
• 일의 자리 숫자는 백의 자리 숫자의 3배예요.
• 가장 큰 숫자는 일의 자리에 있어요.
319

❷ • 네 자리 수예요.
• 각 자리 숫자의 합은 5예요.
• 같은 숫자가 3개 있어요.
• 가장 큰 숫자는 백의 자리에 있어요.
1211

11. 질문에 답해 보세요.

❶ 네 자리 수 중 가장 큰 수는 무엇일까요? 9999
❷ 네 자리 수 중 가장 큰 짝수는 무엇일까요? 9998
❸ 네 자리 수 중 가장 작은 수는 무엇일까요? 1000
❹ 네 자리 수 중 가장 작은 홀수는 무엇일까요? 1001

한 번 더 연습해요!

1. 각 자리의 숫자는 얼마를 나타내는지 써 보세요.

6523 = 6000 + 500 + 20 + 3
3209 = 3000 + 200 + 9
9045 = 9000 + 40 + 5
1890 = 1000 + 800 + 90

2. 계산해 보세요.

2000 + 400 + 30 + 6 = 2436
4000 + 4 = 4004
6000 + 500 + 1 = 6501
8000 + 20 = 8020

3. □ 안에 >, =, <를 알맞게 써넣어 보세요.

7841 > 7742　3303 < 3313　2366 < 2633　9206 < 9260
1025 < 1027　732 > 723　489 < 498　7733 > 7337

65

64쪽 7번

❺ 루이스의 수가 가장 커요. →7891
❹ 룰루의 수는 십의 자리가 8이에요.→684
❸ 라이카의 수는 십의 자리가 4예요.→1741
❶ 레오의 수에는 7000이 있어요.→루이스의 수가 7891이므로 남은 수 7234는 레오의 수예요.
❷ 리나의 수는 일의 자리가 1이에요.→일의 자리가 1인 수 가운데 남은 수는 1831

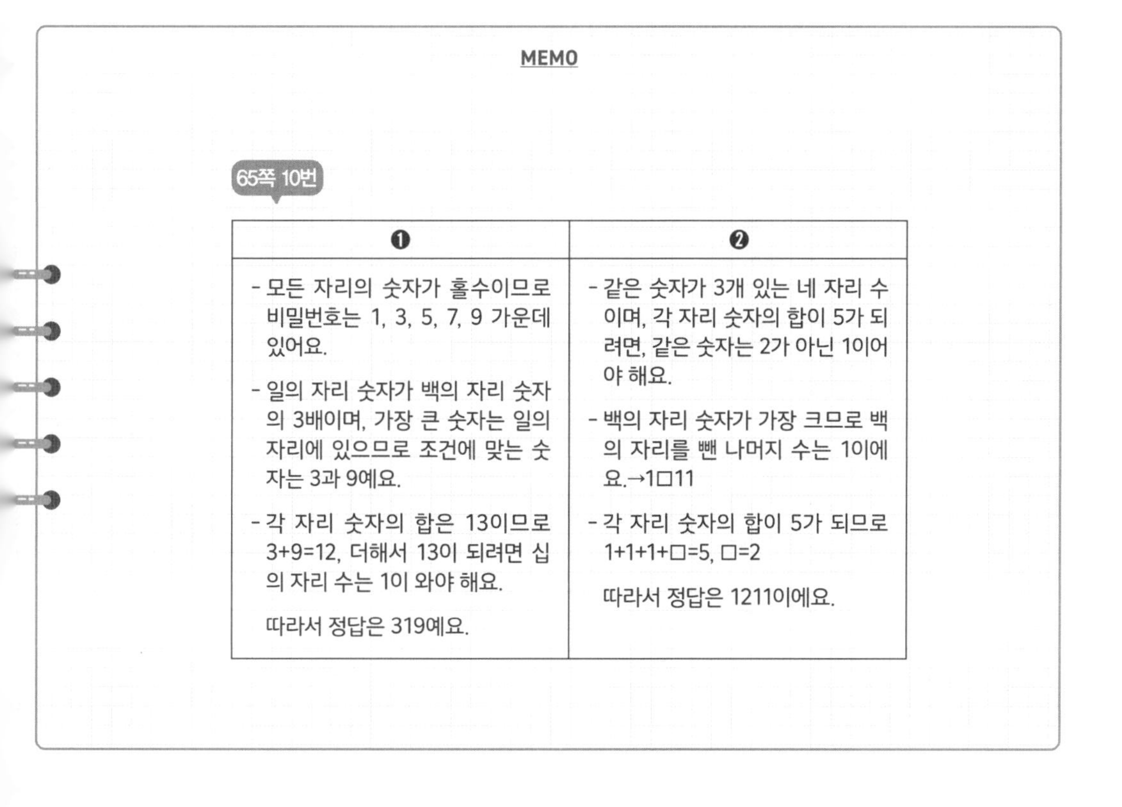

MEMO

65쪽 10번

<table>
<tr><th>❶</th><th>❷</th></tr>
<tr><td>- 모든 자리의 숫자가 홀수이므로 비밀번호는 1, 3, 5, 7, 9 가운데 있어요.
- 일의 자리 숫자가 백의 자리 숫자의 3배이며, 가장 큰 숫자는 일의 자리에 있으므로 조건에 맞는 숫자는 3과 9예요.
- 각 자리 숫자의 합은 13이므로 3+9=12, 더해서 13이 되려면 십의 자리 수는 1이 와야 해요.
따라서 정답은 319예요.</td><td>- 같은 숫자가 3개 있는 네 자리 수이며, 각 자리 숫자의 합이 5가 되려면, 같은 숫자는 2가 아닌 1이어야 해요.
- 백의 자리 숫자가 가장 크므로 백의 자리를 뺀 나머지 수는 1이에요.→1□11
- 각 자리 숫자의 합이 5가 되므로 1+1+1+□=5, □=2
따라서 정답은 1211이에요.</td></tr>
</table>

66-67쪽

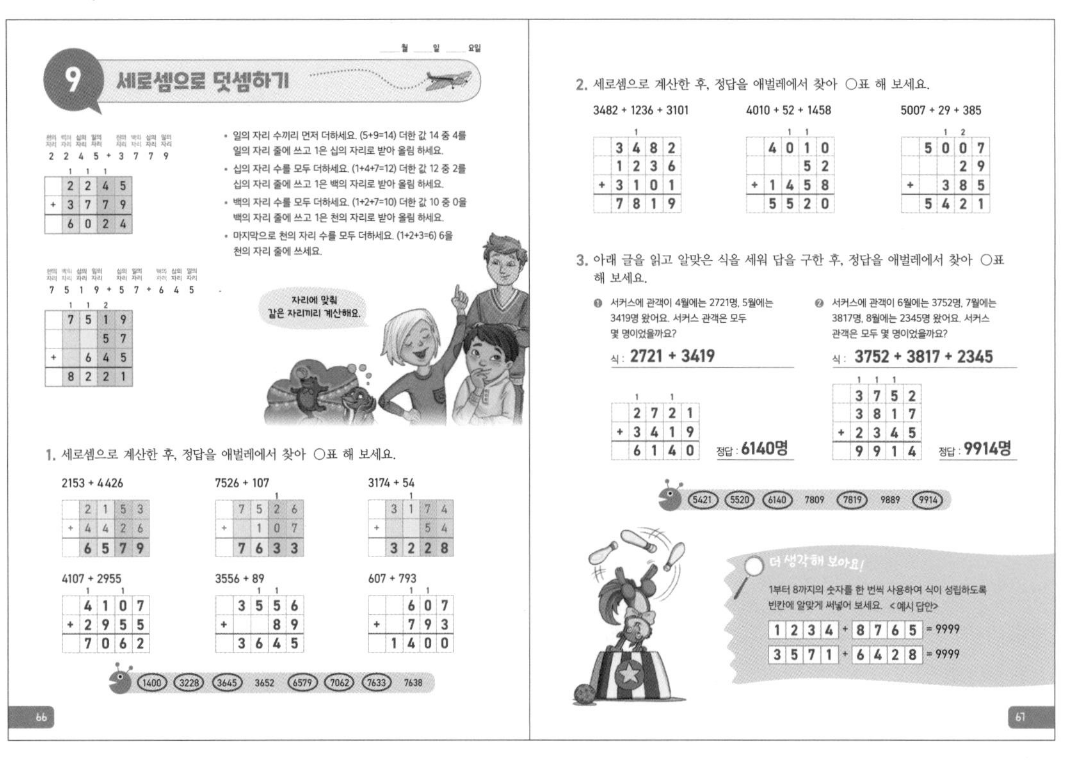
월 일 요일

9 세로셈으로 덧셈하기

천의 자리 백의 자리 십의 자리 일의 자리
2 2 4 5 + 3 7 7 9

	2	2	4	5
+	3	7	7	9
	6	0	2	4

- 일의 자리 수끼리 먼저 더하세요. (5+9=14) 더한 값 14 중 4를 일의 자리 줄에 쓰고 1은 십의 자리로 받아 올림 하세요.
- 십의 자리 수를 모두 더하세요. (1+4+7=12) 더한 값 12 중 2를 십의 자리 줄에 쓰고 1은 백의 자리로 받아 올림 하세요.
- 백의 자리 수를 모두 더하세요. (1+2+7=10) 더한 값 10 중 0을 백의 자리 줄에 쓰고 1은 천의 자리로 받아 올림 하세요.
- 마지막으로 천의 자리 수를 모두 더하세요. (1+2+3=6) 6을 천의 자리 줄에 쓰세요.

7 5 1 9 + 5 7 + 6 4 5

	7	5	1	9
			5	7
+		6	4	5
	8	2	2	1

1. 세로셈으로 계산한 후, 정답을 애벌레에서 찾아 ○표 해 보세요.

2153 + 4426 = 6579
7526 + 107 = 7633
3174 + 54 = 3228
4107 + 2955 = 7062
3556 + 89 = 3645
607 + 793 = 1400

(1400) (3228) (3645) 3652 (6579) (7062) (7633) 7638

66

2. 세로셈으로 계산한 후, 정답을 애벌레에서 찾아 ○표 해 보세요.

3482 + 1236 + 3101 = 7819
4010 + 52 + 1458 = 5520
5007 + 29 + 385 = 5421

3. 아래 글을 읽고 알맞은 식을 세워 답을 구한 후, 정답을 애벌레에서 찾아 ○표 해 보세요.

❶ 서커스에 관객이 4월에는 2721명, 5월에는 3419명 왔어요. 서커스 관객은 모두 몇 명이었을까요?

식 : 2721 + 3419

	2	7	2	1
+	3	4	1	9
	6	1	4	0

정답 : 6140명

❷ 서커스에 관객이 6월에는 3752명, 7월에는 3817명, 8월에는 2345명 왔어요. 서커스 관객은 모두 몇 명이었을까요?

식 : 3752 + 3817 + 2345

	3	7	5	2
	3	8	1	7
+	2	3	4	5
	9	9	1	4

정답 : 9914명

(5421) (5520) (6140) 7809 (7819) 9889 (9914)

더 생각해 보아요!

1부터 8까지의 숫자를 한 번씩 사용하여 식이 성립하도록 빈칸에 알맞게 써넣어 보세요. <예시 답안>

1234 + 8765 = 9999
3571 + 6428 = 9999

67

더 생각해 보아요! | 67쪽

1에서 8까지 9를 만들 수 있는 수의 쌍은 (1, 8), (2, 7), (3, 6), (4, 5)예요.
가로셈을 세로로 만들어 보면 더 쉽게 짝꿍 수를 찾을 수 있지요. 짝꿍 수끼리 짝을 이루면서 순서는 자유롭게 바꾸어도 되므로 다양한 식을 만들 수 있답니다.

1234 + 8765 = 9999
1265 + 8734 = 9999
3571 + 6428 = 9999
6517 + 3482 = 9999

68-69쪽

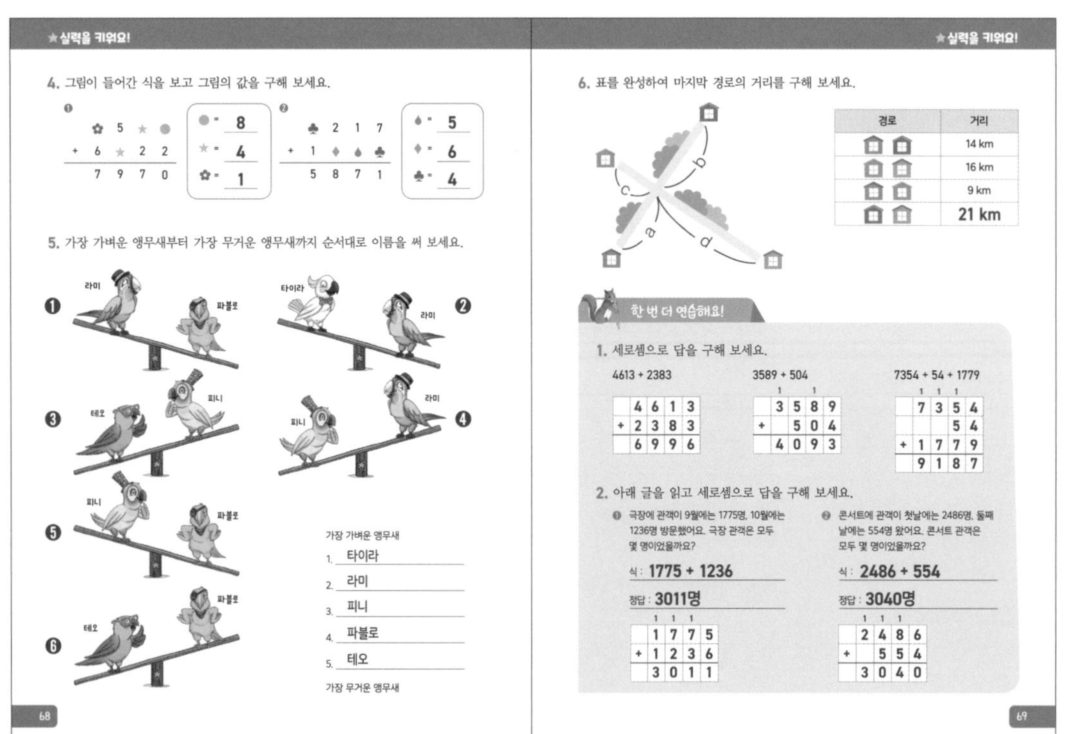
★실력을 키워요!

4. 그림이 들어간 식을 보고 그림의 값을 구해 보세요.

❶ ✿ 5 ★ ● + 6 ★ 2 2 = 7 9 7 0
● = 8, ★ = 4, ✿ = 1

❷ ♣ 2 1 7 + 1 ♦ ♠ ♣ = 5 8 7 1
♠ = 5, ♦ = 6, ♣ = 4

5. 가장 가벼운 앵무새부터 가장 무거운 앵무새까지 순서대로 이름을 써 보세요.

가장 가벼운 앵무새
1. 타이라
2. 라미
3. 피니
4. 파블로
5. 테오
가장 무거운 앵무새

68

★실력을 키워요!

6. 표를 완성하여 마지막 경로의 거리를 구해 보세요.

경로	거리
🏠 🏠	14 km
🏠 🏠	16 km
🏠 🏠	9 km
🏠 🏠	21 km

한 번 더 연습해요!

1. 세로셈으로 답을 구해 보세요.

4613 + 2383 = 6996
3589 + 504 = 4093
7354 + 54 + 1779 = 9187

2. 아래 글을 읽고 세로셈으로 답을 구해 보세요.

❶ 극장에 관객이 9월에는 1775명, 10월에는 1236명 방문했어요. 극장 관객은 모두 몇 명이었을까요?

식 : 1775 + 1236

정답 : 3011명

	1	7	7	5
+	1	2	3	6
	3	0	1	1

❷ 콘서트에 관객이 첫날에는 2486명, 둘째 날에는 554명 왔어요. 콘서트 관객은 모두 몇 명이었을까요?

식 : 2486 + 554

정답 : 3040명

	2	4	8	6
+		5	5	4
	3	0	4	0

69

68쪽 5번

- 1, 2를 통해
가벼움 무거움
타이라 < 라미 < 파블로
- 6을 통해
가벼움 무거움
타이라 < 라미 < 파블로 < 테오
- 4, 5를 통해
가벼움
타이라 < 라미 < 피니 < 파블로 <

69쪽 6번

각 길의 거리를 a, b, c, d로 기호를 넣어 식을 만들고 다음과 같이 해결할 수 있어요.

$a+b=14$
$c+d=16$ ❶ → $a+b+c+d=3$
$a+c=9$
$+\ b+d=?$

❷ $2(a+b+c+d)=14+16+9+?$
$2\times30 = 39+?$
$60 = 39+?$
$? = 21$

70-71쪽

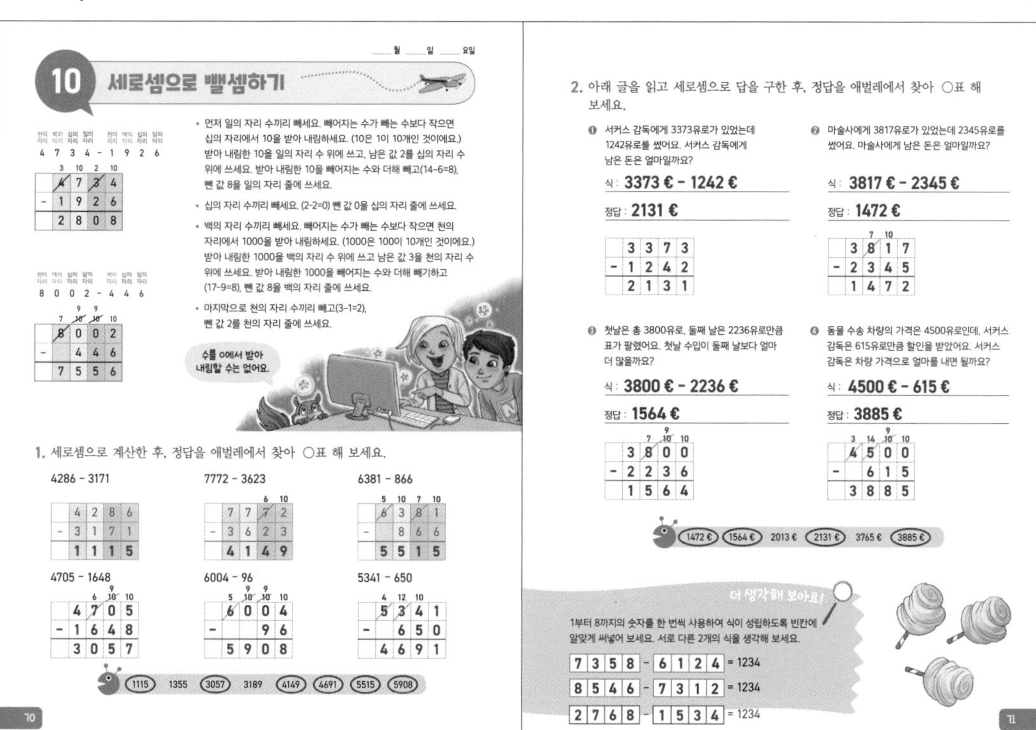

___월 ___일 ___요일

10 세로셈으로 뺄셈하기

4 7 3 4 - 1 9 2 6

	3	10	2	10
	4	7	3	4
-	1	9	2	6
	2	8	0	8

- 먼저 일의 자리 수끼리 빼세요. 빼어지는 수가 빼는 수보다 작으면 십의 자리에서 10을 받아 내림하세요. (10은 1이 10개인 것이에요.) 받아 내림한 10을 일의 자리 수 위에 쓰고, 남은 값 2를 십의 자리 수 위에 쓰세요. 받아 내림한 10을 빼어지는 수와 더해 빼고(14-6=8), 뺀 값 8을 일의 자리 줄에 쓰세요.
- 십의 자리 수끼리 빼세요. (2-2=0) 뺀 값 0을 십의 자리 줄에 쓰세요.
- 백의 자리 수끼리 빼세요. 빼어지는 수가 빼는 수보다 작으면 천의 자리에서 1000을 받아 내림하세요. (1000은 100이 10개인 것이에요.) 받아 내림한 1000을 백의 자리 수 위에 쓰고 남은 값 3을 천의 자리 수 위에 쓰세요. 받아 내림한 1000을 빼어지는 수와 더해 빼기하고 (17-9=8), 뺀 값 8을 백의 자리 줄에 쓰세요.
- 마지막으로 천의 자리 수끼리 빼고(3-1=2), 뺀 값 2를 천의 자리 줄에 쓰세요.

8 0 0 2 - 4 4 6

	7	10 9	10 9	10
	8	0	0	2
-		4	4	6
	7	5	5	6

1. 세로셈으로 계산한 후, 정답을 애벌레에서 찾아 ○표 해 보세요.

4286 - 3171 = 1115

7772 - 3623 = 4149

6381 - 866 = 5515

4705 - 1648 = 3057

6004 - 96 = 5908

5341 - 650 = 4691

(1115) 1355 (3057) 3189 (4149) (4691) (5515) (5908)

2. 아래 글을 읽고 세로셈으로 답을 구한 후, 정답을 애벌레에서 찾아 ○표 해 보세요.

❶ 서커스 감독에게 3373유로가 있었는데 1242유로를 썼어요. 서커스 감독에게 남은 돈은 얼마일까요?

식: 3373 € - 1242 €

정답: 2131 €

❷ 마술사에게 3817유로가 있었는데 2345유로를 썼어요. 마술사에게 남은 돈은 얼마일까요?

식: 3817 € - 2345 €

정답: 1472 €

❸ 첫날은 총 3800유로, 둘째 날은 2236유로만큼 표가 팔렸어요. 첫날 수입이 둘째 날보다 얼마 더 많을까요?

식: 3800 € - 2236 €

정답: 1564 €

❹ 동물 수송 차량의 가격은 4500유로인데, 서커스 감독은 615유로만큼 할인을 받았어요. 서커스 감독은 차량 가격으로 얼마를 내면 될까요?

식: 4500 € - 615 €

정답: 3885 €

(1472 €) (1564 €) 2013 € (2131 €) 3765 € (3885 €)

더 생각해 보아요!

1부터 8까지의 숫자를 한 번씩 사용하여 식이 성립하도록 빈칸에 알맞게 써넣어 보세요. 서로 다른 2개의 식을 생각해 보세요.

7358 - 6124 = 1234

8546 - 7312 = 1234

2768 - 1534 = 1234

70 71

MEMO

더 생각해 보아요! | 71쪽

	8	6	5	3
-	7	4	2	1
	1	2	3	2

받아 내림이 없는 식으로 천의 자리부터 큰 수를 찾아 넣게 되면 일의 자리에서 계산이 맞지 않아요.

	8	5	4	6
-	7	3	1	2
	1	2	3	4

그래서 백의 자리에 6이 아닌 5를 넣어 식을 완성해 가면 계산이 맞네요.

			7	8
-			4	4
	1	2	3	4

받아 내림이 없는 식으로 일의 자리 수부터 큰 수를 찾아 넣게 되면 4가 겹쳐서 안 되네요.

	2	7	6	8
-	1	5	3	4
	1	2	3	4

이번에는 십의 자리에 6을 넣어 식을 완성해 가면 마지막까지 모두 맞네요.

	7	3	5	8
-	6	1	2	4
	1	2	3	4

일의 자리에 8과 4를 넣고 십의 자리에 5와 2를 넣고 남은 수를 조건에 맞게 완성해 가도 답이 나오네요.

72-73쪽

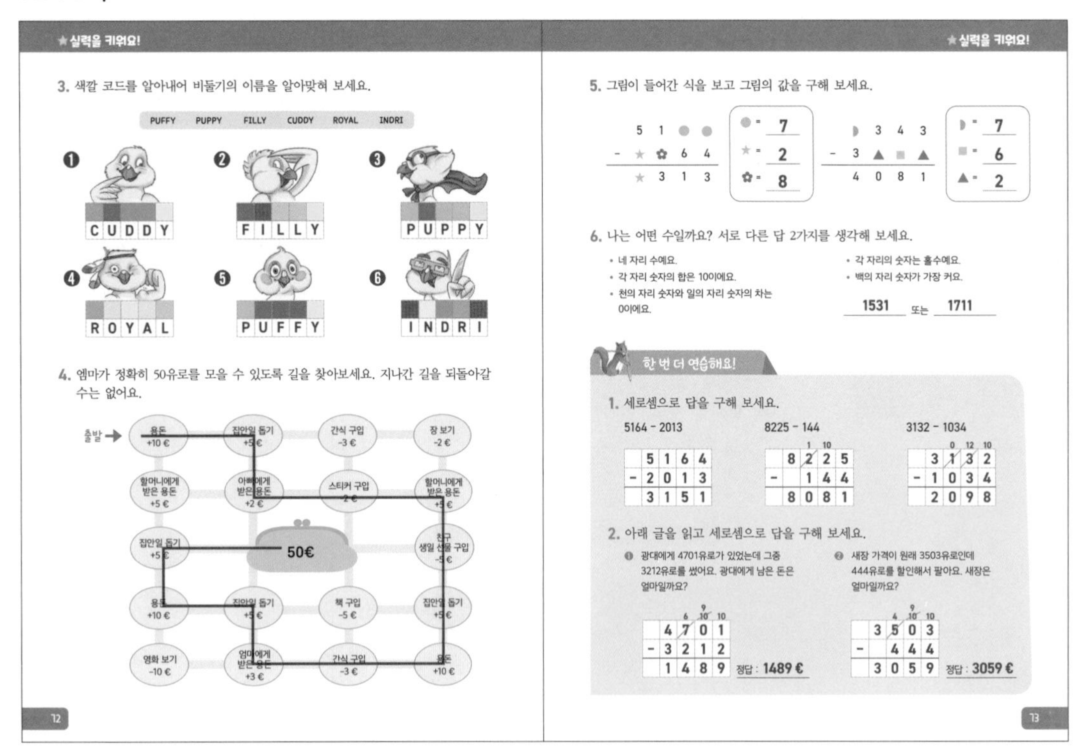

★실력을 키워요!

3. 색깔 코드를 알아내어 비둘기의 이름을 알아맞혀 보세요.

PUFFY PUPPY FILLY CUDDY ROYAL INDRI

❶ CUDDY ❷ FILLY ❸ PUPPY ❹ ROYAL ❺ PUFFY ❻ INDRI

4. 엠마가 정확히 50유로를 모을 수 있도록 길을 찾아보세요. 지나간 길을 되돌아갈 수는 없어요.

5. 그림이 들어간 식을 보고 그림의 값을 구해 보세요.

●=7, ★=2, ✿=8 / ◗=7, ■=6, ▲=2

6. 나는 어떤 수일까요? 서로 다른 답 2가지를 생각해 보세요.

- 네 자리 수예요.
- 각 자리 숫자의 합은 10이에요.
- 천의 자리 숫자와 일의 자리 숫자의 차는 0이에요.
- 각 자리의 숫자는 홀수예요.
- 백의 자리 숫자가 가장 커요.

1531 또는 1711

한 번 더 연습해요!

1. 세로셈으로 답을 구해 보세요.

5164 - 2013 = 3151 / 8225 - 144 = 8081 / 3132 - 1034 = 2098

2. 아래 글을 읽고 세로셈으로 답을 구해 보세요.

❶ 광대에게 4701유로가 있었는데 그중 3212유로를 썼어요. 광대에게 남은 돈은 얼마일까요? 4701 - 3212 = 1489 정답 : 1489 €

❷ 새장 가격이 원래 3503유로인데 444유로를 할인해서 팔아요. 새장은 얼마일까요? 3503 - 444 = 3059 정답 : 3059 €

72쪽 3번

❶ Y로 끝나는 것이 4개이므로 ▢=Y

❷ P로 시작하는 것이 2개이므로 ▢=P

❸ 처음과 끝이 같은 이름은 INDRI이므로 ▢=I이며, 6번은 INDRI예요.

❹ Y와 P가 없는 이름은 ROYAL이며, 4번이에요.

❺ P가 3개인 이름은 PUPPY이며, 3번이에요.

❻ ▢=L이므로 2번은 FILLY 예요.

❼ 2번이 FILLY이므로 5번은 PUFFY, 1번은 CUDDY예요.

73쪽 6번

- 각 자리 숫자가 홀수이므로 1, 3, 5, 7, 9로 이루어져요.
- 천의 자리와 일의 자리 숫자의 차가 0이므로 같은 수예요. 각 자리 숫자의 합이 10이 되어야 하므로 천의 자리와 일의 자리는 1이에요.
- 각 자리 숫자의 합은 10이므로, 천의 자리와 일의 자리 수(1+1=2)를 빼면 8이에요. 두 수를 더해 8이 되는 홀수는 1과 7(1+7), 3과 5(3+5)예요.
- 백의 자리 숫자를 가장 크게 해서 수를 만들면 1711, 1531이에요.

74-75쪽

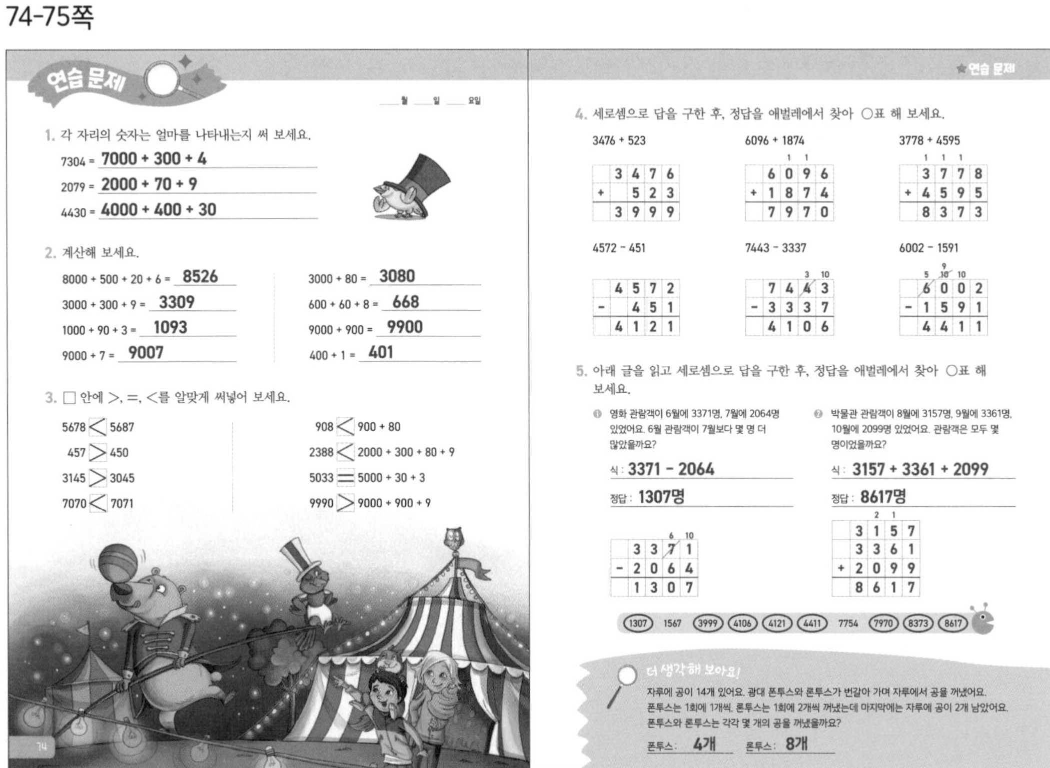

연습 문제

1. 각 자리의 숫자는 얼마를 나타내는지 써 보세요.

7304 = 7000 + 300 + 4
2079 = 2000 + 70 + 9
4430 = 4000 + 400 + 30

2. 계산해 보세요.

8000 + 500 + 20 + 6 = 8526
3000 + 300 + 9 = 3309
1000 + 90 + 3 = 1093
9000 + 7 = 9007
3000 + 80 = 3080
600 + 60 + 8 = 668
9000 + 900 = 9900
400 + 1 = 401

3. □ 안에 >, =, <를 알맞게 써넣어 보세요.

5678 < 5687
457 > 450
3145 > 3045
7070 < 7071
908 < 900 + 80
2388 < 2000 + 300 + 80 + 9
5033 = 5000 + 30 + 3
9990 > 9000 + 900 + 9

4. 세로셈으로 답을 구한 후, 정답을 애벌레에서 찾아 ○표 해 보세요.

3476 + 523 = 3999 / 6096 + 1874 = 7970 / 3778 + 4595 = 8373
4572 - 451 = 4121 / 7443 - 3337 = 4106 / 6002 - 1591 = 4411

5. 아래 글을 읽고 세로셈으로 답을 구한 후, 정답을 애벌레에서 찾아 ○표 해 보세요.

❶ 영화 관람객이 6월에 3371명, 7월에 2064명 있었어요. 6월 관람객이 7월보다 몇 명 더 많았을까요?
식 : 3371 - 2064
정답 : 1307명

❷ 박물관 관람객이 8월에 3157명, 9월에 3361명, 10월에 2099명 있었어요. 관람객은 모두 몇 명이었을까요?
식 : 3157 + 3361 + 2099
정답 : 8617명

1307 1567 3999 4106 4121 4411 7754 7970 8373 8617

더 생각해 보아요!

자루에 공이 14개 있어요. 광대 폰투스와 론투스가 번갈아 가며 자루에서 공을 꺼냈어요. 폰투스는 1회에 1개씩, 론투스는 1회에 2개씩 꺼냈는데 마지막에는 자루에 공이 2개 남았어요. 폰투스와 론투스는 각각 몇 개의 공을 꺼냈을까요?

폰투스: 4개 론투스: 8개

더 생각해 보아요! | 75쪽

	1회	2회	3회	4회
폰투스	1	2	3	4
론투스	2	4	6	8
남은 공	11	8	5	2

폰투스 : 4개, 론투스 : 8개

76-77쪽

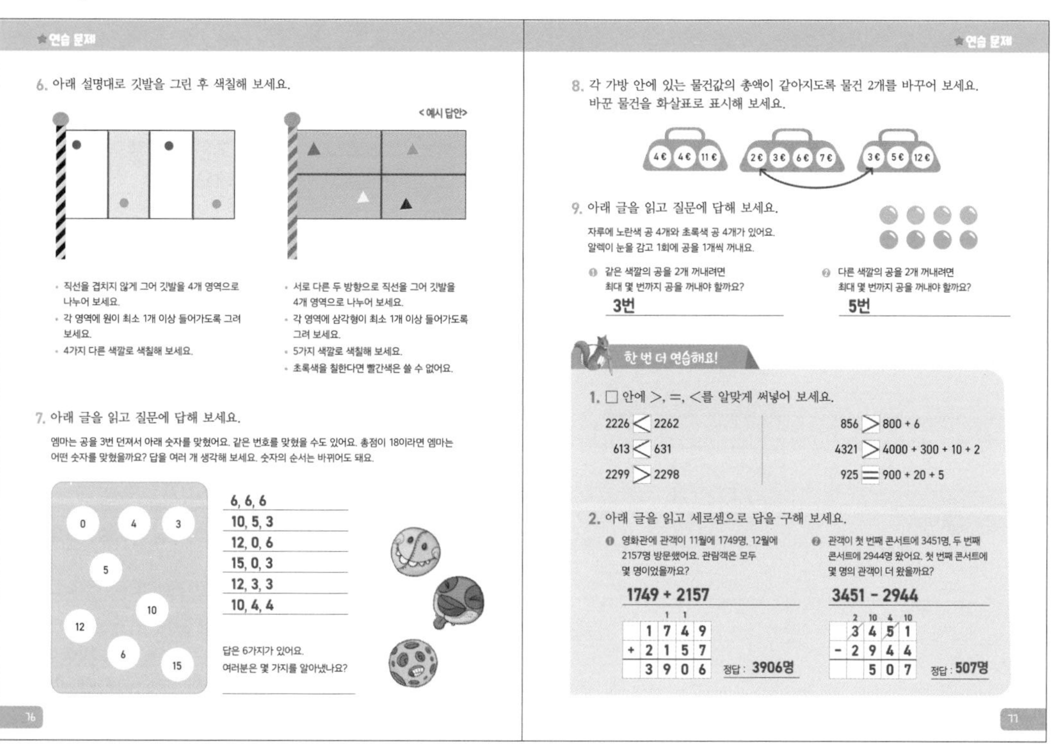

78-79쪽

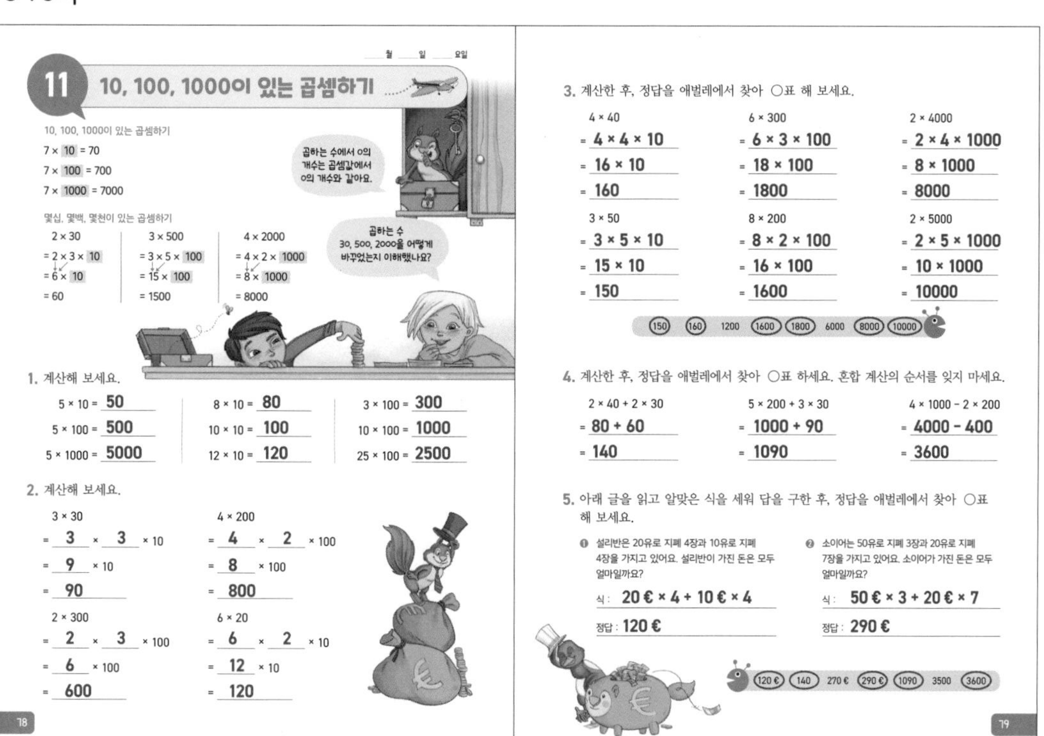

76쪽 7번

처음 수는 6부터 가능해요. 점점 6보다 큰 수로 18이 되는 경우를 따져 보면 6가지가 나와요.

77쪽 8번

가=19 나=18 다=20

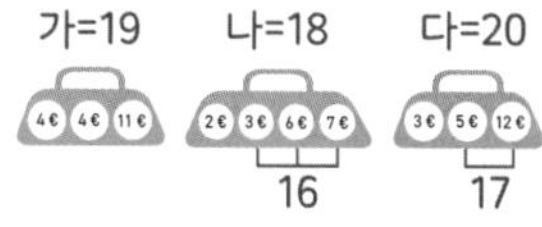

가, 나, 다 가격이 1€씩 차이 나요. 중간 가격인 19€로 같게 하려면 다에 있는 3€와 나에 있는 2€를 서로 바꿔 주면 돼요.

77쪽 9번

❶ 노랑 노랑, 초록 초록이면 2번만에 끝나는데 노랑 초록이나 초록 노랑의 경우 3번째는 어떤 색 공이 나와도 되므로 3개째가 되어야 해요.

❷ 노랑만 연달아 4개 나오거나, 초록만 연달아 4개 나올 수도 있어요. 5번째에는 어떤 색 공이 나와도 노랑과 초록 2가지 색깔의 공이 되므로 5개째가 되어야 해요.

부모님 가이드 | 78쪽

곱하는 수에서 0의 개수는 곱셈값에서 0의 개수와 같아요.

7×10=70	0개수 1개
7×100=700	0개수 2개
7×1000=7000	0개수 3개

80-81쪽

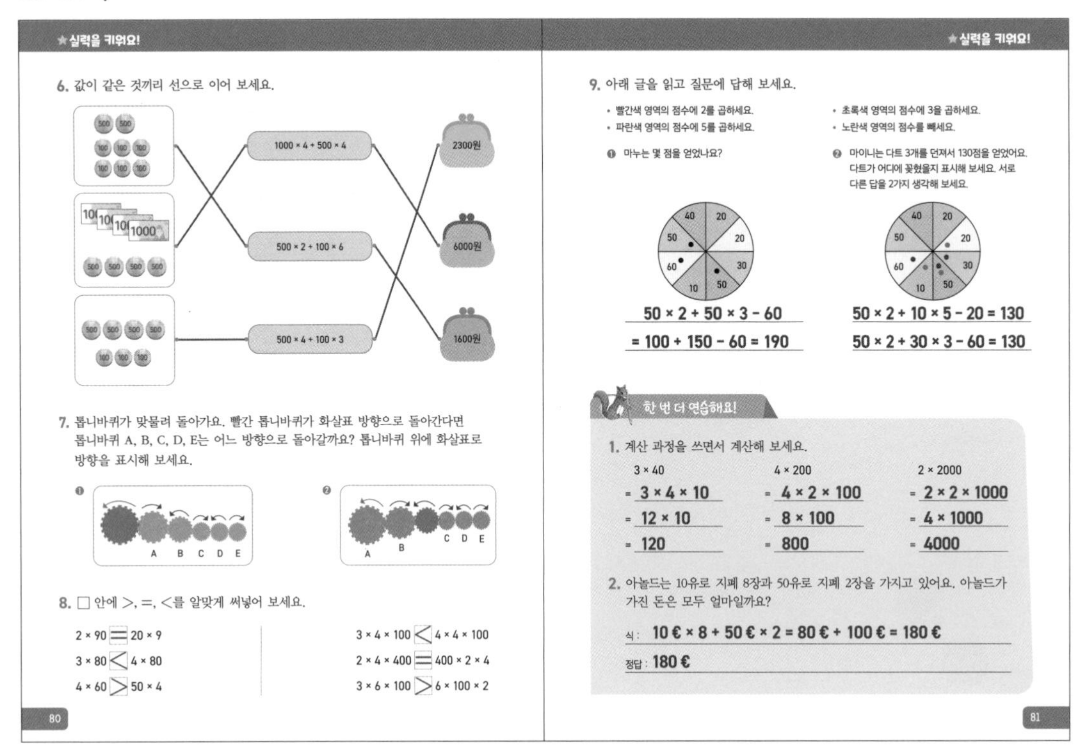

★실력을 키워요!

6. 값이 같은 것끼리 선으로 이어 보세요.

1000 × 4 + 500 × 4

500 × 2 + 100 × 6

500 × 4 + 100 × 3

2300원

6000원

1600원

7. 톱니바퀴가 맞물려 돌아가요. 빨간 톱니바퀴가 화살표 방향으로 돌아간다면 톱니바퀴 A, B, C, D, E는 어느 방향으로 돌아갈까요? 톱니바퀴 위에 화살표로 방향을 표시해 보세요.

❶ A B C D E

❷ A B C D E

8. □ 안에 >, =, <를 알맞게 써넣어 보세요.

2 × 90 = 20 × 9

3 × 80 < 4 × 80

4 × 60 > 50 × 4

3 × 4 × 100 < 4 × 4 × 100

2 × 4 × 400 = 400 × 2 × 4

3 × 6 × 100 > 6 × 100 × 2

80

★실력을 키워요!

9. 아래 글을 읽고 질문에 답해 보세요.

- 빨간색 영역의 점수에 2를 곱하세요.
- 파란색 영역의 점수에 5를 곱하세요.
- 초록색 영역의 점수에 3을 곱하세요.
- 노란색 영역의 점수를 빼세요.

❶ 마누는 몇 점을 얻었나요?

50 × 2 + 50 × 3 - 60

= 100 + 150 - 60 = 190

❷ 마이니는 다트 3개를 던져서 130점을 얻었어요. 다트가 어디에 꽂혔을지 표시해 보세요. 서로 다른 답을 2가지 생각해 보세요.

50 × 2 + 10 × 5 - 20 = 130

50 × 2 + 30 × 3 - 60 = 130

한 번 더 연습해요!

1. 계산 과정을 쓰면서 계산해 보세요.

3 × 40
= 3 × 4 × 10
= 12 × 10
= 120

4 × 200
= 4 × 2 × 100
= 8 × 100
= 800

2 × 2000
= 2 × 2 × 1000
= 4 × 1000
= 4000

2. 아놀드는 10유로 지폐 8장과 50유로 지폐 2장을 가지고 있어요. 아놀드가 가진 돈은 모두 얼마일까요?

식: 10 € × 8 + 50 € × 2 = 80 € + 100 € = 180 €

정답: 180 €

81

80쪽 7번

톱니바퀴는 2개씩 맞물려 돌아가기 때문에 짝을 지어 화살표를 오른쪽 왼쪽으로 표시해 주면 돼요.

부모님 가이드 | 82쪽

분배법칙이란 용어는 우리나라 초등학교 수학교육과정에서는 사용하지 않아요. 그렇지만 분배법칙을 활용하고 익히기는 하지요. 핀란드에서는 초등학교 수학 교과서에서 분배법칙이란 용어를 사용하고 분배법칙의 원리를 이용한 문제를 많이 풀어요. 여러분도 이번 기회에 분배법칙이 무엇인지 알아보는 것도 좋겠죠?

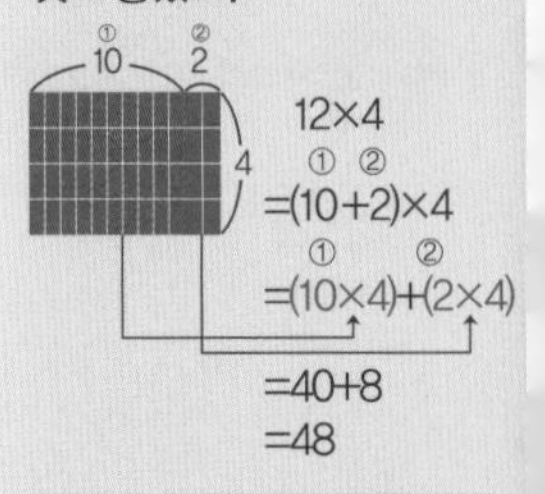

12개씩 4줄로 된 블록의 수를 구하는 방법을 살펴볼게요. 파란색=10, 빨간색=2로 나타낼 수 있으므로 12=10+2가 되어요. 12개씩 4줄은 12×4이지만 색깔별로 나타내어 보면 (10+2)×4가 되고 파란색의 총 개수는 10×4, 빨간색의 총 개수는 2×4가 돼요. 이를 알아보기 쉽게 위에 그림과 식으로 나타내었어요.

82-83쪽

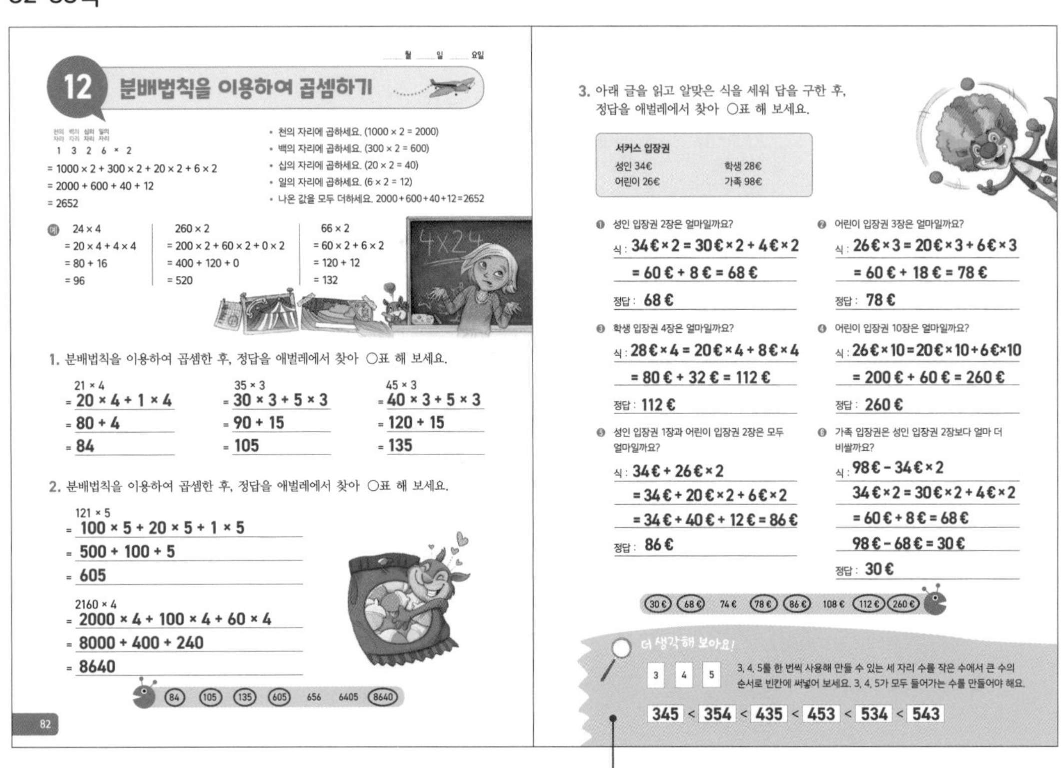

월 일 요일

12 분배법칙을 이용하여 곱셈하기

천의 자리 백의 자리 십의 자리 일의 자리

1 3 2 6 × 2
= 1000 × 2 + 300 × 2 + 20 × 2 + 6 × 2
= 2000 + 600 + 40 + 12
= 2652

- 천의 자리에 곱하세요. (1000 × 2 = 2000)
- 백의 자리에 곱하세요. (300 × 2 = 600)
- 십의 자리에 곱하세요. (20 × 2 = 40)
- 일의 자리에 곱하세요. (6 × 2 = 12)
- 나온 값을 모두 더하세요. 2000+600+40+12=2652

예 24 × 4
= 20 × 4 + 4 × 4
= 80 + 16
= 96

260 × 2
= 200 × 2 + 60 × 2 + 0 × 2
= 400 + 120 + 0
= 520

66 × 2
= 60 × 2 + 6 × 2
= 120 + 12
= 132

1. 분배법칙을 이용하여 곱셈한 후, 정답을 애벌레에서 찾아 ○표 해 보세요.

21 × 4
= 20 × 4 + 1 × 4
= 80 + 4
= 84

35 × 3
= 30 × 3 + 5 × 3
= 90 + 15
= 105

45 × 3
= 40 × 3 + 5 × 3
= 120 + 15
= 135

2. 분배법칙을 이용하여 곱셈한 후, 정답을 애벌레에서 찾아 ○표 해 보세요.

121 × 5
= 100 × 5 + 20 × 5 + 1 × 5
= 500 + 100 + 5
= 605

2160 × 4
= 2000 × 4 + 100 × 4 + 60 × 4
= 8000 + 400 + 240
= 8640

(84) (105) (135) (605) 656 6405 (8640)

82

3. 아래 글을 읽고 알맞은 식을 세워 답을 구한 후, 정답을 애벌레에서 찾아 ○표 해 보세요.

서커스 입장권

성인 34€	학생 28€
어린이 26€	가족 98€

❶ 성인 입장권 2장은 얼마일까요?

식: 34 € × 2 = 30 € × 2 + 4 € × 2
= 60 € + 8 € = 68 €

정답: 68 €

❷ 어린이 입장권 3장은 얼마일까요?

식: 26 € × 3 = 20 € × 3 + 6 € × 3
= 60 € + 18 € = 78 €

정답: 78 €

❸ 학생 입장권 4장은 얼마일까요?

식: 28 € × 4 = 20 € × 4 + 8 € × 4
= 80 € + 32 € = 112 €

정답: 112 €

❹ 어린이 입장권 10장은 얼마일까요?

식: 26 € × 10 = 20 € × 10 + 6 € × 10
= 200 € + 60 € = 260 €

정답: 260 €

❺ 성인 입장권 1장과 어린이 입장권 2장은 모두 얼마일까요?

식: 34 € + 26 € × 2
= 34 € + 20 € × 2 + 6 € × 2
= 34 € + 40 € + 12 € = 86 €

정답: 86 €

❻ 가족 입장권은 성인 입장권 2장보다 얼마 더 비쌀까요?

식: 98 € - 34 € × 2
34 € × 2 = 30 € × 2 + 4 € × 2
= 60 € + 8 € = 68 €
98 € - 68 € = 30 €

정답: 30 €

(30 €) (68 €) 74 € (78 €) (86 €) 108 € (112 €) (260 €)

더 생각해 보아요!

3 4 5

3, 4, 5를 한 번씩 사용해 만들 수 있는 세 자리 수를 작은 수에서 큰 수의 순서로 빈칸에 써넣어 보세요. 3, 4, 5가 모두 들어가는 수를 만들어야 해요.

345 < 354 < 435 < 453 < 534 < 543

가장 작은 수는 백의 자리에 3이 들어가고
가장 큰 수는 백의 자리에 5가 들어가야 해요.

84-85쪽

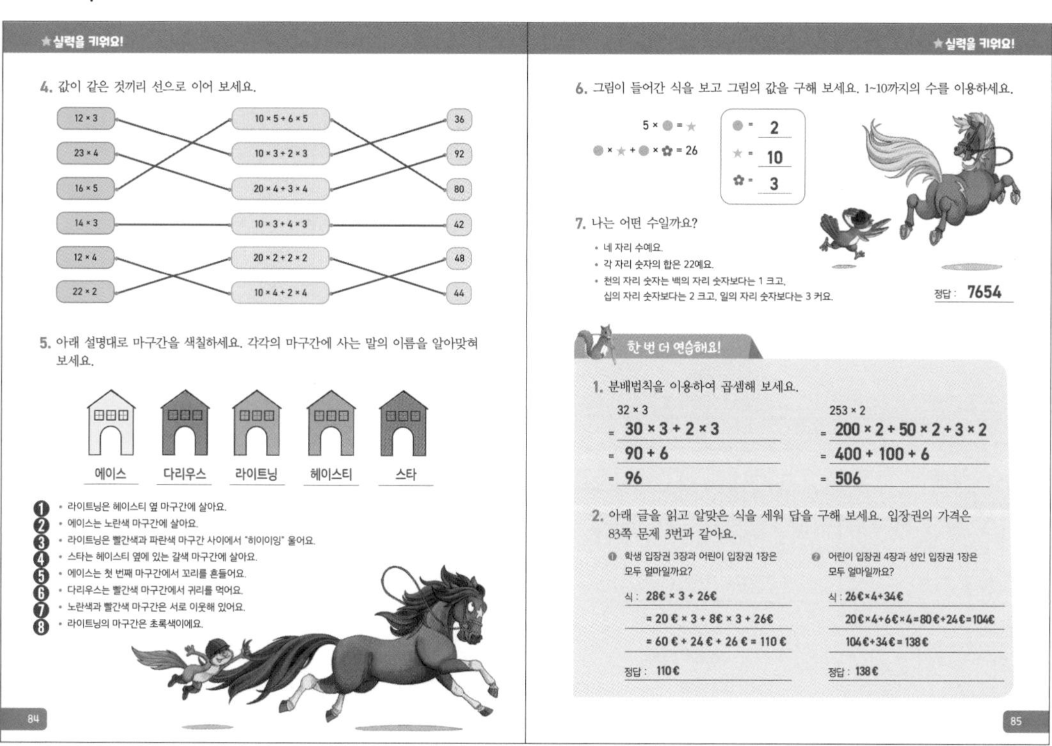
★실력을 키워요!

4. 값이 같은 것끼리 선으로 이어 보세요.

12 × 3	10 × 5 + 6 × 5	36
23 × 4	10 × 3 + 2 × 3	92
16 × 5	20 × 4 + 3 × 4	80
14 × 3	10 × 3 + 4 × 3	42
12 × 4	20 × 2 + 2 × 2	48
22 × 2	10 × 4 + 2 × 4	44

5. 아래 설명대로 마구간을 색칠하세요. 각각의 마구간에 사는 말의 이름을 알아맞혀 보세요.

에이스 다리우스 라이트닝 헤이스티 스타

1. 라이트닝은 헤이스티 옆 마구간에 살아요.
2. 에이스는 노란색 마구간에 살아요.
3. 라이트닝은 빨간색과 파란색 마구간 사이에서 "히이이잉" 울어요.
4. 스타는 헤이스티 옆에 있는 갈색 마구간에 살아요.
5. 에이스는 첫 번째 마구간에서 꼬리를 흔들어요.
6. 다리우스는 빨간색 마구간에서 귀리를 먹어요.
7. 노란색과 빨간색 마구간은 서로 이웃해 있어요.
8. 라이트닝의 마구간은 초록색이에요.

84

★실력을 키워요!

6. 그림이 들어간 식을 보고 그림의 값을 구해 보세요. 1~10까지의 수를 이용하세요.

5 × ● = ★
● × ★ + ● × ✿ = 26

● = 2
★ = 10
✿ = 3

7. 나는 어떤 수일까요?
- 네 자리 수예요.
- 각 자리 숫자의 합은 22예요.
- 천의 자리 숫자는 백의 자리 숫자보다는 1 크고, 십의 자리 숫자보다는 2 크고, 일의 자리 숫자보다는 3 커요.

정답: 7654

한 번 더 연습해요!

1. 분배법칙을 이용하여 곱셈해 보세요.

32 × 3
= 30 × 3 + 2 × 3
= 90 + 6
= 96

253 × 2
= 200 × 2 + 50 × 2 + 3 × 2
= 400 + 100 + 6
= 506

2. 아래 글을 읽고 알맞은 식을 세워 답을 구해 보세요. 입장권의 가격은 83쪽 문제 3번과 같아요.

❶ 학생 입장권 3장과 어린이 입장권 1장은 모두 얼마일까요?
식: 28€ × 3 + 26€
= 20 € × 3 + 8€ × 3 + 26€
= 60 € + 24 € + 26 € = 110 €
정답: 110€

❷ 어린이 입장권 4장과 성인 입장권 1장은 모두 얼마일까요?
식: 26€×4+34€
20€×4+6€×4=80€+24€=104€
104€+34€=138€
정답: 138€

85

MEMO

84쪽 5번

❺ 에이스는 첫 번째 마구간에서 꼬리를 흔들어요.
❷ 에이스는 노란색 마구간에 살아요.

●	○	○	○	○
에이스				

❼ 노란색과 빨간색 마구간은 서로 이웃해 있어요.
❻ 다리우스는 빨간색 마구간에서 귀리를 먹어요.

●	●	○	○	○
에이스	다리우스			

❸ 라이트닝은 빨간색과 파란색 마구간 사이에서 "히이이잉" 울어요.
❽ 라이트닝의 마구간은 초록색이에요.

●	●	●	●	○
에이스	다리우스	라이트닝		

❶ 라이트닝은 헤이스티 옆 마구간에 살아요.
❹ 스타는 헤이스티 옆에 있는 갈색 마구간에 살아요.

●	●	●	●	●
에이스	다리우스	라이트닝	헤이스티	스타

85쪽 6번

5×●=★ 이므로
★ 대신 5×●를 아래 식에 넣으면
●×5×●+●×✿=26이에요.
●=5보다 작아야 하므로,
●=4를 넣어 보면 ★=20이 나와 식이 성립 안 돼요.
●=3을 넣으면 ★=15가 나와 이것 역시 식이 성립하지 않아요.
●=2를 넣으면 ★=10이에요.
2×10+2×✿=26,
20+2×✿=26, 2×✿=6, ✿=3

85쪽 7번

각 자리의 숫자를 가, 나, 다, 라라고 하면
가+나+다+라=22
가=나+1=다+2=라+3이므로
4개의 연속된 수로 천의 자리 숫자가 가장 커요.

가	9	8	7	6
나	8	7	6	5
다	7	6	5	4
라	6	5	4	3
합	30	26	22	18

위와 같이 표로 만들어 따져 보면 조건에 맞는 수는 7654가 되네요.

86-87쪽

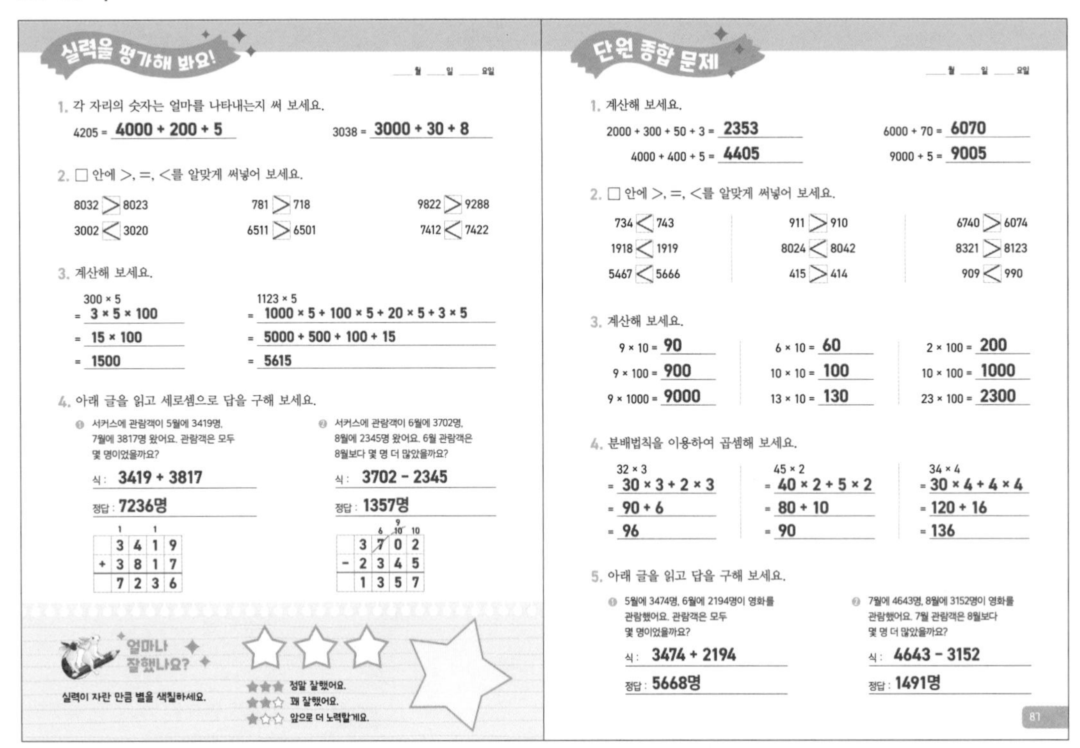

실력을 평가해 봐요! ___월 ___일 ___요일

1. 각 자리의 숫자는 얼마를 나타내는지 써 보세요.

4205 = 4000 + 200 + 5 　 3038 = 3000 + 30 + 8

2. □ 안에 >, =, <를 알맞게 써넣어 보세요.

8032 > 8023 　 781 > 718 　 9822 > 9288
3002 < 3020 　 6511 > 6501 　 7412 < 7422

3. 계산해 보세요.

300 × 5
= 3 × 5 × 100
= 15 × 100
= 1500

1123 × 5
= 1000 × 5 + 100 × 5 + 20 × 5 + 3 × 5
= 5000 + 500 + 100 + 15
= 5615

4. 아래 글을 읽고 세로셈으로 답을 구해 보세요.

❶ 서커스에 관람객이 5월에 3419명, 7월에 3817명 왔어요. 관람객은 모두 몇 명이었을까요?

식 : 3419 + 3817
정답 : 7236명

	3	4	1	9
+	3	8	1	7
	7	2	3	6

❷ 서커스에 관람객이 6월에 3702명, 8월에 2345명 왔어요. 6월 관람객은 8월보다 몇 명 더 많았을까요?

식 : 3702 - 2345
정답 : 1357명

	3	7	0	2
-	2	3	4	5
	1	3	5	7

얼마나 잘했나요?
실력이 자란 만큼 별을 색칠하세요.
★★★ 정말 잘했어요.
★★☆ 꽤 잘했어요.
★☆☆ 앞으로 더 노력할게요.

단원 종합 문제 ___월 ___일 ___요일

1. 계산해 보세요.

2000 + 300 + 50 + 3 = 2353 　 6000 + 70 = 6070
4000 + 400 + 5 = 4405 　 9000 + 5 = 9005

2. □ 안에 >, =, <를 알맞게 써넣어 보세요.

734 < 743 　 911 > 910 　 6740 > 6074
1918 < 1919 　 8024 < 8042 　 8321 > 8123
5467 < 5666 　 415 > 414 　 909 < 990

3. 계산해 보세요.

9 × 10 = 90 　 6 × 10 = 60 　 2 × 100 = 200
9 × 100 = 900 　 10 × 10 = 100 　 10 × 100 = 1000
9 × 1000 = 9000 　 13 × 10 = 130 　 23 × 100 = 2300

4. 분배법칙을 이용하여 곱셈해 보세요.

32 × 3 = 30 × 3 + 2 × 3 = 90 + 6 = 96
45 × 2 = 40 × 2 + 5 × 2 = 80 + 10 = 90
34 × 4 = 30 × 4 + 4 × 4 = 120 + 16 = 136

5. 아래 글을 읽고 답을 구해 보세요.

❶ 5월에 3474명, 6월에 2194명이 영화를 관람했어요. 관람객은 모두 몇 명이었을까요?
식 : 3474 + 2194
정답 : 5668명

❷ 7월에 4643명, 8월에 3152명이 영화를 관람했어요. 7월 관람객은 8월보다 몇 명 더 많았을까요?
식 : 4643 - 3152
정답 : 1491명

81

89쪽 13번-1

④
① □ × 5 = □ 0
② □ + □ = 9
③ □ - □ = □

①에서 5를 곱했을 때 일의 자리가 0이 나오는 수는 짝수여야 하므로

④는 2 → 1, 4 → 2, 6 → 3, 8 → 4

①과 ④에 2와 1을 넣으면
②에 3과 6을 넣어 9를 만들어요.
③에 남은 수 8과 7을 넣으면 1이 2번 나와 겹치므로
①과 ④에 2와 1 대신 4와 2를 넣어요.

4 × 5 = 2 0
3 + 6 = 9
8 - 7 = 1

3+6=9에서 6+3으로 바꿔도 합은 변하지 않으므로 가능해요.

88-89쪽

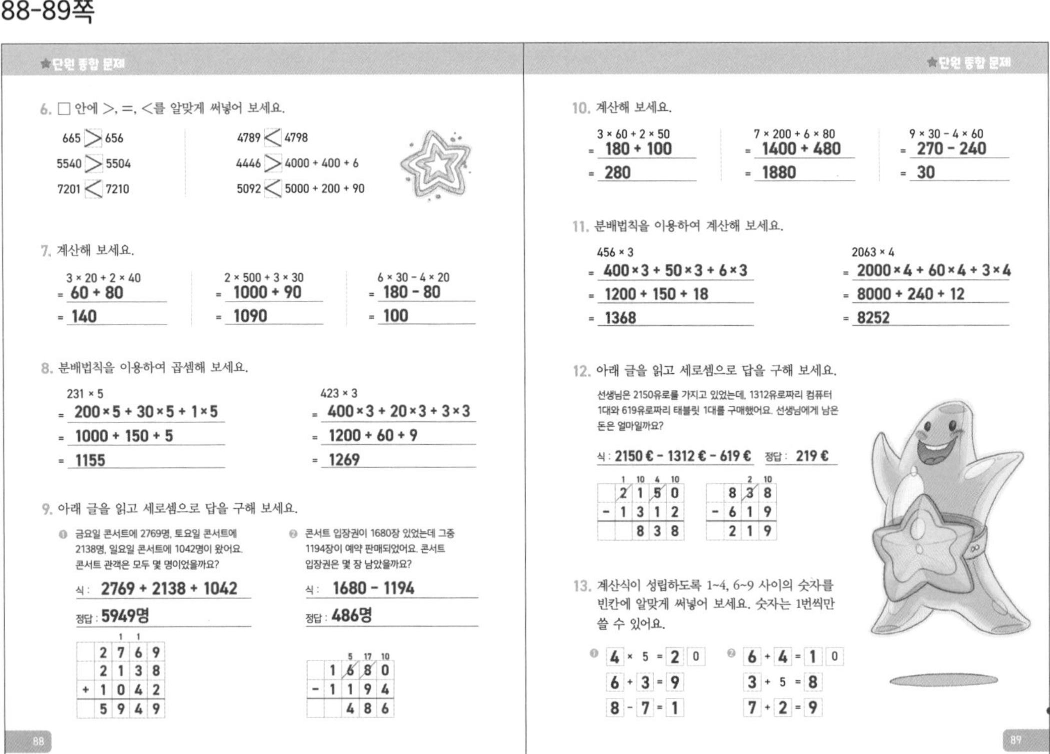

★단원 종합 문제

6. □ 안에 >, =, <를 알맞게 써넣어 보세요.

665 > 656 　 4789 < 4798
5540 > 5504 　 4446 > 4000 + 400 + 6
7201 < 7210 　 5092 < 5000 + 200 + 90

7. 계산해 보세요.

3 × 20 + 2 × 40 = 60 + 80 = 140
2 × 500 + 3 × 30 = 1000 + 90 = 1090
6 × 30 - 4 × 20 = 180 - 80 = 100

8. 분배법칙을 이용하여 곱셈해 보세요.

231 × 5 = 200×5 + 30×5 + 1×5 = 1000 + 150 + 5 = 1155
423 × 3 = 400×3 + 20×3 + 3×3 = 1200 + 60 + 9 = 1269

9. 아래 글을 읽고 세로셈으로 답을 구해 보세요.

❶ 금요일 콘서트에 2769명, 토요일 콘서트에 2138명, 일요일 콘서트에 1042명이 왔어요. 콘서트 관객은 모두 몇 명이었을까요?
식 : 2769 + 2138 + 1042
정답 : 5949명

	2	7	6	9
	2	1	3	8
+	1	0	4	2
	5	9	4	9

❷ 콘서트 입장권이 1680장 있었는데 그중 1194장이 예약 판매되었어요. 콘서트 입장권은 몇 장 남았을까요?
식 : 1680 - 1194
정답 : 486명

	1	6	8	0
-	1	1	9	4
		4	8	6

88

★단원 종합 문제

10. 계산해 보세요.

3 × 60 + 2 × 50 = 180 + 100 = 280
7 × 200 + 6 × 80 = 1400 + 480 = 1880
9 × 30 - 4 × 60 = 270 - 240 = 30

11. 분배법칙을 이용하여 계산해 보세요.

456 × 3 = 400×3 + 50×3 + 6×3 = 1200 + 150 + 18 = 1368
2063 × 4 = 2000×4 + 60×4 + 3×4 = 8000 + 240 + 12 = 8252

12. 아래 글을 읽고 세로셈으로 답을 구해 보세요.

선생님은 2150유로를 가지고 있었는데, 1312유로짜리 컴퓨터 1대와 619유로짜리 태블릿 1대를 구매했어요. 선생님에게 남은 돈은 얼마일까요?

식 : 2150 € - 1312 € - 619 € 　 정답 : 219 €

	2	1	5	0
-	1	3	1	2
		8	3	8

	8	3	8
-	6	1	9
	2	1	9

13. 계산식이 성립하도록 1~4, 6~9 사이의 숫자를 빈칸에 알맞게 써넣어 보세요. 숫자는 1번씩만 쓸 수 있어요.

❶ 4 × 5 = 2 0 　 ❷ 6 + 4 = 1 0
6 + 3 = 9 　 3 + 5 = 8
8 - 7 = 1 　 7 + 2 = 9

89

90-91쪽

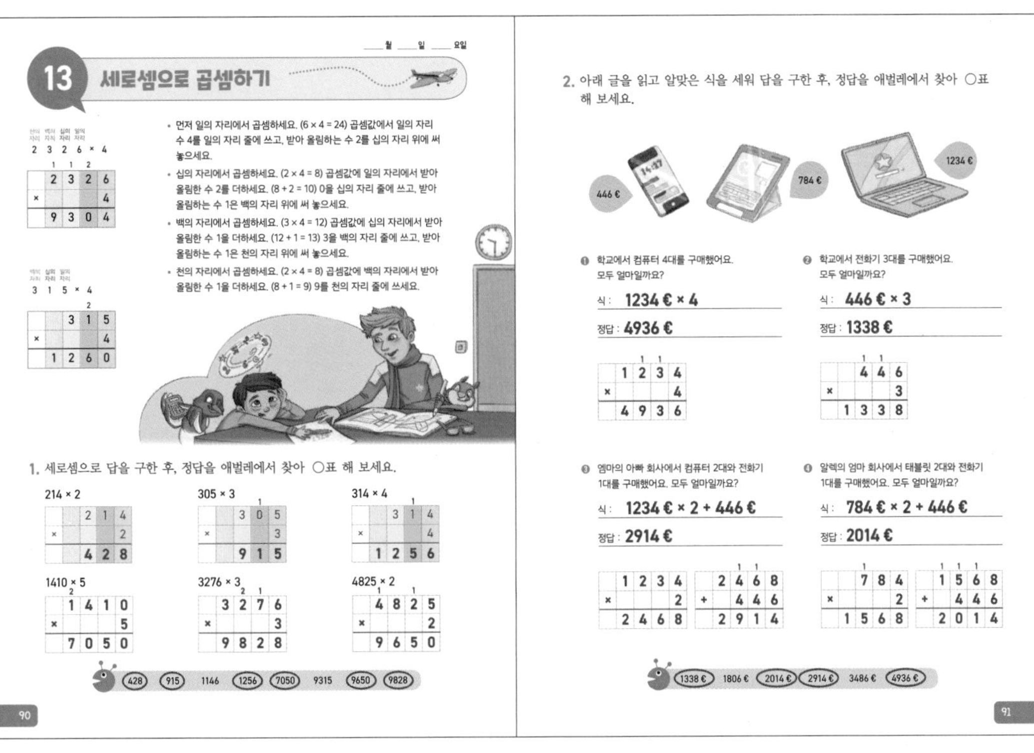

___월 ___일 ___요일

13 세로셈으로 곱셈하기

2 3 2 6 × 4 → 9 3 0 4

- 먼저 일의 자리에서 곱셈하세요. (6 × 4 = 24) 곱셈값에서 일의 자리 수 4를 일의 자리 줄에 쓰고, 받아 올림하는 수 2를 십의 자리 위에 써 놓으세요.
- 십의 자리에서 곱셈하세요. (2 × 4 = 8) 곱셈값에 일의 자리에서 받아 올림한 수 2를 더하세요. (8 + 2 = 10) 0을 십의 자리 줄에 쓰고, 받아 올림하는 수 1은 백의 자리 위에 써 놓으세요.
- 백의 자리에서 곱셈하세요. (3 × 4 = 12) 곱셈값에 십의 자리에서 받아 올림한 수 1을 더하세요. (12 + 1 = 13) 3을 백의 자리 줄에 쓰고, 받아 올림하는 수 1은 천의 자리 위에 써 놓으세요.
- 천의 자리에서 곱셈하세요. (2 × 4 = 8) 곱셈값에 백의 자리에서 받아 올림한 수 1을 더하세요. (8 + 1 = 9) 9를 천의 자리 줄에 쓰세요.

3 1 5 × 4 → 1 2 6 0

1. 세로셈으로 답을 구한 후, 정답을 애벌레에서 찾아 ○표 해 보세요.

214 × 2 = 428
305 × 3 = 915
314 × 4 = 1256
1410 × 5 = 7050
3276 × 3 = 9828
4825 × 2 = 9650

(428) (915) 1146 (1256) (7050) 9315 (9650) (9828)

2. 아래 글을 읽고 알맞은 식을 세워 답을 구한 후, 정답을 애벌레에서 찾아 ○표 해 보세요.

446 € / 784 € / 1234 €

① 학교에서 컴퓨터 4대를 구매했어요. 모두 얼마일까요?
식 : 1234 € × 4
정답 : 4936 €

② 학교에서 전화기 3대를 구매했어요. 모두 얼마일까요?
식 : 446 € × 3
정답 : 1338 €

③ 엠마의 아빠 회사에서 컴퓨터 2대와 전화기 1대를 구매했어요. 모두 얼마일까요?
식 : 1234 € × 2 + 446 €
정답 : 2914 €
(1234 × 2 = 2468, 2468 + 446 = 2914)

④ 알렉의 엄마 회사에서 태블릿 2대와 전화기 1대를 구매했어요. 모두 얼마일까요?
식 : 784 € × 2 + 446 €
정답 : 2014 €
(784 × 2 = 1568, 1568 + 446 = 2014)

(1338 €) 1806 € (2014 €) (2914 €) 3486 € (4936 €)

90 91

MEMO

89쪽 13번-2

① □ + □ = □ 0
② □ + 5 = □
③ □ + □ = □

①에서 5를 제외한 1~9까지 더해 10이 되는 수를 찾으면
(1, 9), (2, 8), (3, 7), (4, 6)이에요. 이 가운데 (1, 9)는 1+9=10으로 1이 2번 나오므로 안 돼요.
(2, 8)을 ①에 넣으면
① 2 + 8 = 10
② □+ 5 = □
③ □+□ = □
②와 ③에 들어갈 두 수의 합은 10보다 작은 수인 한 자리 수여야 하므로 ②의 □에는 4 또는 3이 가능해요. 4+5=9, 3+5=8
③에 들어갈 남은 수는 ②에 4+5가 들어갈 경우 3, 6, 7인데 남은 세 수로 덧셈이 성립하지 않아요. 3+5가 들어갈 경우 4, 6, 7인데 남은 세 수로 덧셈이 성립하지 않아요.
이런 방법으로 ①에 (3, 7)을 넣으면 식이 성립하지 않아요. 남은 (4, 6)을 ①에 넣으면
4+6=10
3+5=8 (5 앞의 □에는 3이나 2가 들어갈 수 있어요.)
7+2=9
덧셈은 앞과 뒤의 수를 바꿔 써도 식은 성립하기 때문에 2가지 식이 나오네요.
6+4=10
5+3=8
2+7=9

92-93쪽

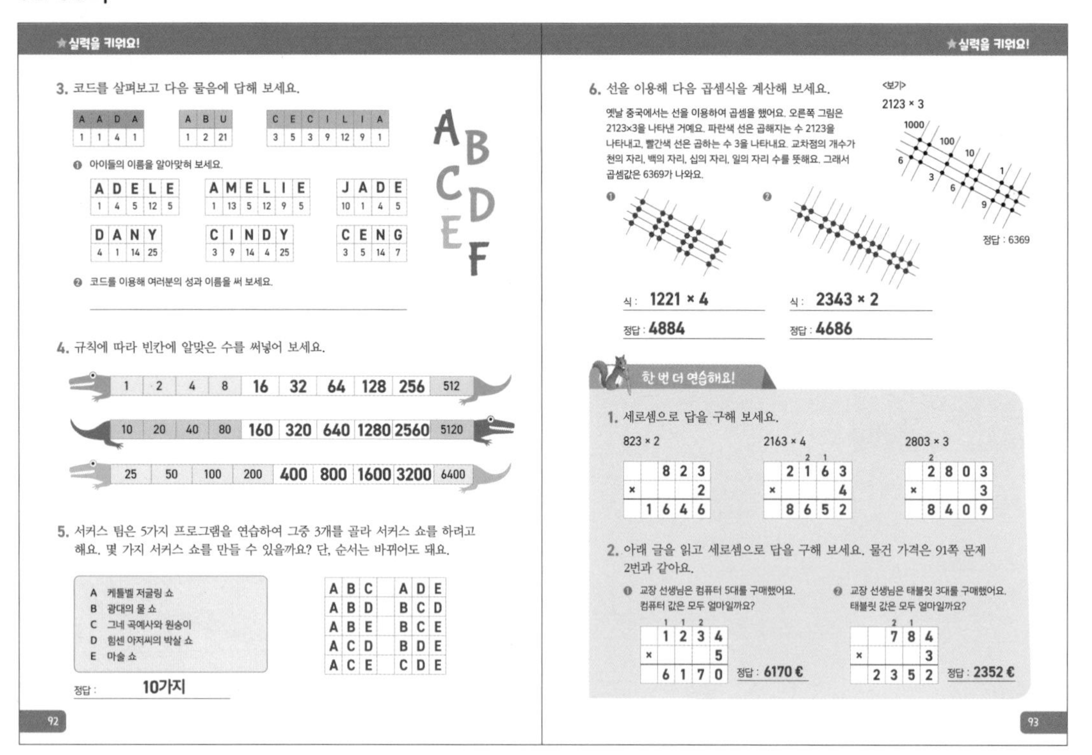

92쪽 3번

26개의 알파벳을 1부터 순서대로 짝을 지었어요. 이 순서에 따른 알파벳을 골라 번호 위에 써넣으면 이름을 알 수 있어요.

A	B	C	D	E	F	G	H	I
1	2	3	4	5	6	7	8	9
J	K	L	M	N	O	P	Q	R
10	11	12	13	14	15	16	17	18
S	T	U	V	W	X	Y	Z	
19	20	21	22	23	24	25	26	

MEMO

93쪽 6번

곱셈할 때 선을 그어서 계산하는 방법으로 곱셈의 원리에 충실한 방법이에요.
곱셈할 두 수를 자리 수 별로 나누어 선을 교차하게 그은 후 같은 자리의 교차점을 묶어서 세는 방법으로 계산해요.
2123 × 3 = 6369(6000 + 300 + 60 + 9)

두 자리 수의 곱셈인 21×41을 그림으로 그려 보면 다음과 같아요.

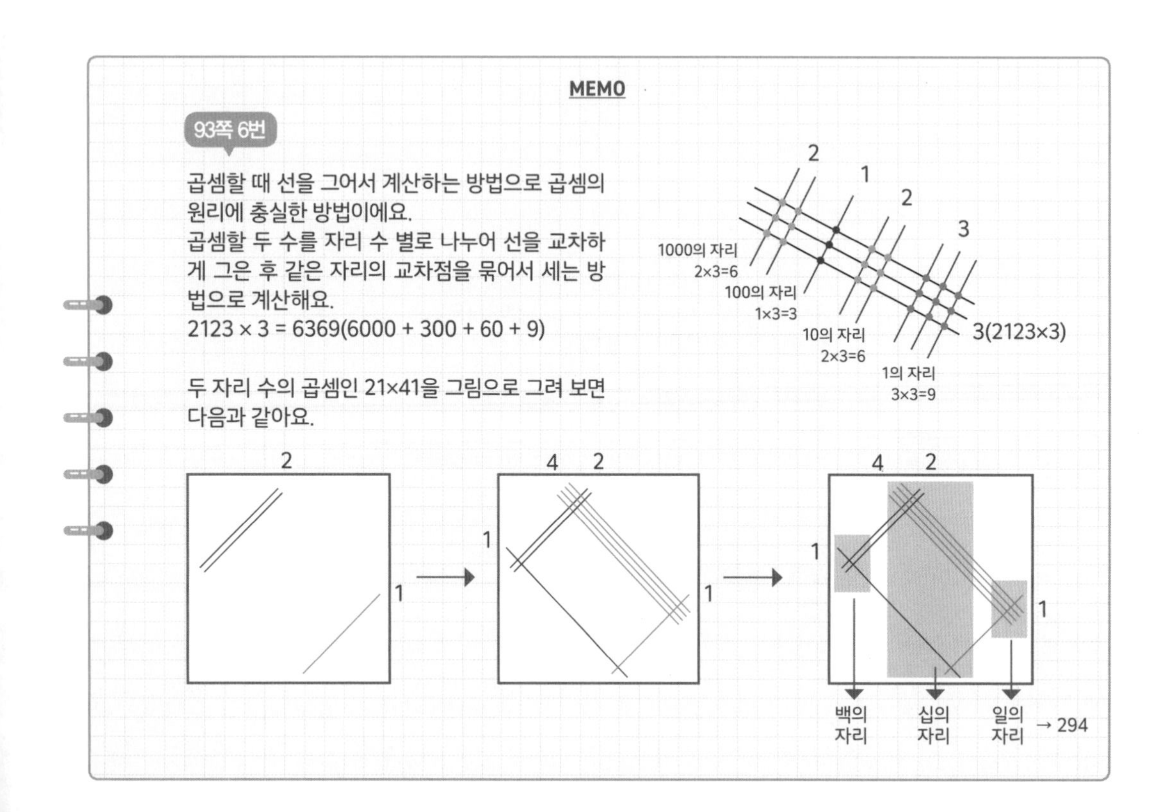

94-95쪽

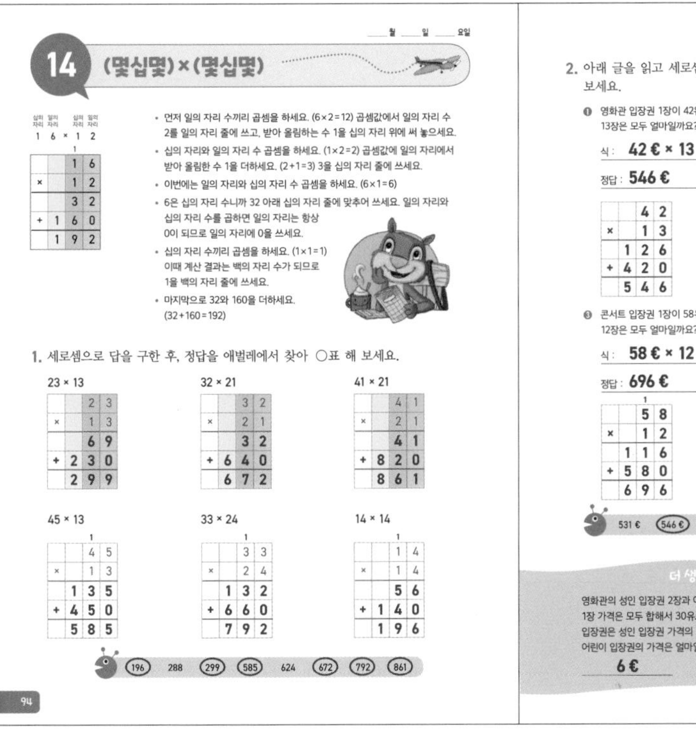

더 생각해 보아요! | 95쪽

어른 입장권=2×어린이 입장권이므로 어른 입장권 2장=4×어린이 입장권과 같아요.
그러므로 어른 입장권 2장과 어린이 입장권 1장은 어린이 입장권 5장과 값이 같아요.
어린이 입장권을 □로 해서 식을 세우면 □×5=30, □=6
어린이 입장권 1장은 6유로, 성인 입장권 1장은 12유로예요.

96-97쪽

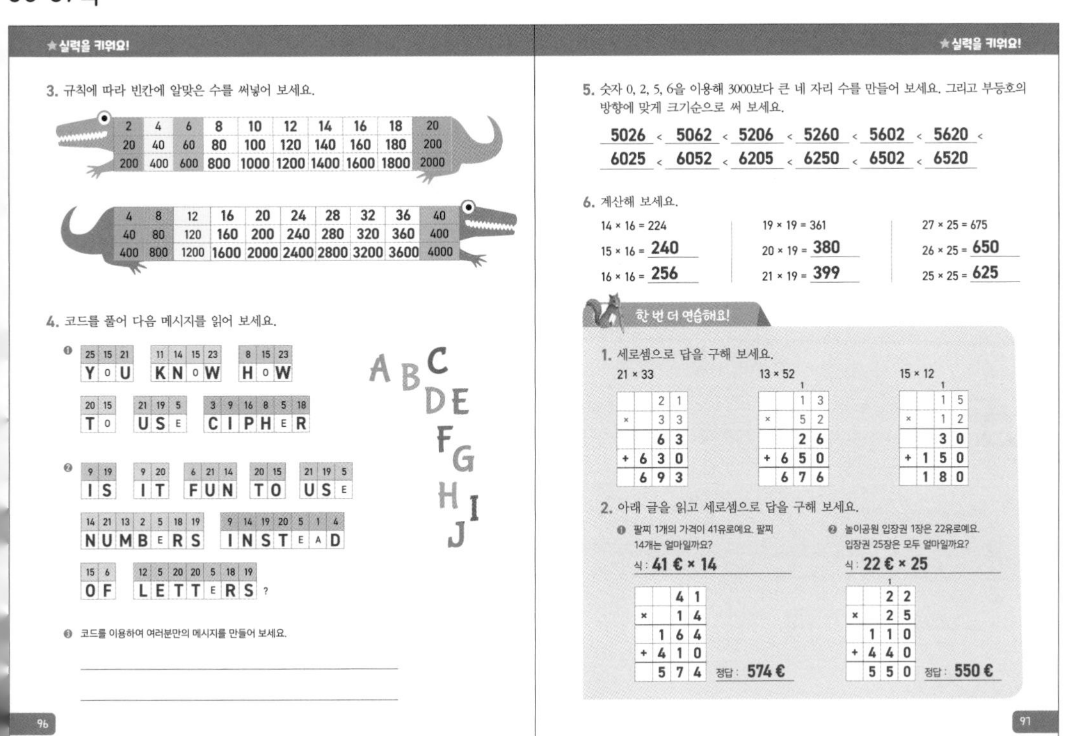

96쪽 4번

❶ YOU KNOW HOW TO USE CIPHER (당신은 암호 사용법을 알고 있어요.)

❷ IS IT FUN TO USE NUMBERS INSTEAD OF LETTERS? (알파벳 대신 숫자를 사용하니까 재미있지 않나요?)

98-99쪽

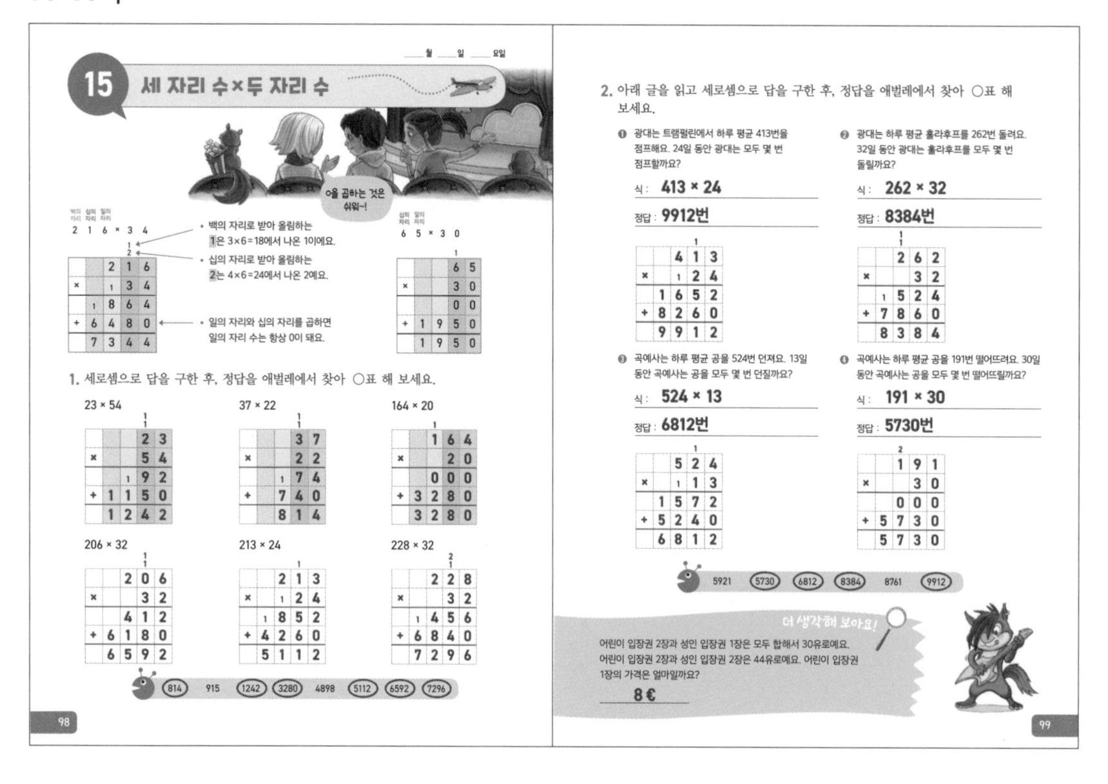

15 세 자리 수×두 자리 수

___월 ___일 ___요일

216 × 34

- 백의 자리로 받아 올림하는 1은 3×6=18에서 나온 1이에요.
- 십의 자리로 받아 올림하는 2는 4×6=24에서 나온 2예요.
- 일의 자리와 십의 자리를 곱하면 일의 자리 수는 항상 0이 돼요.

216 × 34: 864, 6480, 7344

0을 곱하는 것은 쉬워~!

65 × 30: 00, 1950, 1950

1. 세로셈으로 답을 구한 후, 정답을 애벌레에서 찾아 ○표 해 보세요.

23 × 54: 92, 1150, 1242

37 × 22: 74, 740, 814

164 × 20: 000, 3280, 3280

206 × 32: 412, 6180, 6592

213 × 24: 852, 4260, 5112

228 × 32: 456, 6840, 7296

(814) 915 (1242) (3280) 4898 (5112) (6592) (7296)

2. 아래 글을 읽고 세로셈으로 답을 구한 후, 정답을 애벌레에서 찾아 ○표 해 보세요.

❶ 광대는 트램펄린에서 하루 평균 413번을 점프해요. 24일 동안 광대는 모두 몇 번 점프할까요?
식: 413 × 24
정답: 9912번
(1652, 8260, 9912)

❷ 광대는 하루 평균 훌라후프를 262번 돌려요. 32일 동안 광대는 훌라후프를 모두 몇 번 돌릴까요?
식: 262 × 32
정답: 8384번
(524, 7860, 8384)

❸ 곡예사는 하루 평균 공을 524번 던져요. 13일 동안 곡예사는 공을 모두 몇 번 던질까요?
식: 524 × 13
정답: 6812번
(1572, 5240, 6812)

❹ 곡예사는 하루 평균 공을 191번 떨어뜨려요. 30일 동안 곡예사는 공을 모두 몇 번 떨어뜨릴까요?
식: 191 × 30
정답: 5730번
(000, 5730, 5730)

5921 (5730) (6812) (8384) 8761 (9912)

더 생각해 보아요!

어린이 입장권 2장과 성인 입장권 1장은 모두 합해서 30유로예요. 어린이 입장권 2장과 성인 입장권 2장은 44유로예요. 어린이 입장권 1장의 가격은 얼마일까요?

8 €

98 99

더 생각해 보아요! | 99쪽

어린이 입장권=가, 성인 입장권=나로 정해요. 주어진 조건에 맞게 식을 써요.

❶ 2×가+나=30

❷ 2×가+2×나=44이므로
가+나=22

❶ 식에 가+나=22를 넣으면
2×가+나=30
가+가+나=30
가+22=30
가=8

가+나=22에 가=8을 넣으면
8+나=22
나=14

어린이 입장권=가=8€
성인 입장권=나=14€

100-101쪽

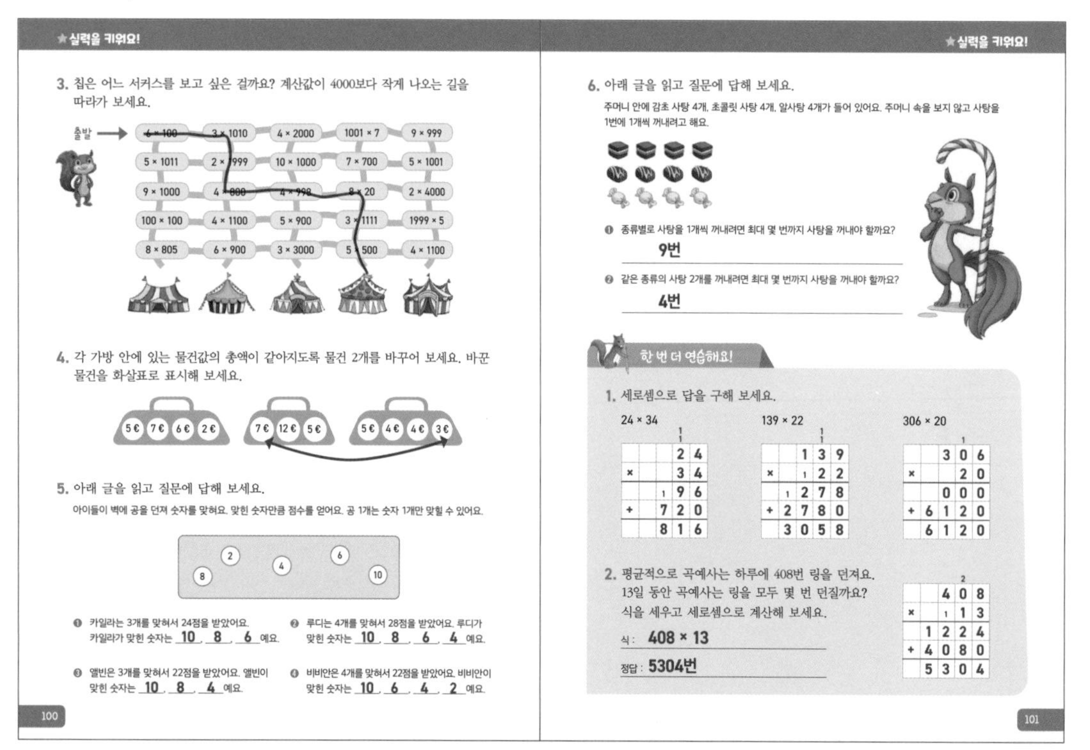

★실력을 키워요!

3. 칩은 어느 서커스를 보고 싶은 걸까요? 계산값이 4000보다 작게 나오는 길을 따라가 보세요.

출발 →

4 × 100	3 × 1010	4 × 2000	1001 × 7	9 × 999
5 × 1011	2 × 1999	10 × 1000	7 × 700	5 × 1001
9 × 1000	4 × 800	4 × 999	8 × 20	2 × 4000
100 × 100	4 × 1100	5 × 900	3 × 1111	1999 × 5
8 × 805	6 × 900	3 × 3000	5 × 500	4 × 1100

4. 각 가방 안에 있는 물건값의 총액이 같아지도록 물건 2개를 바꾸어 보세요. 바꾼 물건을 화살표로 표시해 보세요.

5€ 7€ 6€ 2€ / 7€ 12€ 5€ / 5€ 4€ 4€ 3€

5. 아래 글을 읽고 질문에 답해 보세요.

아이들이 벽에 공을 던져 숫자를 맞혀요. 맞힌 숫자만큼 점수를 얻어요. 공 1개는 숫자 1개만 맞힐 수 있어요.

8 2 4 6 10

❶ 카일라는 3개를 맞혀서 24점을 받았어요. 카일라가 맞힌 숫자는 10, 8, 6예요.

❷ 루디는 4개를 맞혀서 28점을 받았어요. 루디가 맞힌 숫자는 10, 8, 6, 4예요.

❸ 엘빈은 3개를 맞혀서 22점을 받았어요. 엘빈이 맞힌 숫자는 10, 8, 4예요.

❹ 비비안은 4개를 맞혀서 22점을 받았어요. 비비안이 맞힌 숫자는 10, 6, 4, 2예요.

★실력을 키워요!

6. 아래 글을 읽고 질문에 답해 보세요.

주머니 안에 감초 사탕 4개, 초콜릿 사탕 4개, 알사탕 4개가 들어 있어요. 주머니 속을 보지 않고 사탕을 1번에 1개씩 꺼내려고 해요.

❶ 종류별로 사탕을 1개씩 꺼내려면 최대 몇 번까지 사탕을 꺼내야 할까요?
9번

❷ 같은 종류의 사탕 2개를 꺼내려면 최대 몇 번까지 사탕을 꺼내야 할까요?
4번

한 번 더 연습해요!

1. 세로셈으로 답을 구해 보세요.

24 × 34: 96, 720, 816

139 × 22: 278, 2780, 3058

306 × 20: 000, 6120, 6120

2. 평균적으로 곡예사는 하루에 408번 링을 던져요. 13일 동안 곡예사는 링을 모두 몇 번 던질까요? 식을 세우고 세로셈으로 계산해 보세요.

식: 408 × 13
정답: 5304번
(1224, 4080, 5304)

100 101

100쪽 4번

가=20 나=24 다=16

5€ 7€ 6€ 2€ / 7€ 12€ 5€ / 5€ 4€ 4€ 3€

가=20, 나=24, 다=16이에요. 총액을 같게 만들려면 나에서 다로 4만큼 보내면 나=20, 다=20이 되겠죠? 나에는 4가 없으니 다에서 3을 받고 7을 보내면 나와 다 모두 20이 돼요.

101쪽 6번

❶ 종류별로 사탕을 1개씩 꺼내려면 최악의 상황인 경우 한 종류 사탕 4개, 다른 종류 사탕 4개를 꺼내야 하므로 8번 꺼내야 해요. 9번째엔 최소한 다른 종류 사탕을 꺼낼 수밖에 없으므로 정답은 9번이에요.

❷ 최악의 상황은 감초 사탕 1개, 초콜릿 사탕 1개, 알사탕을 1개씩 꺼내는 거예요. 4번째부터는 어떤 걸 꺼내더라도 같은 종류가 2개 되므로 정답은 4번이에요.

102-103쪽

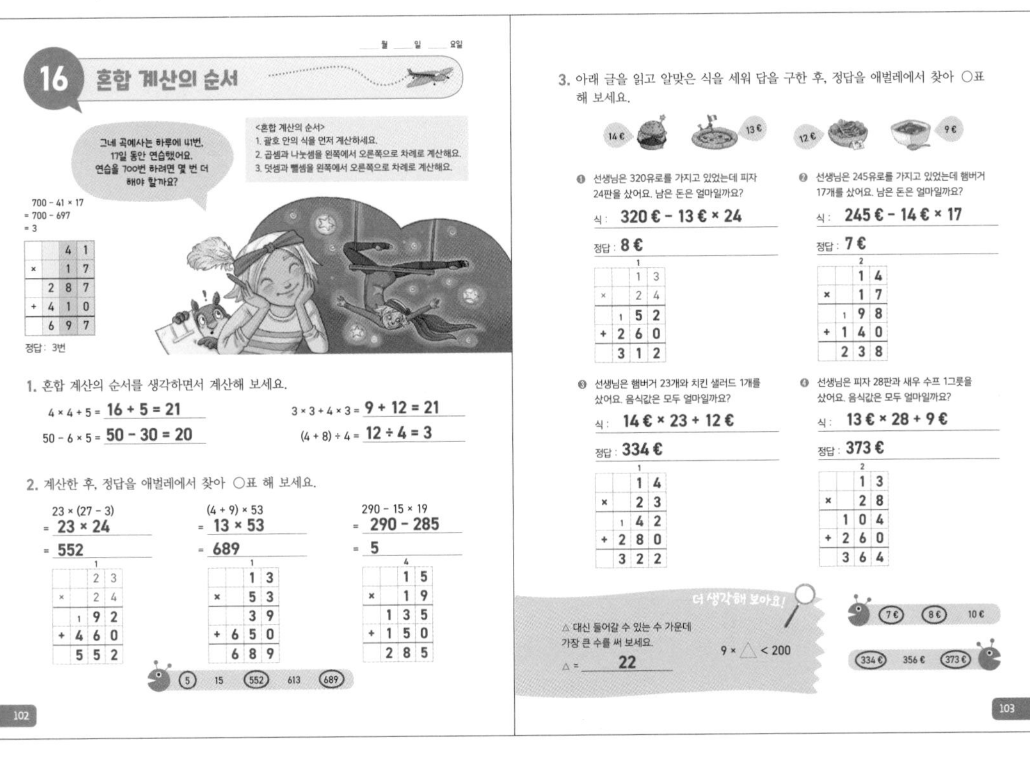

더 생각해 보아요! | 103쪽

9의 배수 중 200에 가장 가까운 수이면서 200보다 작은 수를 구하려면 200을 9로 나누면 되겠죠?
200÷9=22…2이며,
9×22=198이에요.
그러므로 △=22

104-105쪽

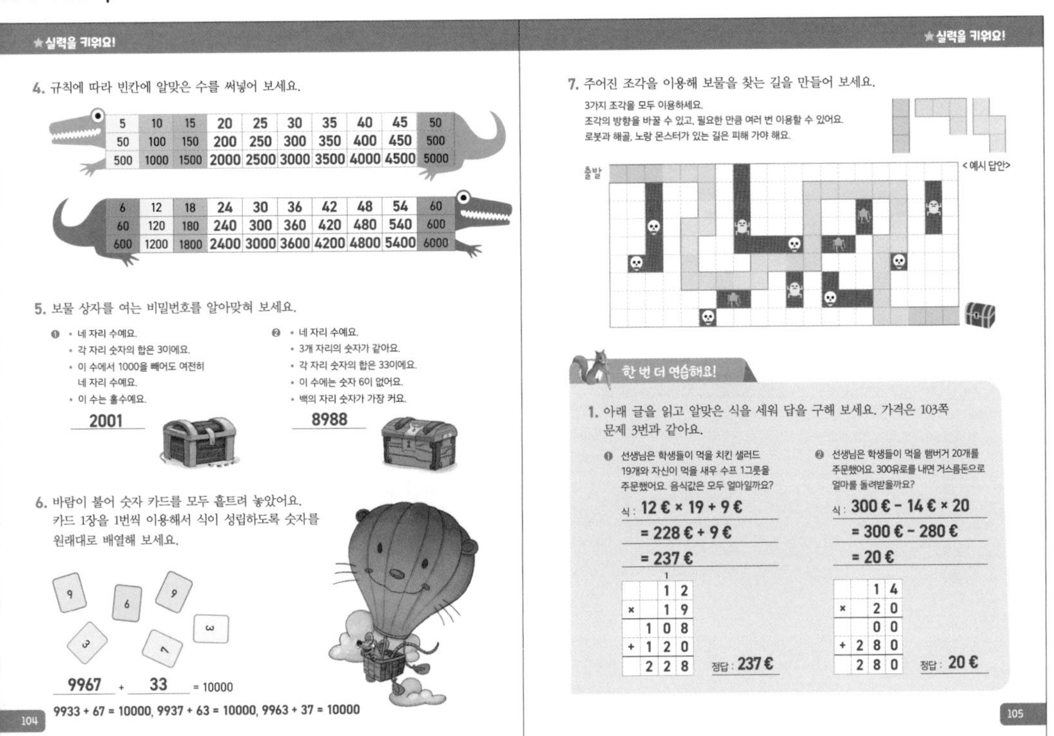

104쪽 5번

❶
- 홀수이면서 각 자리 숫자의 합은 3이 되려면 일의 자리 숫자는 1이어야 해요.
- 이 수에서 1000을 빼도 결과가 여전히 네 자리 수가 나오려면 천의 자리 숫자는 2가 되어야 해요.
- 천의 자리 수=2, 일의 자리 수=1인데 각 자리 숫자의 합이 3이 되려면 남은 자리 수는 모두 0이 되어야 하므로 답은 2001이에요.

❷
- 3개 자리 숫자가 같고, 백의 자리 숫자가 가장 크려면 백의 자리 숫자만 다르고 나머지 자리 숫자는 모두 같아야 해요.
- 나머지 자리 숫자=가, 백의 자리 숫자=나라고 하면 가+나+가+가=33, 3가+나=33이에요.
- 33에 가까운 수를 구하려고 가에 9를 넣으면 나=6이 나오는데 이 수에는 숫자 6이 없어야 하므로 가=9가 아니에요.
- 다음 큰 수인 8을 3가+나=33 식에 넣으면 가=8, 나는 9가 나와 조건을 모두 만족해요. 정답은 8988이에요.

106-107쪽

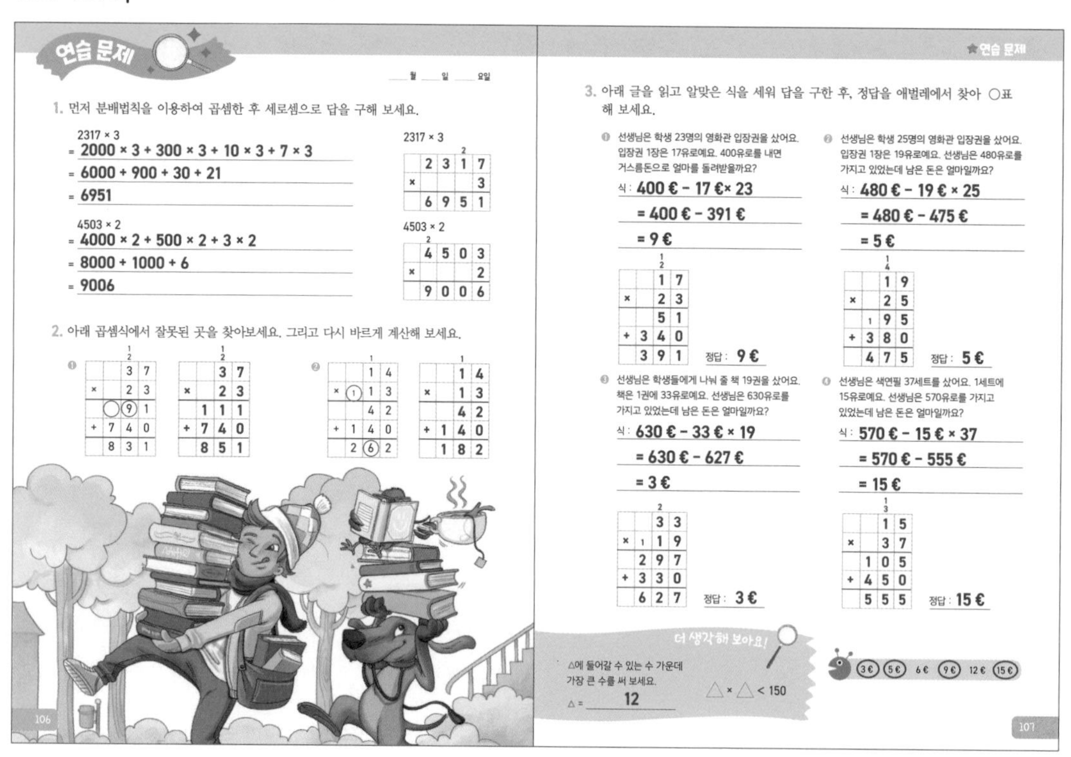

연습 문제

___월 ___일 ___요일

1. 먼저 분배법칙을 이용하여 곱셈한 후 세로셈으로 답을 구해 보세요.

2317 × 3
= 2000 × 3 + 300 × 3 + 10 × 3 + 7 × 3
= 6000 + 900 + 30 + 21
= 6951

4503 × 2
= 4000 × 2 + 500 × 2 + 3 × 2
= 8000 + 1000 + 6
= 9006

2. 아래 곱셈식에서 잘못된 곳을 찾아보세요. 그리고 다시 바르게 계산해 보세요.

3. 아래 글을 읽고 알맞은 식을 세워 답을 구한 후, 정답을 애벌레에서 찾아 ○표 해 보세요.

❶ 선생님은 학생 23명의 영화관 입장권을 샀어요. 입장권 1장은 17유로예요. 400유로를 내면 거스름돈으로 얼마를 돌려받을까요?
식: 400 € - 17 €× 23
= 400 € - 391 €
= 9 €
정답: 9 €

❷ 선생님은 학생 25명의 영화관 입장권을 샀어요. 입장권 1장은 19유로예요. 선생님은 480유로를 가지고 있었는데 남은 돈은 얼마일까요?
식: 480 € - 19 € × 25
= 480 € - 475 €
= 5 €
정답: 5 €

❸ 선생님은 학생들에게 나눠 줄 책 19권을 샀어요. 책은 1권에 33유로예요. 선생님은 630유로를 가지고 있었는데 남은 돈은 얼마일까요?
식: 630 € - 33 € × 19
= 630 € - 627 €
= 3 €
정답: 3 €

❹ 선생님은 색연필 37세트를 샀어요. 1세트에 15유로예요. 선생님은 570유로를 가지고 있었는데 남은 돈은 얼마일까요?
식: 570 € - 15 € × 37
= 570 € - 555 €
= 15 €
정답: 15 €

3€ 5€ 6€ 9€ 12€ 15€

더 생각해 보아요!
△에 들어갈 수 있는 수 가운데 가장 큰 수를 써 보세요.
△ × △ < 150
△ = 12

106 107

더 생각해 보아요! | 107쪽

두 수의 곱이 150보다 작으면서 가장 가까우려면 10, 11, 12, 13 등을 넣어 계산해 보면 되겠죠?
10×10=100, 11×11=121, 12×12=144, 13×13=169이므로 △=12예요.

108-109쪽

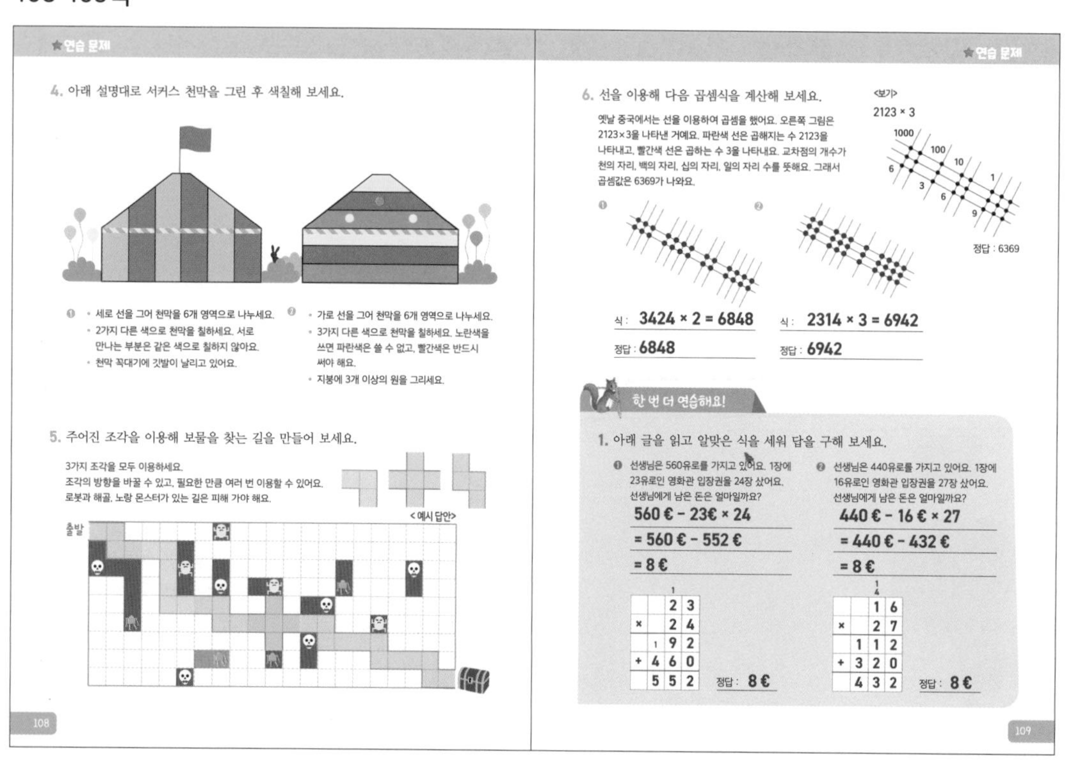

연습 문제

4. 아래 설명대로 서커스 천막을 그린 후 색칠해 보세요.

❶ • 세로 선을 그어 천막을 6개 영역으로 나누세요.
• 2가지 다른 색으로 천막을 칠하세요. 서로 만나는 부분은 같은 색으로 칠하지 않아요.
• 천막 꼭대기에 깃발이 날리고 있어요.

❷ • 가로 선을 그어 천막을 6개 영역으로 나누세요.
• 3가지 다른 색으로 천막을 칠하세요. 노란색을 쓰면 파란색은 쓸 수 없고, 빨간색은 반드시 써야 해요.
• 지붕에 3개 이상의 원을 그리세요.

5. 주어진 조각을 이용해 보물을 찾는 길을 만들어 보세요.

3가지 조각을 모두 이용하세요.
조각의 방향을 바꿀 수 있고, 필요한 만큼 여러 번 이용할 수 있어요.
로봇과 해골, 노랑 몬스터가 있는 길은 피해 가야 해요.

출발 <예시 답안>

6. 선을 이용해 다음 곱셈식을 계산해 보세요.

옛날 중국에서는 선을 이용하여 곱셈을 했어요. 오른쪽 그림은 2123×3을 나타낸 거예요. 파란색 선은 곱해지는 수 2123을 나타내고, 빨간색 선은 곱하는 수 3을 나타내요. 교차점의 개수가 천의 자리, 백의 자리, 십의 자리, 일의 자리 수를 뜻해요. 그래서 곱셈값은 6369가 나와요.

<보기> 2123 × 3 정답: 6369

❶ 식: 3424 × 2 = 6848 정답: 6848

❷ 식: 2314 × 3 = 6942 정답: 6942

한 번 더 연습해요!

1. 아래 글을 읽고 알맞은 식을 세워 답을 구해 보세요.

❶ 선생님은 560유로를 가지고 있어요. 1장에 23유로인 영화관 입장권을 24장 샀어요. 선생님에게 남은 돈은 얼마일까요?
560 € - 23€ × 24
= 560 € - 552 €
= 8 €
정답: 8 €

❷ 선생님은 440유로를 가지고 있어요. 1장에 16유로인 영화관 입장권을 27장 샀어요. 선생님에게 남은 돈은 얼마일까요?
440 € - 16 € × 27
= 440 € - 432 €
= 8 €
정답: 8 €

108 109

110-111쪽

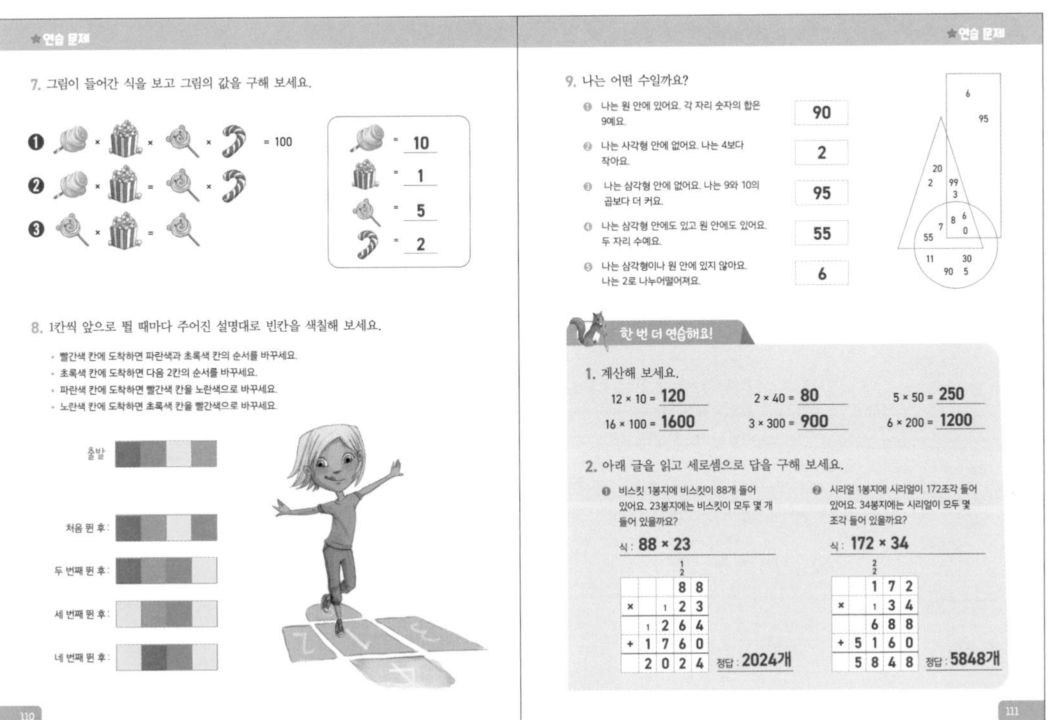

7. 그림이 들어간 식을 보고 그림의 값을 구해 보세요.

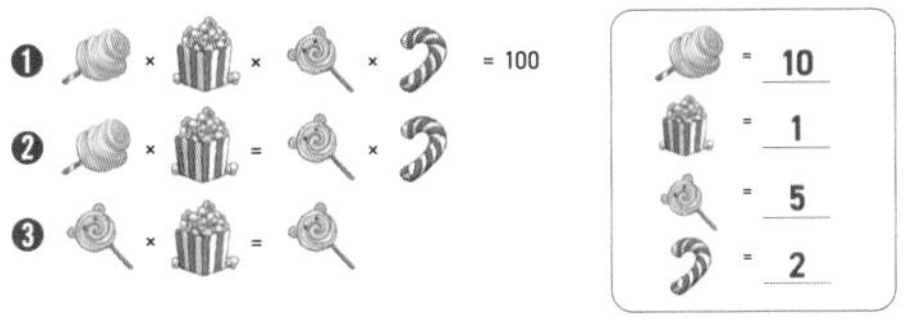

❶ × × × = 100
❷ × = ×
❸ × =
= 10
= 1
= 5
= 2

8. 1칸씩 앞으로 뛸 때마다 주어진 설명대로 빈칸을 색칠해 보세요.

- 빨간색 칸에 도착하면 파란색과 초록색 칸의 순서를 바꾸세요.
- 초록색 칸에 도착하면 다음 2칸의 순서를 바꾸세요.
- 파란색 칸에 도착하면 빨간색 칸을 노란색으로 바꾸세요.
- 노란색 칸에 도착하면 초록색 칸을 빨간색으로 바꾸세요.

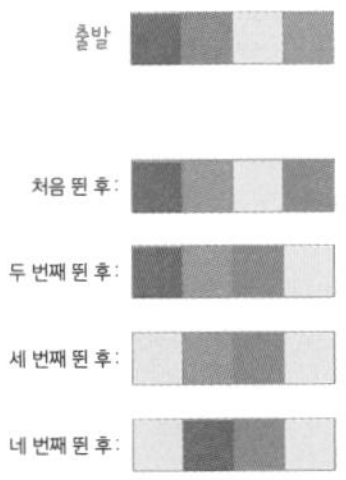

출발
처음 뛴 후 :
두 번째 뛴 후 :
세 번째 뛴 후 :
네 번째 뛴 후 :

9. 나는 어떤 수일까요?

❶ 나는 원 안에 있어요. 각 자리 숫자의 합은 9예요. **90**

❷ 나는 사각형 안에 없어요. 나는 4보다 작아요. **2**

❸ 나는 삼각형 안에 없어요. 나는 9와 10의 곱보다 더 커요. **95**

❹ 나는 삼각형 안에도 있고 원 안에도 있어요. 두 자리 수예요. **55**

❺ 나는 삼각형이나 원 안에 있지 않아요. 나는 2로 나누어떨어져요. **6**

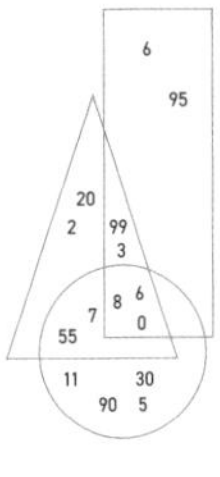

6
95
20
2
99
3
8
6
7
0
55
11
30
90
5

한 번 더 연습해요!

1. 계산해 보세요.

12 × 10 = **120** 2 × 40 = **80** 5 × 50 = **250**

16 × 100 = **1600** 3 × 300 = **900** 6 × 200 = **1200**

2. 아래 글을 읽고 세로셈으로 답을 구해 보세요.

❶ 비스킷 1봉지에 비스킷이 88개 들어 있어요. 23봉지에는 비스킷이 모두 몇 개 들어 있을까요?

식 : **88 × 23**

			8	8
×		1	2	3
	1	2	6	4
+	1	7	6	0
	2	0	2	4

정답 : **2024개**

❷ 시리얼 1봉지에 시리얼이 172조각 들어 있어요. 34봉지에는 시리얼이 모두 몇 조각 들어 있을까요?

식 : **172 × 34**

		1	7	2
×		1	3	4
		6	8	8
+	5	1	6	0
	5	8	4	8

정답 : **5848개**

110쪽 7번

❸ (그림) × (그림) = (그림)에서 처음 수에 어떤 수를 곱했더니 처음 수인 자기 자신이 나오면 곱한 수는 1이에요. (그림) =1

❷ × = × 에 =1을 넣으면 = ×

❶ × × × =100에 =1과 = × 을 넣으면 ×1× =100 =10

❷ × = × 에 =1, =5, =10을 넣으면 10×1=5× , =2

111쪽 9번

❶ 원 안에 있는 수-8, 6, 0, 7, 55, 11, 90, 30, 5. 이 가운데 각 자리 숫자의 합이 9인 수는 90(9+0=9)

❷ 사각형 안에 없는 수는 20, 2, 7, 55, 11, 90, 30, 5. 이 가운데 4보다 작은 수는 2

❸ 삼각형 안에 없는 수는 6, 95, 11, 90, 30, 5. 이 가운데 90(9×10)보다 큰 수는 95

❹ 삼각형과 원 안 모두에 있는 수는 0, 6, 8, 7, 55. 이 가운데 두 자리 수는 55

❺ 삼각형이나 원 안에 있지 않은 수는 6, 95. 이 가운데 2로 나누어떨어지는 수는 6

112-113쪽

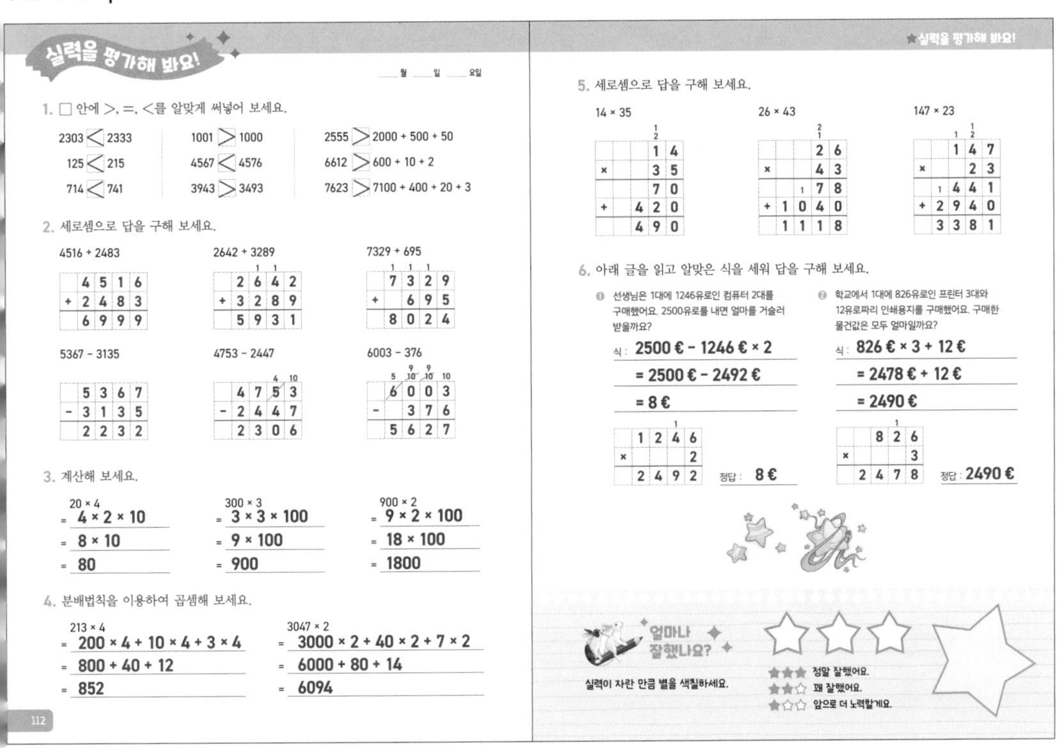

실력을 평가해 봐요!

___월 ___일 ___요일

1. □ 안에 >, =, <를 알맞게 써넣어 보세요.

2303 < 2333　　1001 > 1000　　2555 > 2000 + 500 + 50

125 < 215　　4567 < 4576　　6612 > 600 + 10 + 2

714 < 741　　3943 > 3493　　7623 > 7100 + 400 + 20 + 3

2. 세로셈으로 답을 구해 보세요.

4516 + 2483

	4	5	1	6
+	2	4	8	3
	6	9	9	9

2642 + 3289

	2	6	4	2
+	3	2	8	9
	5	9	3	1

7329 + 695

	7	3	2	9
+		6	9	5
	8	0	2	4

5367 − 3135

	5	3	6	7
−	3	1	3	5
	2	2	3	2

4753 − 2447

	4	7	5	3
−	2	4	4	7
	2	3	0	6

6003 − 376

	6	0	0	3
−		3	7	6
	5	6	2	7

3. 계산해 보세요.

20 × 4 = **4 × 2 × 10** = **8 × 10** = **80**

300 × 3 = **3 × 3 × 100** = **9 × 100** = **900**

900 × 2 = **9 × 2 × 100** = **18 × 100** = **1800**

4. 분배법칙을 이용하여 곱셈해 보세요.

213 × 4 = **200 × 4 + 10 × 4 + 3 × 4** = **800 + 40 + 12** = **852**

3047 × 2 = **3000 × 2 + 40 × 2 + 7 × 2** = **6000 + 80 + 14** = **6094**

5. 세로셈으로 답을 구해 보세요.

14 × 35

			1	4
×			3	5
			7	0
+		4	2	0
		4	9	0

26 × 43

			2	6
×			4	3
		1	7	8
+	1	0	4	0
	1	1	1	8

147 × 23

		1	4	7
×			2	3
	1	4	4	1
+	2	9	4	0
	3	3	8	1

6. 아래 글을 읽고 알맞은 식을 세워 답을 구해 보세요.

❶ 선생님은 1대에 1246유로인 컴퓨터 2대를 구매했어요. 2500유로를 내면 얼마를 거슬러 받을까요?

식 : **2500 € − 1246 € × 2**
= 2500 € − 2492 €
= 8 €

	1	2	4	6
×				2
	2	4	9	2

정답 : **8 €**

❷ 학교에서 1대에 826유로인 프린터 3대와 12유로짜리 인쇄용지를 구매했어요. 구매한 물건값은 모두 얼마일까요?

식 : **826 € × 3 + 12 €**
= 2478 € + 12 €
= 2490 €

		8	2	6
×				3
	2	4	7	8

정답 : **2490 €**

얼마나 잘했나요?
실력이 자란 만큼 별을 색칠하세요.
★★★ 정말 잘했어요.
★★☆ 꽤 잘했어요.
★☆☆ 앞으로 더 노력할게요.

114-115쪽

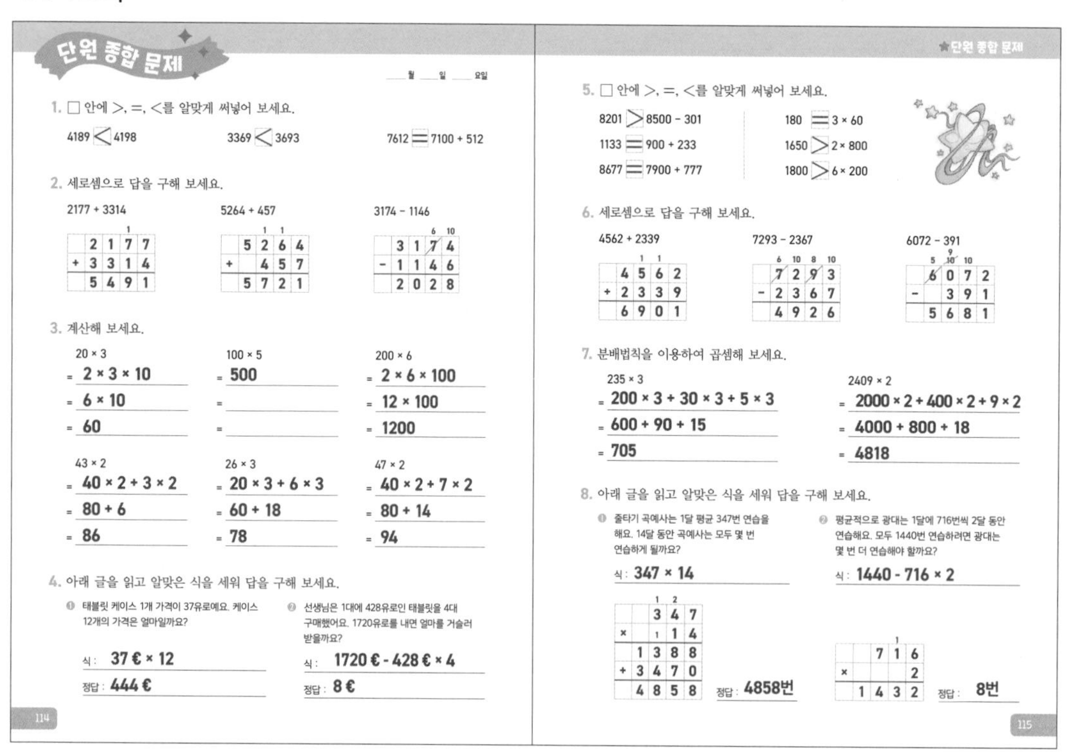

116-117쪽

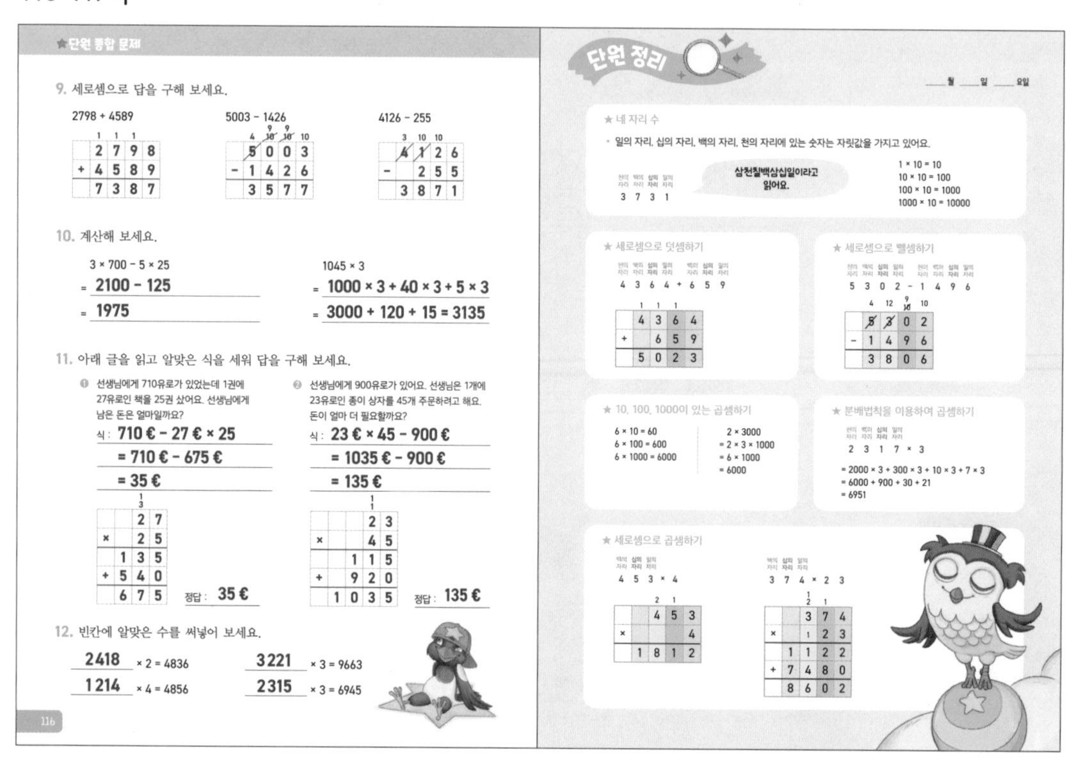

116쪽 12번

- 4836 ÷ 2 = 2418
- 9663 ÷ 3 = 3221
- 4856 ÷ 4 = 1214
- 6945 ÷ 3 = 2315

118-119쪽

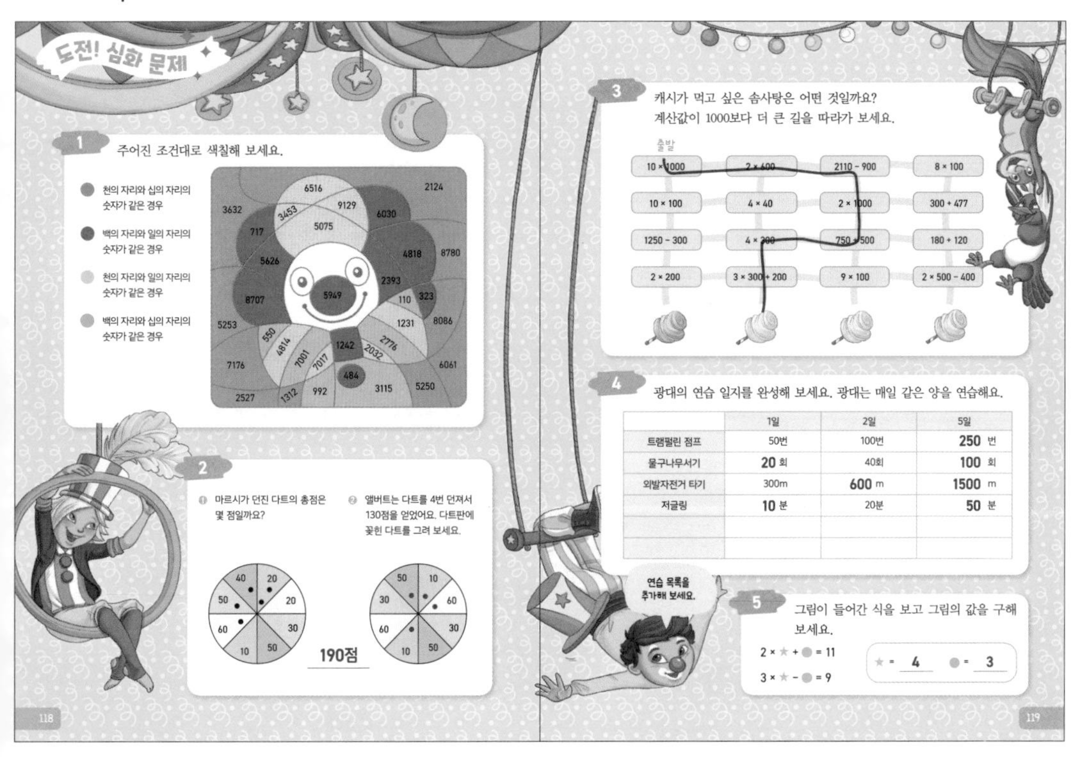

도전! 심화 문제

1 주어진 조건대로 색칠해 보세요.

- 천의 자리와 십의 자리의 숫자가 같은 경우
- 백의 자리와 일의 자리의 숫자가 같은 경우
- 천의 자리와 일의 자리의 숫자가 같은 경우
- 백의 자리와 십의 자리의 숫자가 같은 경우

2

❶ 마르시가 던진 다트의 총점은 몇 점일까요?

190점

❷ 앨버트는 다트를 4번 던져서 130점을 얻었어요. 다트판에 꽂힌 다트를 그려 보세요.

3 캐시가 먹고 싶은 솜사탕은 어떤 것일까요? 계산값이 1000보다 더 큰 길을 따라가 보세요.

4 광대의 연습 일지를 완성해 보세요. 광대는 매일 같은 양을 연습해요.

	1일	2일	5일
트램펄린 점프	50번	100번	250 번
물구나무서기	20 회	40회	100 회
외발자전거 타기	300m	600 m	1500 m
저글링	10 분	20분	50 분

5 그림이 들어간 식을 보고 그림의 값을 구해 보세요.

2 × ★ + ● = 11

3 × ★ − ● = 9

★ = 4 ● = 3

118쪽 2번

❶ 60+50+40+20×2
=150+40
=190

❷ 50+10×2+60
=50+20+60
=130

*또 어떤 경우가 있을지 생각해 보세요.

119쪽 5번

★×2+●=11과 ★×3-●=9에서 ★은 3보다 커야 ★×3-●=9 식을 만족시키고,

6보다 작아야 ★×2+●=11를 만족시켜요.

따라서 ★=4 또는 5가 될 수 있어요.

★=4일 때, ●=3이며 2개의 식을 모두 만족해요.

★=5일 때, ●의 값은 6과 1로 일치하지 않아 식이 성립하지 않아요.

따라서 정답은 ★=4, ●=3

120-121쪽

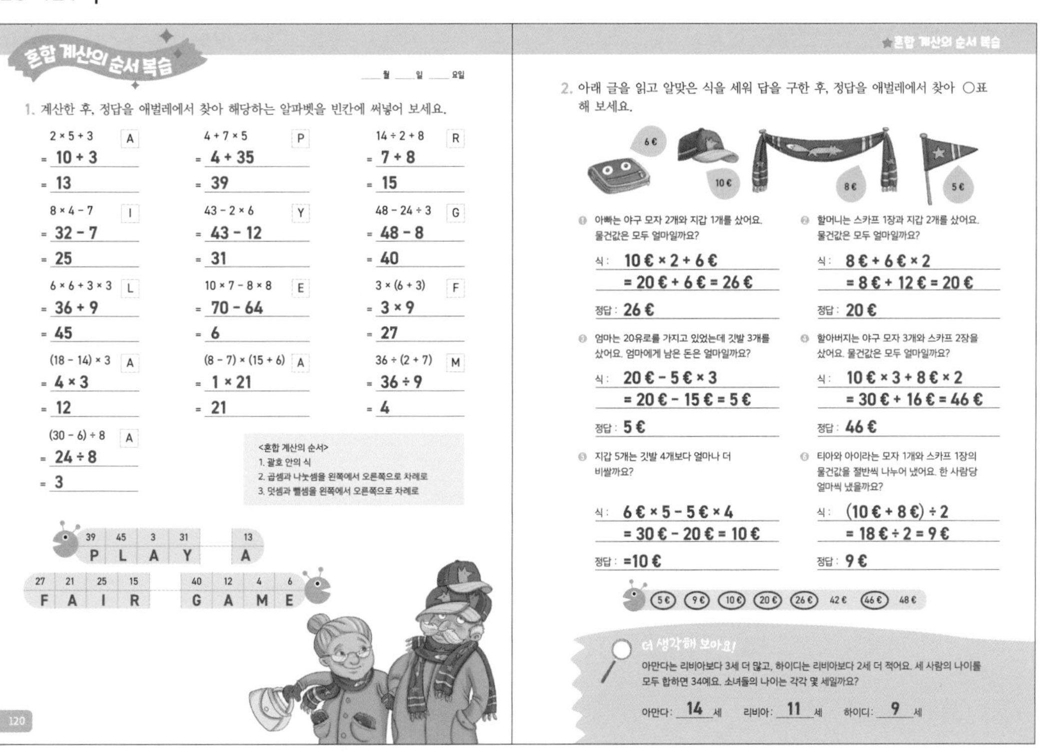

혼합 계산의 순서 복습

월 일 요일

1. 계산한 후, 정답을 애벌레에서 찾아 해당하는 알파벳을 빈칸에 써넣어 보세요.

2 × 5 + 3 (A) = 10 + 3 = 13	4 + 7 × 5 (P) = 4 + 35 = 39	14 ÷ 2 + 8 (R) = 7 + 8 = 15
8 × 4 − 7 (I) = 32 − 7 = 25	43 − 2 × 6 (Y) = 43 − 12 = 31	48 − 24 ÷ 3 (G) = 48 − 8 = 40
6 × 6 + 3 × 3 (L) = 36 + 9 = 45	10 × 7 − 8 × 8 (E) = 70 − 64 = 6	3 × (6 + 3) (F) = 3 × 9 = 27
(18 − 14) × 3 (A) = 4 × 3 = 12	(8 − 7) × (15 + 6) (A) = 1 × 21 = 21	36 ÷ (2 + 7) (M) = 36 ÷ 9 = 4
(30 − 6) ÷ 8 (A) = 24 ÷ 8 = 3		

<혼합 계산의 순서>
1. 괄호 안의 식
2. 곱셈과 나눗셈을 왼쪽에서 오른쪽으로 차례로
3. 덧셈과 뺄셈을 왼쪽에서 오른쪽으로 차례로

39	45	3	31		13
P	L	A	Y		A

27	21	25	15		40	12	4	6
F	A	I	R		G	A	M	E

2. 아래 글을 읽고 알맞은 식을 세워 답을 구한 후, 정답을 애벌레에서 찾아 ○표 해 보세요.

❶ 아빠는 야구 모자 2개와 지갑 1개를 샀어요. 물건값은 모두 얼마일까요?

식: 10 € × 2 + 6 €
= 20 € + 6 € = 26 €

정답: 26 €

❷ 할머니는 스카프 1장과 지갑 2개를 샀어요. 물건값은 모두 얼마일까요?

식: 8 € + 6 € × 2
= 8 € + 12 € = 20 €

정답: 20 €

❸ 엄마는 20유로를 가지고 있었는데 깃발 3개를 샀어요. 엄마에게 남은 돈은 얼마일까요?

식: 20 € − 5 € × 3
= 20 € − 15 € = 5 €

정답: 5 €

❹ 할아버지는 야구 모자 3개와 스카프 2장을 샀어요. 물건값은 모두 얼마일까요?

식: 10 € × 3 + 8 € × 2
= 30 € + 16 € = 46 €

정답: 46 €

❺ 지갑 5개는 깃발 4개보다 얼마나 더 비쌀까요?

식: 6 € × 5 − 5 € × 4
= 30 € − 20 € = 10 €

정답: =10 €

❻ 티아와 아이라는 모자 1개와 스카프 1장의 물건값을 절반씩 나누어 냈어요. 한 사람당 얼마씩 냈을까요?

식: (10 € + 8 €) ÷ 2
= 18 € ÷ 2 = 9 €

정답: 9 €

5€ 9€ 10€ 20€ 26€ 42€ 46€ 48€

더 생각해 보아요!

아만다는 리비아보다 3세 더 많고, 하이디는 리비아보다 2세 더 적어요. 세 사람의 나이를 모두 합하면 34예요. 소녀들의 나이는 각각 몇 세일까요?

아만다: 14 세 리비아: 11 세 하이디: 9 세

120쪽 1번

PLAY A FAIR GAME. (정정당당하게 게임을 해요.)

더 생각해 보아요! | 121쪽

아만다=아, 리비아=리, 하이디=하라고 했을 때,
아+리+하=34예요.
아=리+3이며, 하=리-2이므로 리=하+2예요.
리=하+2를 아=리+3에 대입하면 아=하+5예요.
아+리+하=34에 리=하+2와 아=하+5를 넣으면
하+5+하+2+하=34,
3하=34-7,
3하=27, 하=9
하이디가 9세이므로 리디아는 11세, 아만다는 14세예요.

122-123쪽

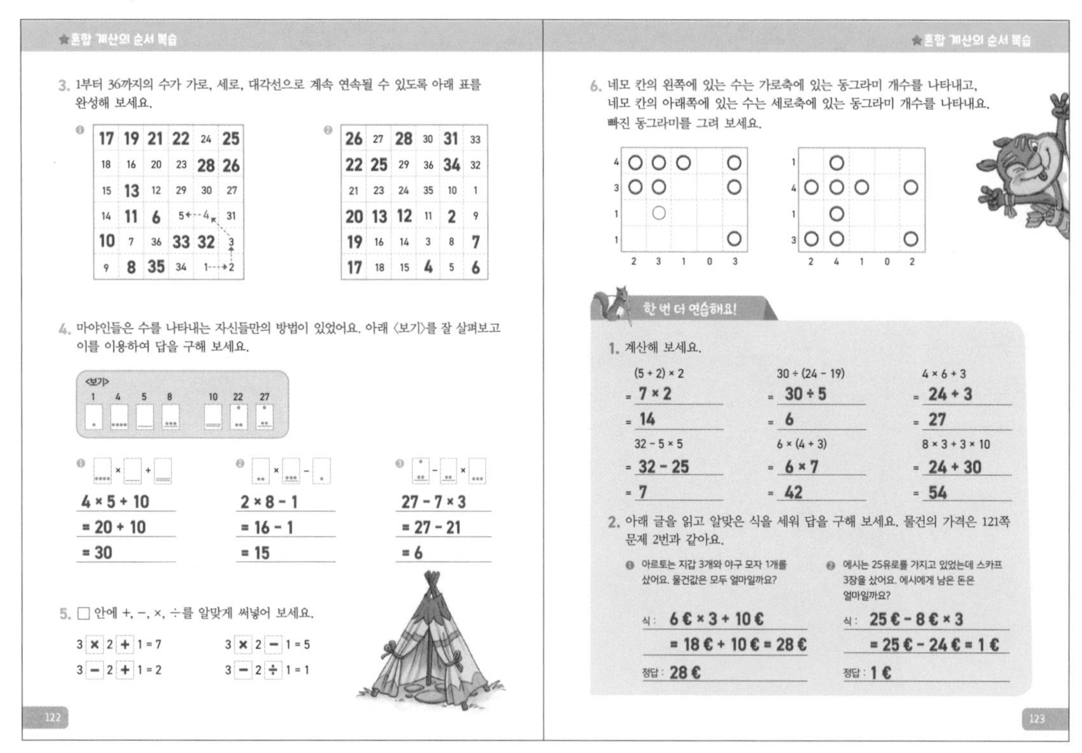
★혼합 계산의 순서 복습

3. 1부터 36까지의 수가 가로, 세로, 대각선으로 계속 연속될 수 있도록 아래 표를 완성해 보세요.

❶

17	19	21	22	24	25
18	16	20	23	28	26
15	13	12	29	30	27
14	11	6	5	4	31
10	7	36	33	32	3
9	8	35	34	1	2

❷

26	27	28	30	31	33
22	25	29	36	34	32
21	23	24	35	10	1
20	13	12	11	2	9
19	16	14	3	8	7
17	18	15	4	5	6

4. 마야인들은 수를 나타내는 자신들만의 방법이 있었어요. 아래 〈보기〉를 잘 살펴보고 이를 이용하여 답을 구해 보세요.

〈보기〉 1 4 5 8 10 22 27

❶ 4 × 5 + 10
= 20 + 10
= 30

❷ 2 × 8 − 1
= 16 − 1
= 15

❸ 27 − 7 × 3
= 27 − 21
= 6

5. □ 안에 +, −, ×, ÷를 알맞게 써넣어 보세요.

3 × 2 + 1 = 7　　3 × 2 − 1 = 5
3 − 2 + 1 = 2　　3 − 2 ÷ 1 = 1

122

★혼합 계산의 순서 복습

6. 네모 칸의 왼쪽에 있는 수는 가로축에 있는 동그라미 개수를 나타내고, 네모 칸의 아래쪽에 있는 수는 세로축에 있는 동그라미 개수를 나타내요. 빠진 동그라미를 그려 보세요.

한 번 더 연습해요!

1. 계산해 보세요.

(5 + 2) × 2
= 7 × 2
= 14

30 ÷ (24 − 19)
= 30 ÷ 5
= 6

4 × 6 + 3
= 24 + 3
= 27

32 − 5 × 5
= 32 − 25
= 7

6 × (4 + 3)
= 6 × 7
= 42

8 × 3 + 3 × 10
= 24 + 30
= 54

2. 아래 글을 읽고 알맞은 식을 세워 답을 구해 보세요. 물건의 가격은 121쪽 문제 2번과 같아요.

❶ 아르토는 지갑 3개와 야구 모자 1개를 샀어요. 물건값은 모두 얼마일까요?
식: 6 € × 3 + 10 €
= 18 € + 10 € = 28 €
정답: 28 €

❷ 에시는 25유로를 가지고 있었는데 스카프 3장을 샀어요. 에시에게 남은 돈은 얼마일까요?
식: 25 € − 8 € × 3
= 25 € − 24 € = 1 €
정답: 1 €

123

124-125쪽

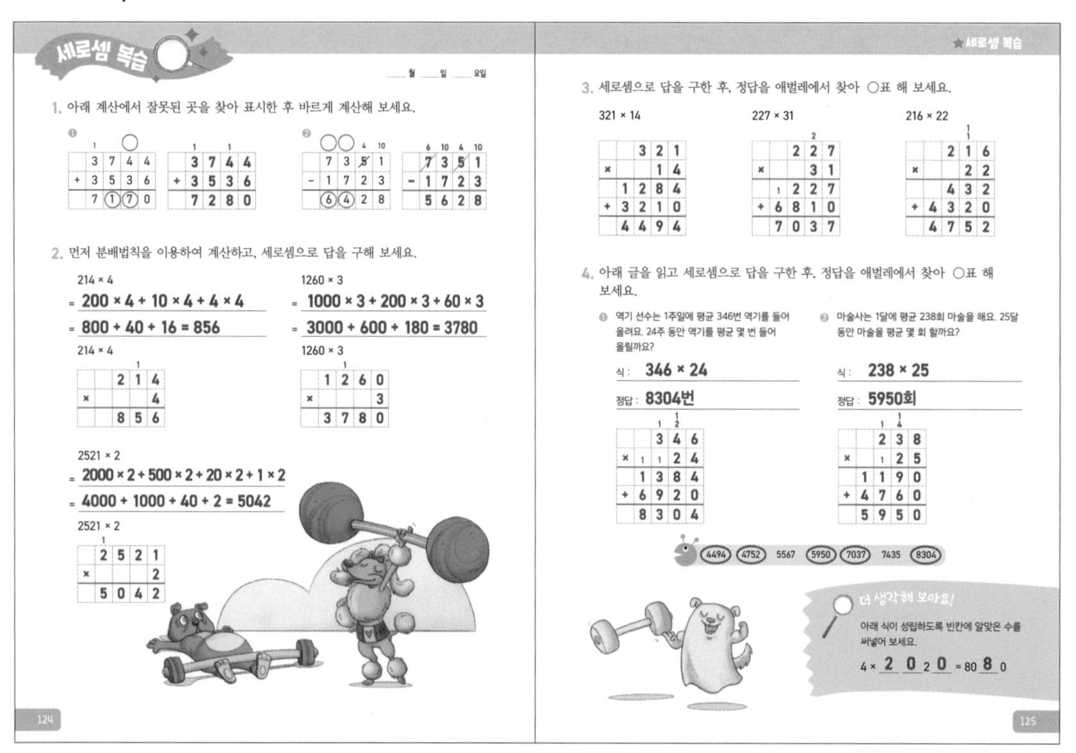
세로셈 복습

1. 아래 계산에서 잘못된 곳을 찾아 표시한 후 바르게 계산해 보세요.

❶ 3744 + 3536 = 7170 → 3744 + 3536 = 7280
❷ 7381 − 1723 = 6428 → 7351 − 1723 = 5628

2. 먼저 분배법칙을 이용하여 계산하고, 세로셈으로 답을 구해 보세요.

214 × 4
= 200 × 4 + 10 × 4 + 4 × 4
= 800 + 40 + 16 = 856
214 × 4 = 856

1260 × 3
= 1000 × 3 + 200 × 3 + 60 × 3
= 3000 + 600 + 180 = 3780
1260 × 3 = 3780

2521 × 2
= 2000 × 2 + 500 × 2 + 20 × 2 + 1 × 2
= 4000 + 1000 + 40 + 2 = 5042
2521 × 2 = 5042

124

★세로셈 복습

3. 세로셈으로 답을 구한 후, 정답을 애벌레에서 찾아 ○표 해 보세요.

321 × 14: 1284 + 3210 = 4494
227 × 31: 227 + 6810 = 7037
216 × 22: 432 + 4320 = 4752

4. 아래 글을 읽고 세로셈으로 답을 구한 후, 정답을 애벌레에서 찾아 ○표 해 보세요.

❶ 역기 선수는 1주일에 평균 346번 역기를 들어 올려요. 24주 동안 역기를 평균 몇 번 들어 올릴까요?
식: 346 × 24
정답: 8304번
1384 + 6920 = 8304

❷ 마술사는 1달에 평균 238회 마술을 해요. 25달 동안 마술을 평균 몇 회 할까요?
식: 238 × 25
정답: 5950회
1190 + 4760 = 5950

4494 4752 5567 5950 7037 7435 8304

더 생각해 보아요!
아래 식이 성립하도록 빈칸에 알맞은 수를 써넣어 보세요.
4 × 2 0 2 0 = 80 8 0

125

더 생각해 보아요! | 125쪽

4를 곱했을 때 8과 0이 나오려면 어떤 수를 곱해야 할지 생각해 보세요.

126-127쪽

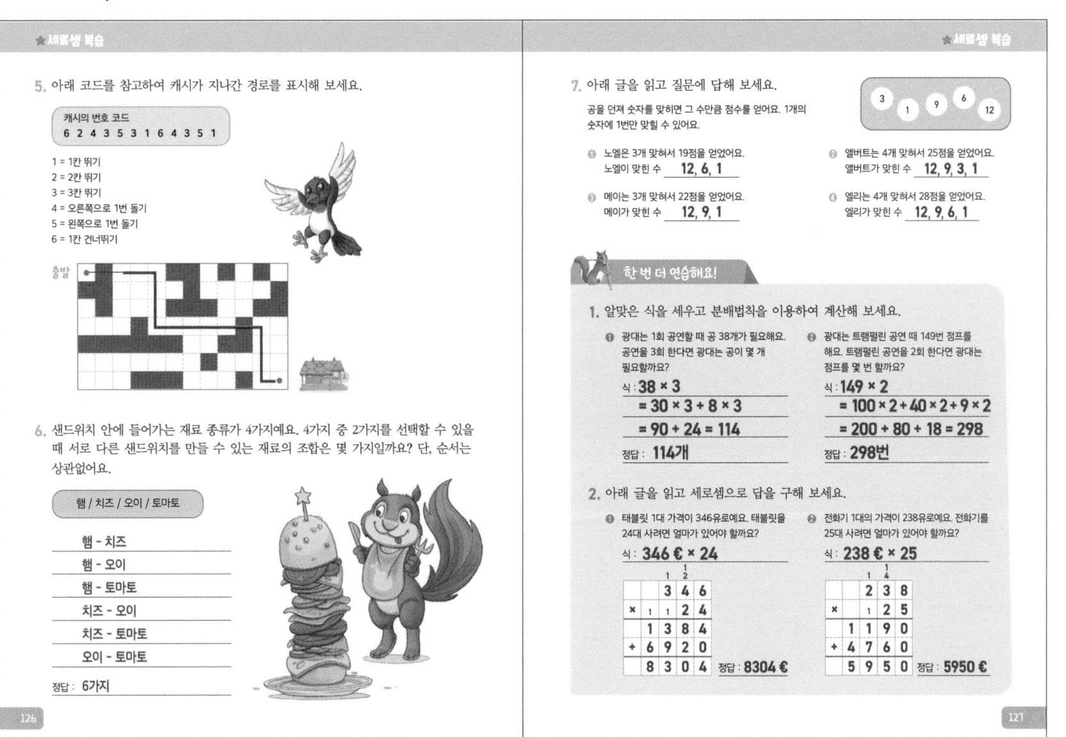

5. 아래 코드를 참고하여 캐시가 지나간 경로를 표시해 보세요.

캐시의 번호 코드
6 2 4 3 5 3 1 6 4 3 5 1

1 = 1칸 뛰기
2 = 2칸 뛰기
3 = 3칸 뛰기
4 = 오른쪽으로 1번 돌기
5 = 왼쪽으로 1번 돌기
6 = 1칸 건너뛰기

출발

6. 샌드위치 안에 들어가는 재료 종류가 4가지예요. 4가지 중 2가지를 선택할 수 있을 때 서로 다른 샌드위치를 만들 수 있는 재료의 조합은 몇 가지일까요? 단, 순서는 상관없어요.

햄 / 치즈 / 오이 / 토마토

햄 - 치즈
햄 - 오이
햄 - 토마토
치즈 - 오이
치즈 - 토마토
오이 - 토마토

정답 : 6가지

7. 아래 글을 읽고 질문에 답해 보세요.

공을 던져 숫자를 맞히면 그 수만큼 점수를 얻어요. 1개의 숫자에 1번만 맞힐 수 있어요.

3 1 9 6 12

① 노엘은 3개 맞혀서 19점을 얻었어요.
노엘이 맞힌 수 12, 6, 1

② 앨버트는 4개 맞혀서 25점을 얻었어요.
앨버트가 맞힌 수 12, 9, 3, 1

③ 메이는 3개 맞혀서 22점을 얻었어요.
메이가 맞힌 수 12, 9, 1

④ 엘리는 4개 맞혀서 28점을 얻었어요.
엘리가 맞힌 수 12, 9, 6, 1

한 번 더 연습해요!

1. 알맞은 식을 세우고 분배법칙을 이용하여 계산해 보세요.

① 광대는 1회 공연할 때 공 38개가 필요해요. 공연을 3회 한다면 광대는 공이 몇 개 필요할까요?

식 : 38 × 3
= 30 × 3 + 8 × 3
= 90 + 24 = 114

정답 : 114개

② 광대는 트램펄린 공연 때 149번 점프를 해요. 트램펄린 공연을 2회 한다면 광대는 점프를 몇 번 할까요?

식 : 149 × 2
= 100 × 2 + 40 × 2 + 9 × 2
= 200 + 80 + 18 = 298

정답 : 298번

2. 아래 글을 읽고 세로셈으로 답을 구해 보세요.

① 태블릿 1대 가격이 346유로예요. 태블릿을 24대 사려면 얼마가 있어야 할까요?

식 : 346 € × 24

		1	2	
		3	4	6
×	1	1	2	4
	1	3	8	4
+	6	9	2	0
	8	3	0	4

정답 : 8304 €

② 전화기 1대의 가격이 238유로예요. 전화기를 25대 사려면 얼마가 있어야 할까요?

식 : 238 € × 25

		1	4	
		2	3	8
×		1	2	5
	1	1	9	0
+	4	7	6	0
	5	9	5	0

정답 : 5950 €

핀란드 4학년 수학 교과서 4-1

정답과 해설

2권

정답

8-9쪽

월 일 요일

1 나눗셈

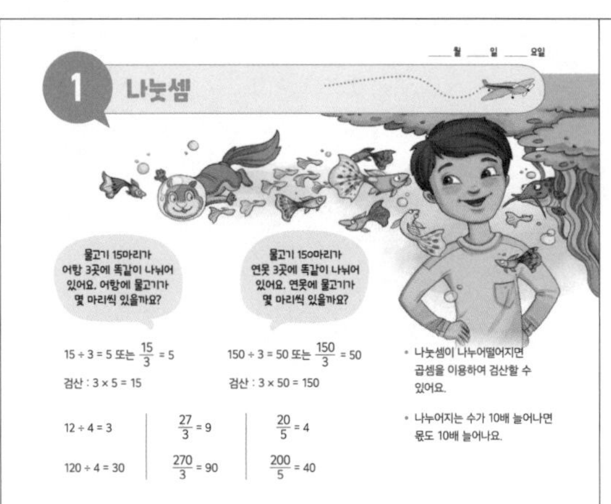

물고기 15마리가 어항 3곳에 똑같이 나눠어 있어요. 어항에 물고기가 몇 마리씩 있을까요?
물고기 150마리가 연못 3곳에 똑같이 나눠어 있어요. 연못에 물고기가 몇 마리씩 있을까요?

$15 \div 3 = 5$ 또는 $\frac{15}{3} = 5$

검산 : $3 \times 5 = 15$

$150 \div 3 = 50$ 또는 $\frac{150}{3} = 50$

검산 : $3 \times 50 = 150$

- 나눗셈이 나누어떨어지면 곱셈을 이용하여 검산할 수 있어요.
- 나누어지는 수가 10배 늘어나면 몫도 10배 늘어나요.

$12 \div 4 = 3$ | $\frac{27}{3} = 9$ | $\frac{20}{5} = 4$

$120 \div 4 = 30$ | $\frac{270}{3} = 90$ | $\frac{200}{5} = 40$

1. 계산한 후, 검산식을 세워 검산해 보세요.

$24 \div 4 =$ **6**
검산 : **4 × 6 = 24**

$18 \div 2 =$ **9**
검산 : **2 × 9 = 18**

$\frac{35}{5} =$ **7**
검산 : **5 × 7 = 35**

$\frac{42}{6} =$ **7**
검산 : **6 × 7 = 42**

2. 계산해 보세요.

$6 \div 3 =$ **2** $18 \div 3 =$ **6** $\frac{8}{4} =$ **2** $\frac{16}{4} =$ **4**

$60 \div 3 =$ **20** $180 \div 3 =$ **60** $\frac{80}{4} =$ **20** $\frac{160}{4} =$ **40**

8

3. 아래 글을 읽고 알맞은 식을 세워 답을 구한 후, 정답을 애벌레에서 찾아 ○표 해 보세요.

❶ 물고기 14마리를 어항 2개에 똑같이 나누어 담았어요. 어항 1개에 몇 마리씩 있을까요?
식 : **14 ÷ 2 = 7**
정답 : **7마리**

❷ 물고기 140마리를 어항 2개에 똑같이 나누어 담았어요. 어항 1개에 몇 마리씩 있을까요?
식 : **140 ÷ 2 = 70**
정답 : **70마리**

❸ 물고기 12마리를 어항 3개에 똑같이 나누어 담았어요. 어항 1개에 몇 마리씩 있을까요?
식 : **12 ÷ 3 = 4**
정답 : **4마리**

❹ 물고기 120마리를 어항 3개에 똑같이 나누어 담았어요. 어항 1개에 몇 마리씩 있을까요?
식 : **120 ÷ 3 = 40**
정답 : **40마리**

❺ 조개껍데기 16개를 2개씩 나누었어요. 조개껍데기는 몇 모둠이 될까요?
식 : **16 ÷ 2 = 8**
정답 : **8모둠**

❻ 조개껍데기 160개를 2개씩 나누었어요. 조개껍데기는 몇 모둠이 될까요?
식 : **160 ÷ 2 = 80**
정답 : **80모둠**

❼ 조개껍데기 21개를 7개씩 나누었어요. 조개껍데기는 몇 모둠이 될까요?
식 : **21 ÷ 7 = 3**
정답 : **3모둠**

❽ 조개껍데기 210개를 7개씩 나누었어요. 조개껍데기는 몇 모둠이 될까요?
식 : **210 ÷ 7 = 30**
정답 : **30모둠**

(3) (4) 5 (7) (8) (30) (40) 50 (70) (80)

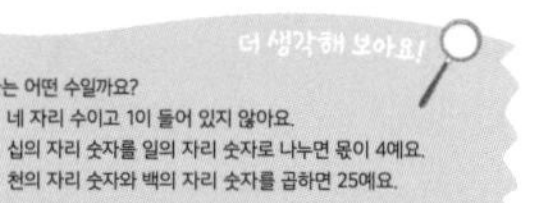

더 생각해 보아요!
나는 어떤 수일까요?
• 네 자리 수이고 1이 들어 있지 않아요.
• 십의 자리 숫자를 일의 자리 숫자로 나누면 몫이 4예요.
• 천의 자리 숫자와 백의 자리 숫자를 곱하면 25예요.
5582

9

10-11쪽

★실력을 키워요!

4. 계산한 후, 정답에 해당하는 알파벳을 애벌레에서 찾아 빈칸에 써넣어 보세요.

18 ÷ 2 = **9**	T	14 ÷ 7 = **2**	S	25 ÷ 5 = **5**	G
12 ÷ 4 = **3**	H	12 ÷ 6 = **2**	S	22 ÷ 2 = **11**	O
20 ÷ 2 = **10**	E	15 ÷ 5 = **3**	H	21 ÷ 3 = **7**	U
14 ÷ 7 = **2**	S	12 ÷ 3 = **4**	I	27 ÷ 3 = **9**	T
14 ÷ 2 = **7**	U	32 ÷ 4 = **8**	N	12 ÷ 6 = **2**	S
24 ÷ 3 = **8**	N	16 ÷ 4 = **4**	I	20 ÷ 5 = **4**	I
8 ÷ 2 = **4**	I	16 ÷ 2 = **8**	N	9 ÷ 9 = **1**	D
				30 ÷ 3 = **10**	E

1	2	3	4	5	6	7	8	9	10	11
D	S	H	I	G	H	U	N	T	E	O

5. 누가 누구인지 알아맞혀 보세요.

JANE JANA ANNE TENA ANNA CATE

❶ ANNA ❷ ANNE ❸ JANA
❹ JANE ❺ CATE ❻ TENA

6. □ 안에 >, =, <를 알맞게 써넣어 보세요.

$\frac{18}{3} < \frac{18}{2}$ $\frac{8}{4} > \frac{8}{8}$

$\frac{12}{3} > \frac{12}{4}$ $\frac{24}{6} < \frac{24}{4}$

$\frac{16}{2} = \frac{32}{4}$ $\frac{30}{5} = \frac{60}{10}$

10

★실력을 키워요!

7. 식이 성립하도록 자루 속에서 알맞은 수를 골라 빈칸에 써넣어 보세요. 자루 안의 수는 1번씩만 쓸 수 있어요.

16 ÷ **2** = 8
15 ÷ **3** = 5
28 ÷ **4** = 7
(2 3 15 16 4 28)

54 ÷ **9** = 6
32 ÷ **8** = 4
49 ÷ **7** = 7
(7 8 32 49 9 54)

8. 암산으로 답을 구해 보세요.

❶ 반려동물 가게에서 토끼 다리 개수를 모두 합하니 48개예요. 토끼는 모두 몇 마리 있을까요?
12마리

❷ 반려동물 가게에서 골든 햄스터의 다리와 꼬리 개수를 모두 합하니 25개예요. 골든 햄스터는 모두 몇 마리 있을까요?
5마리

한 번 더 연습해요!

1. 계산한 후, 검산식을 세워 검산해 보세요.

$\frac{32}{4} =$ **8**
검산 : **4 × 8 = 32**

$\frac{20}{2} =$ **10**
검산 : **2 × 10 = 20**

$\frac{25}{5} =$ **5**
검산 : **5 × 5 = 25**

$\frac{24}{6} =$ **4**
검산 : **6 × 4 = 24**

2. 아래 글을 읽고 알맞은 식을 세워 답을 구해 보세요.

❶ 물고기 16마리를 어항 4개에 똑같이 나누어 담았어요. 어항 1개에 몇 마리씩 있을까요?
식 : **16 ÷ 4 = 4**
정답 : **4마리**

❷ 물고기 160마리를 어항 4개에 똑같이 나누어 담았어요. 어항 1개에 몇 마리씩 있을까요?
식 : **160 ÷ 4 = 40**
정답 : **40마리**

11

부모님 가이드 | 8쪽

검산은 계산 결과가 맞는지 다시 확인하는 일이에요. 나머지가 있는 나눗셈을 검산하는 식은 다음과 같아요.
(나누는 수)×(몫)+(나머지)=(나눠지는 수)
나누어떨어지는 나눗셈은 (나누는 수)×(몫)의 곱셈을 이용하면 검산할 수 있어요.

더 생각해 보아요! | 9쪽

1. 네 자리 수의 자릿값에 각각 가나다라 기호를 넣어 표시하세요.

가	나	다	라

2. 다÷라=4이므로 다는 라의 4배이면서 한 자리 수여야 해요. 각 자리 숫자에 1은 없으므로 라=2, 다=8이에요. 라가 3이 되면 다는 12로 두 자리 수가 되므로 조건에 맞지 않아요.
3. 가×나=25이므로 가와 나는 각각 5예요.
가=나=5, 다=8, 라=2
정답은 5582

10쪽 4번

THE SUN IS SHINING OUTSIDE.
(밖에 햇빛이 쨍쨍 내리쬐고 있어요.)

11쪽 8번

❶ 토끼 다리 개수는 4개이므로 48을 4로 나누면 토끼가 몇 마리인지 구할 수 있어요.
48÷4=12

❷ 햄스터 다리 개수는 4개, 꼬리 개수는 1개이므로 25를 5로 나누면 햄스터가 몇 마리인지 구할 수 있어요.
25÷5=5

12-13쪽

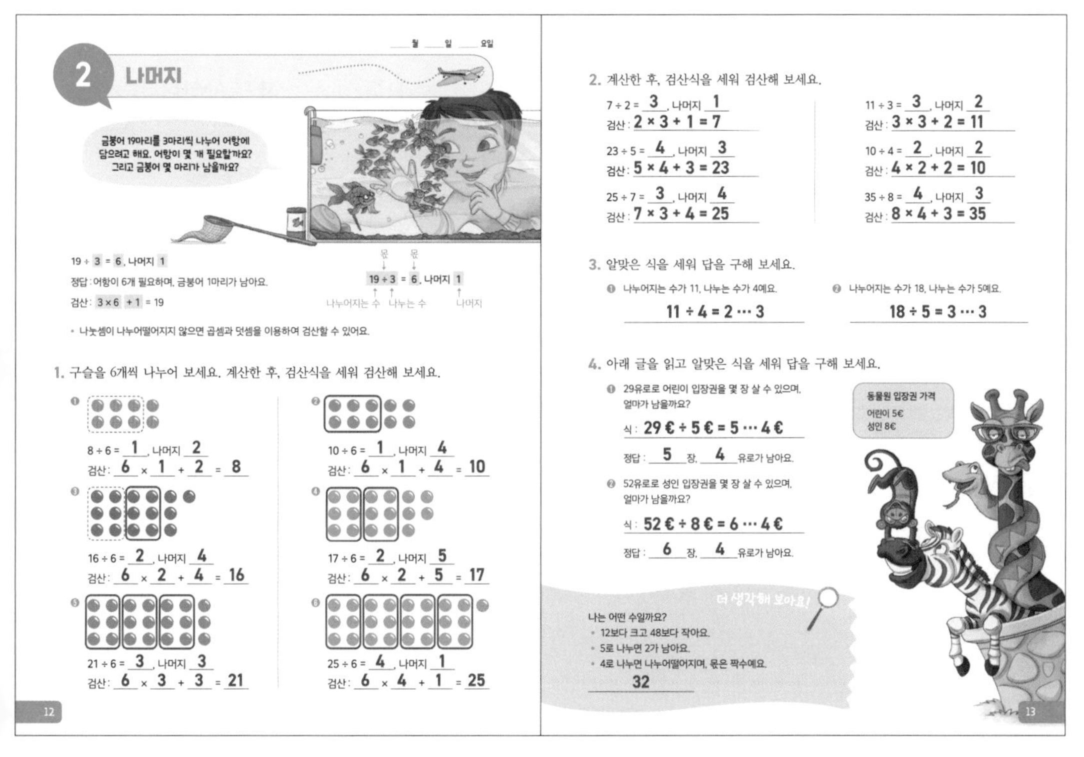

월 일 요일

2 나머지

금붕어 19마리를 3마리씩 나누어 어항에 담으려고 해요. 어항이 몇 개 필요할까요? 그리고 금붕어 몇 마리가 남을까요?

19 ÷ 3 = 6, 나머지 1

정답 : 어항이 6개 필요하며, 금붕어 1마리가 남아요.

검산: 3 × 6 + 1 = 19

몫 몫

19 ÷ 3 = 6, 나머지 1

나누어지는 수 나누는 수 나머지

• 나눗셈이 나누어떨어지지 않으면 곱셈과 덧셈을 이용하여 검산할 수 있어요.

1. 구슬을 6개씩 나누어 보세요. 계산한 후, 검산식을 세워 검산해 보세요.

❶ 8 ÷ 6 = 1, 나머지 2
검산: 6 × 1 + 2 = 8

❷ 10 ÷ 6 = 1, 나머지 4
검산: 6 × 1 + 4 = 10

❸ 16 ÷ 6 = 2, 나머지 4
검산: 6 × 2 + 4 = 16

❹ 17 ÷ 6 = 2, 나머지 5
검산: 6 × 2 + 5 = 17

❺ 21 ÷ 6 = 3, 나머지 3
검산: 6 × 3 + 3 = 21

❻ 25 ÷ 6 = 4, 나머지 1
검산: 6 × 4 + 1 = 25

12

2. 계산한 후, 검산식을 세워 검산해 보세요.

7 ÷ 2 = 3, 나머지 1
검산 : 2 × 3 + 1 = 7

23 ÷ 5 = 4, 나머지 3
검산 : 5 × 4 + 3 = 23

25 ÷ 7 = 3, 나머지 4
검산 : 7 × 3 + 4 = 25

11 ÷ 3 = 3, 나머지 2
검산 : 3 × 3 + 2 = 11

10 ÷ 4 = 2, 나머지 2
검산 : 4 × 2 + 2 = 10

35 ÷ 8 = 4, 나머지 3
검산 : 8 × 4 + 3 = 35

3. 알맞은 식을 세워 답을 구해 보세요.

❶ 나누어지는 수가 11, 나누는 수가 4예요.
11 ÷ 4 = 2 ··· 3

❷ 나누어지는 수가 18, 나누는 수가 5예요.
18 ÷ 5 = 3 ··· 3

4. 아래 글을 읽고 알맞은 식을 세워 답을 구해 보세요.

❶ 29유로로 어린이 입장권을 몇 장 살 수 있으며, 얼마가 남을까요?
식 : 29 € ÷ 5 € = 5 ··· 4 €
정답 : 5 장, 4 유로가 남아요.

❷ 52유로로 성인 입장권을 몇 장 살 수 있으며, 얼마가 남을까요?
식 : 52 € ÷ 8 € = 6 ··· 4 €
정답 : 6 장, 4 유로가 남아요.

동물원 입장권 가격
어린이 5€
성인 8€

더 생각해 보아요!

나는 어떤 수일까요?
• 12보다 크고 48보다 작아요.
• 5로 나누면 2가 남아요.
• 4로 나누면 나누어떨어지며, 몫은 짝수예요.

32

13

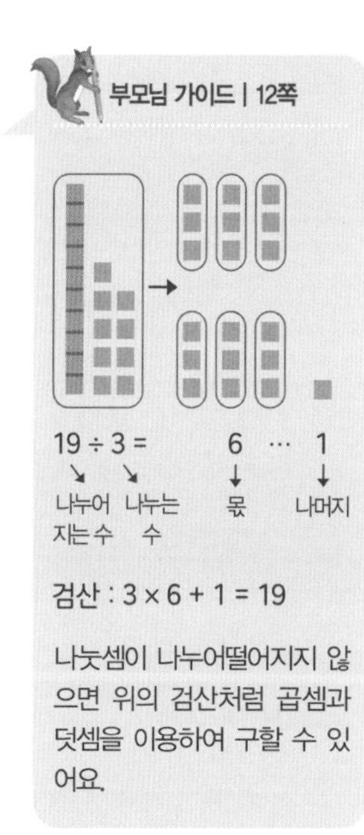

부모님 가이드 | 12쪽

19 ÷ 3 = 6 ··· 1

나누어지는 수 / 나누는 수 / 몫 / 나머지

검산 : 3 × 6 + 1 = 19

나눗셈이 나누어떨어지지 않으면 위의 검산처럼 곱셈과 덧셈을 이용하여 구할 수 있어요.

더 생각해 보아요! | 13쪽

1. 나는 12보다 크고 48보다 작아요.→12<□<48
2. 나를 4로 나누면 나누어떨어지며 몫은 짝수에요.
   16부터 48까지 수 가운데 4의 배수이고 몫이 짝수인 수를 찾으면 16, 24, 32, 40, 48이 나오네요.
3. 5로 나누면 2가 남아요.→16, 24, 32, 40, 48 중 32가 정답이에요.(32÷5=6···2)

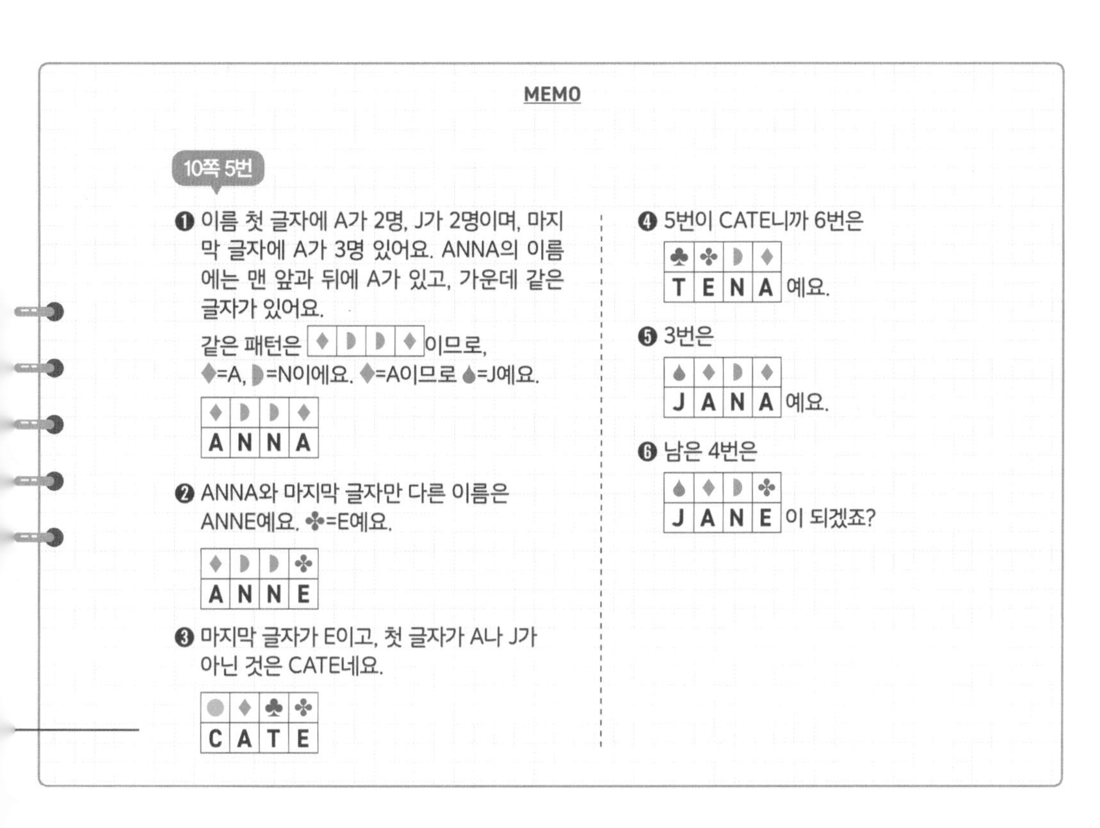

MEMO

10쪽 5번

❶ 이름 첫 글자에 A가 2명, J가 2명이며, 마지막 글자에 A가 3명 있어요. ANNA의 이름에는 맨 앞과 뒤에 A가 있고, 가운데 같은 글자가 있어요.
같은 패턴은 ♦◗◗♦이므로,
♦=A, ◗=N이에요. ♦=A이므로 💧=J예요.

♦	◗	◗	♦
A	N	N	A

❷ ANNA와 마지막 글자만 다른 이름은 ANNE예요. ✤=E예요.

♦	◗	◗	✤
A	N	N	E

❸ 마지막 글자가 E이고, 첫 글자가 A나 J가 아닌 것은 CATE네요.

●	♦	♣	✤
C	A	T	E

❹ 5번이 CATE니까 6번은

♣	✤	◗	♦
T	E	N	A

예요.

❺ 3번은

💧	♦	◗	♦
J	A	N	A

예요.

❻ 남은 4번은

💧	♦	◗	✤
J	A	N	E

이 되겠죠?

14-15쪽

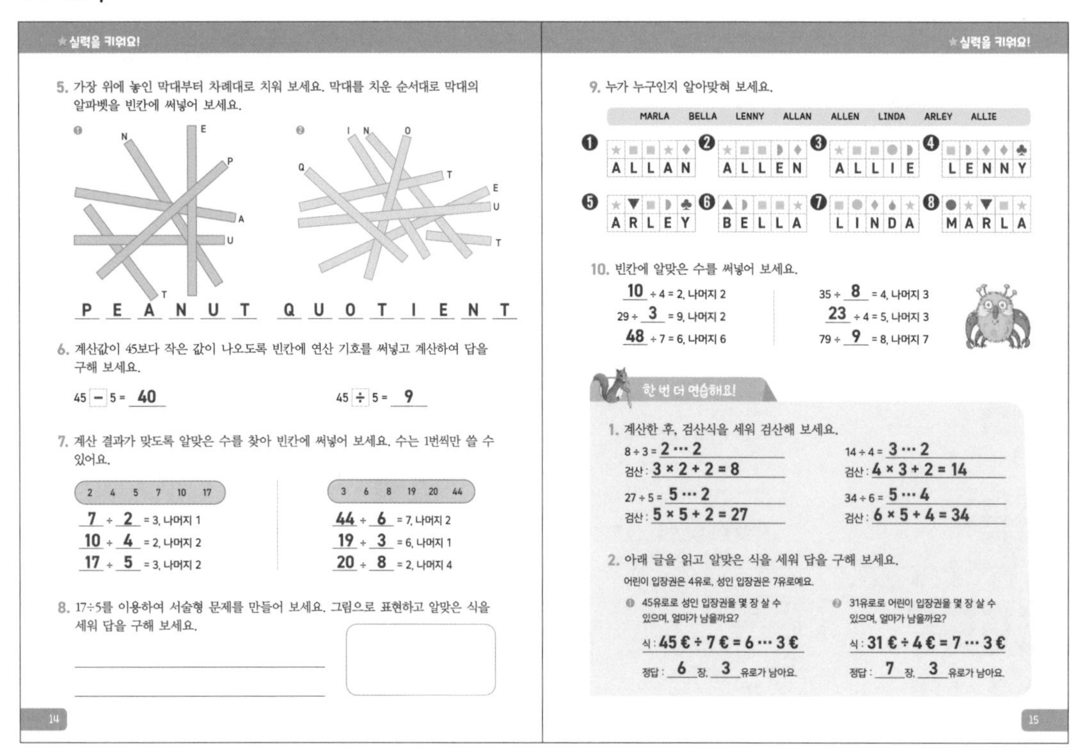

★실력을 키워요!

5. 가장 위에 놓인 막대부터 차례대로 치워 보세요. 막대를 치운 순서대로 막대의 알파벳을 빈칸에 써넣어 보세요.

❶ P E A N U T ❷ Q U O T I E N T

6. 계산값이 45보다 작은 값이 나오도록 빈칸에 연산 기호를 써넣고 계산하여 답을 구해 보세요.

45 [−] 5 = 40 45 [÷] 5 = 9

7. 계산 결과가 맞도록 알맞은 수를 찾아 빈칸에 써넣어 보세요. 수는 1번씩만 쓸 수 있어요.

2 4 5 7 10 17

7 ÷ 2 = 3, 나머지 1
10 ÷ 4 = 2, 나머지 2
17 ÷ 5 = 3, 나머지 2

3 6 8 19 20 44

44 ÷ 6 = 7, 나머지 2
19 ÷ 3 = 6, 나머지 1
20 ÷ 8 = 2, 나머지 4

8. 17÷5를 이용하여 서술형 문제를 만들어 보세요. 그림으로 표현하고 알맞은 식을 세워 답을 구해 보세요.

14

★실력을 키워요!

9. 누가 누구인지 알아맞혀 보세요.

MARLA BELLA LENNY ALLAN ALLEN LINDA ARLEY ALLIE

❶ ALLAN ❷ ALLEN ❸ ALLIE ❹ LENNY
❺ ARLEY ❻ BELLA ❼ LINDA ❽ MARLA

10. 빈칸에 알맞은 수를 써넣어 보세요.

10 ÷ 4 = 2, 나머지 2
29 ÷ 3 = 9, 나머지 2
48 ÷ 7 = 6, 나머지 6
35 ÷ 8 = 4, 나머지 3
23 ÷ 4 = 5, 나머지 3
79 ÷ 9 = 8, 나머지 7

한 번 더 연습해요!

1. 계산한 후, 검산식을 세워 검산해 보세요.

8 ÷ 3 = 2 ··· 2
검산 : 3 × 2 + 2 = 8

14 ÷ 4 = 3 ··· 2
검산 : 4 × 3 + 2 = 14

27 ÷ 5 = 5 ··· 2
검산 : 5 × 5 + 2 = 27

34 ÷ 6 = 5 ··· 4
검산 : 6 × 5 + 4 = 34

2. 아래 글을 읽고 알맞은 식을 세워 답을 구해 보세요.

어린이 입장권은 4유로, 성인 입장권은 7유로예요.

❶ 45유로로 성인 입장권을 몇 장 살 수 있으며, 얼마가 남을까요?
식 : 45 € ÷ 7 € = 6 ··· 3 €
정답 : 6 장, 3 유로가 남아요.

❷ 31유로로 어린이 입장권을 몇 장 살 수 있으며, 얼마가 남을까요?
식 : 31 € ÷ 4 € = 7 ··· 3 €
정답 : 7 장, 3 유로가 남아요.

15

❶ PEANUT (땅콩)
❷ QUOTIENT (몫)

14쪽 8번

<예시> 크기와 모양이 같은 블록이 17조각 있어요. 5개씩 나누면 몇 모둠이 되고 몇 개가 남을까요?

17 ÷ 5 = 3 ··· 2

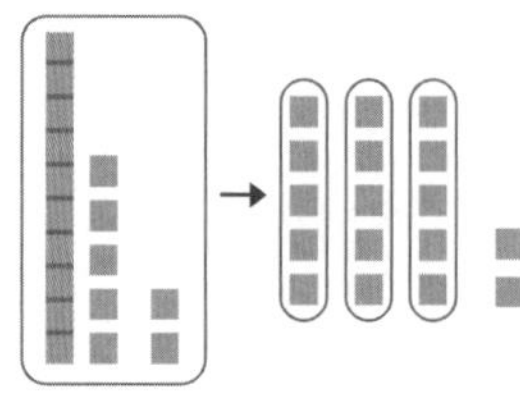

MEMO

15쪽 9번

❶ 이름 첫 글자에 A가 4명, L이 2명이고, 마지막 글자에 A가 3명, N과 Y는 2명씩이네요.
마지막 글자에 E는 1명이므로 ③은 A L L I E 예요.

❷ ③을 통해 ⑥에 ◗=E, ★=A, ■=L을 써넣으면 ▲=B임을 알 수 있어요. ⑥은 B E L L A 가 되네요.

❸ ③, ⑥을 통해 ★, ■, ●, ◗, ▲을 알 수 있어요. 해당 도형에 알파벳을 써넣고 배열을 살펴보면

①은  A L L A N,

②는 A L L E N 이에요.

❹ ①, ②를 통해 ◆=N을 알 수 있어요. ④는

L E N N Y 예요.

❺ ④를 통해 ♣=Y를 알 수 있어요. ⑤는

A R L E Y 예요.

❻ ⑤를 통해 ▼=R을 알 수 있어요.

❽은  M A R L A 이며,

남은 ❼은 L I N D A 가 되겠죠?

16-17쪽

___월 ___일 ___요일

3 10, 100, 1000이 있는 나눗셈

10, 100, 1000으로 나누는 것은 쉬워요.

3000 ÷ 10 = 300, 검산 300 × 10 = 3000
3000 ÷ 100 = 30, 검산 30 × 100 = 3000
3000 ÷ 1000 = 3, 검산 3 × 1000 = 3000

270 ÷ 10 = 27　　1760 ÷ 10 = 176　　3500 ÷ 100 = 35　　3050 ÷ 10 = 305

1. 계산해 보세요.

10 ÷ 10 = 1	100 ÷ 100 = 1	1000 ÷ 1000 = 1
50 ÷ 10 = 5	500 ÷ 100 = 5	5000 ÷ 1000 = 5
90 ÷ 10 = 9	900 ÷ 100 = 9	9000 ÷ 1000 = 9
100 ÷ 10 = 10	1000 ÷ 100 = 10	10000 ÷ 1000 = 10

2. 계산해 보세요.

6000 ÷ 10 = 600	2000 ÷ 10 = 200	150 ÷ 10 = 15
6000 ÷ 100 = 60	2000 ÷ 100 = 20	240 ÷ 10 = 24
6000 ÷ 1000 = 6	2000 ÷ 1000 = 2	590 ÷ 10 = 59
7750 ÷ 10 = 775	4100 ÷ 100 = 41	1030 ÷ 10 = 103
1830 ÷ 10 = 183	3900 ÷ 100 = 39	2070 ÷ 10 = 207
2390 ÷ 10 = 239	5200 ÷ 100 = 52	6080 ÷ 10 = 608

16

3. 아래 글을 읽고 알맞은 식을 세워 답을 구한 후, 정답을 애벌레에서 찾아 ○표 해 보세요.

① 커크는 10유로짜리 지폐를 여러 장 가지고 있어요. 모두 합했더니 300유로예요. 커크는 10유로 지폐를 모두 몇 장 가지고 있을까요?
식 : 300 € ÷ 10 € = 30
정답 : 30장

② 미라는 10유로짜리 지폐로 150유로를 가지고 있어요. 미라는 10유로 지폐를 모두 몇 장 가지고 있을까요?
식 : 150 € ÷ 10 € = 15
정답 : 15장

③ 앤은 1유로짜리 동전으로 500유로를 가지고 있어요. 앤은 1유로 동전을 모두 몇 개 가지고 있을까요?
식 : 500 € ÷ 1 € = 500
정답 : 500개

④ 매점의 현금 출납기에 100유로짜리 지폐로 2700유로가 있어요. 100유로 지폐는 모두 몇 장일까요?
식 : 2700 € ÷ 100 € = 27
정답 : 27장

⑤ 줄스는 100유로짜리 지폐로 1000유로를 가지고 있어요. 줄스는 100유로 지폐를 모두 몇 장 가지고 있을까요?
식 : 1000 € ÷ 100 € = 10
정답 : 10장

⑥ 상인이 10유로짜리 지폐로 1730유로를 가지고 있어요. 상인은 10유로 지폐를 모두 몇 장 가지고 있을까요?
식 : 1730 € ÷ 10 € = 173
정답 : 173장

4. 혼합 계산의 순서를 생각하면서 계산한 후, 정답을 애벌레에서 찾아 ○표 해 보세요.

6000 ÷ 1000 + 120	3300 ÷ 100 − 30	(90 + 100) ÷ 10
= 6 + 120	= 33 − 30	= 190 ÷ 10
= 126	= 3	= 19

(애벌레: ③ ⑩ ⑮ 17 ⑲ ㉗ ㉚ (126) (173) 400 (500))

더 생각해 보아요!
앤톤은 이몬에게 가진 돈의 절반을 주었어요. 그리고 이몬은 자기가 가진 돈의 절반을 앤톤에게 주었어요. 누가 돈을 더 많이 가지고 있을까요?
앤톤

부모님 가이드 | 16쪽

나눗셈식을 분수로 나타내면 한눈에 식을 파악하기가 쉬워요.

$3000 \div 10 = \frac{3000}{10} = 300$
→ $300 \times 10 = 3000$

$3000 \div 100 = \frac{3000}{100} = 30$
→ $30 \times 100 = 3000$

$3000 \div 1000 = \frac{3000}{1000} = 3$
→ $3 \times 1000 = 3000$

실제 분수를 약분할 때와 같은 결과가 나오는데 약분의 개념은 5학년에서 다룬답니다.

더 생각해 보아요! | 17쪽

1. [앤톤이 가진 돈]

2. [앤톤 | 이몬]
앤톤이 가진 돈의 절반을 이몬에게 줌

이몬이 가진 돈의 절반을 앤톤에게 줌

3. [앤톤 | 앤톤 | 이몬]
앤톤 $\frac{3}{4}$　이몬 $\frac{1}{4}$

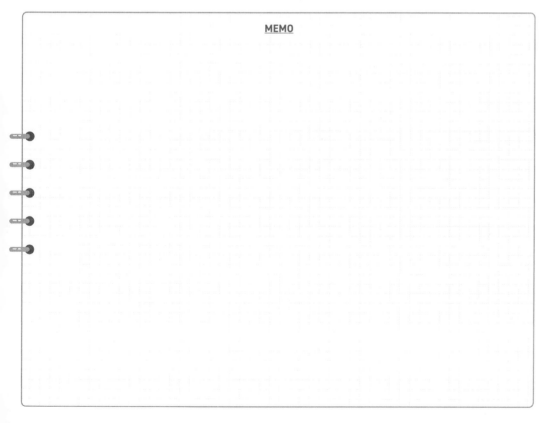

18-19쪽

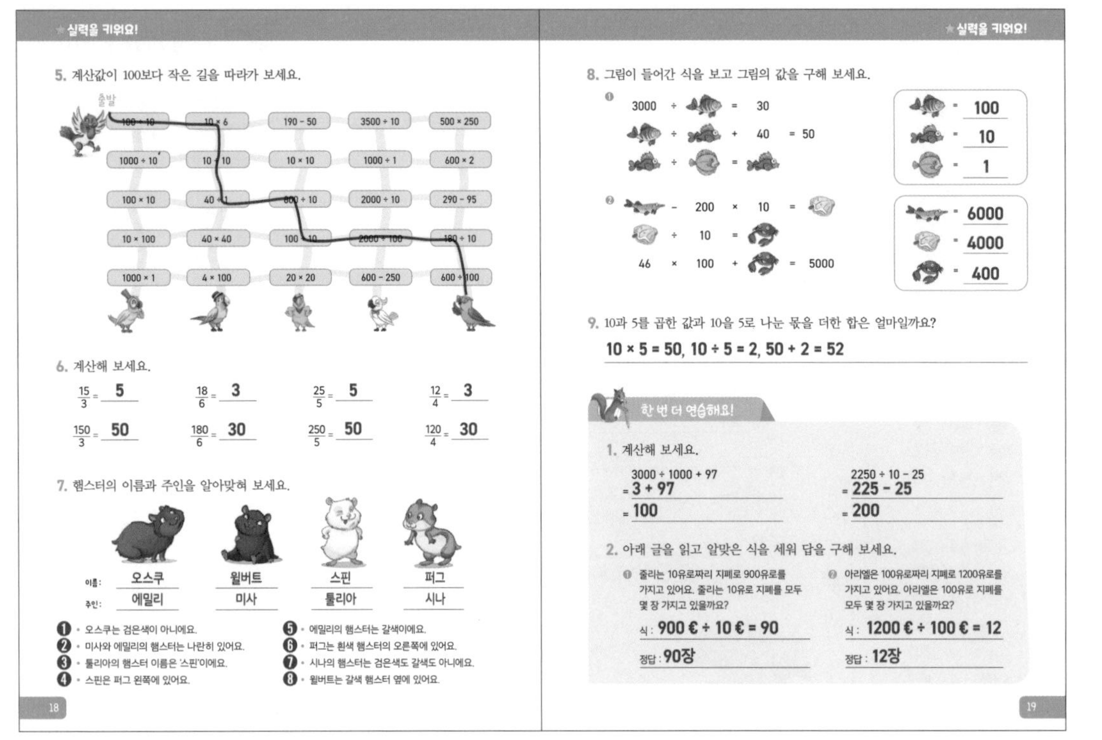

★ 실력을 키워요!

5. 계산값이 100보다 작은 길을 따라가 보세요.

출발

100 ÷ 10	10 × 6	190 − 50	3500 ÷ 10	500 × 250
1000 ÷ 10	10 ÷ 10	10 × 10	1000 ÷ 1	600 × 2
100 × 10	40 ÷ 1	800 ÷ 10	2000 ÷ 10	290 − 95
10 × 100	40 × 40	100 ÷ 10	2000 ÷ 100	180 ÷ 10
1000 × 1	4 × 100	20 × 20	600 − 250	600 ÷ 100

6. 계산해 보세요.

$\frac{15}{3}$ = **5** $\frac{18}{6}$ = **3** $\frac{25}{5}$ = **5** $\frac{12}{4}$ = **3**

$\frac{150}{3}$ = **50** $\frac{180}{6}$ = **30** $\frac{250}{5}$ = **50** $\frac{120}{4}$ = **30**

7. 햄스터의 이름과 주인을 알아맞혀 보세요.

이름:	오스쿠	윌버트	스핀	퍼그
주인:	에밀리	미사	툴리아	시나

❶ • 오스쿠는 검은색이 아니에요.
❷ • 미사와 에밀리의 햄스터는 나란히 있어요.
❸ • 툴리아의 햄스터 이름은 '스핀'이에요.
❹ • 스핀은 퍼그 왼쪽에 있어요.
❺ • 에밀리의 햄스터는 갈색이에요.
❻ • 퍼그는 흰색 햄스터의 오른쪽에 있어요.
❼ • 시나의 햄스터는 검은색도 갈색도 아니에요.
❽ • 윌버트는 갈색 햄스터 옆에 있어요.

18

★ 실력을 키워요!

8. 그림이 들어간 식을 보고 그림의 값을 구해 보세요.

❶
3000 ÷ = 30
÷ + 40 = 50
÷ =

= **100**
= **10**
= **1**

❷
− 200 × 10 =
÷ 10 =
46 × 100 + = 5000

= **6000**
= **4000**
= **400**

9. 10과 5를 곱한 값과 10을 5로 나눈 몫을 더한 합은 얼마일까요?

10 × 5 = 50, 10 ÷ 5 = 2, 50 + 2 = 52

한 번 더 연습해요!

1. 계산해 보세요.

3000 ÷ 1000 + 97
= **3 + 97**
= **100**

2250 ÷ 10 − 25
= **225 − 25**
= **200**

2. 아래 글을 읽고 알맞은 식을 세워 답을 구해 보세요.

❶ 줄리는 10유로짜리 지폐로 900유로를 가지고 있어요. 줄리는 10유로 지폐를 모두 몇 장 가지고 있을까요?

식: **900 € ÷ 10 € = 90**
정답: **90장**

❷ 아리엘은 100유로짜리 지폐로 1200유로를 가지고 있어요. 아리엘은 100유로 지폐를 모두 몇 장 가지고 있을까요?

식: **1200 € ÷ 100 € = 12**
정답: **12장**

19

19쪽 8번

❶ 3000÷ =30
=100

÷ +40=50
100÷ +40=50
100÷ =50−40
100÷ =10
=10

÷ =
10÷ =10
=1

❷ 46×100+ =5000
4600+ =5000
=400

÷10=
÷10=400
=4000

−200×10=
−2000=4000
=6000

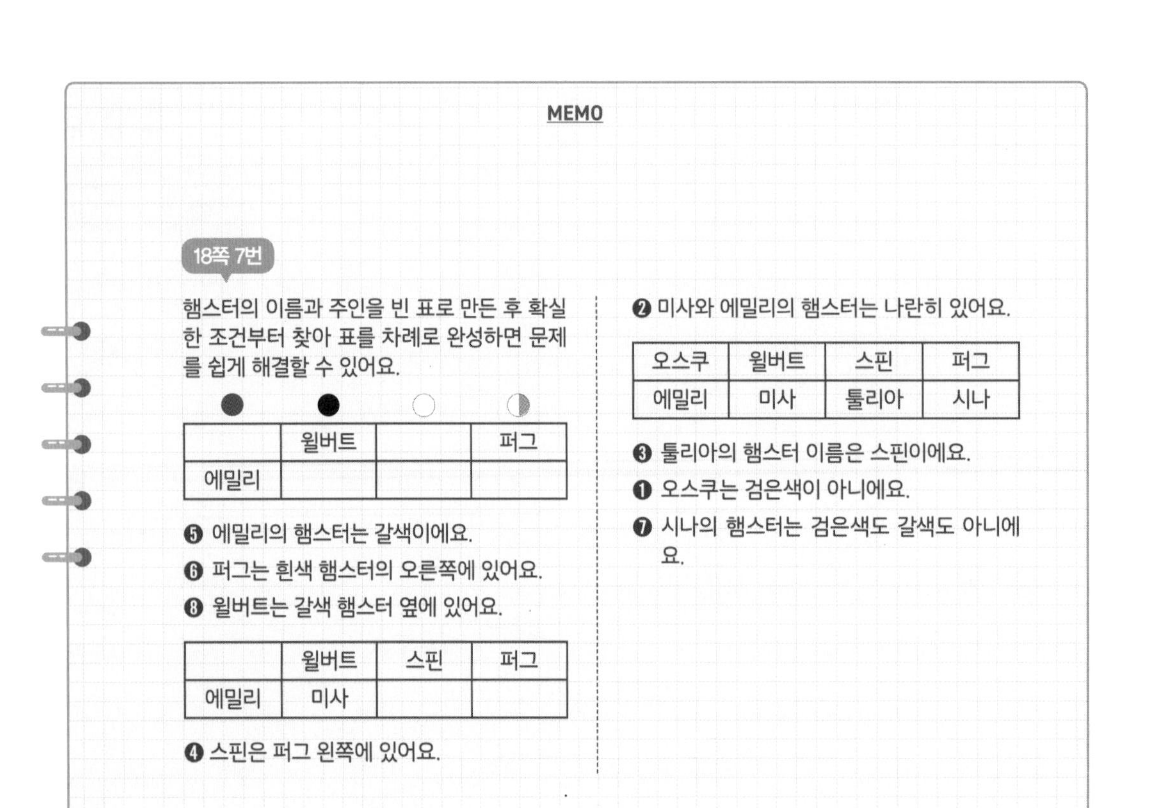

MEMO

18쪽 7번

햄스터의 이름과 주인을 빈 표로 만든 후 확실한 조건부터 찾아 표를 차례로 완성하면 문제를 쉽게 해결할 수 있어요.

	윌버트		퍼그
에밀리			

❺ 에밀리의 햄스터는 갈색이에요.
❻ 퍼그는 흰색 햄스터의 오른쪽에 있어요.
❽ 윌버트는 갈색 햄스터 옆에 있어요.

	윌버트	스핀	퍼그
에밀리	미사		

❹ 스핀은 퍼그 왼쪽에 있어요.

❷ 미사와 에밀리의 햄스터는 나란히 있어요.

오스쿠	윌버트	스핀	퍼그
에밀리	미사	툴리아	시나

❸ 툴리아의 햄스터 이름은 스핀이에요.
❶ 오스쿠는 검은색이 아니에요.
❼ 시나의 햄스터는 검은색도 갈색도 아니에요.

20-21쪽

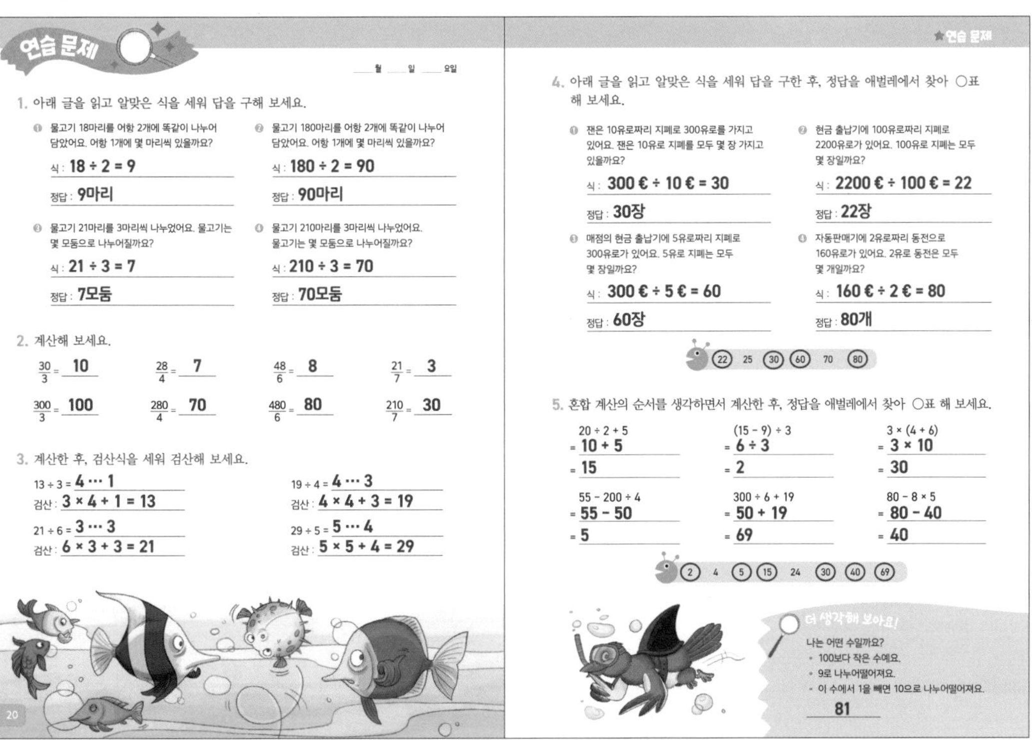

연습 문제

___월 ___일 ___요일

1. 아래 글을 읽고 알맞은 식을 세워 답을 구해 보세요.

❶ 물고기 18마리를 어항 2개에 똑같이 나누어 담았어요. 어항 1개에 몇 마리씩 있을까요?
식: 18 ÷ 2 = 9
정답: 9마리

❷ 물고기 180마리를 어항 2개에 똑같이 나누어 담았어요. 어항 1개에 몇 마리씩 있을까요?
식: 180 ÷ 2 = 90
정답: 90마리

❸ 물고기 21마리를 3마리씩 나누었어요. 물고기는 몇 모둠으로 나누어질까요?
식: 21 ÷ 3 = 7
정답: 7모둠

❹ 물고기 210마리를 3마리씩 나누었어요. 물고기는 몇 모둠으로 나누어질까요?
식: 210 ÷ 3 = 70
정답: 70모둠

2. 계산해 보세요.

$\frac{30}{3}$ = 10 $\frac{28}{4}$ = 7 $\frac{48}{6}$ = 8 $\frac{21}{7}$ = 3

$\frac{300}{3}$ = 100 $\frac{280}{4}$ = 70 $\frac{480}{6}$ = 80 $\frac{210}{7}$ = 30

3. 계산한 후, 검산식을 세워 검산해 보세요.

13 ÷ 3 = 4 … 1 검산: 3 × 4 + 1 = 13
19 ÷ 4 = 4 … 3 검산: 4 × 4 + 3 = 19
21 ÷ 6 = 3 … 3 검산: 6 × 3 + 3 = 21
29 ÷ 5 = 5 … 4 검산: 5 × 5 + 4 = 29

20

연습 문제

4. 아래 글을 읽고 알맞은 식을 세워 답을 구한 후, 정답을 애벌레에서 찾아 ○표 해 보세요.

❶ 잰은 10유로짜리 지폐로 300유로를 가지고 있어요. 잰은 10유로 지폐를 모두 몇 장 가지고 있을까요?
식: 300 € ÷ 10 € = 30
정답: 30장

❷ 현금 출납기에 100유로짜리 지폐로 2200유로가 있어요. 100유로 지폐는 모두 몇 장일까요?
식: 2200 € ÷ 100 € = 22
정답: 22장

❸ 매점의 현금 출납기에 5유로짜리 지폐로 300유로가 있어요. 5유로 지폐는 모두 몇 장일까요?
식: 300 € ÷ 5 € = 60
정답: 60장

❹ 자동판매기에 2유로짜리 동전으로 160유로가 있어요. 2유로 동전은 모두 몇 개일까요?
식: 160 € ÷ 2 € = 80
정답: 80개

(22) 25 (30) (60) 70 (80)

5. 혼합 계산의 순서를 생각하면서 계산한 후, 정답을 애벌레에서 찾아 ○표 해 보세요.

20 ÷ 2 + 5 = 10 + 5 = 15
(15 − 9) ÷ 3 = 6 ÷ 3 = 2
3 × (4 + 6) = 3 × 10 = 30
55 − 200 ÷ 4 = 55 − 50 = 5
300 ÷ 6 + 19 = 50 + 19 = 69
80 − 8 × 5 = 80 − 40 = 40

(2) 4 (5) (15) 24 (30) (40) (69)

더 생각해 보아요!
나는 어떤 수일까요?
· 100보다 작은 수예요.
· 9로 나누어떨어져요.
· 이 수에서 1을 빼면 10으로 나누어떨어져요.
81

더 생각해 보아요! | 21쪽

100보다 작으면서 9의 배수인 수는 9, 18, 27, 36, 45, 54, 63, 72, 81, 90, 99예요.
이 가운데 1을 뺀 값이 10으로 나누어떨어지는 수는 81뿐이에요.

22쪽 6번

레니의 수는 4로 나누어떨어져요.→30 탈락
레니의 수는 8로 나누어떨어져요.→20 탈락
레니의 수는 3으로 나누어떨어져요.→64 탈락
남은 두 수는 72와 48이므로 72-48=24, 24×2=48
레니의 수는 48

23쪽 9번

❶ + =8을 만족하는 짝은
(1, 7), (2, 6), (3, 5), (4, 4), (5, 3), (6, 2), (7, 1)

÷ = 은 나눗셈식이므로 과 보다 이 커야 해요. 또한 나누어떨어져야 하기 때문에 은 의 배수여야 해요. 배수인 짝은 (6, 2)이므로
=6, =2이며
=3

❷ +100÷10=60
+10=60, =50

÷100−5=
÷100−5=50
÷100=55, =5500

− ÷10 =
5500− ÷10 =
5500 = + ÷10
등호 좌우로 똑같이 10을 곱하여 만 남게 해요.
55000 = 10 +
55000 = 11
=55000÷11, =5000

22-23쪽

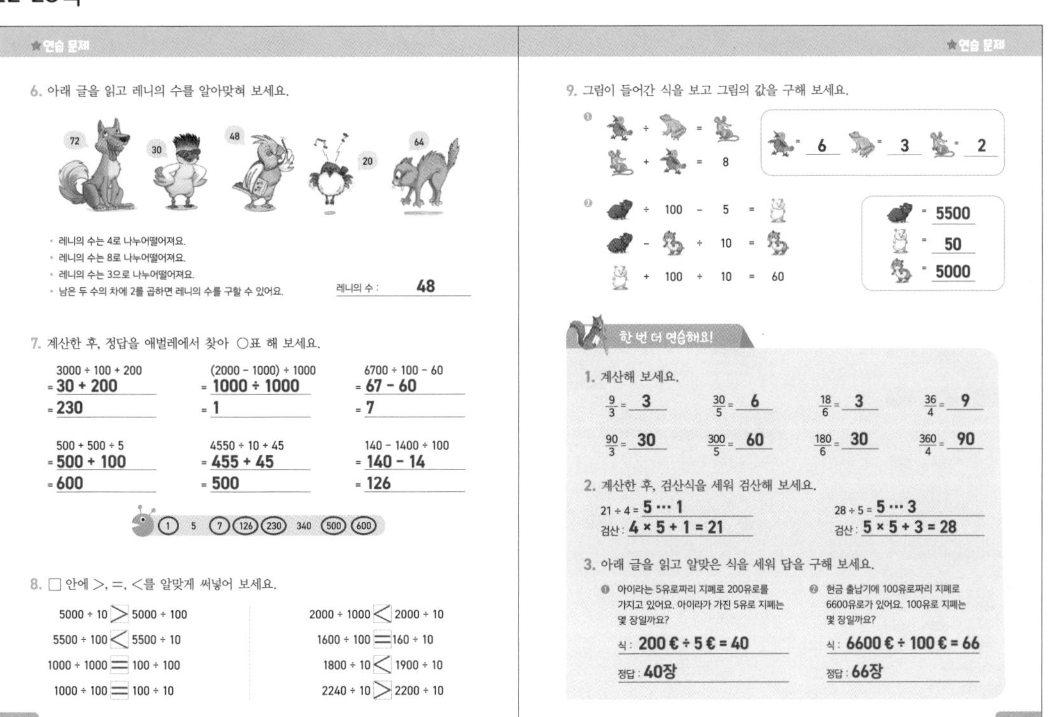

연습 문제

6. 아래 글을 읽고 레니의 수를 알아맞혀 보세요.

72 30 48 20 64

· 레니의 수는 4로 나누어떨어져요.
· 레니의 수는 8로 나누어떨어져요.
· 레니의 수는 3으로 나누어떨어져요.
· 남은 두 수의 차에 2를 곱하면 레니의 수를 구할 수 있어요.

레니의 수: 48

7. 계산한 후, 정답을 애벌레에서 찾아 ○표 해 보세요.

3000 ÷ 100 + 200 = 30 + 200 = 230
(2000 − 1000) ÷ 1000 = 1000 ÷ 1000 = 1
6700 ÷ 100 − 60 = 67 − 60 = 7
500 + 500 ÷ 5 = 500 + 100 = 600
4550 ÷ 10 + 45 = 455 + 45 = 500
140 − 1400 ÷ 100 = 140 − 14 = 126

(1) 5 (7) (126) (230) 340 (500) (600)

8. □ 안에 >, =, <를 알맞게 써넣어 보세요.

5000 ÷ 10 > 5000 ÷ 100
5500 ÷ 100 < 5500 ÷ 10
1000 ÷ 1000 = 100 ÷ 100
1000 ÷ 100 = 100 ÷ 10
2000 ÷ 1000 < 2000 ÷ 10
1600 ÷ 100 = 160 ÷ 10
1800 ÷ 10 < 1900 ÷ 10
2240 ÷ 10 > 2200 ÷ 10

22

연습 문제

9. 그림이 들어간 식을 보고 그림의 값을 구해 보세요.

❶ ÷ = ; + = 8
= 6, = 3, = 2

❷ ÷ 100 − 5 = ; − ÷ 10 = ; + 100 ÷ 10 = 60
= 5500, = 50, = 5000

한 번 더 연습해요!

1. 계산해 보세요.

$\frac{9}{3}$ = 3 $\frac{30}{5}$ = 6 $\frac{18}{6}$ = 3 $\frac{36}{4}$ = 9

$\frac{90}{3}$ = 30 $\frac{300}{5}$ = 60 $\frac{180}{6}$ = 30 $\frac{360}{4}$ = 90

2. 계산한 후, 검산식을 세워 검산해 보세요.

21 ÷ 4 = 5 … 1 검산: 4 × 5 + 1 = 21
28 ÷ 5 = 5 … 3 검산: 5 × 5 + 3 = 28

3. 아래 글을 읽고 알맞은 식을 세워 답을 구해 보세요.

❶ 아이라는 5유로짜리 지폐로 200유로를 가지고 있어요. 아이라가 가진 5유로 지폐는 몇 장일까요?
식: 200 € ÷ 5 € = 40
정답: 40장

❷ 현금 출납기에 100유로짜리 지폐로 6600유로가 있어요. 100유로 지폐는 몇 장일까요?
식: 6600 € ÷ 100 € = 66
정답: 66장

23

24-25쪽

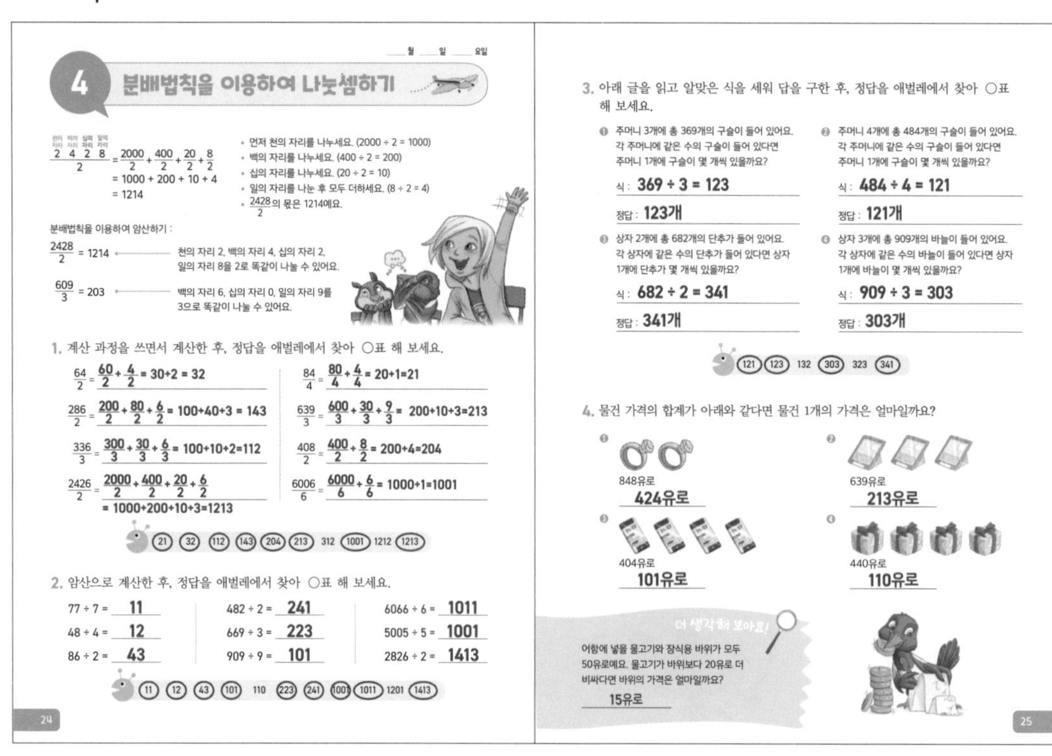

부모님 가이드 | 24쪽

주어진 수를 자릿값에 따라 분해해서 나누면 나눗셈의 과정을 더 쉽게 이해할 수 있어요. 주어진 수를 블록 놀이를 하듯 같은 자리끼리 분해하면서 분배법칙을 이용하여 나눗셈을 해 보세요.

25쪽 4번

❶ 848€÷2=424€
❷ 639€÷3=213€
❸ 404€÷4=101€
❹ 440€÷4=110€

더 생각해 보아요! | 25쪽

❶ 물고기+바위=50유로
❷ 물고기=바위+20유로
❶번 식에서 물고기에 ❷번 식을 넣으면
바위+20+바위=50
바위+바위=30
바위=15유로
물고기=바위+20이므로
물고기=15+20
물고기=35유로

26-27쪽

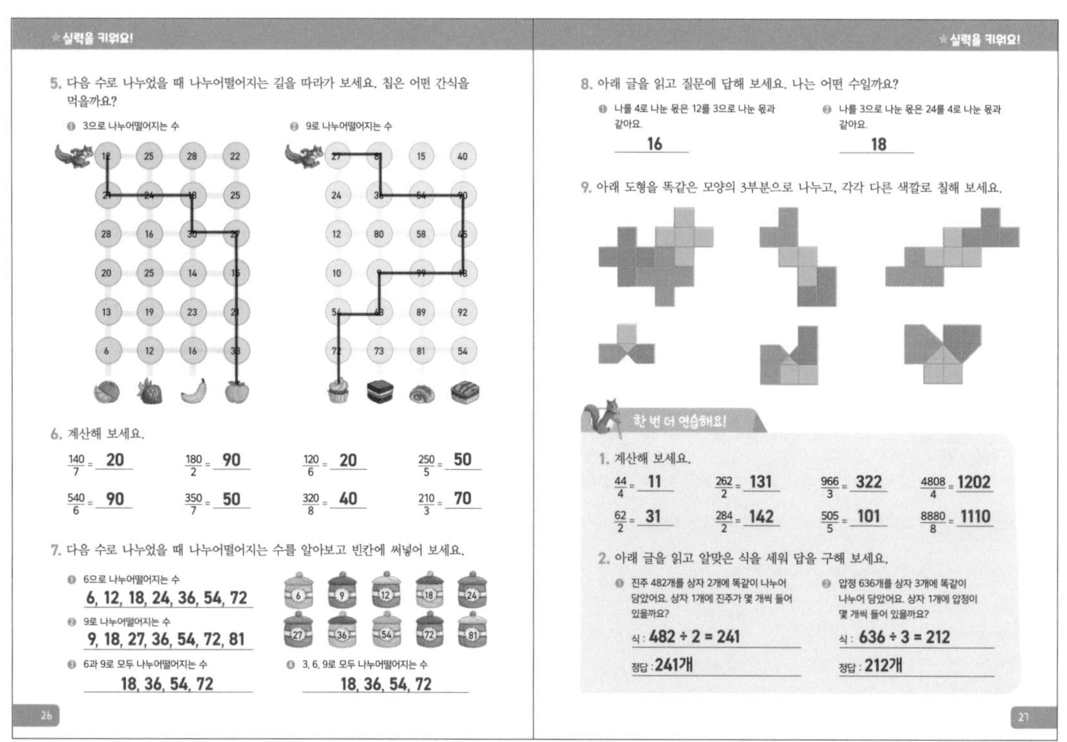

27쪽 8번

나누는 수와 몫을 곱하면 나누어지는 수가 나와요.
❶ 12÷3=4, 4×4=16
❷ 24÷4=6, 6×3=18

28-29쪽

부모님 가이드 | 28쪽

51÷3=(50+1)÷3으로 분해할 수 없네요.
51은 3단을 이용해서 분해해요.

$51=(30+21)\div 3$
$=\frac{30}{3}+\frac{21}{3}$
$=10+7$
$=17$

30-31쪽

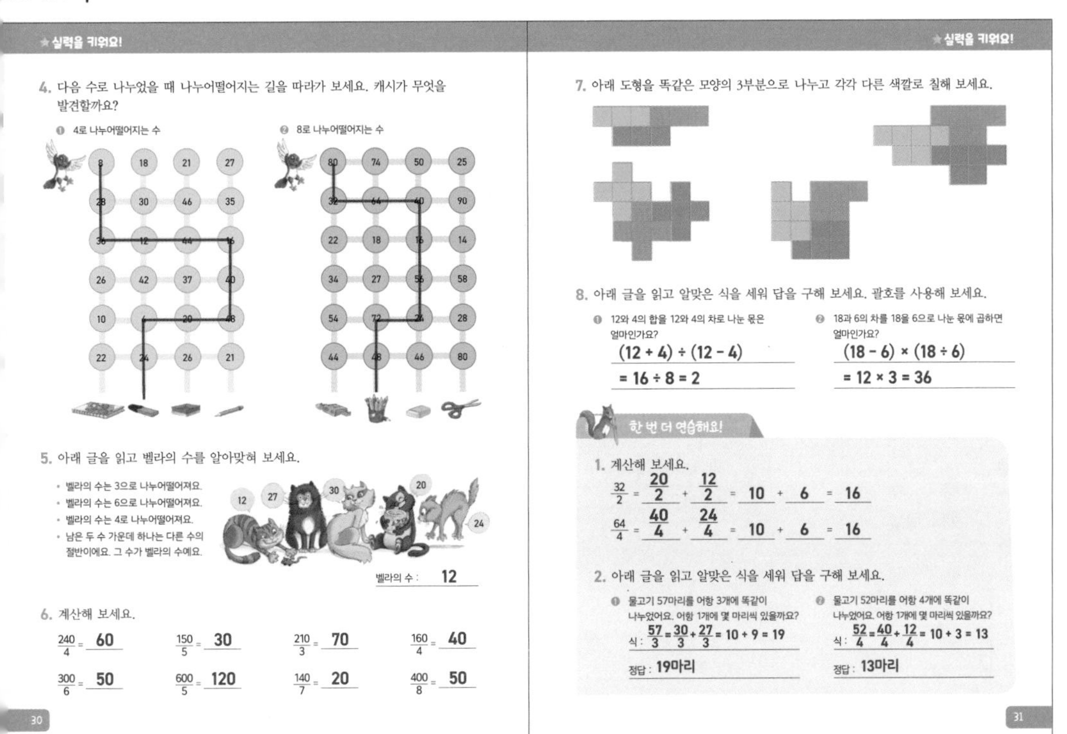

30쪽 5번

벨라의 수는 3으로 나누어떨어져요.→20 탈락

벨라의 수는 6으로 나누어떨어져요.→27 탈락

벨라의 수는 4로 나누어떨어져요.→30 탈락

남은 두 수 가운데 하나는 다른 수의 절반이에요.→남은 수는 12와 24이며, 12가 24의 절반이므로 벨라의 수는 12

32-33쪽

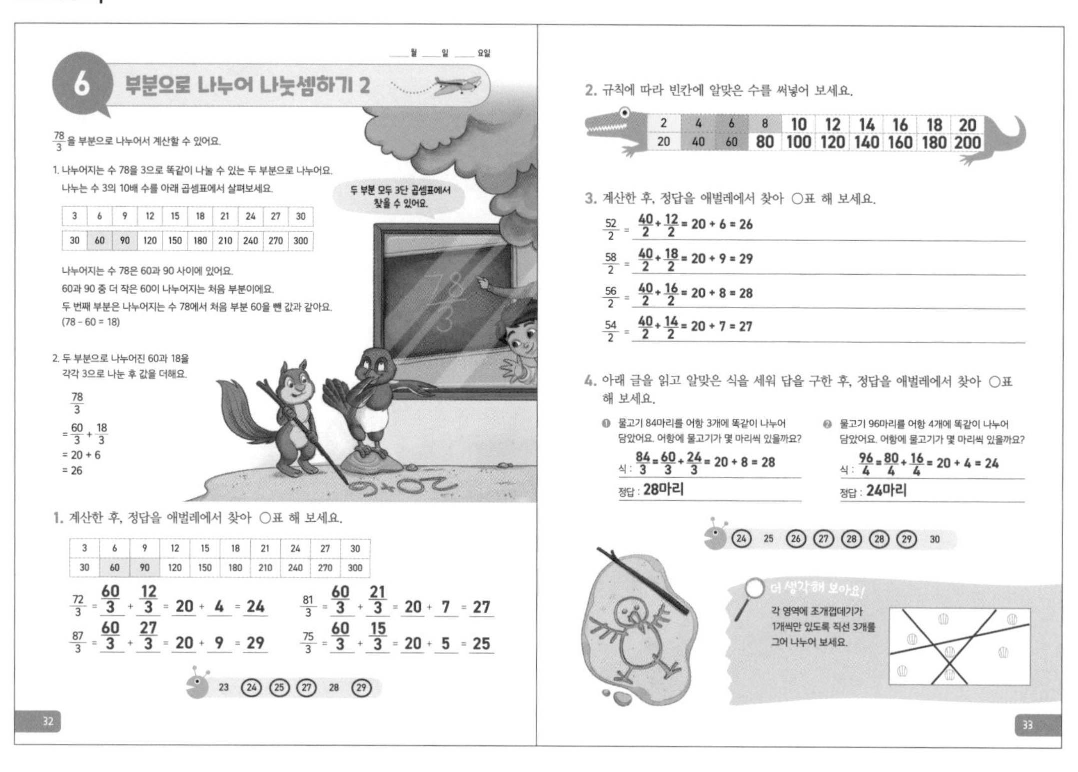

월 일 요일

6 부분으로 나누어 나눗셈하기 2

$\frac{78}{3}$을 부분으로 나누어서 계산할 수 있어요.

1. 나누어지는 수 78을 3으로 똑같이 나눌 수 있는 두 부분으로 나누어요.
나누는 수 3의 10배 수를 아래 곱셈표에서 살펴보세요.

3	6	9	12	15	18	21	24	27	30
30	60	90	120	150	180	210	240	270	300

나누어지는 수 78은 60과 90 사이에 있어요.
60과 90 중 더 작은 60이 나누어지는 처음 부분이에요.
두 번째 부분은 나누어지는 수 78에서 처음 부분 60을 뺀 값과 같아요.
(78 - 60 = 18)

2. 두 부분으로 나누어진 60과 18을 각각 3으로 나눈 후 값을 더해요.

$\frac{78}{3}$
$= \frac{60}{3} + \frac{18}{3}$
$= 20 + 6$
$= 26$

두 부분 모두 3단 곱셈표에서 찾을 수 있어요.

1. 계산한 후, 정답을 애벌레에서 찾아 ○표 해 보세요.

3	6	9	12	15	18	21	24	27	30
30	60	90	120	150	180	210	240	270	300

$\frac{72}{3} = \frac{60}{3} + \frac{12}{3} = 20 + 4 = 24$　　$\frac{81}{3} = \frac{60}{3} + \frac{21}{3} = 20 + 7 = 27$

$\frac{87}{3} = \frac{60}{3} + \frac{27}{3} = 20 + 9 = 29$　　$\frac{75}{3} = \frac{60}{3} + \frac{15}{3} = 20 + 5 = 25$

23 (24) (25) (27) 28 (29)

32

2. 규칙에 따라 빈칸에 알맞은 수를 써넣어 보세요.

2	4	6	8	10	12	14	16	18	20
20	40	60	80	100	120	140	160	180	200

3. 계산한 후, 정답을 애벌레에서 찾아 ○표 해 보세요.

$\frac{52}{2} = \frac{40}{2} + \frac{12}{2} = 20 + 6 = 26$

$\frac{58}{2} = \frac{40}{2} + \frac{18}{2} = 20 + 9 = 29$

$\frac{56}{2} = \frac{40}{2} + \frac{16}{2} = 20 + 8 = 28$

$\frac{54}{2} = \frac{40}{2} + \frac{14}{2} = 20 + 7 = 27$

4. 아래 글을 읽고 알맞은 식을 세워 답을 구한 후, 정답을 애벌레에서 찾아 ○표 해 보세요.

① 물고기 84마리를 어항 3개에 똑같이 나누어 담았어요. 어항에 물고기가 몇 마리씩 있을까요?
식: $\frac{84}{3} = \frac{60}{3} + \frac{24}{3} = 20 + 8 = 28$
정답: 28마리

② 물고기 96마리를 어항 4개에 똑같이 나누어 담았어요. 어항에 물고기가 몇 마리씩 있을까요?
식: $\frac{96}{4} = \frac{80}{4} + \frac{16}{4} = 20 + 4 = 24$
정답: 24마리

(24) 25 (26) (27) (28) (28) (29) 30

더 생각해 보아요!
각 영역에 조개껍데기가 1개씩만 있도록 직선 3개를 그어 나누어 보세요.

33

부모님 가이드 | 32쪽

나누는 수 3의 배수와 10배 수의 곱셈표에서 알맞은 수를 골라 수를 분해해서 나눗셈을 할 수 있어요.

1. $78 \div 3 = (60+18) \div 3$
$= \frac{60}{3} + \frac{18}{3}$
$= 20 + 6$
$= 26$

2. $78 \div 3 = (66+12) \div 3$
$= \frac{66}{3} + \frac{12}{3}$
$= 22 + 4$
$= 26$

2번보다는 1번이 계산이 더 편리하겠죠? 편한 방법으로 수를 분해해서 나눗셈을 할 수 있어요.

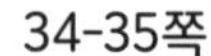

34-35쪽

YOU ARE FAST IN MATHS.
(너는 수학 문제 푸는 속도가 빠르구나.)

실력을 키워요!

5. 계산한 후, 정답에 해당하는 알파벳을 빈칸에 써넣어 보세요.

식	답	알파벳	식	답	알파벳
33 ÷ 3 =	11	Y	32 ÷ 8 =	4	T
10 ÷ 1 =	10	O	64 ÷ 8 =	8	I
27 ÷ 9 =	3	U	14 ÷ 7 =	2	N
6 ÷ 6 =	1	A	42 ÷ 7 =	6	M
56 ÷ 8 =	7	R	3 ÷ 3 =	1	A
35 ÷ 7 =	5	E	16 ÷ 4 =	4	T
24 ÷ 2 =	12	F	52 ÷ 4 =	13	H
5 ÷ 5 =	1	A	18 ÷ 2 =	9	S
36 ÷ 4 =	9	S			

1	2	3	4	5	6	7	8	9	10	11	12	13
A	N	U	T	E	M	R	I	S	O	Y	F	H

6. 규칙에 따라 4번째 바둑판을 완성해 보세요.

①

②

34

실력을 키워요!

7. 그림이 들어간 식을 보고 그림의 값을 구해 보세요.

(고기) ÷ 2 + (타이어) = (고기)
(고기) ÷ 6 + (병) = 25
(고기) - 40 = 20

(고기) = 60
(병) = 15
(타이어) = 30

8. 캐시와 칩의 답이 모두 틀렸어요. 그렇다면 엠마의 답은 얼마나 맞았을까요? 맞힌 답에 ○표 하세요.

캐시	칩	엠마
1	X	X
2	1	2
X	2	(1)

한 번 더 연습해요!

1. 계산해 보세요.

$\frac{84}{3} = \frac{60}{3} + \frac{24}{3} = 20 + 8 = 28$

$\frac{50}{2} = \frac{40}{2} + \frac{10}{2} = 20 + 5 = 25$

2. 아래 글을 읽고 알맞은 식을 세워 답을 구해 보세요.

① 물고기 56마리를 어항 2개에 똑같이 나누어 담았어요. 어항 1개에 물고기가 몇 마리씩 있을까요?
식: $\frac{56}{2} = \frac{40}{2} + \frac{16}{2} = 20 + 8 = 28$
정답: 28마리

② 물고기 87마리를 어항 3개에 똑같이 나누어 담았어요. 어항 1개에 물고기가 몇 마리씩 있을까요?
식: $\frac{87}{3} = \frac{60}{3} + \frac{27}{3} = 20 + 9 = 29$
정답: 29마리

35

35쪽 7번

(고기) - 40 = 20, (고기) = 60

(고기) ÷ 6 + (병) = 25
60 ÷ 6 + (병) = 25
10 + (병) = 25, (병) = 15

(고기) ÷ 2 + (타이어) = (고기)
60 ÷ 2 + (타이어) = 60
30 + (타이어) = 60, (타이어) = 30

35쪽 8번

캐시와 칩의 답이 모두 틀렸으므로 엠마가 캐시와 칩과 같은 답을 썼을 경우 틀리고, 다른 답을 썼을 경우에만 맞는 답이에요.

캐시	칩	엠마
1	X	X→칩의 답이 틀렸으므로 엠마도 오답이에요.
2	1	2→캐시의 답이 틀렸으므로 엠마도 오답이에요.
X	2	1→캐시와 칩의 답과 다른 답이므로 엠마의 답은 정답이에요.

36-37쪽

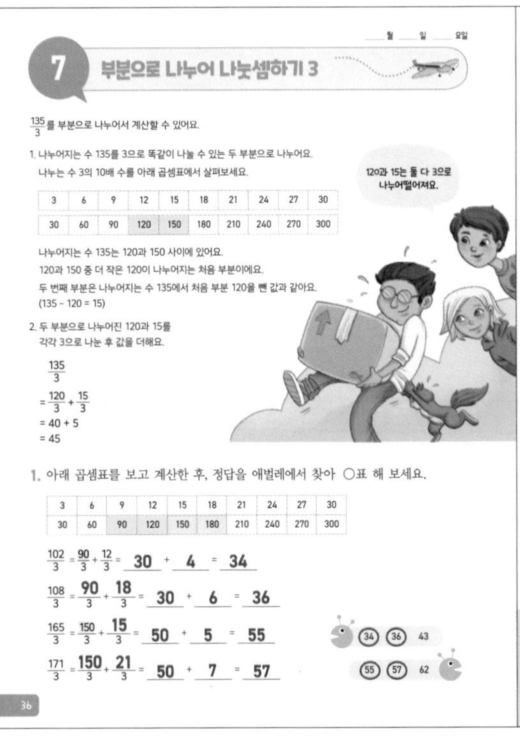

월 일 요일

7 부분으로 나누어 나눗셈하기 3

$\frac{135}{3}$를 부분으로 나누어서 계산할 수 있어요.

1. 나누어지는 수 135를 3으로 똑같이 나눌 수 있는 두 부분으로 나누어요.
나누는 수 3의 10배 수를 아래 곱셈표에서 살펴보세요.

3	6	9	12	15	18	21	24	27	30
30	60	90	120	150	180	210	240	270	300

나누어지는 수 135는 120과 150 사이에 있어요.
120과 150 중 더 작은 120이 나누어지는 처음 부분이에요.
두 번째 부분은 나누어지는 수 135에서 처음 부분 120을 뺀 값과 같아요.
(135 - 120 = 15)

2. 두 부분으로 나누어진 120과 15를 각각 3으로 나눈 후 값을 더해요.

$\frac{135}{3}$
$= \frac{120}{3} + \frac{15}{3}$
$= 40 + 5$
$= 45$

1. 아래 곱셈표를 보고 계산한 후, 정답을 애벌레에서 찾아 ○표 해 보세요.

3	6	9	12	15	18	21	24	27	30
30	60	90	120	150	180	210	240	270	300

$\frac{102}{3} = \frac{90}{3} + \frac{12}{3} = 30 + 4 = 34$

$\frac{108}{3} = \frac{90}{3} + \frac{18}{3} = 30 + 6 = 36$

$\frac{165}{3} = \frac{150}{3} + \frac{15}{3} = 50 + 5 = 55$

$\frac{171}{3} = \frac{150}{3} + \frac{21}{3} = 50 + 7 = 57$

(34) (36) 43 / (55) (57) 62

36

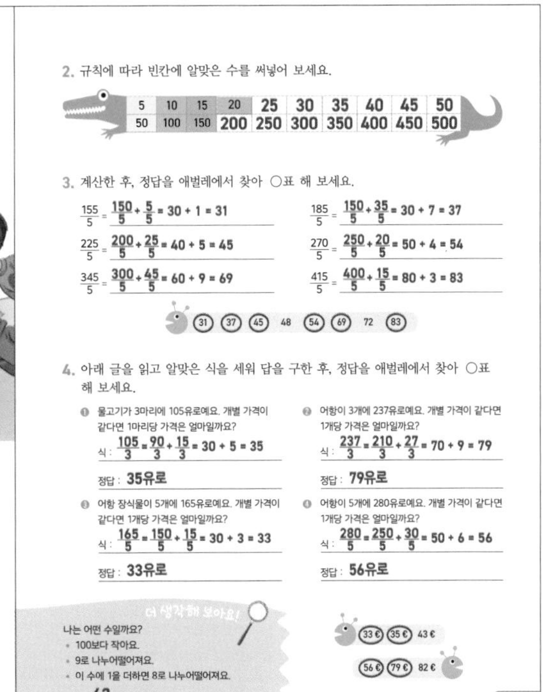

2. 규칙에 따라 빈칸에 알맞은 수를 써넣어 보세요.

5	10	15	20	25	30	35	40	45	50
50	100	150	200	250	300	350	400	450	500

3. 계산한 후, 정답을 애벌레에서 찾아 ○표 해 보세요.

$\frac{155}{5} = \frac{150}{5} + \frac{5}{5} = 30 + 1 = 31$ $\frac{185}{5} = \frac{150}{5} + \frac{35}{5} = 30 + 7 = 37$

$\frac{225}{5} = \frac{200}{5} + \frac{25}{5} = 40 + 5 = 45$ $\frac{270}{5} = \frac{250}{5} + \frac{20}{5} = 50 + 4 = 54$

$\frac{345}{5} = \frac{300}{5} + \frac{45}{5} = 60 + 9 = 69$ $\frac{415}{5} = \frac{400}{5} + \frac{15}{5} = 80 + 3 = 83$

(31) (37) (45) 48 (54) (69) 72 (83)

4. 아래 글을 읽고 알맞은 식을 세워 답을 구한 후, 정답을 애벌레에서 찾아 ○표 해 보세요.

① 물고기가 3마리에 105유로예요. 개별 가격이 같다면 1마리당 가격은 얼마일까요?
식: $\frac{105}{3} = \frac{90}{3} + \frac{15}{3} = 30 + 5 = 35$
정답: 35유로

② 어항이 3개에 237유로예요. 개별 가격이 같다면 1개당 가격은 얼마일까요?
식: $\frac{237}{3} = \frac{210}{3} + \frac{27}{3} = 70 + 9 = 79$
정답: 79유로

③ 어항 장식물이 5개에 165유로예요. 개별 가격이 같다면 1개당 가격은 얼마일까요?
식: $\frac{165}{5} = \frac{150}{5} + \frac{15}{5} = 30 + 3 = 33$
정답: 33유로

④ 어항이 5개에 280유로예요. 개별 가격이 같다면 1개당 가격은 얼마일까요?
식: $\frac{280}{5} = \frac{250}{5} + \frac{30}{5} = 50 + 6 = 56$
정답: 56유로

(33€) (35€) 43€ / (56€) (79€) 82€

더 생각해 보아요!
나는 어떤 수일까요?
- 100보다 작아요.
- 9로 나누어떨어져요.
- 이 수에 1을 더하면 8로 나누어떨어져요.

63

37

더 생각해 보아요! | 37쪽

100보다 작은 9의 배수를 찾은 후, 그 수에 1을 더한 수가 8의 배수인 수를 찾으면 답을 구할 수 있어요.

9의 배수	9, 18, 27, 36, 45, 54, 63, 72, 81, 90, 99
9의 배수+1	10, 19, 28, 37, 46, 55, 64, 73, 82, 91

이 가운데 8의 배수는 64이므로, 정답은 63

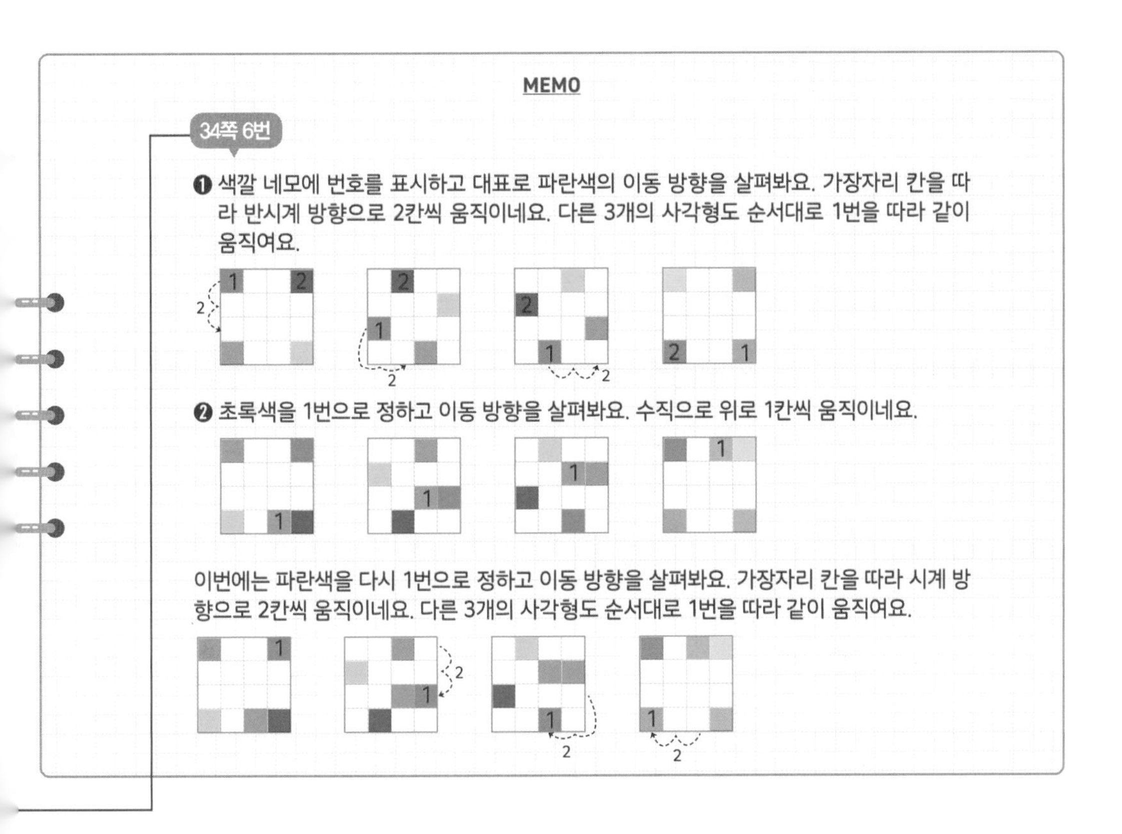

MEMO

34쪽 6번

❶ 색깔 네모에 번호를 표시하고 대표로 파란색의 이동 방향을 살펴봐요. 가장자리 칸을 따라 반시계 방향으로 2칸씩 움직이네요. 다른 3개의 사각형도 순서대로 1번을 따라 같이 움직여요.

❷ 초록색을 1번으로 정하고 이동 방향을 살펴봐요. 수직으로 위로 1칸씩 움직이네요.

이번에는 파란색을 다시 1번으로 정하고 이동 방향을 살펴봐요. 가장자리 칸을 따라 시계 방향으로 2칸씩 움직이네요. 다른 3개의 사각형도 순서대로 1번을 따라 같이 움직여요.

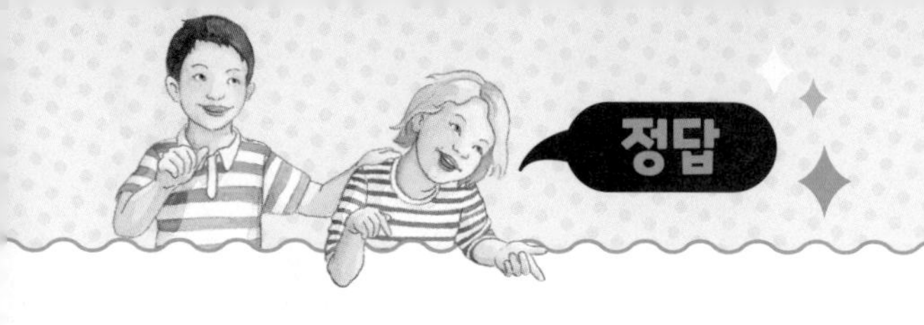

38-39쪽

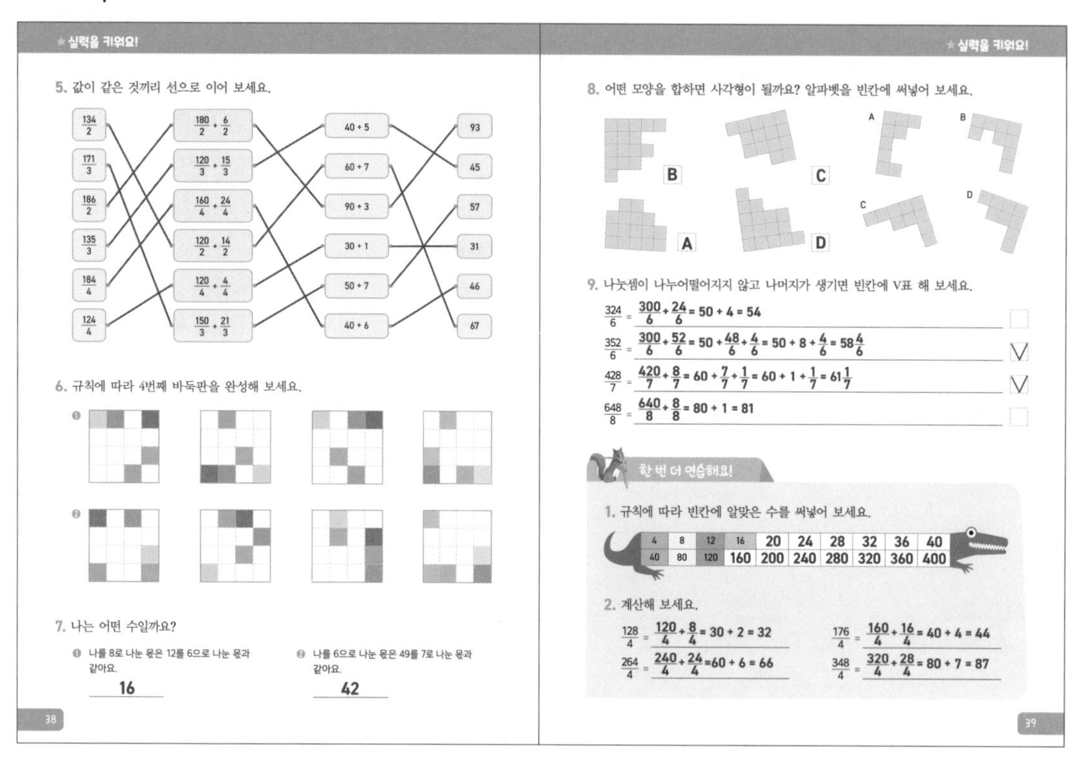

실력을 키워요!

5. 값이 같은 것끼리 선으로 이어 보세요.

$\frac{134}{2}$, $\frac{171}{3}$, $\frac{186}{2}$, $\frac{135}{3}$, $\frac{184}{4}$, $\frac{124}{4}$

$\frac{180}{2}+\frac{6}{2}$, $\frac{120}{3}+\frac{15}{3}$, $\frac{160}{4}+\frac{24}{4}$, $\frac{120}{2}+\frac{14}{2}$, $\frac{120}{4}+\frac{4}{4}$, $\frac{150}{3}+\frac{21}{3}$

40 + 5, 60 + 7, 90 + 3, 30 + 1, 50 + 7, 40 + 6

93, 45, 57, 31, 46, 67

6. 규칙에 따라 4번째 바둑판을 완성해 보세요.

❶ ❷

7. 나는 어떤 수일까요?

❶ 나를 8로 나눈 몫은 12를 6으로 나눈 몫과 같아요.
16

❷ 나를 6으로 나눈 몫은 49를 7로 나눈 몫과 같아요.
42

38

실력을 키워요!

8. 어떤 모양을 합하면 사각형이 될까요? 알파벳을 빈칸에 써넣어 보세요.

B C A D

A B C D

9. 나눗셈이 나누어떨어지지 않고 나머지가 생기면 빈칸에 V표 해 보세요.

$\frac{324}{6}=\frac{300}{6}+\frac{24}{6}=50+4=54$

$\frac{352}{6}=\frac{300}{6}+\frac{52}{6}=50+\frac{48}{6}+\frac{4}{6}=50+8+\frac{4}{6}=58\frac{4}{6}$ V

$\frac{428}{7}=\frac{420}{7}+\frac{8}{7}=60+\frac{7}{7}+\frac{1}{7}=60+1+\frac{1}{7}=61\frac{1}{7}$ V

$\frac{648}{8}=\frac{640}{8}+\frac{8}{8}=80+1=81$

한 번 더 연습해요!

1. 규칙에 따라 빈칸에 알맞은 수를 써넣어 보세요.

4	8	12	16	20	24	28	32	36	40
40	80	120	160	200	240	280	320	360	400

2. 계산해 보세요.

$\frac{128}{4}=\frac{120}{4}+\frac{8}{4}=30+2=32$

$\frac{176}{4}=\frac{160}{4}+\frac{16}{4}=40+4=44$

$\frac{264}{4}=\frac{240}{4}+\frac{24}{4}=60+6=66$

$\frac{348}{4}=\frac{320}{4}+\frac{28}{4}=80+7=87$

39

38쪽 7번

나누는 수와 몫을 곱하면 나누어지는 수가 나와요.

❶ 12÷6=2, 8×2=16

❷ 49÷7=7, 6×7=42

39쪽 8번

사라진 부분을 채워 5칸×5칸 크기의 사각형을 완성한 후 비교해 보세요. 어떤 부분이 빠졌는지 찾아낼 수 있어요.

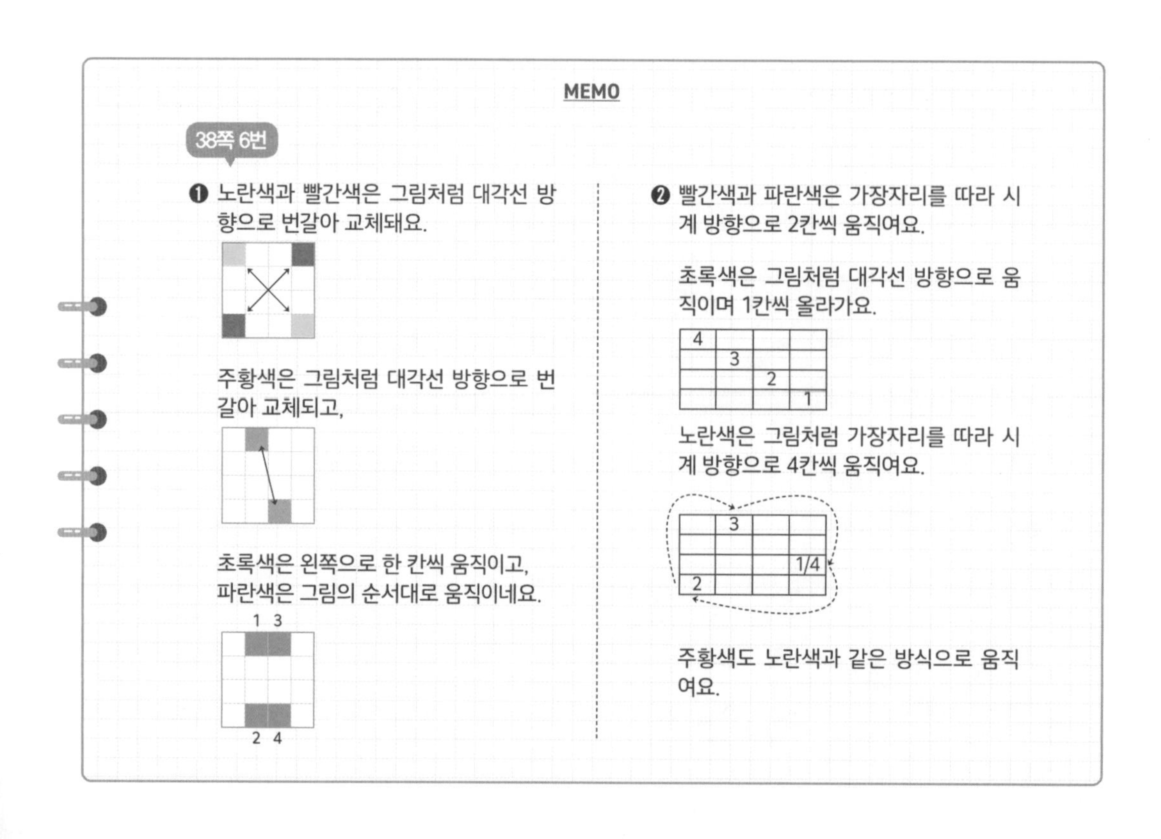

MEMO

38쪽 6번

❶ 노란색과 빨간색은 그림처럼 대각선 방향으로 번갈아 교체돼요.

주황색은 그림처럼 대각선 방향으로 번갈아 교체되고,

초록색은 왼쪽으로 한 칸씩 움직이고, 파란색은 그림의 순서대로 움직이네요.

❷ 빨간색과 파란색은 가장자리를 따라 시계 방향으로 2칸씩 움직여요.

초록색은 그림처럼 대각선 방향으로 움직이며 1칸씩 올라가요.

노란색은 그림처럼 가장자리를 따라 시계 방향으로 4칸씩 움직여요.

주황색도 노란색과 같은 방식으로 움직여요.

40-41쪽

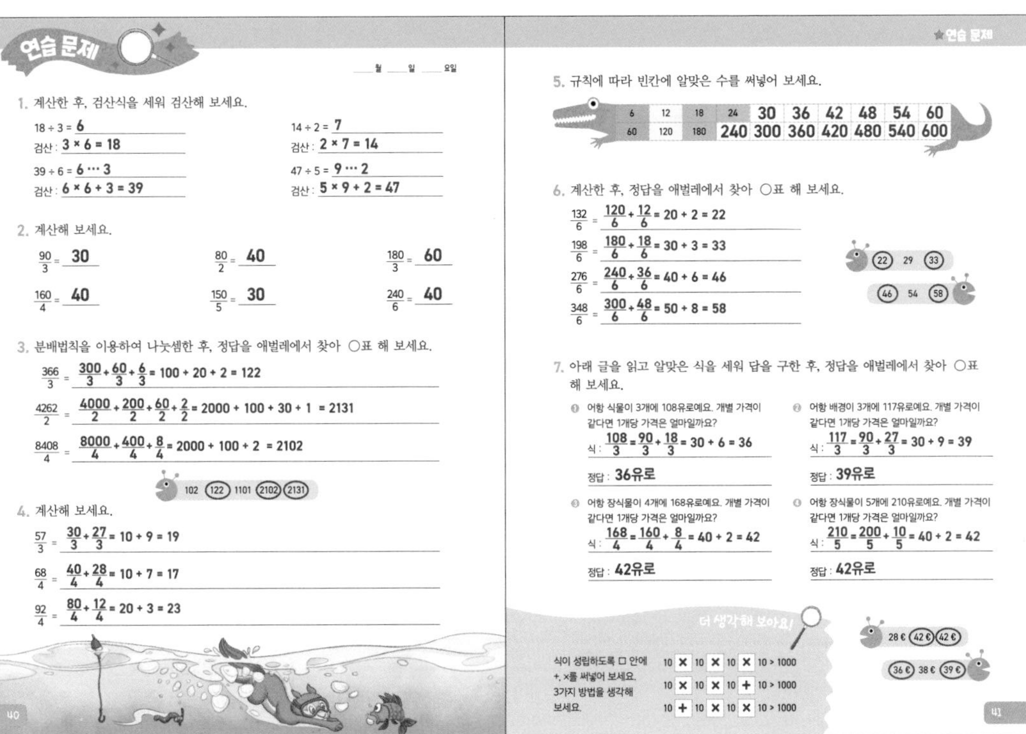

연습 문제

___월 ___일 ___요일

1. 계산한 후, 검산식을 세워 검산해 보세요.

$18 \div 3 = 6$
검산 : $3 \times 6 = 18$

$14 \div 2 = 7$
검산 : $2 \times 7 = 14$

$39 \div 6 = 6 \cdots 3$
검산 : $6 \times 6 + 3 = 39$

$47 \div 5 = 9 \cdots 2$
검산 : $5 \times 9 + 2 = 47$

2. 계산해 보세요.

$\frac{90}{3} = 30$　$\frac{80}{2} = 40$　$\frac{180}{3} = 60$

$\frac{160}{4} = 40$　$\frac{150}{5} = 30$　$\frac{240}{6} = 40$

3. 분배법칙을 이용하여 나눗셈한 후, 정답을 애벌레에서 찾아 ○표 해 보세요.

$\frac{366}{3} = \frac{300}{3} + \frac{60}{3} + \frac{6}{3} = 100 + 20 + 2 = 122$

$\frac{4262}{2} = \frac{4000}{2} + \frac{200}{2} + \frac{60}{2} + \frac{2}{2} = 2000 + 100 + 30 + 1 = 2131$

$\frac{8408}{4} = \frac{8000}{4} + \frac{400}{4} + \frac{8}{4} = 2000 + 100 + 2 = 2102$

102 (122) 1101 (2102) (2131)

4. 계산해 보세요.

$\frac{57}{3} = \frac{30}{3} + \frac{27}{3} = 10 + 9 = 19$

$\frac{68}{4} = \frac{40}{4} + \frac{28}{4} = 10 + 7 = 17$

$\frac{92}{4} = \frac{80}{4} + \frac{12}{4} = 20 + 3 = 23$

40

★ 연습 문제

5. 규칙에 따라 빈칸에 알맞은 수를 써넣어 보세요.

6	12	18	24	30	36	42	48	54	60
60	120	180	240	300	360	420	480	540	600

6. 계산한 후, 정답을 애벌레에서 찾아 ○표 해 보세요.

$\frac{132}{6} = \frac{120}{6} + \frac{12}{6} = 20 + 2 = 22$

$\frac{198}{6} = \frac{180}{6} + \frac{18}{6} = 30 + 3 = 33$

$\frac{276}{6} = \frac{240}{6} + \frac{36}{6} = 40 + 6 = 46$

$\frac{348}{6} = \frac{300}{6} + \frac{48}{6} = 50 + 8 = 58$

(22) 29 (33)
(46) 54 (58)

7. 아래 글을 읽고 알맞은 식을 세워 답을 구한 후, 정답을 애벌레에서 찾아 ○표 해 보세요.

❶ 어항 식물이 3개에 108유로예요. 개별 가격이 같다면 1개당 가격은 얼마일까요?
식 : $\frac{108}{3} = \frac{90}{3} + \frac{18}{3} = 30 + 6 = 36$
정답 : 36유로

❷ 어항 배경이 3개에 117유로예요. 개별 가격이 같다면 1개당 가격은 얼마일까요?
식 : $\frac{117}{3} = \frac{90}{3} + \frac{27}{3} = 30 + 9 = 39$
정답 : 39유로

❸ 어항 장식물이 4개에 168유로예요. 개별 가격이 같다면 1개당 가격은 얼마일까요?
식 : $\frac{168}{4} = \frac{160}{4} + \frac{8}{4} = 40 + 2 = 42$
정답 : 42유로

❹ 어항 장식물이 5개에 210유로예요. 개별 가격이 같다면 1개당 가격은 얼마일까요?
식 : $\frac{210}{5} = \frac{200}{5} + \frac{10}{5} = 40 + 2 = 42$
정답 : 42유로

28 € (42 €) (42 €)
(36 €) 38 € (39 €)

더 생각해 보아요!

식이 성립하도록 □ 안에 +, ×를 써넣어 보세요. 3가지 방법을 생각해 보세요.

$10 \times 10 \times 10 \times 10 > 1000$
$10 \times 10 \times 10 + 10 > 1000$
$10 + 10 \times 10 \times 10 > 1000$

41

42-43쪽

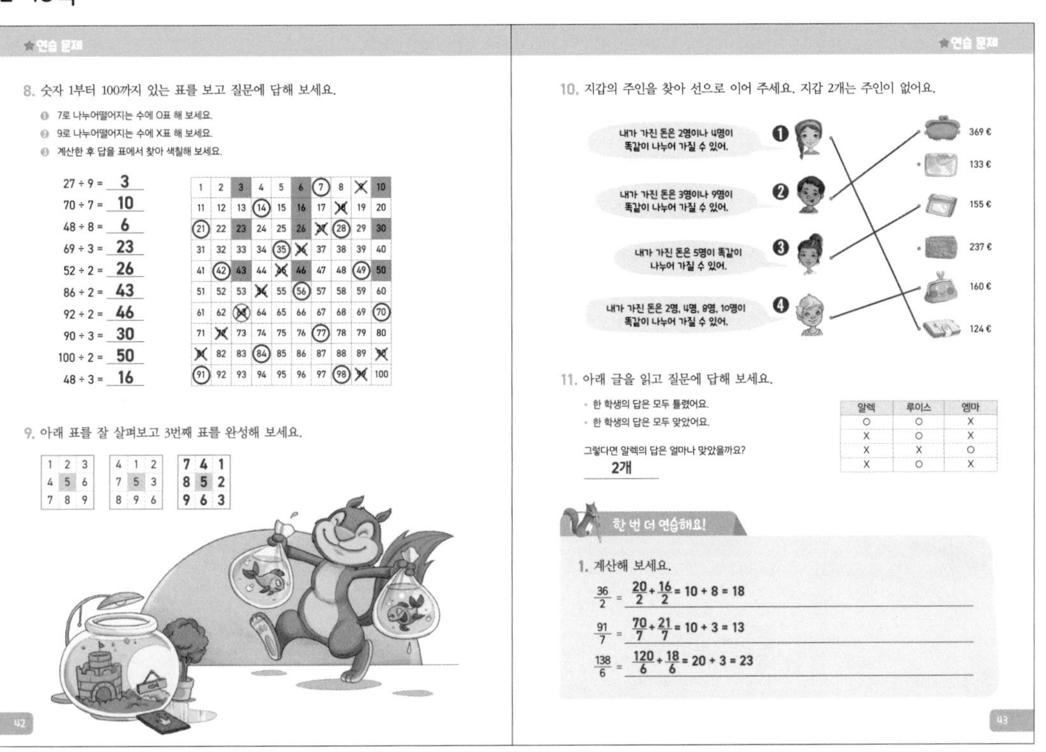

★ 연습 문제

8. 숫자 1부터 100까지 있는 표를 보고 질문에 답해 보세요.

❶ 7로 나누어떨어지는 수에 O표 해 보세요.
❷ 9로 나누어떨어지는 수에 X표 해 보세요.
❸ 계산한 후 답을 표에서 찾아 색칠해 보세요.

$27 \div 9 = 3$
$70 \div 7 = 10$
$48 \div 8 = 6$
$69 \div 3 = 23$
$52 \div 2 = 26$
$86 \div 2 = 43$
$92 \div 2 = 46$
$90 \div 3 = 30$
$100 \div 2 = 50$
$48 \div 3 = 16$

1	2	3	4	5	6	7	8	9	10
11	12	13	14	15	16	17	18	19	20
21	22	23	24	25	26	27	28	29	30
31	32	33	34	35	36	37	38	39	40
41	42	43	44	45	46	47	48	49	50
51	52	53	54	55	56	57	58	59	60
61	62	63	64	65	66	67	68	69	70
71	72	73	74	75	76	77	78	79	80
81	82	83	84	85	86	87	88	89	90
91	92	93	94	95	96	97	98	99	100

9. 아래 표를 잘 살펴보고 3번째 표를 완성해 보세요.

1	2	3
4	5	6
7	8	9

4	1	2
7	5	3
8	9	6

7	4	1
8	5	2
9	6	3

42

★ 연습 문제

10. 지갑의 주인을 찾아 선으로 이어 주세요. 지갑 2개는 주인이 없어요.

❶ 내가 가진 돈은 2명이나 4명이 똑같이 나누어 가질 수 있어.
❷ 내가 가진 돈은 3명이나 9명이 똑같이 나누어 가질 수 있어.
❸ 내가 가진 돈은 5명이 똑같이 나누어 가질 수 있어.
❹ 내가 가진 돈은 2명, 4명, 8명, 10명이 똑같이 나누어 가질 수 있어.

369 €
133 €
155 €
237 €
160 €
124 €

11. 아래 글을 읽고 질문에 답해 보세요.

- 한 학생의 답은 모두 틀렸어요.
- 한 학생의 답은 모두 맞았어요.

알렉	루이스	엠마
O	O	X
X	O	X
X	X	O
X	O	X

그렇다면 알렉의 답은 얼마나 맞았을까요?
2개

한 번 더 연습해요!

1. 계산해 보세요.

$\frac{36}{2} = \frac{20}{2} + \frac{16}{2} = 10 + 8 = 18$

$\frac{91}{7} = \frac{70}{7} + \frac{21}{7} = 10 + 3 = 13$

$\frac{138}{6} = \frac{120}{6} + \frac{18}{6} = 20 + 3 = 23$

43

더 생각해 보아요! | 41쪽

1000보다 크려면 10을 3번 곱하고 남은 10은 더하면 돼요.

43쪽 10번

❹ 내가 가진 돈은 2명, 4명, 8명, 10명이 똑같이 나누어 가질 수 있어.→모두 만족하는 40의 배수를 찾으면 160€가 든 지갑이에요.

❷ 내가 가진 돈은 3명이나 9명이 똑같이 나누어 가질 수 있어.→9의 배수를 찾으면 369€가 든 지갑이에요.

❸ 내가 가진 돈은 5명이 똑같이 나누어 가질 수 있어.→5의 배수를 찾으면 155€가 든 지갑이에요.

❶ 내가 가진 돈은 2명이나 4명이 똑같이 나누어 가질 수 있어.→4의 배수면서 ④번과 겹치지 않는 것은 124€가 든 지갑이에요.

43쪽 11번

루이스와 엠마의 답이 정반대이므로 둘 중 한 명은 모두 틀렸고, 다른 한 명은 모두 맞았어요. 둘 중 한 명의 답과 비교해 겹치는 게 몇 개인지 확인하면 정답을 구할 수 있어요.

<루이스가 모두 맞혔을 경우>

알렉	루이스	엠마
○	○	×
×	○	×
×	×	○
×	○	×

<엠마가 모두 맞혔을 경우>

알렉	루이스	엠마
○	○	×
×	○	×
×	×	○
×	○	×

알렉은 답을 2개 맞혔어요.

44-45쪽

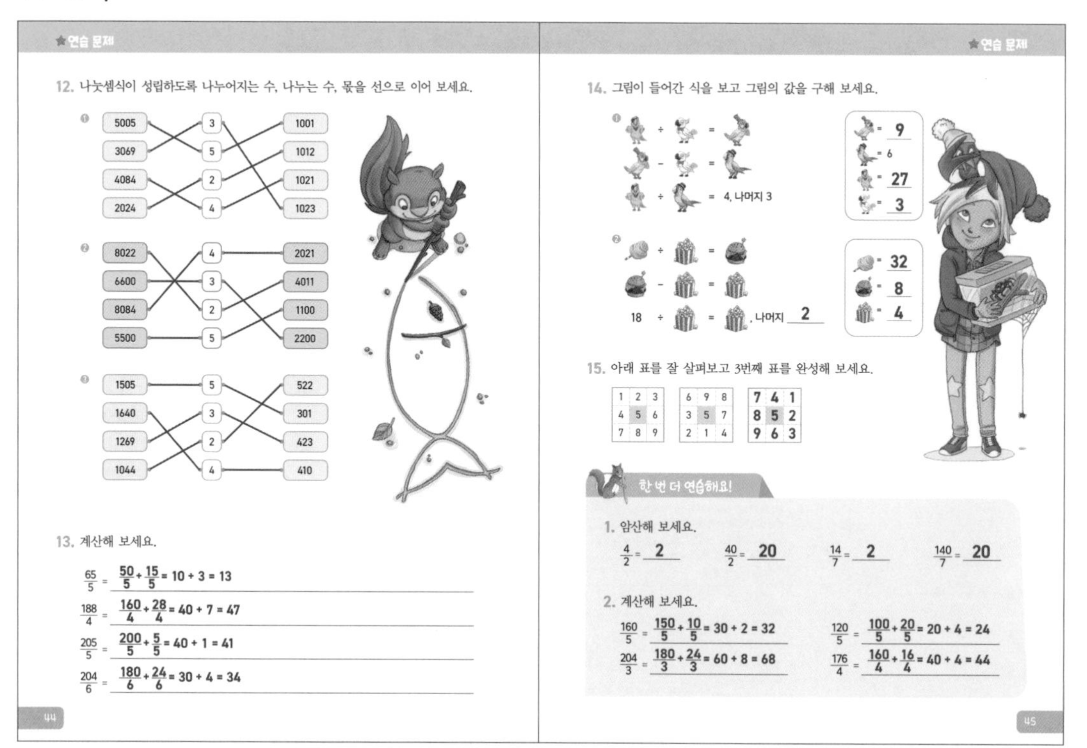

★연습 문제

12. 나눗셈식이 성립하도록 나누어지는 수, 나누는 수, 몫을 선으로 이어 보세요.

❶ 5005, 3069, 4084, 2024 / 3, 5, 2, 4 / 1001, 1012, 1021, 1023

❷ 8022, 6600, 8084, 5500 / 4, 3, 2, 5 / 2021, 4011, 1100, 2200

❸ 1505, 1640, 1269, 1044 / 5, 3, 2, 4 / 522, 301, 423, 410

13. 계산해 보세요.

$\frac{65}{5} = \frac{50}{5} + \frac{15}{5} = 10 + 3 = 13$

$\frac{188}{4} = \frac{160}{4} + \frac{28}{4} = 40 + 7 = 47$

$\frac{205}{5} = \frac{200}{5} + \frac{5}{5} = 40 + 1 = 41$

$\frac{204}{6} = \frac{180}{6} + \frac{24}{6} = 30 + 4 = 34$

44

★연습 문제

14. 그림이 들어간 식을 보고 그림의 값을 구해 보세요.

❶ ÷ = / − = / ÷ = 4, 나머지 3

= 9, = 6, = 27, = 3

❷ + = / − = / 18 ÷ = , 나머지 2

= 32, = 8, = 4

15. 아래 표를 잘 살펴보고 3번째 표를 완성해 보세요.

1	2	3
4	5	6
7	8	9

6	9	8
3	5	7
2	1	4

7	4	1
8	5	2
9	6	3

한 번 더 연습해요!

1. 암산해 보세요.

$\frac{4}{2} = 2$ $\frac{40}{2} = 20$ $\frac{14}{7} = 2$ $\frac{140}{7} = 20$

2. 계산해 보세요.

$\frac{160}{5} = \frac{150}{5} + \frac{10}{5} = 30 + 2 = 32$

$\frac{120}{5} = \frac{100}{5} + \frac{20}{5} = 20 + 4 = 24$

$\frac{204}{3} = \frac{180}{3} + \frac{24}{3} = 60 + 8 = 68$

$\frac{176}{4} = \frac{160}{4} + \frac{16}{4} = 40 + 4 = 44$

45

46-47쪽

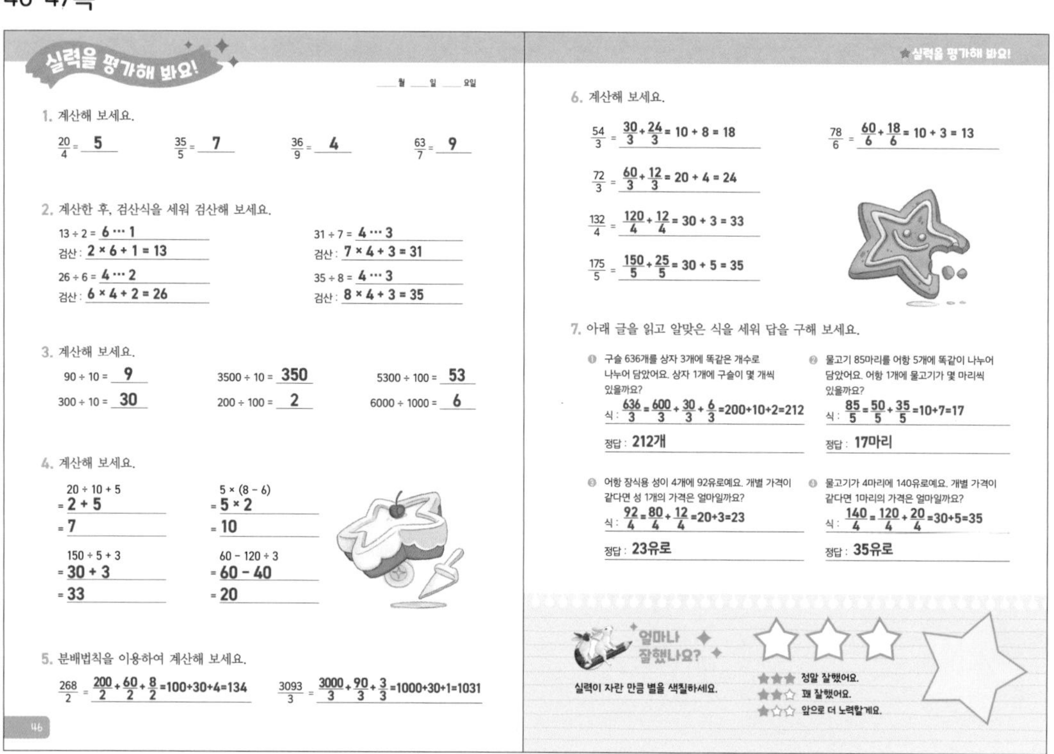

실력을 평가해 봐요!

월 일 요일

1. 계산해 보세요.

$\frac{20}{4} = 5$ $\frac{35}{5} = 7$ $\frac{36}{9} = 4$ $\frac{63}{7} = 9$

2. 계산한 후, 검산식을 세워 검산해 보세요.

13 ÷ 2 = 6 ··· 1 검산 : 2 × 6 + 1 = 13

31 ÷ 7 = 4 ··· 3 검산 : 7 × 4 + 3 = 31

26 ÷ 6 = 4 ··· 2 검산 : 6 × 4 + 2 = 26

35 ÷ 8 = 4 ··· 3 검산 : 8 × 4 + 3 = 35

3. 계산해 보세요.

90 ÷ 10 = 9 3500 ÷ 10 = 350 5300 ÷ 100 = 53

300 ÷ 10 = 30 200 ÷ 100 = 2 6000 ÷ 1000 = 6

4. 계산해 보세요.

20 ÷ 10 + 5 = 2 + 5 = 7

5 × (8 − 6) = 5 × 2 = 10

150 ÷ 5 + 3 = 30 + 3 = 33

60 − 120 ÷ 3 = 60 − 40 = 20

5. 분배법칙을 이용하여 계산해 보세요.

$\frac{268}{2} = \frac{200}{2} + \frac{60}{2} + \frac{8}{2} = 100 + 30 + 4 = 134$

$\frac{3093}{3} = \frac{3000}{3} + \frac{90}{3} + \frac{3}{3} = 1000 + 30 + 1 = 1031$

46

★실력을 평가해 봐요!

6. 계산해 보세요.

$\frac{54}{3} = \frac{30}{3} + \frac{24}{3} = 10 + 8 = 18$

$\frac{78}{6} = \frac{60}{6} + \frac{18}{6} = 10 + 3 = 13$

$\frac{72}{3} = \frac{60}{3} + \frac{12}{3} = 20 + 4 = 24$

$\frac{132}{4} = \frac{120}{4} + \frac{12}{4} = 30 + 3 = 33$

$\frac{175}{5} = \frac{150}{5} + \frac{25}{5} = 30 + 5 = 35$

7. 아래 글을 읽고 알맞은 식을 세워 답을 구해 보세요.

❶ 구슬 636개를 상자 3개에 똑같은 개수로 나누어 담았어요. 상자 1개에 구슬이 몇 개씩 있을까요?

식 : $\frac{636}{3} = \frac{600}{3} + \frac{30}{3} + \frac{6}{3} = 200 + 10 + 2 = 212$

정답 : 212개

❷ 물고기 85마리를 어항 5개에 똑같이 나누어 담았어요. 어항 1개에 물고기가 몇 마리씩 있을까요?

식 : $\frac{85}{5} = \frac{50}{5} + \frac{35}{5} = 10 + 7 = 17$

정답 : 17마리

❸ 어항 장식용 성이 4개에 92유로예요. 개별 가격이 같다면 성 1개의 가격은 얼마일까요?

식 : $\frac{92}{4} = \frac{80}{4} + \frac{12}{4} = 20 + 3 = 23$

정답 : 23유로

❹ 물고기가 4마리에 140유로예요. 개별 가격이 같다면 1마리의 가격은 얼마일까요?

식 : $\frac{140}{4} = \frac{120}{4} + \frac{20}{4} = 30 + 5 = 35$

정답 : 35유로

얼마나 잘했나요?

실력이 자란 만큼 별을 색칠하세요.

★★★ 정말 잘했어요.
★★☆ 꽤 잘했어요.
★☆☆ 앞으로 더 노력할게요.

45쪽 14번

❶ ÷ = 4, 나머지 3을 통해 은 4의 배수에 3을 더한 수라는 걸 알 수 있어요.

4배수	4, 8, 12, 16, 20, 24, 28, 32, 36
4배수+3	7, 11, 15, 19, 23, 27, 31, 35, 39

=6이므로, 4배수+3인 수 가운데 6으로 나눴을 때 몫이 4이며 나머지가 3인 수를 찾아보면 =27

27 ÷ =

− = 6

27을 나누었을 때 나머지가 없으려면 1, 3, 9 가운데 하나의 수로 나누어야 해요. 1로 나누면 나누어지는 수 그대로 몫이 되므로 두 번째 식이 성립하지 않아요. =3으로 나누어 보면

27÷3=9, =9

9-3=6이 나오므로 식이 성립하네요.

❷ − = 이므로 =2 이에요. 18÷ = 이며, 나머지가 있으므로 18을 나누었을 때 나누어떨어지는 수가 아니어야 해요. 2, 3, 6, 9(X) 또한 나누어지는 수가 몫과 값이 같으므로 =4이며 =8이 돼요.

÷ = ,

÷4=8, =8×4,

=32

48-49쪽

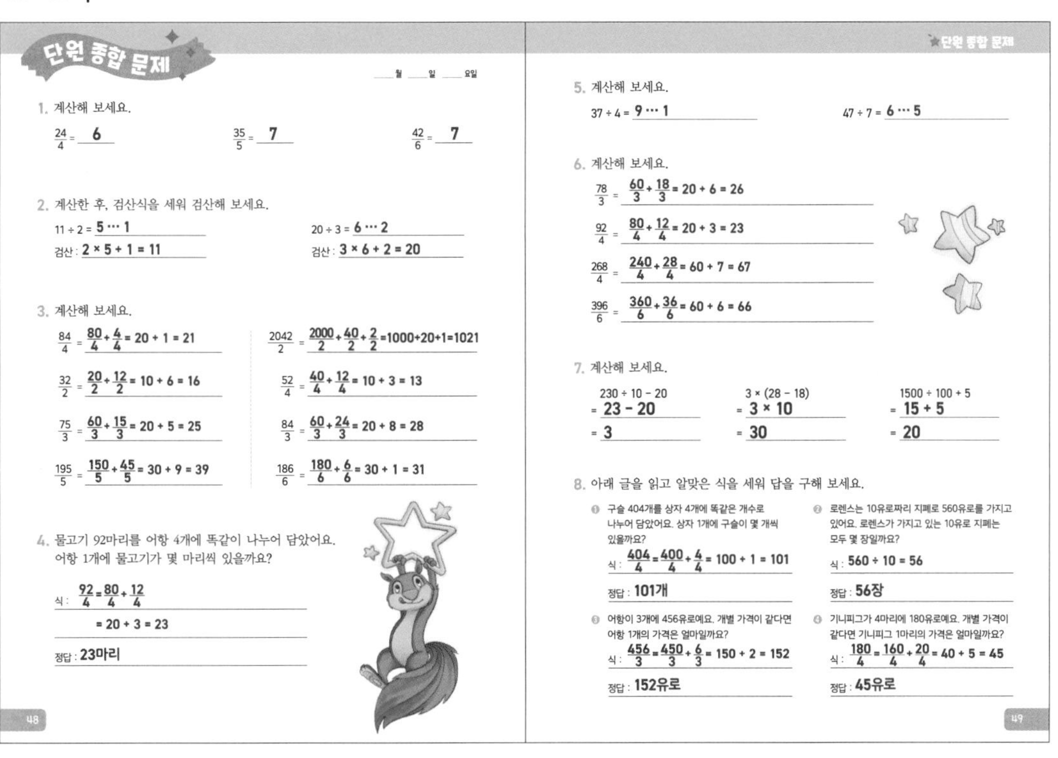

단원 종합 문제

___월 ___일 ___요일

1. 계산해 보세요.

$\frac{24}{4}$ = **6**　　$\frac{35}{5}$ = **7**　　$\frac{42}{6}$ = **7**

2. 계산한 후, 검산식을 세워 검산해 보세요.

11 ÷ 2 = **5 ⋯ 1**　검산 : **2 × 5 + 1 = 11**

20 ÷ 3 = **6 ⋯ 2**　검산 : **3 × 6 + 2 = 20**

3. 계산해 보세요.

$\frac{84}{4} = \frac{80}{4} + \frac{4}{4} = 20 + 1 = 21$

$\frac{32}{2} = \frac{20}{2} + \frac{12}{2} = 10 + 6 = 16$

$\frac{75}{3} = \frac{60}{3} + \frac{15}{3} = 20 + 5 = 25$

$\frac{195}{5} = \frac{150}{5} + \frac{45}{5} = 30 + 9 = 39$

$\frac{2042}{2} = \frac{2000}{2} + \frac{40}{2} + \frac{2}{2} = 1000 + 20 + 1 = 1021$

$\frac{52}{4} = \frac{40}{4} + \frac{12}{4} = 10 + 3 = 13$

$\frac{84}{3} = \frac{60}{3} + \frac{24}{3} = 20 + 8 = 28$

$\frac{186}{6} = \frac{180}{6} + \frac{6}{6} = 30 + 1 = 31$

4. 물고기 92마리를 어항 4개에 똑같이 나누어 담았어요. 어항 1개에 물고기가 몇 마리씩 있을까요?

식 : $\frac{92}{4} = \frac{80}{4} + \frac{12}{4}$
$= 20 + 3 = 23$

정답 : **23마리**

5. 계산해 보세요.

37 ÷ 4 = **9 ⋯ 1**　　47 ÷ 7 = **6 ⋯ 5**

6. 계산해 보세요.

$\frac{78}{3} = \frac{60}{3} + \frac{18}{3} = 20 + 6 = 26$

$\frac{92}{4} = \frac{80}{4} + \frac{12}{4} = 20 + 3 = 23$

$\frac{268}{4} = \frac{240}{4} + \frac{28}{4} = 60 + 7 = 67$

$\frac{396}{6} = \frac{360}{6} + \frac{36}{6} = 60 + 6 = 66$

7. 계산해 보세요.

230 ÷ 10 − 20 = **23 − 20** = **3**

3 × (28 − 18) = **3 × 10** = **30**

1500 ÷ 100 + 5 = **15 + 5** = **20**

8. 아래 글을 읽고 알맞은 식을 세워 답을 구해 보세요.

① 구슬 404개를 상자 4개에 똑같은 개수로 나누어 담았어요. 상자 1개에 구슬이 몇 개씩 있을까요?
식 : $\frac{404}{4} = \frac{400}{4} + \frac{4}{4} = 100 + 1 = 101$
정답 : **101개**

② 로렌스는 10유로짜리 지폐로 560유로를 가지고 있어요. 로렌스가 가지고 있는 10유로 지폐는 모두 몇 장일까요?
식 : **560 ÷ 10 = 56**
정답 : **56장**

③ 어항이 3개에 456유로예요. 개별 가격이 같다면 어항 1개의 가격은 얼마일까요?
식 : $\frac{456}{3} = \frac{450}{3} + \frac{6}{3} = 150 + 2 = 152$
정답 : **152유로**

④ 기니피그가 4마리에 180유로예요. 개별 가격이 같다면 기니피그 1마리의 가격은 얼마일까요?
식 : $\frac{180}{4} = \frac{160}{4} + \frac{20}{4} = 40 + 5 = 45$
정답 : **45유로**

48　49

50-51쪽

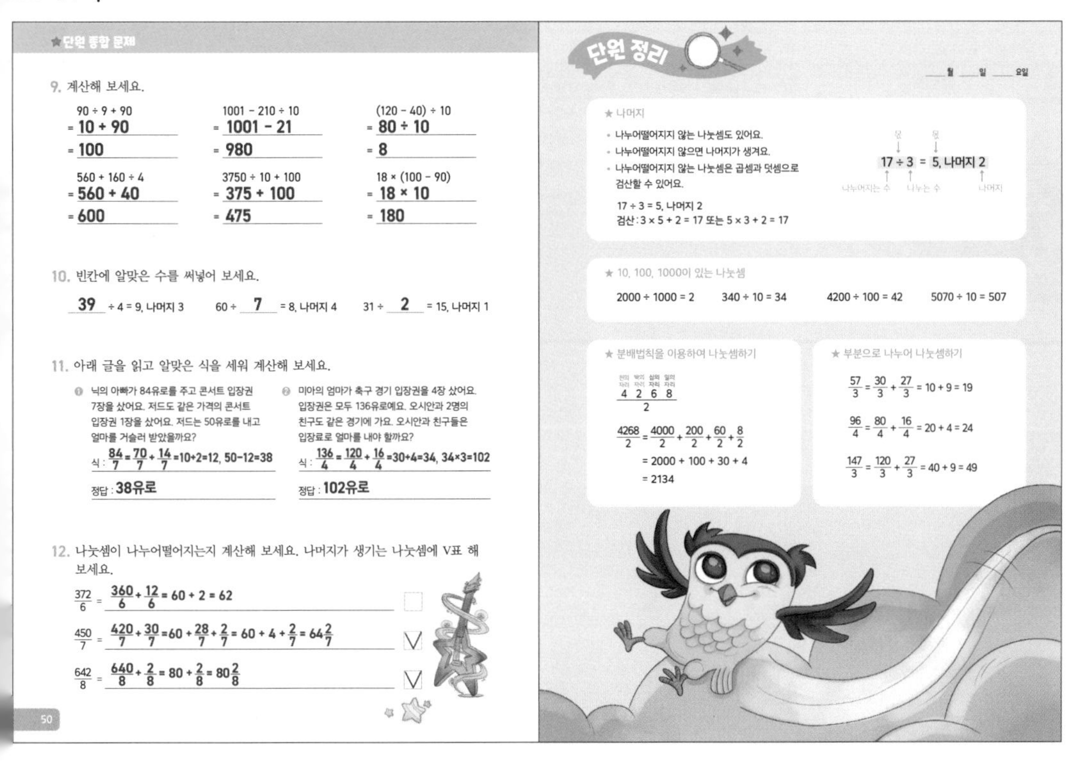

단원 종합 문제

9. 계산해 보세요.

90 ÷ 9 + 90 = **10 + 90** = **100**

1001 − 210 ÷ 10 = **1001 − 21** = **980**

(120 − 40) ÷ 10 = **80 ÷ 10** = **8**

560 + 160 ÷ 4 = **560 + 40** = **600**

3750 ÷ 10 + 100 = **375 + 100** = **475**

18 × (100 − 90) = **18 × 10** = **180**

10. 빈칸에 알맞은 수를 써넣어 보세요.

39 ÷ 4 = 9, 나머지 3　　60 ÷ **7** = 8, 나머지 4　　31 ÷ **2** = 15, 나머지 1

11. 아래 글을 읽고 알맞은 식을 세워 계산해 보세요.

① 닉의 아빠가 84유로를 주고 콘서트 입장권 7장을 샀어요. 저드도 같은 가격의 콘서트 입장권 1장을 샀어요. 저드는 50유로를 내고 얼마를 거슬러 받았을까요?
식 : $\frac{84}{7} = \frac{70}{7} + \frac{14}{7} = 10 + 2 = 12$, $50 - 12 = 38$
정답 : **38유로**

② 미아의 엄마가 축구 경기 입장권을 4장 샀어요. 입장권은 모두 136유로예요. 오시안과 2명의 친구도 같은 경기에 가요. 오시안과 친구들은 입장료로 얼마를 내야 할까요?
식 : $\frac{136}{4} = \frac{120}{4} + \frac{16}{4} = 30 + 4 = 34$, $34 \times 3 = 102$
정답 : **102유로**

12. 나눗셈이 나누어떨어지는지 계산해 보세요. 나머지가 생기는 나눗셈에 V표 해 보세요.

$\frac{372}{6} = \frac{360}{6} + \frac{12}{6} = 60 + 2 = 62$ ☐

$\frac{450}{7} = \frac{420}{7} + \frac{30}{7} = 60 + \frac{28}{7} + \frac{2}{7} = 60 + 4 + \frac{2}{7} = 64\frac{2}{7}$ V

$\frac{642}{8} = \frac{640}{8} + \frac{2}{8} = 80 + \frac{2}{8} = 80\frac{2}{8}$ V

50

단원 정리

___월 ___일 ___요일

★ 나머지

- 나누어떨어지지 않는 나눗셈도 있어요.
- 나누어떨어지지 않으면 나머지가 생겨요.
- 나누어떨어지지 않는 나눗셈은 곱셈과 덧셈으로 검산할 수 있어요.

17 ÷ 3 = 5, 나머지 2
검산 : 3 × 5 + 2 = 17 또는 5 × 3 + 2 = 17

17 ÷ 3 = 5, 나머지 2 (나누어지는 수, 나누는 수, 몫, 나머지)

★ 10, 100, 1000이 있는 나눗셈

2000 ÷ 1000 = 2　　340 ÷ 10 = 34　　4200 ÷ 100 = 42　　5070 ÷ 10 = 507

★ 분배법칙을 이용하여 나눗셈하기

(천의 자리, 백의 자리, 십의 자리, 일의 자리) $\frac{4268}{2}$

$\frac{4268}{2} = \frac{4000}{2} + \frac{200}{2} + \frac{60}{2} + \frac{8}{2}$
$= 2000 + 100 + 30 + 4$
$= 2134$

★ 부분으로 나누어 나눗셈하기

$\frac{57}{3} = \frac{30}{3} + \frac{27}{3} = 10 + 9 = 19$

$\frac{96}{4} = \frac{80}{4} + \frac{16}{4} = 20 + 4 = 24$

$\frac{147}{3} = \frac{120}{3} + \frac{27}{3} = 40 + 9 = 49$

50쪽 10번

❶ 4×9+3=39, 나누어지는 수는 39

❷ □×8+4=60, □×8=60-4, □×8=56, □=7

❸ □×15+1=31, □×15=31-1, □×15=30, □=2

52-53쪽

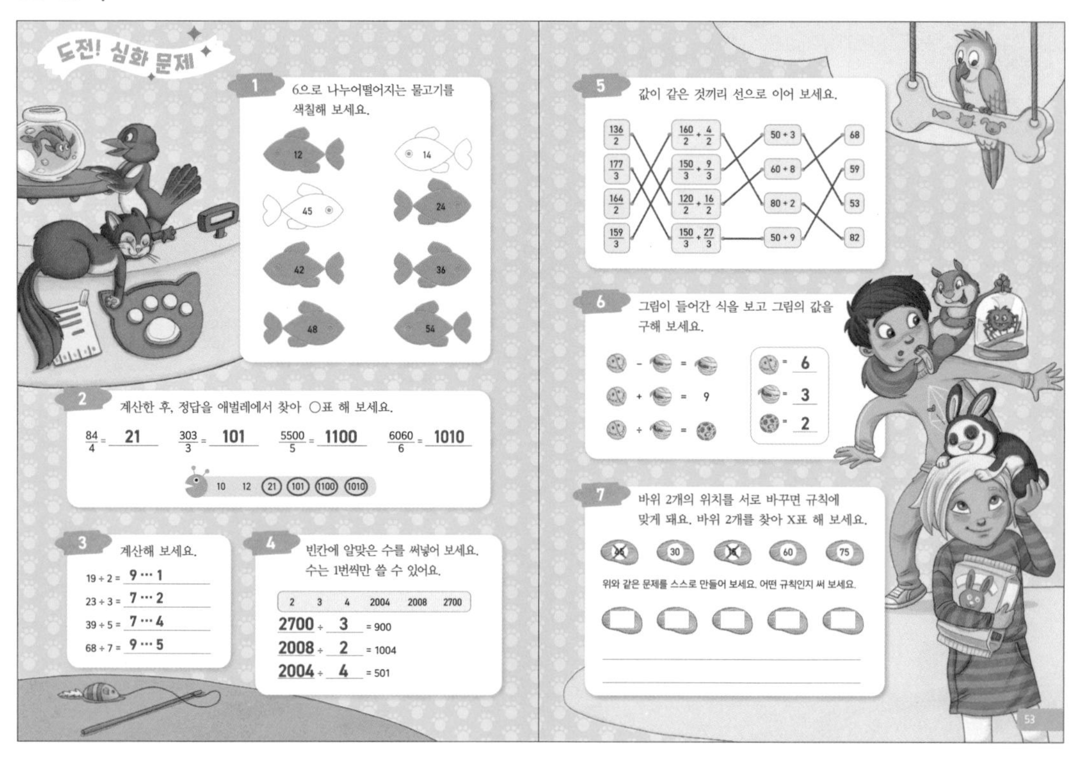
도전! 심화 문제

1 6으로 나누어떨어지는 물고기를 색칠해 보세요.
12, 14, 45, 24, 42, 36, 48, 54

2 계산한 후, 정답을 애벌레에서 찾아 ○표 해 보세요.
$\frac{84}{4}$ = 21 $\frac{303}{3}$ = 101 $\frac{5500}{5}$ = 1100 $\frac{6060}{6}$ = 1010
10 12 21 101 1100 1010

3 계산해 보세요.
19 ÷ 2 = 9 ··· 1
23 ÷ 3 = 7 ··· 2
39 ÷ 5 = 7 ··· 4
68 ÷ 7 = 9 ··· 5

4 빈칸에 알맞은 수를 써넣어 보세요. 수는 1번씩만 쓸 수 있어요.
2 3 4 2004 2008 2700
2700 ÷ 3 = 900
2008 ÷ 2 = 1004
2004 ÷ 4 = 501

5 값이 같은 것끼리 선으로 이어 보세요.
$\frac{136}{2}$ $\frac{177}{3}$ $\frac{164}{2}$ $\frac{159}{3}$
$\frac{160}{2}+\frac{4}{2}$ $\frac{150}{3}+\frac{9}{3}$ $\frac{120}{2}+\frac{16}{2}$ $\frac{150}{3}+\frac{27}{3}$
50 + 3 60 + 8 80 + 2 50 + 9
68 59 53 82

6 그림이 들어간 식을 보고 그림의 값을 구해 보세요.
= 6 = 3 = 2

7 바위 2개의 위치를 서로 바꾸면 규칙에 맞게 돼요. 바위 2개를 찾아 X표 해 보세요.
45 30 15 60 75
위와 같은 문제를 스스로 만들어 보세요. 어떤 규칙인지 써 보세요.

53

53쪽 6번

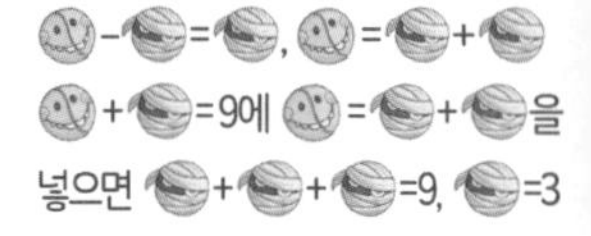

넣으면 + + =9, =3

= + 에 =3을 넣으면 =6

÷ = 에 =3, =6을 넣으면 6÷3=2, =2

53쪽 7번

45와 15의 위치를 서로 바꾸면 15씩 더해지는 규칙에 맞아요.
15, 30, 45, 60, 75

54-55쪽

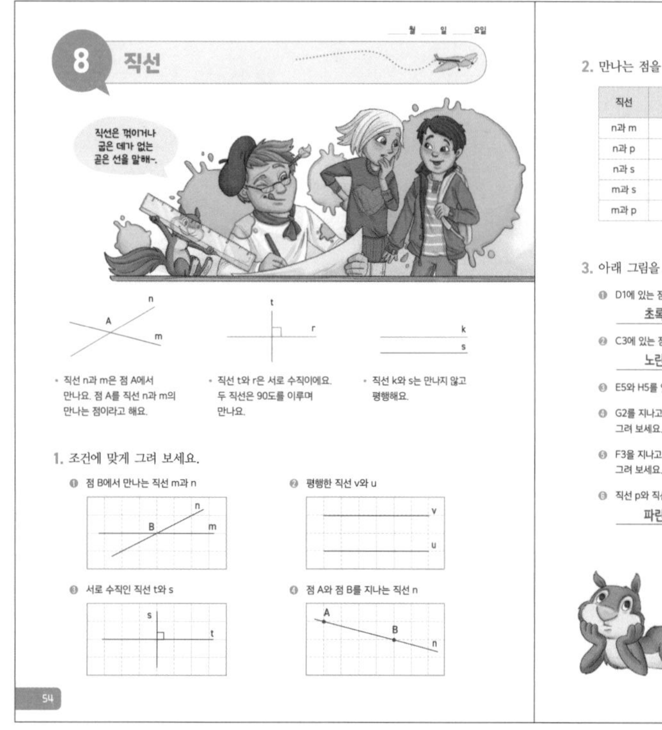
월 일 요일

8 직선

직선은 꺾이거나 굽은 데가 없는 곧은 선을 말해~.

- 직선 n과 m은 점 A에서 만나요. 점 A를 직선 n과 m의 만나는 점이라고 해요.
- 직선 t와 r은 서로 수직이에요. 두 직선은 90도를 이루며 만나요.
- 직선 k와 s는 만나지 않고 평행해요.

1. 조건에 맞게 그려 보세요.
① 점 B에서 만나는 직선 m과 n
② 평행한 직선 v와 u
③ 서로 수직인 직선 t와 s
④ 점 A와 점 B를 지나는 직선 n

54

2. 만나는 점을 먼저 예상해 본 후 실제로 만나는 점을 찾아보세요.

직선	예상되는 만나는 점	실제로 만나는 점
n과 m		C
n과 p		D
n과 s		J
m과 s		H
m과 p		E

3. 아래 그림을 보고 질문에 답해 보세요.
① D1에 있는 점은 무슨 색일까요? 초록색
② C3에 있는 점은 무슨 색일까요? 노란색
③ E5와 H5를 잇는 직선 n을 그려 보세요.
④ G2를 지나고 직선 n에 수직인 직선 m을 그려 보세요.
⑤ F3을 지나고 직선 m에 평행한 직선 p를 그려 보세요.
⑥ 직선 p와 직선 n이 만나는 점은 무슨 색일까요? 파란색

점 C7은 주황색이에요.

더 생각해 보아요! 같은 직선에 있는 점 3개를 x로 표시해 보세요.

55

부모님 가이드 | 54쪽

선분은 두 점을 곧게 이은 선으로 삼각형의 세 변은 선분으로 이루어져요. 직선은 선분을 양쪽으로 끝없이 늘인 곧은 선이에요. 서로 다른 두 점을 지나는 직선은 오직 1개만 존재해요.
두 직선이 평행하면 만나는 점이 없어요. 평행하지 않은 두 직선은 1번 만나며, 만나는 점이 1개 있어요. 두 직선이 수직으로 만날 때도 만나는 점이 1개 있어요.

56-57쪽

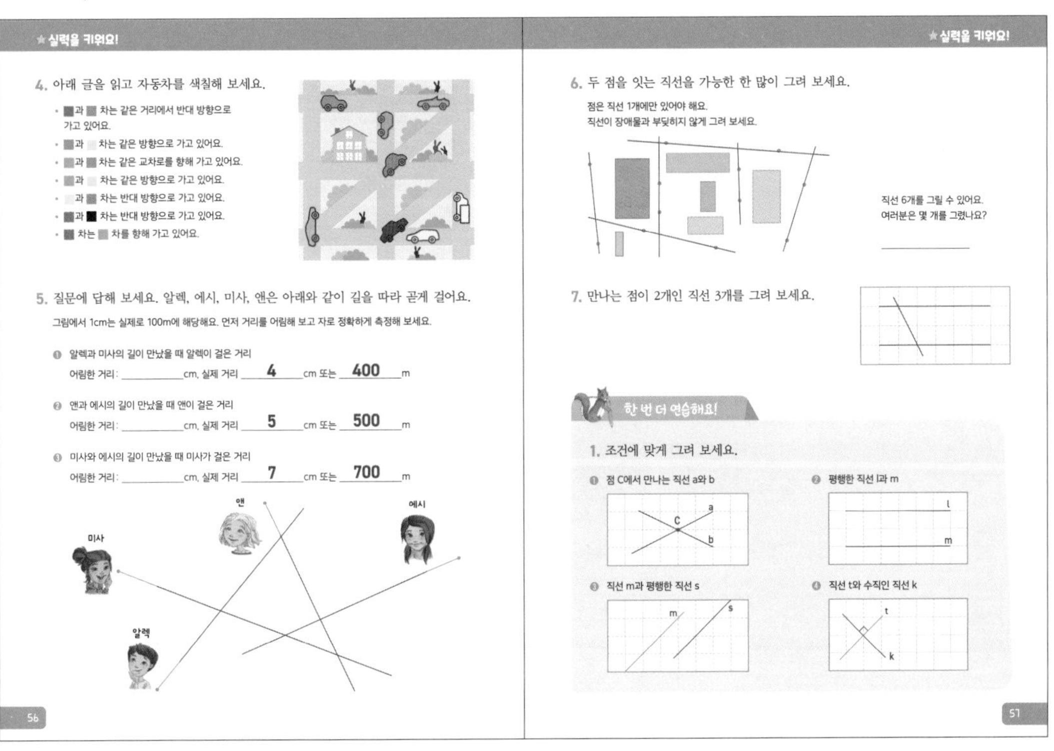

★실력을 키워요!

4. 아래 글을 읽고 자동차를 색칠해 보세요.

- ■과 ■ 차는 같은 거리에서 반대 방향으로 가고 있어요.
- ■과 ■ 차는 같은 방향으로 가고 있어요.
- ■과 ■ 차는 같은 교차로를 향해 가고 있어요.
- ■과 ■ 차는 같은 방향으로 가고 있어요.
- ■과 ■ 차는 반대 방향으로 가고 있어요.
- ■과 ■ 차는 반대 방향으로 가고 있어요.
- ■ 차는 ■ 차를 향해 가고 있어요.

5. 질문에 답해 보세요. 알렉, 에시, 미사, 앤은 아래와 같이 길을 따라 곧게 걸어요.

그림에서 1cm는 실제로 100m에 해당해요. 먼저 거리를 어림해 보고 자로 정확하게 측정해 보세요.

❶ 알렉과 미사의 길이 만났을 때 알렉이 걸은 거리
어림한 거리: ______cm, 실제 거리 4 cm 또는 400 m

❷ 앤과 에시의 길이 만났을 때 앤이 걸은 거리
어림한 거리: ______cm, 실제 거리 5 cm 또는 500 m

❸ 미사와 에시의 길이 만났을 때 미사가 걸은 거리
어림한 거리: ______cm, 실제 거리 7 cm 또는 700 m

앤 에시 미사 알렉

56

★실력을 키워요!

6. 두 점을 잇는 직선을 가능한 한 많이 그려 보세요.

점은 직선 1개에만 있어야 해요.
직선이 장애물과 부딪히지 않게 그려 보세요.

직선 6개를 그릴 수 있어요.
여러분은 몇 개를 그렸나요?

7. 만나는 점이 2개인 직선 3개를 그려 보세요.

한 번 더 연습해요!

1. 조건에 맞게 그려 보세요.

❶ 점 C에서 만나는 직선 a와 b
❷ 평행한 직선 l과 m
❸ 직선 m과 평행한 직선 s
❹ 직선 t와 수직인 직선 k

57

56쪽 5번

거리를 예상할 때 주어진 1cm를 손톱으로 재어 단위 길이를 정하세요. 그런 후 남은 거리를 손톱으로 재어 어림하면 실제 거리와의 차이를 줄일 수 있어요.

58-59쪽

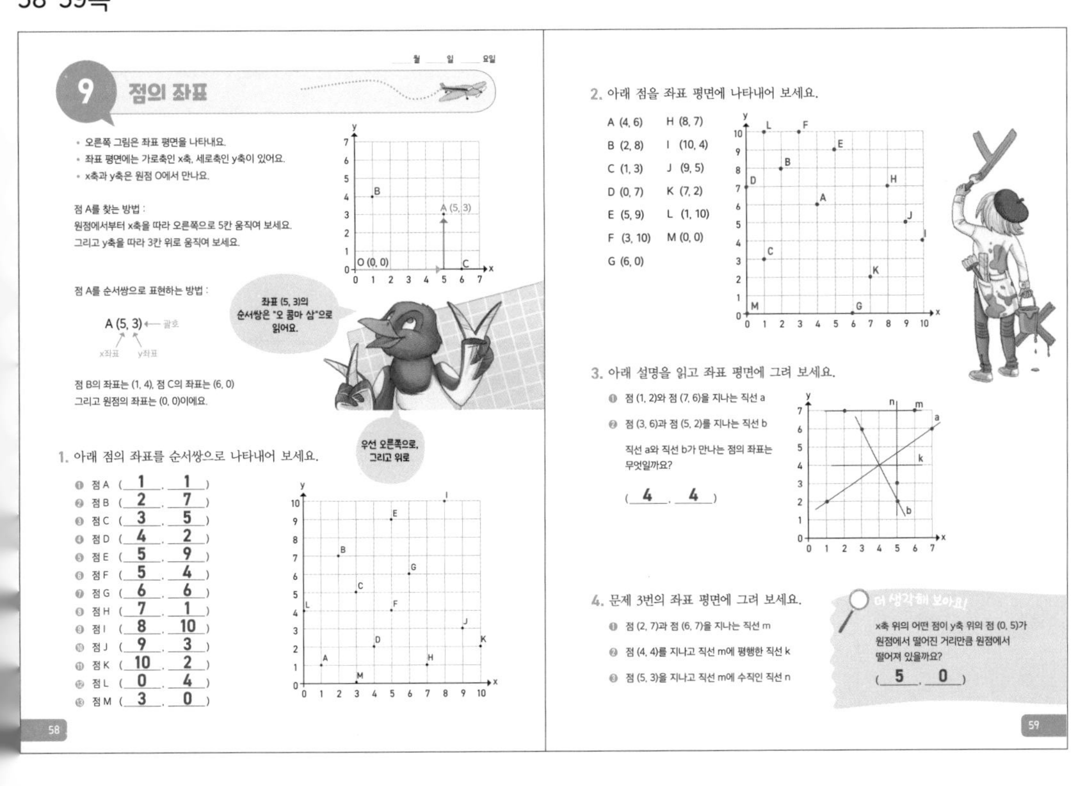

___월 ___일 ___요일

9 점의 좌표

- 오른쪽 그림은 좌표 평면을 나타내요.
- 좌표 평면에는 가로축인 x축, 세로축인 y축이 있어요.
- x축과 y축은 원점 O에서 만나요.

점 A를 찾는 방법:
원점에서부터 x축을 따라 오른쪽으로 5칸 움직여 보세요.
그리고 y축을 따라 3칸 위로 움직여 보세요.

점 A를 순서쌍으로 표현하는 방법:

A (5, 3) ← 괄호
x좌표 y좌표

좌표 (5, 3)의 순서쌍은 "오 콤마 삼"으로 읽어요.

점 B의 좌표는 (1, 4), 점 C의 좌표는 (6, 0)
그리고 원점의 좌표는 (0, 0)이에요.

우선 오른쪽으로, 그리고 위로

1. 아래 점의 좌표를 순서쌍으로 나타내어 보세요.

❶ 점 A (1 , 1)
❷ 점 B (2 , 7)
❸ 점 C (3 , 5)
❹ 점 D (4 , 2)
❺ 점 E (5 , 9)
❻ 점 F (5 , 4)
❼ 점 G (6 , 6)
❽ 점 H (7 , 1)
❾ 점 I (8 , 10)
❿ 점 J (9 , 3)
⓫ 점 K (10 , 2)
⓬ 점 L (0 , 4)
⓭ 점 M (3 , 0)

58

2. 아래 점을 좌표 평면에 나타내어 보세요.

A (4, 6) H (8, 7)
B (2, 8) I (10, 4)
C (1, 3) J (9, 5)
D (0, 7) K (7, 2)
E (5, 9) L (1, 10)
F (3, 10) M (0, 0)
G (6, 0)

3. 아래 설명을 읽고 좌표 평면에 그려 보세요.

❶ 점 (1, 2)와 점 (7, 6)을 지나는 직선 a
❷ 점 (3, 6)과 점 (5, 2)를 지나는 직선 b

직선 a와 직선 b가 만나는 점의 좌표는 무엇일까요?

(4 , 4)

4. 문제 3번의 좌표 평면에 그려 보세요.

❶ 점 (2, 7)과 점 (6, 7)을 지나는 직선 m
❷ 점 (4, 4)를 지나고 직선 m에 평행한 직선 k
❸ 점 (5, 3)을 지나고 직선 m에 수직인 직선 n

더 생각해 보아요!
x축 위의 어떤 점이 y축 위의 점 (0, 5)가 원점에서 떨어진 거리만큼 원점에서 떨어져 있을까요?
(5 , 0)

59

부모님 가이드 | 58쪽

어떤 점의 위치를 정확하게 나타내려면 가로와 세로의 좌표를 알아야 해요. 왜냐하면 가로만 알면 이에 해당하는 점이 무수히 많기 때문에 정확한 위치를 찾을 수 없어요. 하지만 세로 좌표까지 알면 점의 위치를 정확하게 찾을 수 있답니다. 마찬가지로 교실에 있는 책상도 가로와 세로를 좌표로 삼아 위치를 말하면 정확하게 찾을 수 있겠지요?

60-61쪽

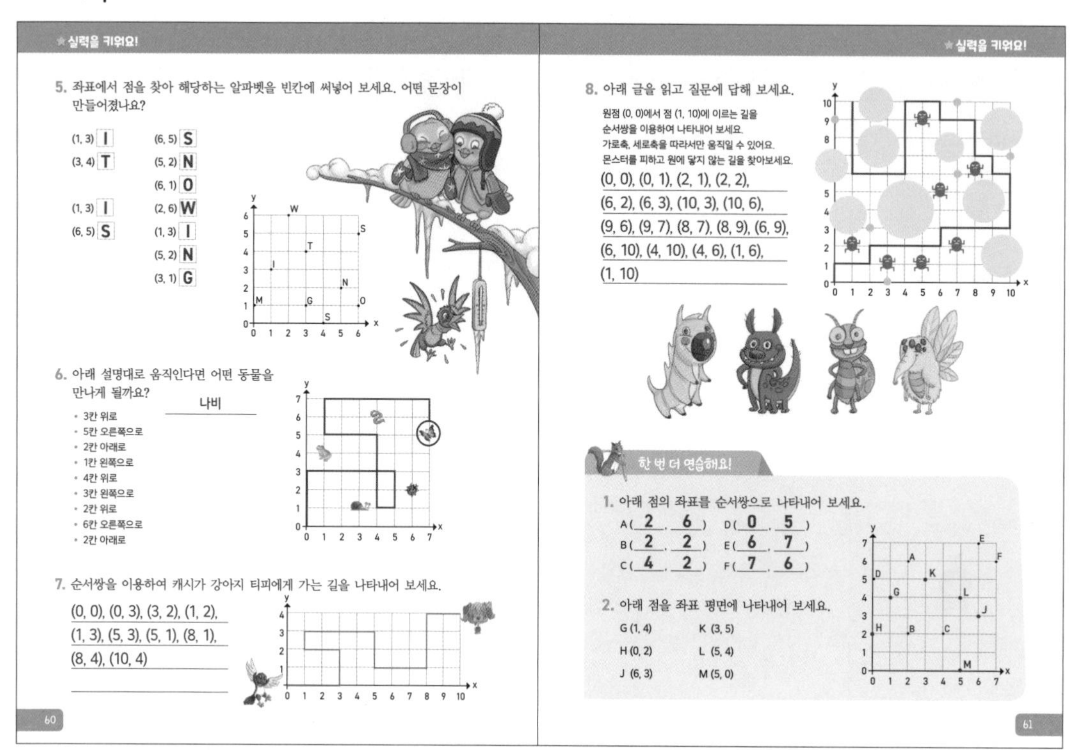

60쪽 5번

IT IS SNOWING.
(눈이 내리고 있어요.)

62-63쪽

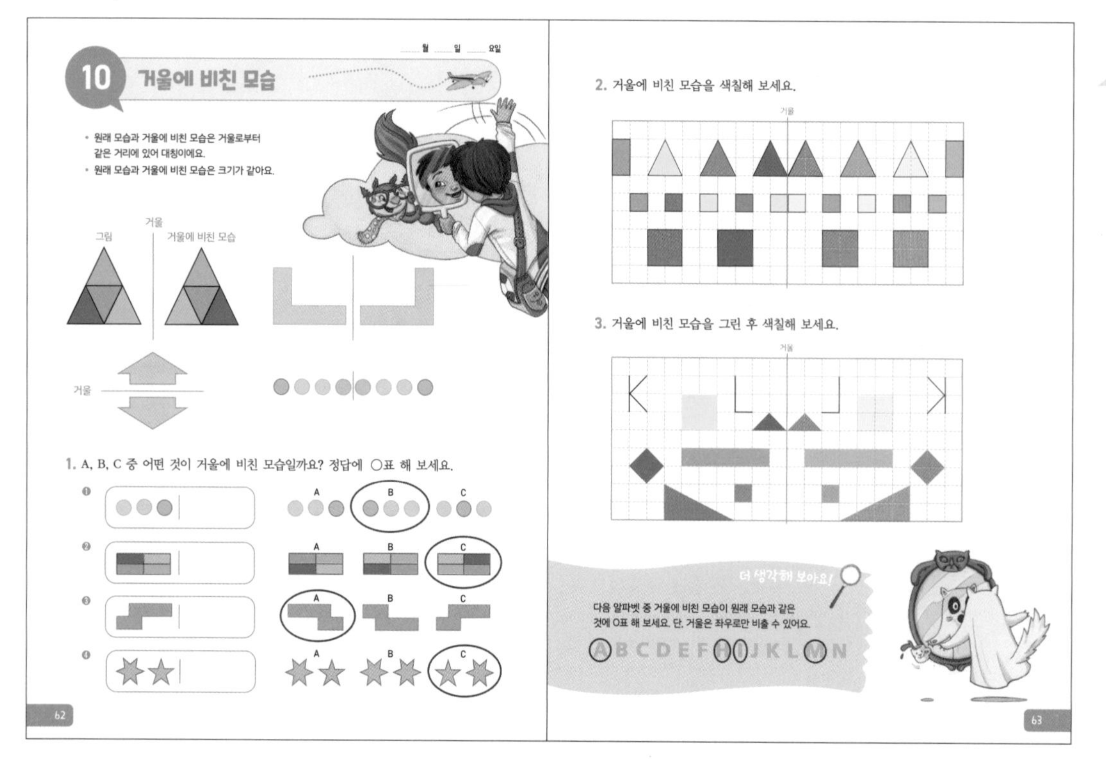

부모님 가이드 | 62쪽

거울에 비친 그림은 거울을 중심으로 선대칭이 된답니다. 거울이 대칭축이라 할 수 있어요. 대칭축을 중심으로 좌우를 접으면 완전히 포개져 합동이 되고, 중심인 대칭축에서 양쪽의 거리는 모두 같아요.

더 생각해 보아요! | 63쪽

알파벳 가운데에 선을 그은 후 반으로 포개어지는 것을 고르면 돼요.

64-65쪽

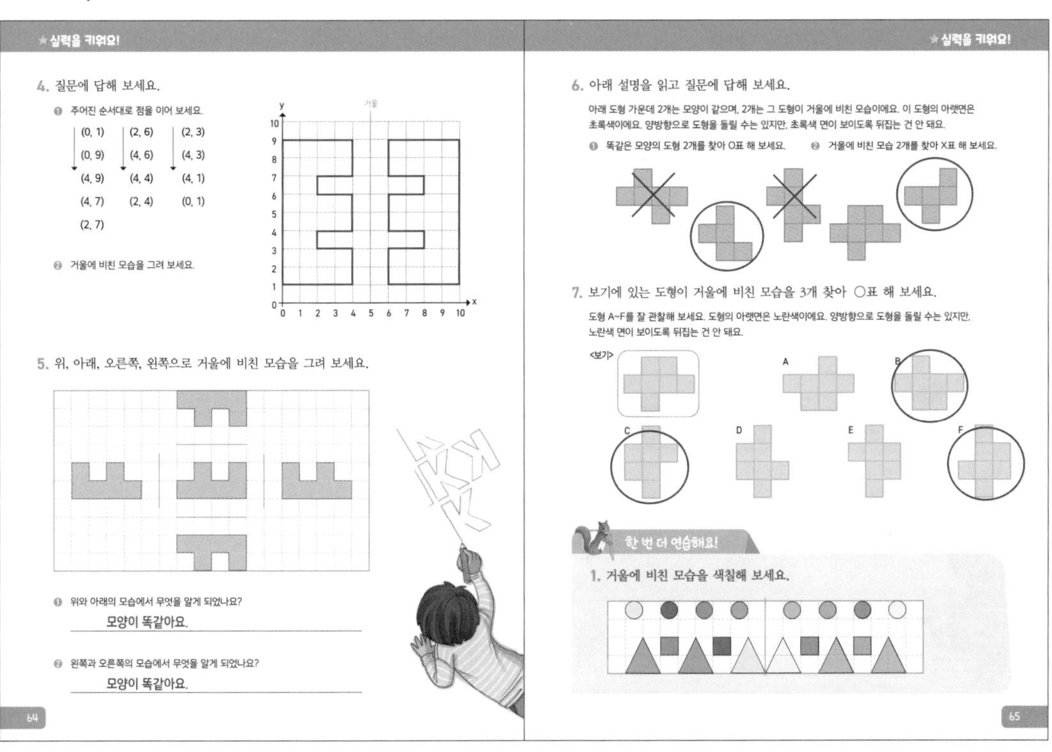
★실력을 키워요!

4. 질문에 답해 보세요.

❶ 주어진 순서대로 점을 이어 보세요.

(0, 1) (0, 9) (4, 9) (4, 7) (2, 7)

(2, 6) (4, 6) (4, 4) (2, 4)

(2, 3) (4, 3) (4, 1) (0, 1)

❷ 거울에 비친 모습을 그려 보세요.

5. 위, 아래, 오른쪽, 왼쪽으로 거울에 비친 모습을 그려 보세요.

❶ 위와 아래의 모습에서 무엇을 알게 되었나요?

모양이 똑같아요.

❷ 왼쪽과 오른쪽의 모습에서 무엇을 알게 되었나요?

모양이 똑같아요.

64

★실력을 키워요!

6. 아래 설명을 읽고 질문에 답해 보세요.

아래 도형 가운데 2개는 모양이 같으며, 2개는 그 도형이 거울에 비친 모습이에요. 이 도형의 아랫면은 초록색이에요. 양방향으로 도형을 돌릴 수는 있지만, 초록색 면이 보이도록 뒤집는 건 안 돼요.

❶ 똑같은 모양의 도형 2개를 찾아 O표 해 보세요. ❷ 거울에 비친 모습 2개를 찾아 X표 해 보세요.

7. 보기에 있는 도형이 거울에 비친 모습을 3개 찾아 ○표 해 보세요.

도형 A~F를 잘 관찰해 보세요. 도형의 아랫면은 노란색이에요. 양방향으로 도형을 돌릴 수는 있지만, 노란색 면이 보이도록 뒤집는 건 안 돼요.

<보기> A B C D E F

한 번 더 연습해요!

1. 거울에 비친 모습을 색칠해 보세요.

65

66-67쪽

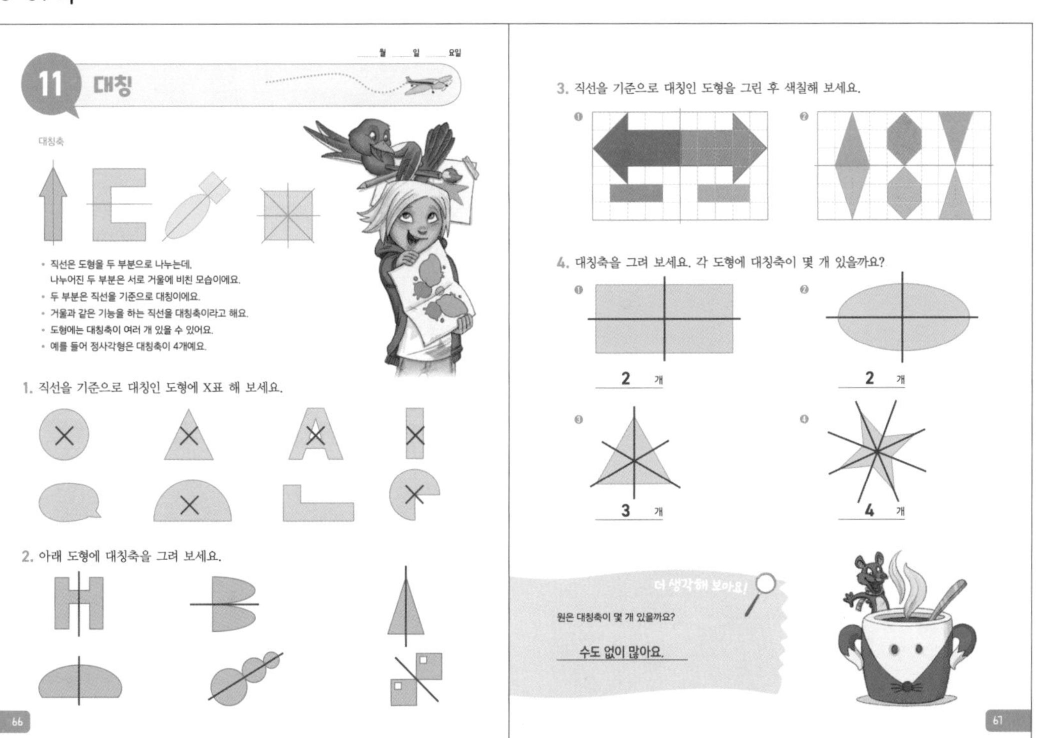
월 일 요일

11 대칭

대칭축

- 직선은 도형을 두 부분으로 나누는데, 나누어진 두 부분은 서로 거울에 비친 모습이에요.
- 두 부분은 직선을 기준으로 대칭이에요.
- 거울과 같은 기능을 하는 직선을 대칭축이라고 해요.
- 도형에는 대칭축이 여러 개 있을 수 있어요.
- 예를 들어 정사각형은 대칭축이 4개예요.

1. 직선을 기준으로 대칭인 도형에 X표 해 보세요.

2. 아래 도형에 대칭축을 그려 보세요.

66

3. 직선을 기준으로 대칭인 도형을 그린 후 색칠해 보세요.

4. 대칭축을 그려 보세요. 각 도형에 대칭축이 몇 개 있을까요?

❶ 2 개 ❷ 2 개 ❸ 3 개 ❹ 4 개

더 생각해 보아요!

원은 대칭축이 몇 개 있을까요?

수도 없이 많아요.

67

부모님 가이드 | 66쪽

한 점이나 한 직선, 한 면을 사이에 두고 같은 거리에서 마주 보고 있는 경우를 대칭이라고 해요.

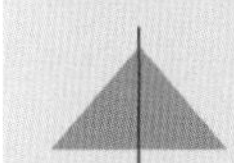

한 도형의 모양이 대칭이다. 두 도형이 서로 대칭이다.

대칭축은 1개일 수도 있고 정사각형처럼 4개일 수도 있어요.
원의 경우 대칭축은 수도 없이 많답니다.

68-69쪽

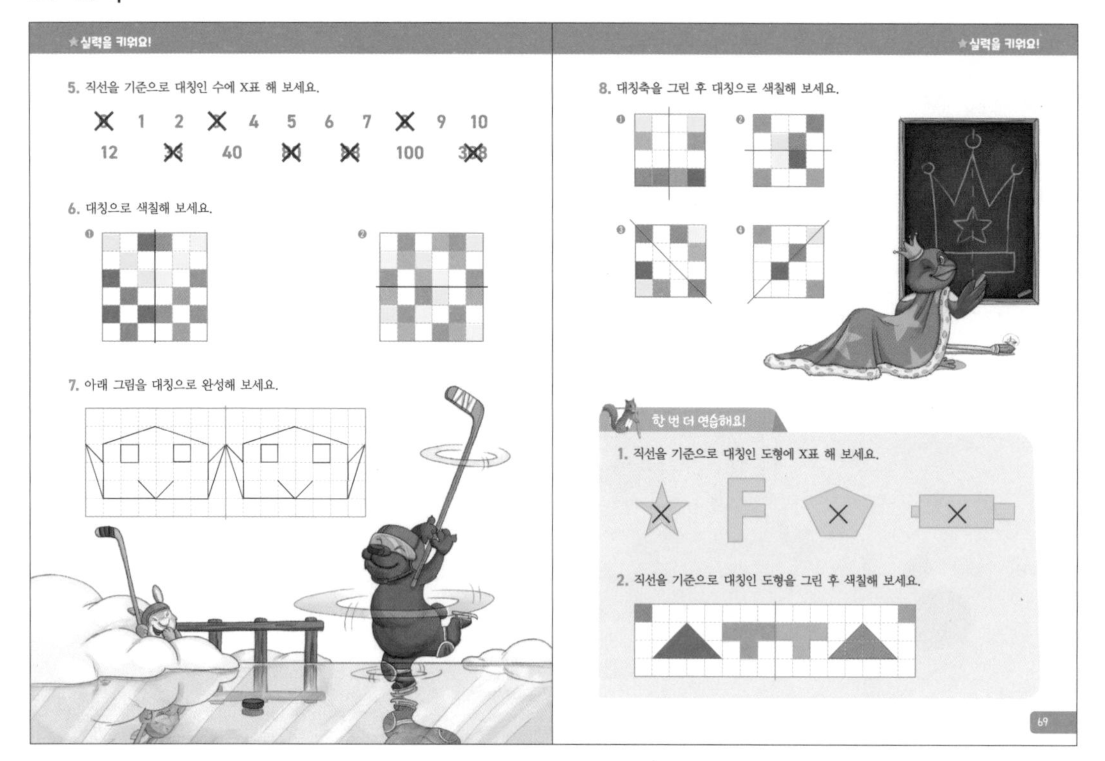

★실력을 키워요!

5. 직선을 기준으로 대칭인 수에 X표 해 보세요.

0 1 2 3 4 5 6 7 8 9 10
12 18 40 80 88 100 383

6. 대칭으로 색칠해 보세요.

7. 아래 그림을 대칭으로 완성해 보세요.

★실력을 키워요!

8. 대칭축을 그린 후 대칭으로 색칠해 보세요.

한 번 더 연습해요!

1. 직선을 기준으로 대칭인 도형에 X표 해 보세요.

2. 직선을 기준으로 대칭인 도형을 그린 후 색칠해 보세요.

69

70-71쪽

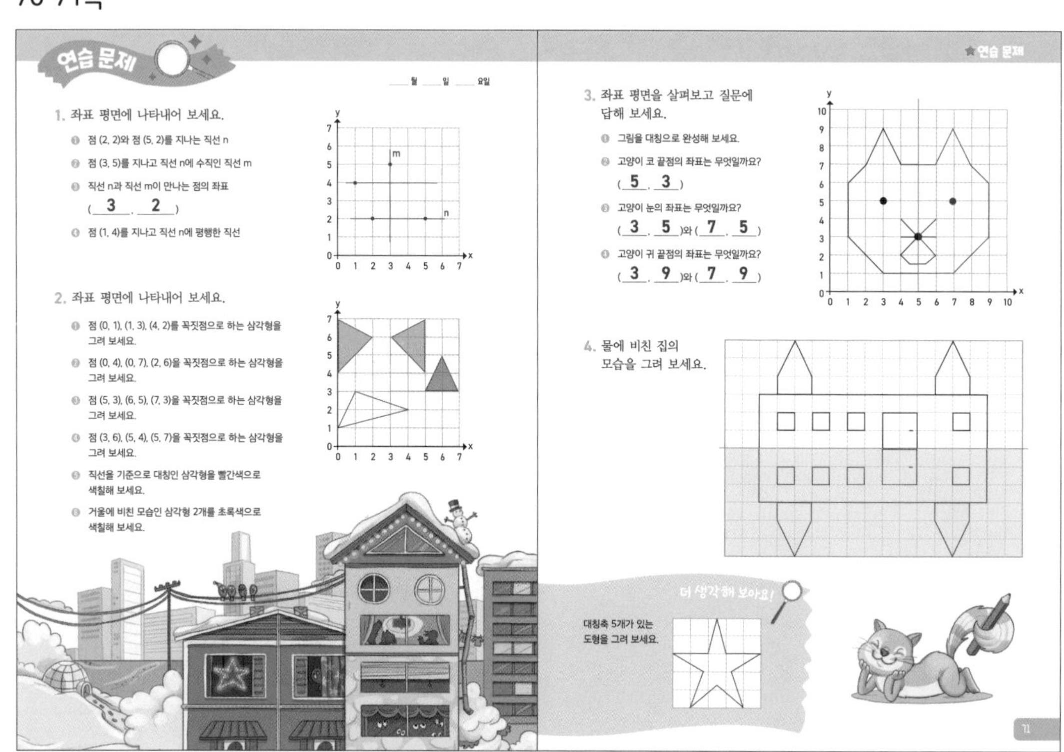

연습 문제

___월 ___일 ___요일

1. 좌표 평면에 나타내어 보세요.
   1. 점 (2, 2)와 점 (5, 2)를 지나는 직선 n
   2. 점 (3, 5)를 지나고 직선 n에 수직인 직선 m
   3. 직선 n과 직선 m이 만나는 점의 좌표 (3 , 2)
   4. 점 (1, 4)를 지나고 직선 n에 평행한 직선

2. 좌표 평면에 나타내어 보세요.
   1. 점 (0, 1), (1, 3), (4, 2)를 꼭짓점으로 하는 삼각형을 그려 보세요.
   2. 점 (0, 4), (0, 7), (2, 6)을 꼭짓점으로 하는 삼각형을 그려 보세요.
   3. 점 (5, 3), (6, 5), (7, 3)을 꼭짓점으로 하는 삼각형을 그려 보세요.
   4. 점 (3, 6), (5, 4), (5, 7)을 꼭짓점으로 하는 삼각형을 그려 보세요.
   5. 직선을 기준으로 대칭인 삼각형을 빨간색으로 색칠해 보세요.
   6. 거울에 비친 모습인 삼각형 2개를 초록색으로 색칠해 보세요.

★연습 문제

3. 좌표 평면을 살펴보고 질문에 답해 보세요.
   1. 그림을 대칭으로 완성해 보세요.
   2. 고양이 코 끝점의 좌표는 무엇일까요? (5 , 3)
   3. 고양이 눈의 좌표는 무엇일까요? (3 , 5)와 (7 , 5)
   4. 고양이 귀 끝점의 좌표는 무엇일까요? (3 , 9)와 (7 , 9)

4. 물에 비친 집의 모습을 그려 보세요.

더 생각해 보아요!

대칭축 5개가 있는 도형을 그려 보세요.

71

72-73쪽

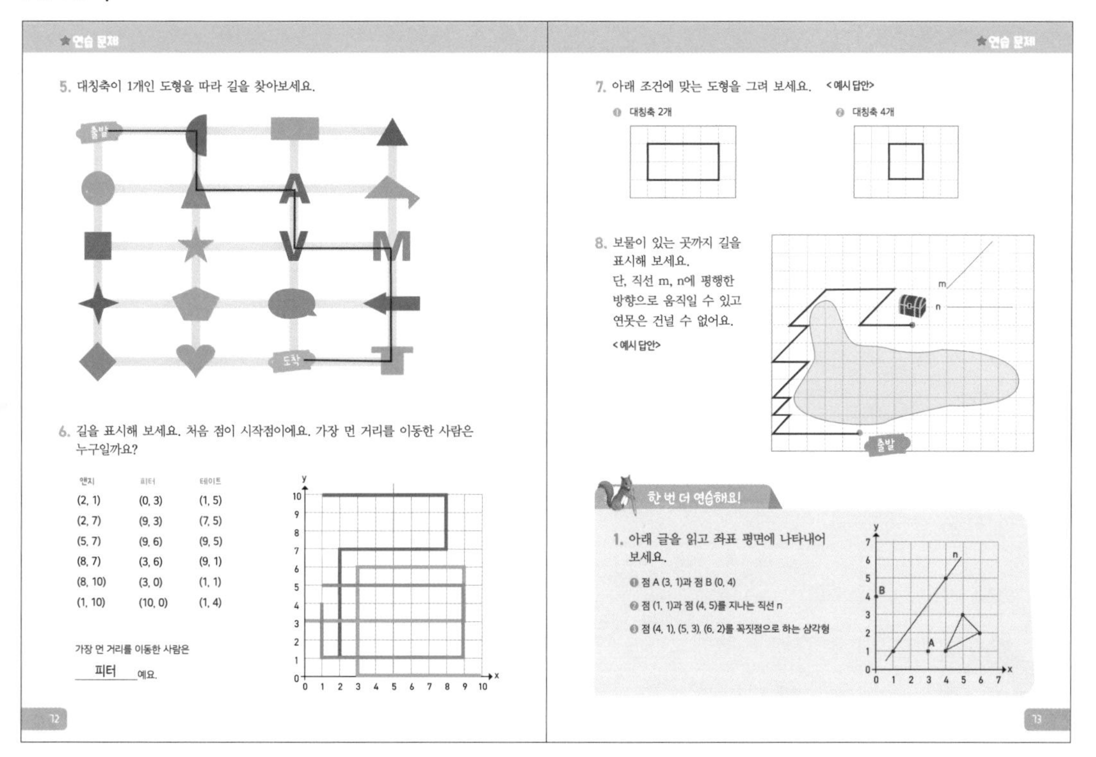

★연습 문제

5. 대칭축이 1개인 도형을 따라 길을 찾아보세요.

6. 길을 표시해 보세요. 처음 점이 시작점이에요. 가장 먼 거리를 이동한 사람은 누구일까요?

앤지	피터	테이트
(2, 1)	(0, 3)	(1, 5)
(2, 7)	(9, 3)	(7, 5)
(5, 7)	(9, 6)	(9, 5)
(8, 7)	(3, 6)	(9, 1)
(8, 10)	(3, 0)	(1, 1)
(1, 10)	(10, 0)	(1, 4)

가장 먼 거리를 이동한 사람은 피터예요.

7. 아래 조건에 맞는 도형을 그려 보세요. <예시 답안>

① 대칭축 2개 ② 대칭축 4개

8. 보물이 있는 곳까지 길을 표시해 보세요. 단, 직선 m, n에 평행한 방향으로 움직일 수 있고 연못은 건널 수 없어요.

<예시 답안>

한 번 더 연습해요!

1. 아래 글을 읽고 좌표 평면에 나타내어 보세요.

① 점 A (3, 1)과 점 B (0, 4)

② 점 (1, 1)과 점 (4, 5)를 지나는 직선 n

③ 점 (4, 1), (5, 3), (6, 2)를 꼭짓점으로 하는 삼각형

72쪽 6번

앤지의 이동 거리-6칸+6칸+3칸+7칸=22칸

피터의 이동 거리-9칸+3칸+6칸+6칸+7칸=31칸

테이트의 이동 거리-8칸+4칸+8칸+3칸=23칸

피터가 가장 먼 거리를 이동했어요.

74-75쪽

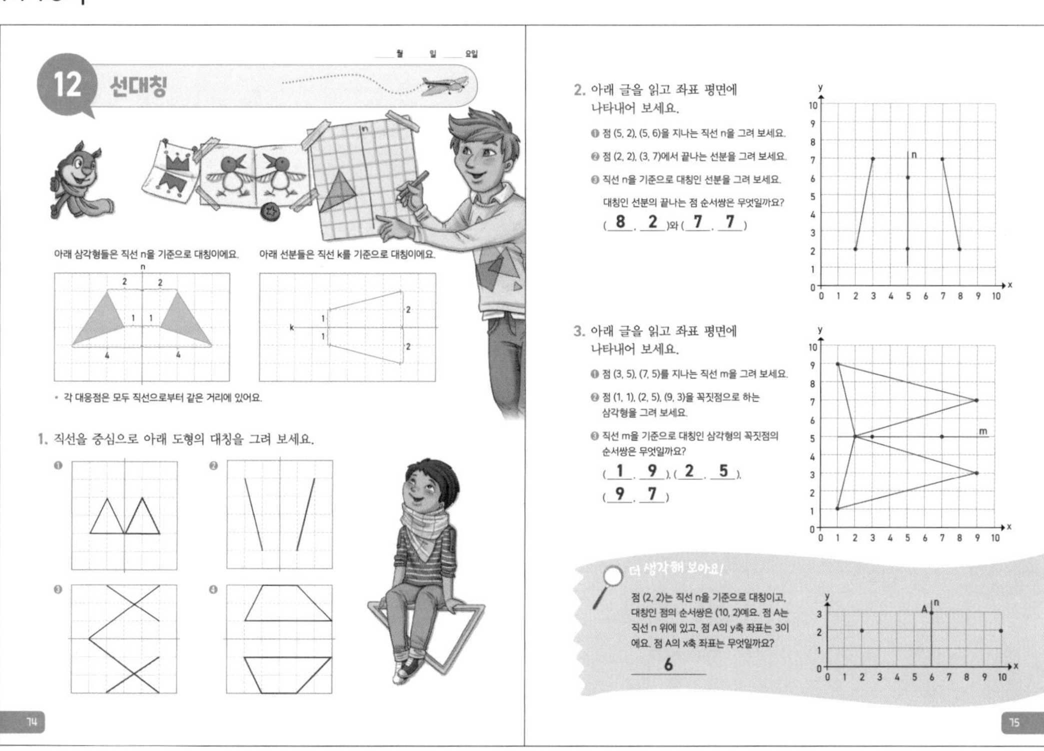

12 선대칭

월 일 요일

아래 삼각형들은 직선 n을 기준으로 대칭이에요. 아래 선분들은 직선 k를 기준으로 대칭이에요.

• 각 대응점은 모두 직선으로부터 같은 거리에 있어요.

1. 직선을 중심으로 아래 도형의 대칭을 그려 보세요.

2. 아래 글을 읽고 좌표 평면에 나타내어 보세요.

① 점 (5, 2), (5, 6)을 지나는 직선 n을 그려 보세요.

② 점 (2, 2), (3, 7)에서 끝나는 선분을 그려 보세요.

③ 직선 n을 기준으로 대칭인 선분을 그려 보세요.

대칭인 선분의 끝나는 점 순서쌍은 무엇일까요?

(8 , 2)와 (7 , 7)

3. 아래 글을 읽고 좌표 평면에 나타내어 보세요.

① 점 (3, 5), (7, 5)를 지나는 직선 m을 그려 보세요.

② 점 (1, 1), (2, 5), (9, 3)을 꼭짓점으로 하는 삼각형을 그려 보세요.

③ 직선 m을 기준으로 대칭인 삼각형의 꼭짓점의 순서쌍은 무엇일까요?

(1 , 9), (2 , 5), (9 , 7)

더 생각해 보아요!

점 (2, 2)는 직선 n을 기준으로 대칭이고, 대칭인 점의 순서쌍은 (10, 2)예요. 점 A는 직선 n 위에 있고, 점 A의 y축 좌표는 3이에요. 점 A의 x축 좌표는 무엇일까요?

6

부모님 가이드 | 74쪽

중심인 대칭축에서 양쪽의 거리는 모두 같은 거리만큼 떨어져 있다는 것을 기억하며 점을 찍은 후 점끼리 연결하여 선분을 이으면 정확하게 대칭인 도형을 그릴 수 있어요. 점을 먼저 찾는 것이 중요하답니다. 두 점을 잇는 직선은 오직 1개밖에 없으므로 정확한 대칭 도형을 그릴 수 있어요.

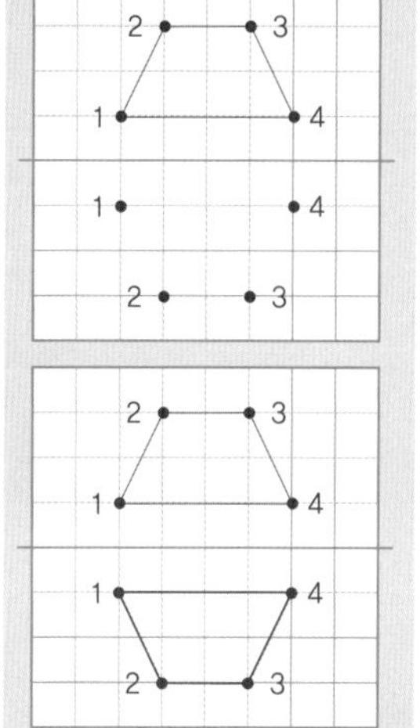

76-77쪽

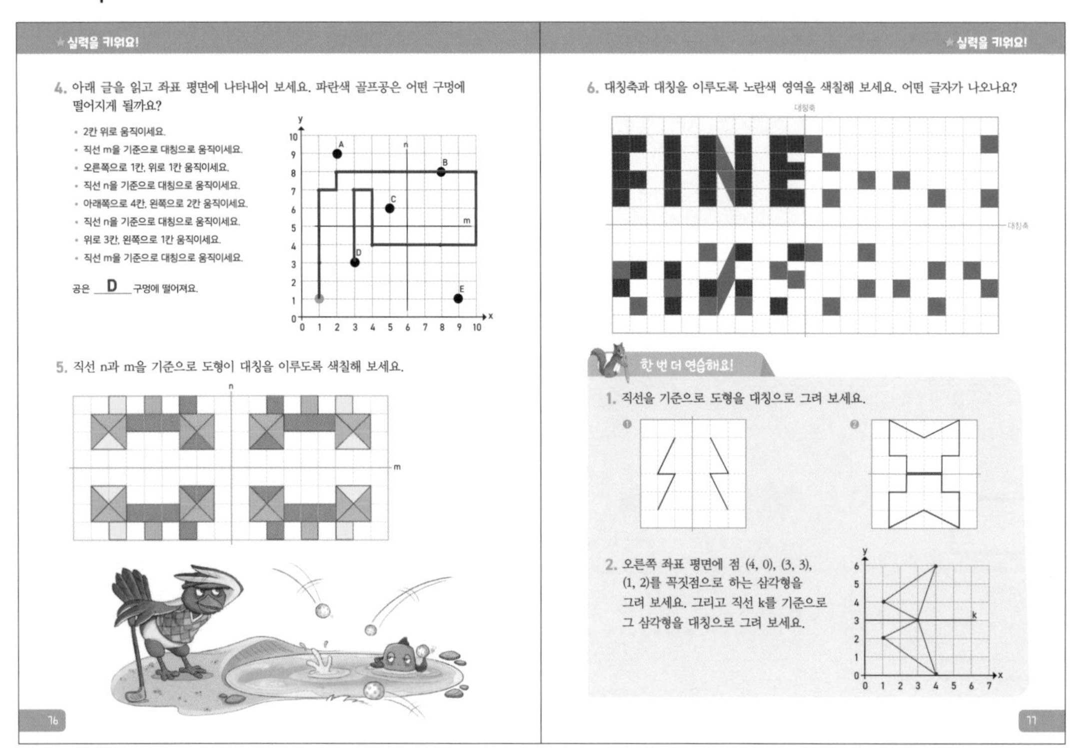

78-79쪽

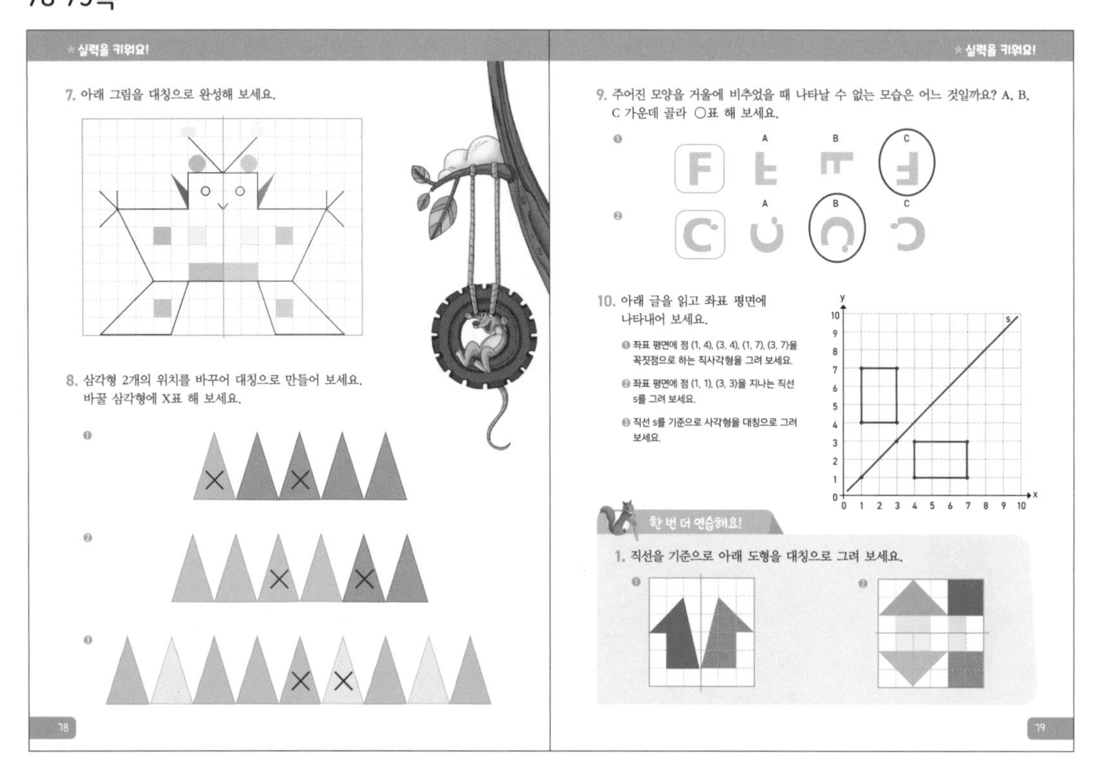

78쪽 8번

❶

❷

❸

79쪽 9번

대칭축을 중심으로 완전히 포개어지지 않는 도형을 찾으면 됩니다.

80-81쪽

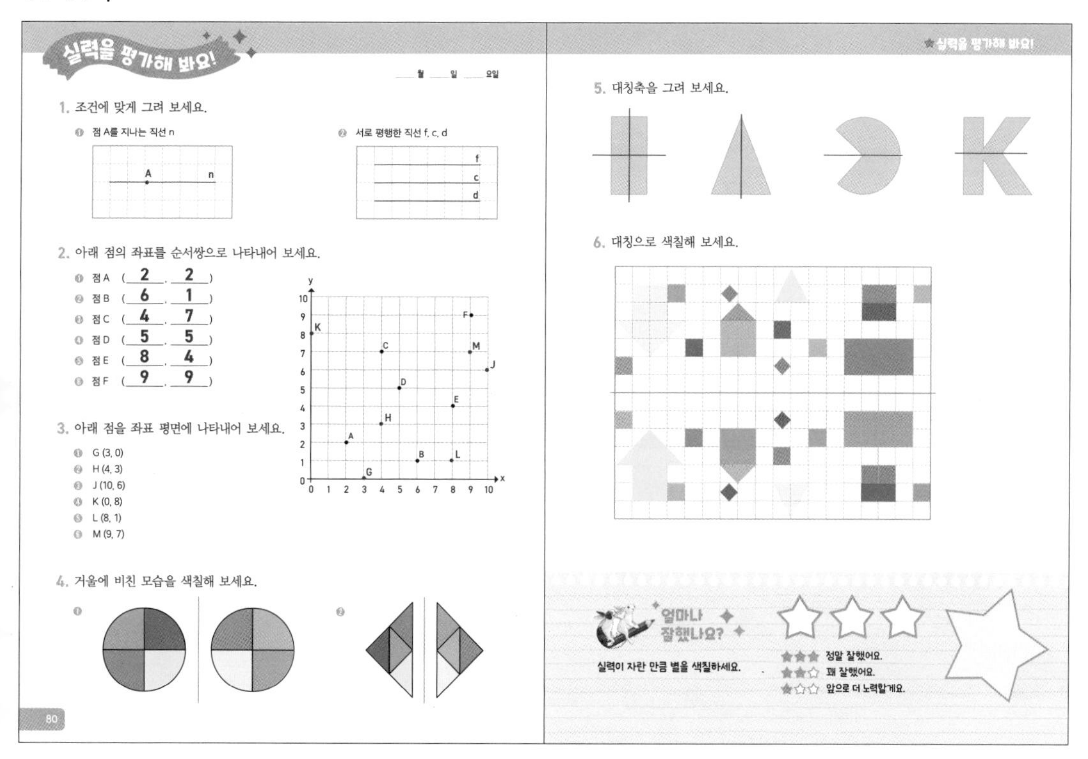

실력을 평가해 봐요!
1. 조건에 맞게 그려 보세요.
2. 아래 점의 좌표를 순서쌍으로 나타내어 보세요.
점 A (2, 2)
점 B (6, 1)
점 C (4, 7)
점 D (5, 5)
점 E (8, 4)
점 F (9, 9)
3. 아래 점을 좌표 평면에 나타내어 보세요.
G (3, 0)
H (4, 3)
J (10, 6)
K (0, 8)
L (8, 1)
M (9, 7)
4. 거울에 비친 모습을 색칠해 보세요.
5. 대칭축을 그려 보세요.
6. 대칭으로 색칠해 보세요.
얼마나 잘했나요?
실력이 자란 만큼 별을 색칠하세요.
정말 잘했어요.
꽤 잘했어요.
앞으로 더 노력할게요.

80쪽 2번

앞의 좌표가 가로축, 뒤의 좌표가 세로축을 나타내요. 따라서 먼저 가로축부터 찾고 세로축을 나중에 찾으세요.

82-83쪽

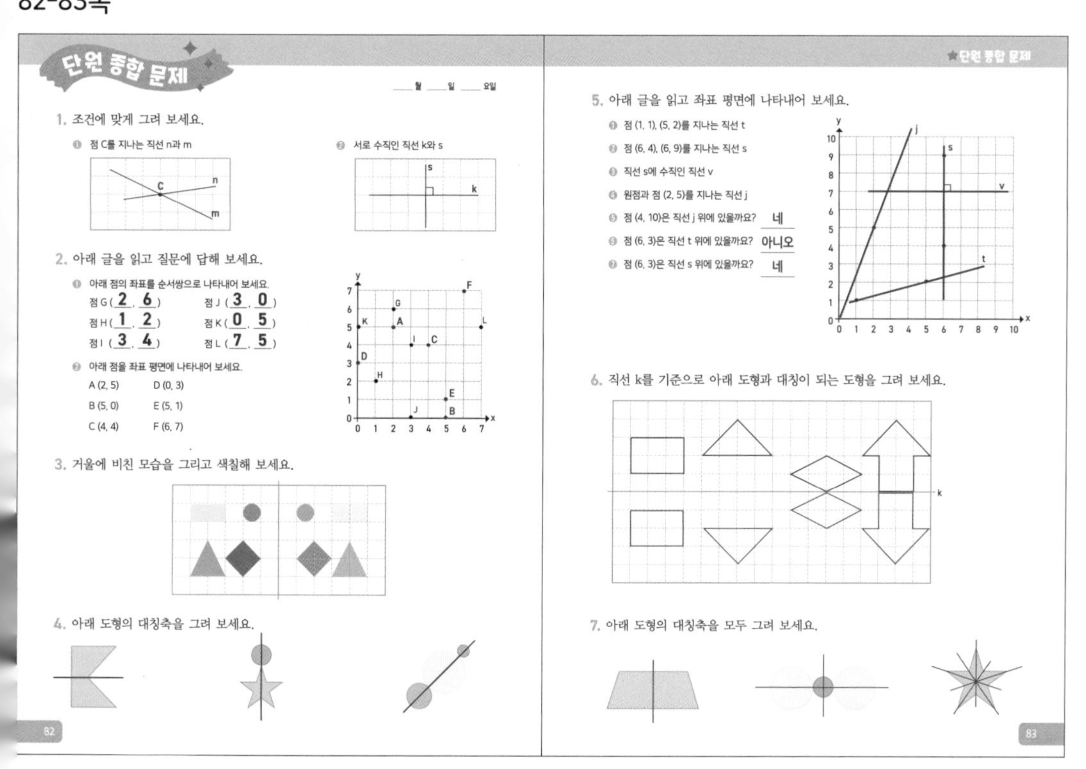

단원 종합 문제
1. 조건에 맞게 그려 보세요.
2. 아래 글을 읽고 질문에 답해 보세요.
점 G (2, 6) 점 J (3, 0)
점 H (1, 2) 점 K (0, 5)
점 I (3, 4) 점 L (7, 5)
3. 거울에 비친 모습을 그리고 색칠해 보세요.
4. 아래 도형의 대칭축을 그려 보세요.
5. 아래 글을 읽고 좌표 평면에 나타내어 보세요.
점 (4, 10)은 직선 j 위에 있을까요? 네
점 (6, 3)은 직선 t 위에 있을까요? 아니오
점 (6, 3)은 직선 s 위에 있을까요? 네
6. 직선 k를 기준으로 아래 도형과 대칭이 되는 도형을 그려 보세요.
7. 아래 도형의 대칭축을 모두 그려 보세요.

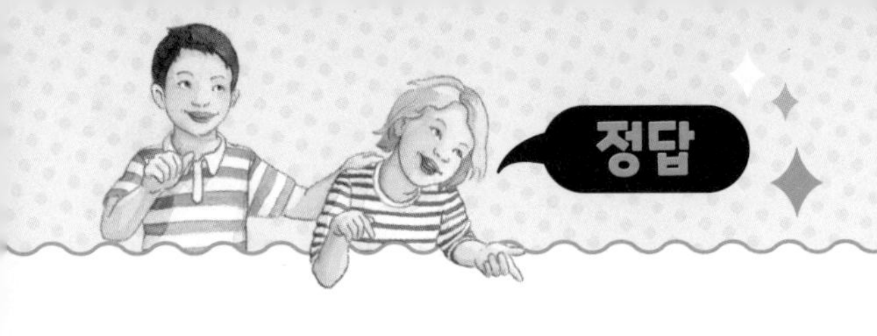

84-85쪽

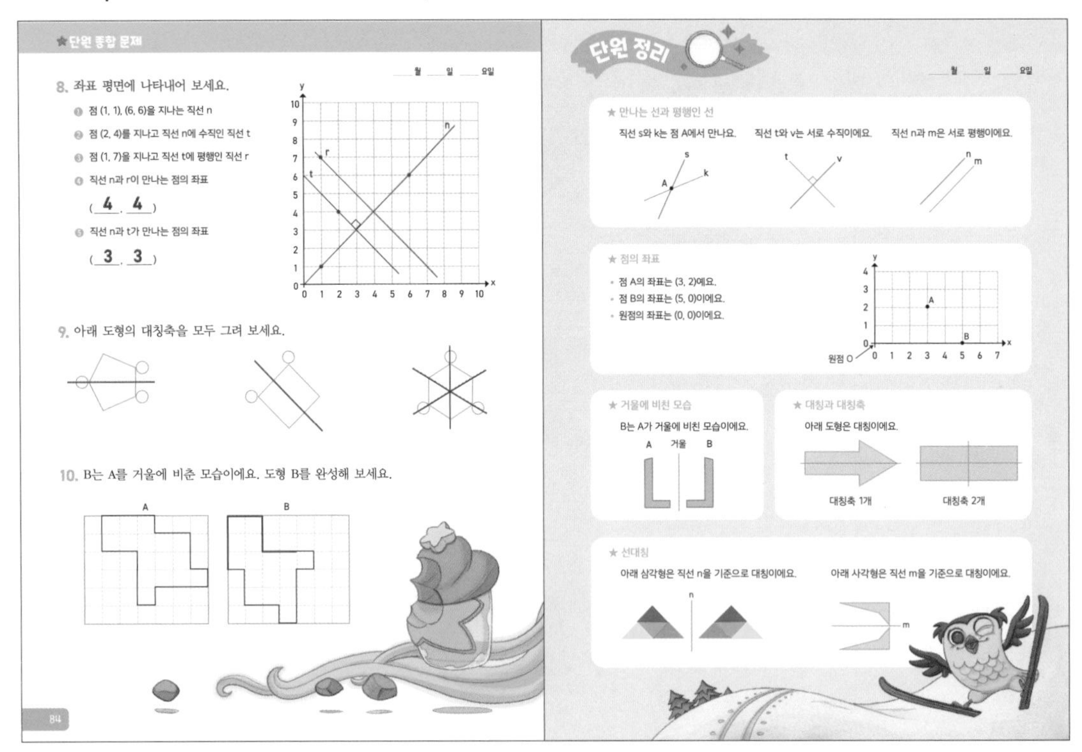

★ 단원 종합 문제

___월 ___일 ___요일

8. 좌표 평면에 나타내어 보세요.

① 점 (1, 1), (6, 6)을 지나는 직선 n

② 점 (2, 4)를 지나고 직선 n에 수직인 직선 t

③ 점 (1, 7)을 지나고 직선 t에 평행인 직선 r

④ 직선 n과 r이 만나는 점의 좌표

(4 , 4)

⑤ 직선 n과 t가 만나는 점의 좌표

(3 , 3)

9. 아래 도형의 대칭축을 모두 그려 보세요.

10. B는 A를 거울에 비춘 모습이에요. 도형 B를 완성해 보세요.

A B

84

단원 정리

___월 ___일 ___요일

★ 만나는 선과 평행인 선

직선 s와 k는 점 A에서 만나요. 직선 t와 v는 서로 수직이에요. 직선 n과 m은 서로 평행이에요.

★ 점의 좌표

- 점 A의 좌표는 (3, 2)예요.
- 점 B의 좌표는 (5, 0)이에요.
- 원점의 좌표는 (0, 0)이에요.

원점 O

★ 거울에 비친 모습

B는 A가 거울에 비친 모습이에요.

A 거울 B

★ 대칭과 대칭축

아래 도형은 대칭이에요.

대칭축 1개 대칭축 2개

★ 선대칭

아래 삼각형은 직선 n을 기준으로 대칭이에요. 아래 사각형은 직선 m을 기준으로 대칭이에요.

86-87쪽

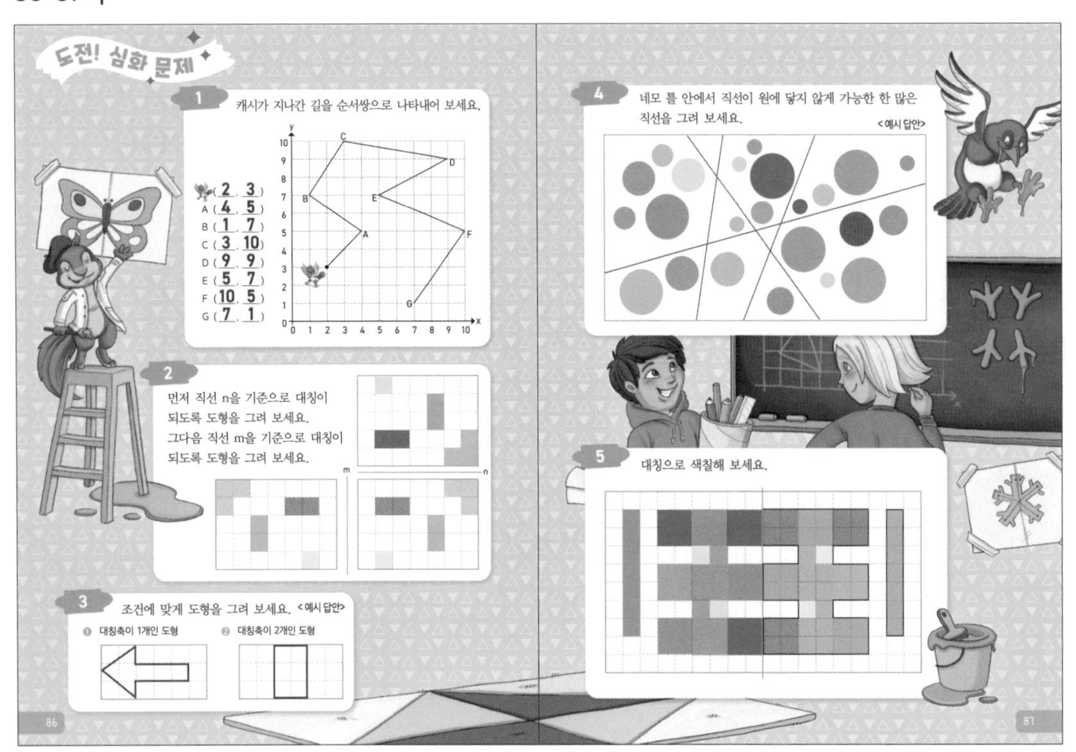

도전! 심화 문제

1 캐시가 지나간 길을 순서쌍으로 나타내어 보세요.

(2 , 3)
A (4 , 5)
B (1 , 7)
C (3 , 10)
D (9 , 9)
E (5 , 7)
F (10 , 5)
G (7 , 1)

2 먼저 직선 n을 기준으로 대칭이 되도록 도형을 그려 보세요. 그다음 직선 m을 기준으로 대칭이 되도록 도형을 그려 보세요.

3 조건에 맞게 도형을 그려 보세요. <예시 답안>

① 대칭축이 1개인 도형 ② 대칭축이 2개인 도형

86

4 네모 틀 안에서 직선이 원에 닿지 않게 가능한 한 많은 직선을 그려 보세요. <예시 답안>

5 대칭으로 색칠해 보세요.

87

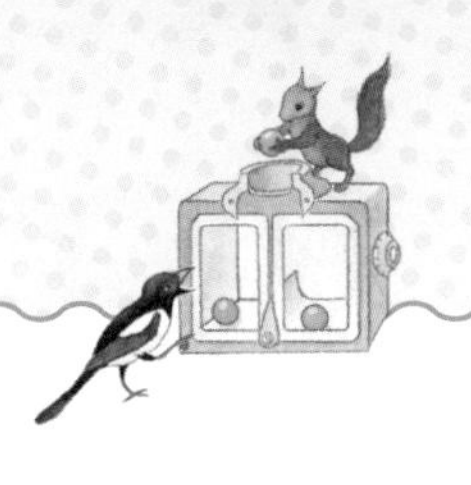

88-89쪽

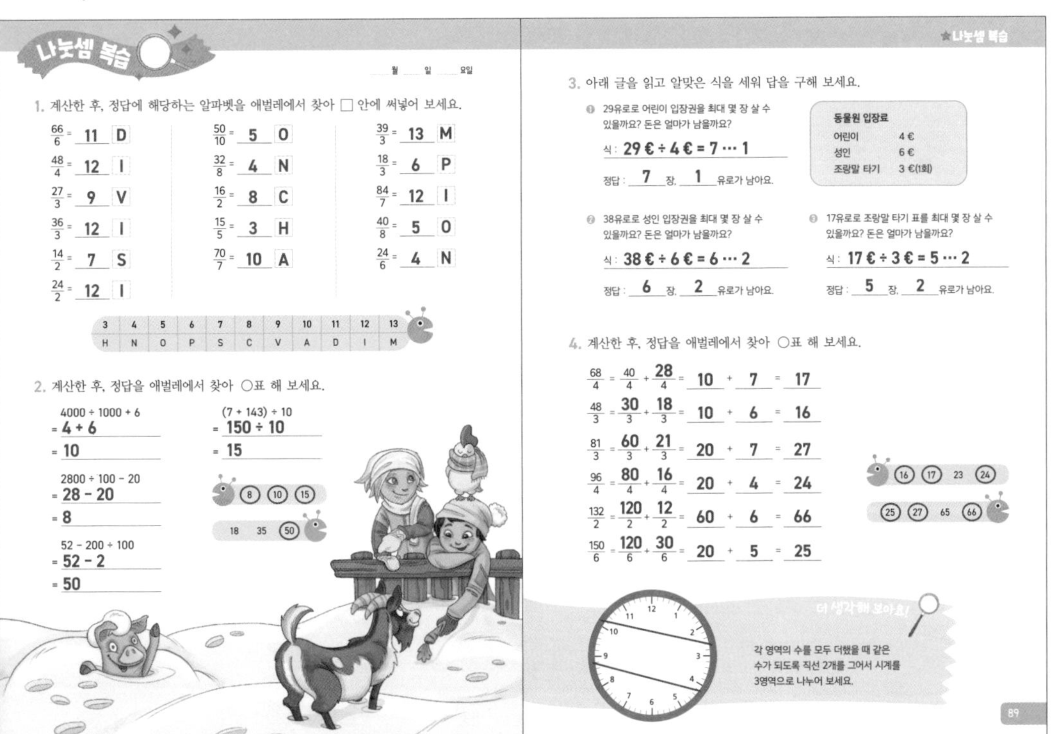

나눗셈 복습

월 일 요일

1. 계산한 후, 정답에 해당하는 알파벳을 애벌레에서 찾아 □ 안에 써넣어 보세요.

$\frac{66}{6}$ = 11 D, $\frac{48}{4}$ = 12 I, $\frac{27}{3}$ = 9 V, $\frac{36}{3}$ = 12 I, $\frac{14}{2}$ = 7 S, $\frac{24}{2}$ = 12 I

$\frac{50}{10}$ = 5 O, $\frac{32}{8}$ = 4 N, $\frac{16}{2}$ = 8 C, $\frac{15}{5}$ = 3 H, $\frac{70}{7}$ = 10 A

$\frac{39}{3}$ = 13 M, $\frac{18}{3}$ = 6 P, $\frac{84}{7}$ = 12 I, $\frac{40}{8}$ = 5 O, $\frac{24}{6}$ = 4 N

3	4	5	6	7	8	9	10	11	12	13
H	N	O	P	S	C	V	A	D	I	M

2. 계산한 후, 정답을 애벌레에서 찾아 ○표 해 보세요.

4000 ÷ 1000 + 6 = 4 + 6 = 10

2800 ÷ 100 − 20 = 28 − 20 = 8

52 − 200 ÷ 100 = 52 − 2 = 50

(7 + 143) ÷ 10 = 150 ÷ 10 = 15

3. 아래 글을 읽고 알맞은 식을 세워 답을 구해 보세요.

동물원 입장료	
어린이	4 €
성인	6 €
조랑말 타기	3 €(1회)

① 29유로로 어린이 입장권을 최대 몇 장 살 수 있을까요? 돈은 얼마가 남을까요?
식: 29 € ÷ 4 € = 7 ··· 1
정답: 7 장, 1 유로가 남아요.

② 38유로로 성인 입장권을 최대 몇 장 살 수 있을까요? 돈은 얼마가 남을까요?
식: 38 € ÷ 6 € = 6 ··· 2
정답: 6 장, 2 유로가 남아요.

③ 17유로로 조랑말 타기 표를 최대 몇 장 살 수 있을까요? 돈은 얼마가 남을까요?
식: 17 € ÷ 3 € = 5 ··· 2
정답: 5 장, 2 유로가 남아요.

4. 계산한 후, 정답을 애벌레에서 찾아 ○표 해 보세요.

$\frac{68}{4} = \frac{40}{4} + \frac{28}{4}$ = 10 + 7 = 17

$\frac{48}{3} = \frac{30}{3} + \frac{18}{3}$ = 10 + 6 = 16

$\frac{81}{3} = \frac{60}{3} + \frac{21}{3}$ = 20 + 7 = 27

$\frac{96}{4} = \frac{80}{4} + \frac{16}{4}$ = 20 + 4 = 24

$\frac{132}{2} = \frac{120}{2} + \frac{12}{2}$ = 60 + 6 = 66

$\frac{150}{6} = \frac{120}{6} + \frac{30}{6}$ = 20 + 5 = 25

더 생각해 보아요!
각 영역의 수를 모두 더했을 때 같은 수가 되도록 직선 2개를 그어서 시계를 3영역으로 나누어 보세요.

89

90-91쪽

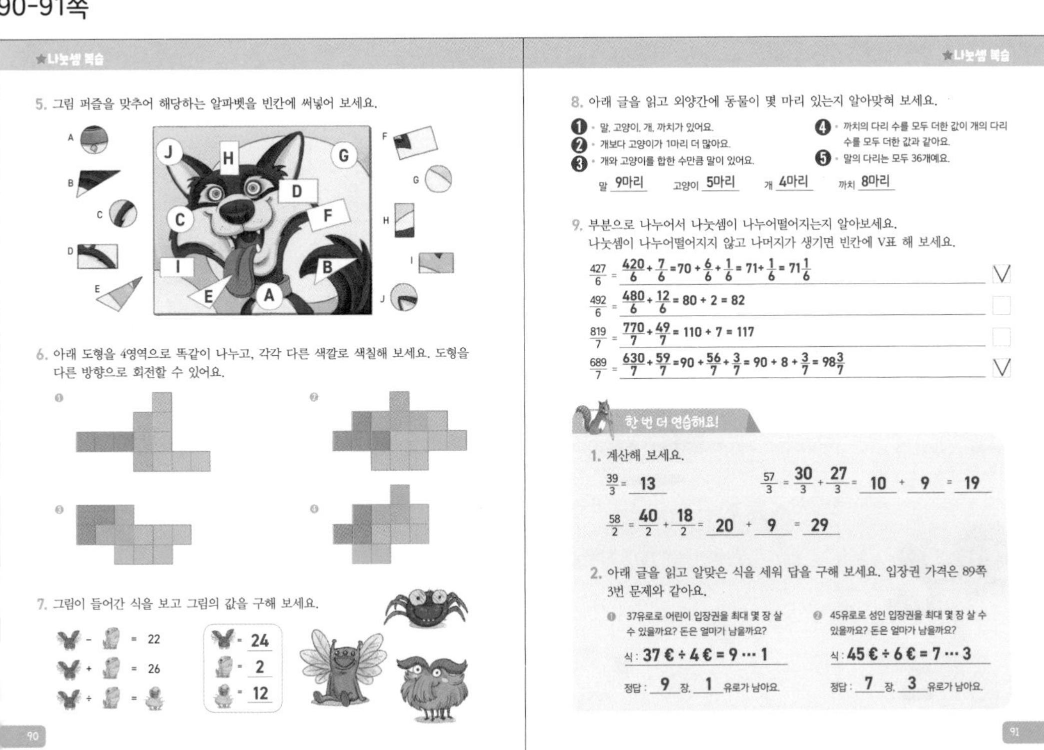

나눗셈 복습

5. 그림 퍼즐을 맞추어 해당하는 알파벳을 빈칸에 써넣어 보세요.

6. 아래 도형을 4영역으로 똑같이 나누고, 각각 다른 색깔로 색칠해 보세요. 도형을 다른 방향으로 회전할 수 있어요.

7. 그림이 들어간 식을 보고 그림의 값을 구해 보세요.

− = 22, + = 26, ÷ = / = 24, = 2, = 12

8. 아래 글을 읽고 외양간에 동물이 몇 마리 있는지 알아맞혀 보세요.

① 말, 고양이, 개, 까치가 있어요.
② 개보다 고양이가 1마리 더 많아요.
③ 개와 고양이를 합한 수만큼 말이 있어요.
④ 까치의 다리 수를 모두 더한 값이 개의 다리 수를 모두 더한 값과 같아요.
⑤ 말의 다리는 모두 36개예요.

말 9마리 고양이 5마리 개 4마리 까치 8마리

9. 부분으로 나누어서 나눗셈이 나누어떨어지는지 알아보세요.
나눗셈이 나누어떨어지지 않고 나머지가 생기면 빈칸에 V표 해 보세요.

$\frac{427}{6} = \frac{420}{6} + \frac{7}{6} = 70 + \frac{6}{6} + \frac{1}{6} = 71 + \frac{1}{6} = 71\frac{1}{6}$ V

$\frac{492}{6} = \frac{480}{6} + \frac{12}{6} = 80 + 2 = 82$

$\frac{819}{7} = \frac{770}{7} + \frac{49}{7} = 110 + 7 = 117$

$\frac{689}{7} = \frac{630}{7} + \frac{59}{7} = 90 + \frac{56}{7} + \frac{3}{7} = 90 + 8 + \frac{3}{7} = 98\frac{3}{7}$ V

한 번 더 연습해요!

1. 계산해 보세요.

$\frac{39}{3}$ = 13

$\frac{57}{3} = \frac{30}{3} + \frac{27}{3}$ = 10 + 9 = 19

$\frac{58}{2} = \frac{40}{2} + \frac{18}{2}$ = 20 + 9 = 29

2. 아래 글을 읽고 알맞은 식을 세워 답을 구해 보세요. 입장권 가격은 89쪽 3번 문제와 같아요.

① 37유로로 어린이 입장권을 최대 몇 장 살 수 있을까요? 돈은 얼마가 남을까요?
식: 37 € ÷ 4 € = 9 ··· 1
정답: 9 장, 1 유로가 남아요.

② 45유로로 성인 입장권을 최대 몇 장 살 수 있을까요? 돈은 얼마가 남을까요?
식: 45 € ÷ 6 € = 7 ··· 3
정답: 7 장, 3 유로가 남아요.

90 91

88쪽 1번

DIVISION CHAMPION
(나눗셈 챔피언)

89쪽 4번

나누는 수의 10배 되는 수와 10배 수를 뺀 나머지 수로 분해해서 나눗셈을 하면 쉽게 구할 수 있어요.

더 생각해 보아요! | 89쪽

1~12까지의 합은 78, 78을 3으로 나누면 26이에요. 합이 26이 되도록 나누면 돼요.

90쪽 7번

− = 22
+ = 26
두 수를 더했을 때 합이 26, 차가 22인 수를 찾아보면

14	15	···	22	23	**24**
12	11	···	4	3	**2**
합-26	26	···	26	26	**26**
차-22	4	차가 2씩 커짐	18	20	**22**

위의 표를 통해 =24, =2를 알 수 있어요.
÷ = , 24÷2=12,
=12

91쪽 8번

⑤ 말의 다리는 모두 36개예요.→36÷4=9, 말=9마리

② 개보다 고양이가 1마리 더 많아요.→고양이=개+1

③ 개와 고양이를 합한 수만큼 말이 있어요.→개+고양이=9, 개+1+개=9, 개+개=8, 개=4마리, 고양이=5마리

④ 까치의 다리 수를 모두 더한 값이 개의 다리 수를 모두 더한 값과 같아요.→개는 4마리이며, 다리 수는 16개예요. 까치는 다리가 2개이므로, 16÷2=8, 까치=8마리

92-93쪽

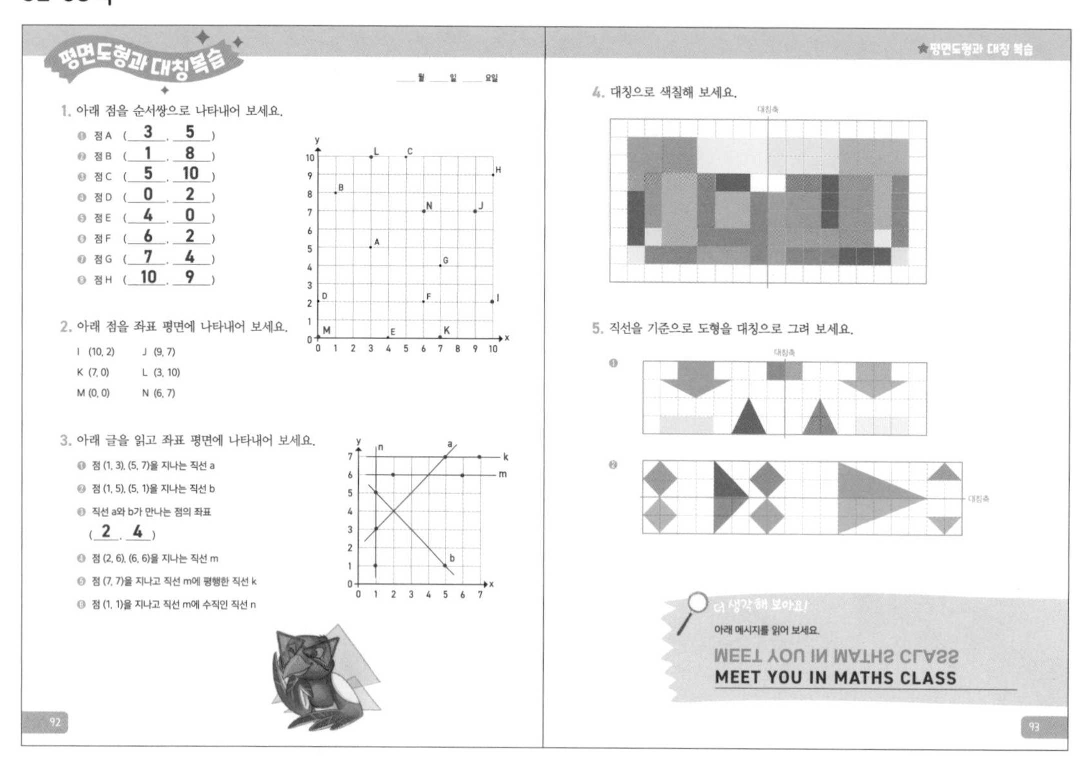

평면도형과 대칭복습

___월 ___일 ___요일

1. 아래 점을 순서쌍으로 나타내어 보세요.

❶ 점 A (3 , 5)
❷ 점 B (1 , 8)
❸ 점 C (5 , 10)
❹ 점 D (0 , 2)
❺ 점 E (4 , 0)
❻ 점 F (6 , 2)
❼ 점 G (7 , 4)
❽ 점 H (10 , 9)

2. 아래 점을 좌표 평면에 나타내어 보세요.

I (10, 2)　J (9, 7)
K (7, 0)　L (3, 10)
M (0, 0)　N (6, 7)

3. 아래 글을 읽고 좌표 평면에 나타내어 보세요.

❶ 점 (1, 3), (5, 7)을 지나는 직선 a
❷ 점 (1, 5), (5, 1)을 지나는 직선 b
❸ 직선 a와 b가 만나는 점의 좌표
(2 , 4)
❹ 점 (2, 6), (6, 6)을 지나는 직선 m
❺ 점 (7, 7)을 지나고 직선 m에 평행한 직선 k
❻ 점 (1, 1)을 지나고 직선 m에 수직인 직선 n

92

★평면도형과 대칭 복습

4. 대칭으로 색칠해 보세요.

대칭축

5. 직선을 기준으로 도형을 대칭으로 그려 보세요.

❶ 대칭축

❷ 대칭축

더 생각해 봐요!
아래 메시지를 읽어 보세요.
MEET YOU IN MATHS CLASS

93

94-95쪽

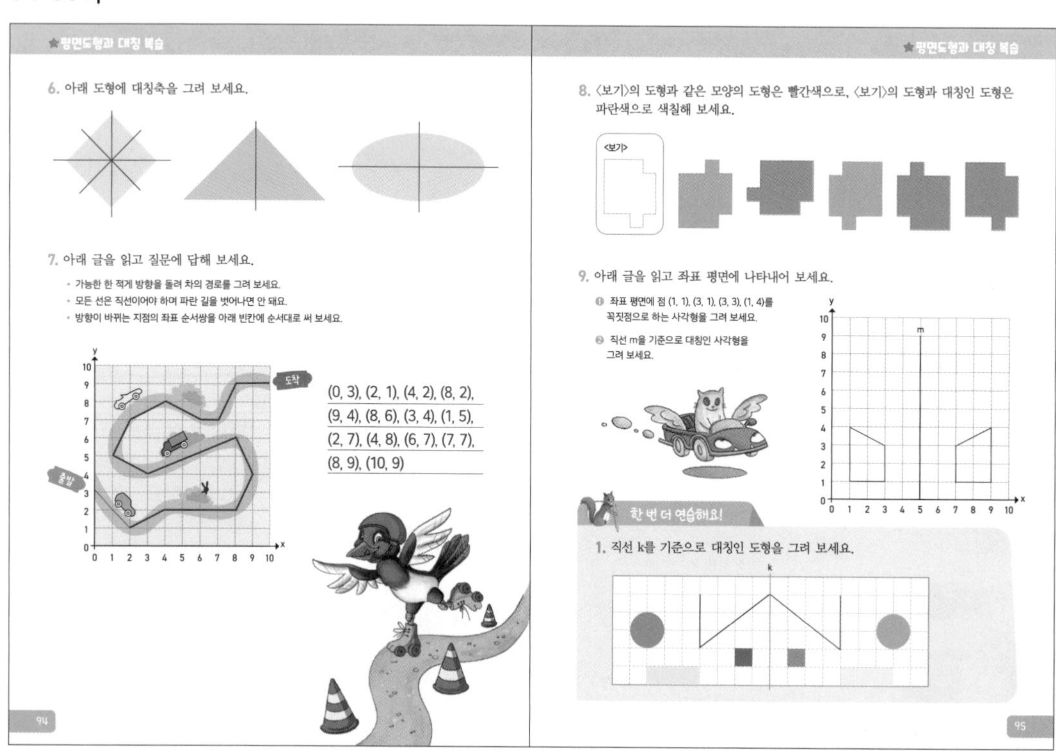

★평면도형과 대칭 복습

6. 아래 도형에 대칭축을 그려 보세요.

7. 아래 글을 읽고 질문에 답해 보세요.

- 가능한 한 적게 방향을 돌려 차의 경로를 그려 보세요.
- 모든 선은 직선이어야 하며 파란 길을 벗어나면 안 돼요.
- 방향이 바뀌는 지점의 좌표 순서쌍을 아래 빈칸에 순서대로 써 보세요.

출발　도착

(0, 3), (2, 1), (4, 2), (8, 2),
(9, 4), (8, 6), (3, 4), (1, 5),
(2, 7), (4, 8), (6, 7), (7, 7),
(8, 9), (10, 9)

94

★평면도형과 대칭 복습

8. 〈보기〉의 도형과 같은 모양의 도형은 빨간색으로, 〈보기〉의 도형과 대칭인 도형은 파란색으로 색칠해 보세요.

<보기>

9. 아래 글을 읽고 좌표 평면에 나타내어 보세요.

❶ 좌표 평면에 점 (1, 1), (3, 1), (3, 3), (1, 4)를 꼭짓점으로 하는 사각형을 그려 보세요.
❷ 직선 m을 기준으로 대칭인 사각형을 그려 보세요.

한 번 더 연습해요!

1. 직선 k를 기준으로 대칭인 도형을 그려 보세요.

95

MEMO

MEMO